DU MÊME AUTEUR

Aux Éditions Gallimard

LA NAUSÉE, *roman.*

LE MUR (Le Mur — La Chambre — Érostrate — Intimité — L'Enfance d'un chef), *nouvelles.*

L'IMAGINAIRE *(Psychologie phénoménologique de la perception), philosophie.*

L'ÊTRE ET LE NÉANT *(Essai d'ontologie phénoménologique), philosophie.*

LES CHEMINS DE LA LIBERTÉ, *romans.*

I. L'ÂGE DE RAISON

II. LE SURSIS

III. LA MORT DANS L'ÂME

THÉÂTRE

I. Les Mouches — Huis clos — Morts sans sépulture — La Putain respectueuse.

BAUDELAIRE, *essai.*

SITUATIONS, I à X, *essais.*

LES MAINS SALES, *théâtre.*

SAINT GENET, COMÉDIEN ET MARTYR (tome premier des Œuvres complètes de Jean Genet), *essai.*

RÉFLEXIONS SUR LA QUESTION JUIVE, *essai.*

KEAN, adapté d'Alexandre Dumas, *théâtre.*

NEKRASSOV, *théâtre.*

LES SÉQUESTRÉS D'ALTONA, *théâtre.*

CRITIQUE DE LA RAISON DIALECTIQUE *précédé de* QUESTIONS DE MÉTHODE, *philosophie.*

LES MOTS, *autobiographie.*

QU'EST-CE QUE LA LITTÉRATURE?, *essai.*

LES TROYENNES, adapté d'Euripide, *théâtre.*

L'IDIOT DE LA FAMILLE I, II, III *(Gustave Flaubert de 1821 à 1857), essai.*

PLAIDOYER POUR LES INTELLECTUELS, *essai.*

Suite de la bibliographie en fin de volume

LES CARNETS
DE LA DRÔLE DE GUERRE

JEAN-PAUL SARTRE

LES CARNETS DE LA DRÔLE DE GUERRE

Novembre 1939 - Mars 1940

GALLIMARD

Il a été tiré de l'édition originale de cet ouvrage cinquante-sept exemplaires sur vergé blanc de Hollande van Gelder numérotés de 1 *à* 57 *et quatre-vingt-sept exemplaires sur vélin d'Arches Arjomari-Prioux numérotés de* 58 *à* 144.

Des carnets que Sartre écrivit pendant sa mobilisation en Alsace, entre septembre 1939 et juin 1940, seuls ceux que nous publions ici ont pu être retrouvés. Depuis quarante ans les autres, égarés dans un train par un ami mobilisé qui venait d'être blessé, n'ont, semble-t-il, pas réapparu. Peut-être ont-ils été détruits, ou bien ceux qui les détiennent ne sont-ils pas décidés à le faire savoir. Quoi qu'il en soit, Sartre écrivait d'abord pour ses contemporains : nous ne voyons pas de raison d'attendre plus longtemps pour livrer les carnets qui nous restent au public.

Sartre a voulu que ce journal soit le témoignage d'un soldat quelconque sur la guerre et la tournure bizarre qu'elle prenait, sur cet état de mobilisation oisive où on l'avait plongé avec des millions d'autres. Il a voulu aussi qu'il soit une remise en question de lui-même, à la faveur de ce temps mort forcé, loin du cours normal de sa vie, une remise en question qui marque la fin de sa jeunesse. On y trouvera également en germe bien des intérêts que ses œuvres développeront par la suite, l'esquisse de L'Etre et le Néant, *des* Mots, *ses premières idées pour construire une Morale, et déjà cette interrogation : comment rendre compte d'un homme dans sa totalité ? qui ne trouvera de réponse achevée que dans sa toute dernière œuvre,* L'Idiot de la famille.

Arlette Elkaïm-Sartre

CARNET III

Novembre-Décembre 1939

Brumath – Morsbronn

12 Novembre (suite)

... « [Comme] si l'ensemble de sa personne eût été porté sans transition d'un milieu à un autre. L'affaire intéressait aussi bien le regard que la respiration, les idées que les membres. Plus rien, ni au-dedans ni au-dehors, ne se laissait percevoir de la même façon qu'avant [1]. »

Seulement sa géographie, son unanimisme et son naturalisme statistique l'entraînent aussitôt à gâcher son effet : « La peur des tranchées est un produit local. Comme le pou des tranchées, elle ne se développe bien qu'en première ligne. » Voilà qui est idiot : quel besoin le pousse à faire de cette peur un organisme autonome, comparable à une vermine et qui aurait besoin de conditions climatiques privilégiées pour se développer ? Alors qu'il a presque compris — qu'il a compris tout à fait, un instant — que cette peur était l'organe, le sens au moyen duquel l'homme percevait le monde des tranchées.

Page 12 *(id.)* : « Les chefs découvraient que si, pour attaquer et se donner une chance de vaincre, aucune rareté de la matière,

1. Citation de Jules Romains *(Prélude à Verdun)*. Le paragraphe du livre de Romains, que Sartre commente, commence ainsi : « Jerphanion éprouva un changement d'état ; un saisissement très particulier qu'il identifia tout de suite parce qu'il en avait l'expérience. Comme si l'ensemble, etc. » Le début du commentaire était dans le carnet précédent disparu. *(N.d.E.)*

aucune perfection technique de l'instrument n'était de trop, n'était assez, pour se défendre au contraire, les matières les plus naïves, des choses qui traînent partout, des malices vieilles comme le monde, des accessoires de la plus humiliante vulgarité montraient à plein leurs ressources : de la terre remuée avec de simples pelles ; des sacs, des caisses, remplis de mottes ou de cailloux ; des branches pressées dans de la glaise battue ; des fils de fer de jardinier avec des piquants. » En somme c'est ce que je notais dans le carnet précédent : la destruction se détruit elle-même. Si l'on veut *détruire* le destructeur (tir de contrebatterie), on retombe dans ce luxe de moyens qui portent en soi leur propre mort. Mais si l'on veut faire son métier d'homme, c'est-à-dire *parer* à la destruction, un minimum de moyens suffit — comme l'abri le plus humble contre le plus grand vent. La destruction artificielle tend par elle-même à devenir semblable à une force naturelle (dispersion des obus, etc.) et tend, comme la nature, à compenser le hasard et l'incertitude de chaque cas par le luxe des moyens et le nombre des cas. La destruction, étant aveugle, est statistique.

Chaque présent a son avenir qui l'illumine et disparaît avec lui, qui devient *avenir-passé :*

Mais où sont les avenirs d'antan ?

C'est le sens de la célèbre formule : « Que la République était belle sous l'Empire ! » Après 70, l'avenir d'antan de l'Empire mort c'était la République. Non point celle de Jules Ferry et de Gambetta. Une autre, qui fut seulement avenir et qui conserva, en glissant dans le passé, sa qualité d'avenir. Un jour du printemps dernier je me promenais à St-Cloud, le long de la voie ferrée. Je voyais la gare, ses trottoirs et ses rails et le toit d'un blanc fiévreux et gris des trains de banlieue. Je revécus, un moment, un temps passé : deux ans auparavant, le Castor avait une pneumonie, on l'avait transportée dans une clinique de St-Cloud, j'allais la voir tous les jours. Mais c'était la fin de ma passion pour O. J'étais nerveux, inquiet. J'attendais, chaque jour, le moment de la revoir et, par-delà ce moment, je ne sais quel impossible rapprochement. L'avenir de tous ces moments que je passais dans la gare de St-Cloud, en attendant le train, c'était cet amour impossible. Or, ce jour du printemps dernier, ce temps revécut avec une poésie poignante et douce. Mais ce qui revivait surtout, c'était son avenir d'alors. Ce que je revoyais, c'était un St-Cloud orienté vers Paris, vers Montparnasse où j'allais rentrer pour retrouver O. Et voilà qu'à présent j'avais un autre avenir, d'autres espoirs, d'autres amours. Mais rien n'était plus émouvant que ce moment où je me détournai de mon avenir vivant, du Paris et des gens qui m'attendaient à l'horizon de St-Cloud, pour contempler un moment cet avenir mort. Et c'est aussi un avenir mort, plutôt qu'une suite de présents défunts, que nous avons été rechercher à Rouen l'an dernier, le Castor et moi.

Quand je suis parti, en Septembre, chaque instant avait un avenir indéfini et lointain : la fin de la guerre. Et cet avenir reculé et insaisissable rendait le présent écrasant : plus l'avenir est léger, plus le présent est lourd. Et puis peu à peu, cet avenir s'est évanoui, je n'ai plus qu'un avenir quotidien et puis quelques repères : les visites, la permission prochaine. Cela suffit à rendre la vie très supportable.

Lundi 13 Novembre

Excellente formule que J. Romains prête à Maykosen (qui n'aime pas les Français mais aime profondément Paris) : « Les hommes sont comme les abeilles. Leurs produits valent mieux qu'eux. »

De temps en temps un de nous, adjudant, sergent, soldat, pris d'une émotion timide, à la lecture d'une lettre ou à l'apparition d'un souvenir, se met à parler de ses amis, de son passé, de sa vie civile. Ça tombe dans un silence sépulcral. Les autres écrivent, regardent par la fenêtre, s'en foutent éperdument. La voix du type semble maigrelette. Elle finit par s'éteindre de consomption et le type reste interdit, muet, un vague sourire gêné aux lèvres. Puis il se détourne et se remet au travail.

L'adjudant, le sergent-chef Naudin, le soldat Hang parlent tous trois du départ. Avec héroïsme. Un héroïsme qui finit tout de même par les impressionner.

L'adjudant, martial et railleur : « Mon vieux Hang, vous pouvez toujours aller vous confesser. »

Hang : « Pourquoi me confesser ? »

Naudin : « Tu sais ce que t'a dit ta femme ? »

L'adjudant : « Moi je ne me confesse pas, j'ai pas de péchés. »

Naudin : « Oh ! moi, si ça chie là-bas, j'y vais. »

Hang : « Où iras-tu ? »

Naudin : « Pardi ! A confesse. »

L'adjudant : « Y a pas besoin. » Sentencieux et luttant un peu contre les mots : « En cas de guerre, il y a dérogation générale pour nous. On n'a pas besoin de confesse ; quelle que soit sa foi ou son parti politique on va tout droit au ciel. »

Hang : « Oh ! alors c'est le paradis de Mahomet ! »

Ils rient et puis ils se réjouissent à l'idée que le gros sergent-chef Thibaud aura peur.

« Si ça pète, il chiera dans son froc. » Egayé chacun répète : « Il chiera dans son froc, il chiera dans son froc. »

Hang : « Il veut venir avec nous en observation. »

Naudin : « Tu verras ! Tu verras ! »

Hang : « Ah s'il vient, je souhaite que ça tire un peu. »

Moi : « Oui, à la condition que ça ne tire ni sur toi — ni sur lui, parce que tu ne souhaites pas sa mort — ni sur personne. »

Hang : « Oui. A cent mètres. »

Naudin, grave : « Il ne faut souhaiter la mort de personne. »

L'adjudant : « Un gros obus qui éclate à vingt mètres : vous verriez le gros ! Et moi je lui tendrais une chaise et je lui dirais : Asseyez-vous, mon pauvre Thibaud, vous avez l'air malade. »

Ils parlent des derniers méfaits du gros et chacun explique le bon tour qu'il lui jouera un de ces jours.

Naudin : « Oh mais ! il y en a deux ou trois ici, que je ne veux même pas dire leur nom, eh bien, ils le tiennent ! Ils ont gardé les papiers sur eux, tout est écrit. Ils ne disent rien parce que ce serait trop grave, mais s'il nous emmerde, alors tu verras ! Les papiers sortiront et il n'aura plus qu'à découdre ses galons et à se raser le crâne. »

Hang : « Les méchants, ça leur retombe toujours sur le dos. »

Naudin : « Tu peux le dire : quand on est méchant, ça vous retombe toujours sur le dos. »

Mardi 14 Novembre

Hier soir j'ai mal aux yeux et j'interromps mon travail ; à ce moment Pieter me dit qu'un de ses amis vient de lui écrire : « On est surpris et peiné de l'incompréhension et de la jalousie de certains. » Ça m'agace parce que le même type lui a écrit la même phrase mot pour mot il y a un mois. C'est un commerçant qui est dans un poste de D.C.A. à 50 kilomètres de Paris, dans un bled. Les copains couchent dans la boue. A cinq cents mètres de leur batterie il y a six maisons et une épicerie. Le type et un de ses copains qui est garçon de café à la Coupole ont trouvé une bonne femme qui, moyennant 100 francs par mois, les loge et les nourrit. Ils ne déjeunent, ni ne dînent ni ne couchent avec leurs camarades. En plus de ça, la proximité de Paris permet au frère du type de s'amener en auto deux ou trois fois par semaine avec un poulet et quelques bonnes bouteilles. Son amie est venue le voir et passer la nuit avec lui. Il reçoit aussi de confortables paquets. Après quoi il s'étonne et s'afflige de susciter l'envie chez ses camarades. Je donne mon avis à Pieter et je n'ose ajouter que si ce type a le dixième de la jovialité importante et généreuse de Pieter, s'il partage ses paquets avec un emportement de cordialité, s'il montre des photos de son amie et propose de rendre service, tout en parlant de ses affaires avec un certain air d'impartialité critique, il a dû à coup sûr se faire haïr. « En somme, dit Pieter indigné, tu voudrais que ce type se prive de lit, de femme et de nourriture pour faire plaisir aux lourdauds qui sont avec lui ? » Je réponds : « Eh bien oui. » Et je vois que ce qui le choque, sans qu'il arrive à se le formuler nettement, c'est que le fait d'être avec des lourdauds crée des devoirs supplémentaires. Il dit : « En théorie c'est très joli mais en pratique... Toi tu vis en théorie mais moi je suis un commerçant, un homme pratique. » Je dis : « Laisse donc une bonne fois ces histoires de théorie et de pratique. Tu n'es ni plus ni moins pratique que moi : tu as besoin de moi dans certains cas pratiques, tout comme moi dans d'autres cas, j'ai besoin de toi. » Aussitôt, autre argument de Pieter, aussi prévisible que le précédent : « En tout cas toi tu ne le fais pas. » J'aurais dû lui répondre : « Admettons que je ne le fasse pas et que je sois un porc, je ne parle pas de moi, je dis qu'il faut le faire. » (A quoi il m'eût sans doute répondu : C'est bien joli de dire qu'il *faut* faire une chose, mais c'est facile quand on ne la fait pas soi-même, etc.) Mais je suis fatigué et je me laisse entraîner sur le terrain de l'accusation et de l'apologie — le terrain où je me sens toujours le plus mal à l'aise parce que je n'ai pas l'habitude de parler de moi et parce que mon orgueil se cabre dès qu'on me met en accusation. Je réponds donc : « Si le hasard voulait que je sois avec des types de la biffe [1], je le ferais certainement. Mais ici, ça n'est pas pareil. — Je commence à te connaître, dit Pieter, tu n'aimes pas qu'on t'emmerde, tu écris toute la journée et quand ça te plaît d'aller déjeuner seul au restaurant, tu ne nous l'envoies pas dire. » Je lui dis : « Parce que je suis avec des bourgeois ; je n'irais pas me gêner pour des bourgeois et, d'ailleurs, je n'ai rien que vous n'ayez ou ne puissiez avoir. » Ici la conversation tourne subitement : Pieter met quelque aigreur à me demander : « Mais si ça te dégoûte tant que ça d'être avec des bourgeois, pourquoi y restes-tu ? » Pourquoi en effet ? Toute la question est là, c'est toujours le même problème social dont je parlais l'autre jour, toute mon incertitude profonde. Je réponds de la façon la plus facile et la plus désastreuse : « Parce que j'ai commis en 1929 la faute de me faire embusquer à la météorologie. C'était une saloperie, je le reconnais. » Pieter : « Ha ! Ha ! tu es donc un salaud ! » Moi, maladroitement, sincèrement indigné qu'on me reproche une faute si lointaine et qu'on me solidarise de force avec celui que j'étais en 1929 : « Tu ne vas tout de même pas me condamner *à*

1. L'infanterie, en argot de soldat. *(N.d.E.)*

présent pour une saloperie que j'ai commise en 1929 ! » C'est mon orgueil qui me fait parler, mon sens du progrès et cette façon que j'ai de me désolidariser de ce que j'étais la veille. Chaque fois que quelqu'un semble frappé par la permanence de mon moi, je suis égaré d'inquiétude. Naturellement je m'attire la riposte prévisible : « Sais-tu à qui tu ressembles ? A ce type qui avait volé un morceau de chocolat et qui, huit jours après, le mange avec plaisir en disant : je suis un voleur, un salaud, j'ai des remords. Moi je suis plus franc que toi, je me suis fait pistonner, je suis satisfait du résultat et je le dis. » Moi : « Je ne sais pas pourquoi tu appelles ça de la franchise : tu te caches que tu es un salaud. » Pieter : « Je ne suis pas un salaud. Ah ! dans une société où régnerait la justice, si je commettais une injustice à mon profit, je pourrais avoir des remords. Mais dans ce monde-ci, je me dis que je ne suis pas une exception, qu'il y a cinq cent mille pistonnés comme moi et que si je n'étais pas à cette place, un autre y serait. Tandis que toi tu dis que tu es un salaud, c'est plus habile, mais tu profites comme moi des avantages de la météo. Un type qui dirait : je suis un salaud et puis qui refuserait ces avantages, qui partirait s'engager dans la biffe, celui-là, je dirais qu'il est sincère. Mais qu'est-ce qui me prouve que tu es sincère ? » Paul : « Et puis il y a une chose qui me chiffonne dans ce que dit Sartre : si tu vas par là, tu devrais te mettre toujours au niveau du plus défavorisé. » Moi : « Non : au niveau de la masse. » Pieter : « Et puis autre chose : moi, toujours franc, je me réjouis d'apprendre que ma femme a rouvert le magasin et qu'il marche. Là aussi, je suis un favorisé. Mais toi, tu l'es plus que moi encore : tu touches ton traitement. Pendant ce temps-là il y a des types qui n'ont pour vivre que leurs dix sous par jour et leurs femmes n'ont que leurs allocations. Pourquoi ne leur abandonnes-tu pas ton traitement ? » Paul : « Tout à fait d'accord. » Moi : « C'est autre chose. Il y a des privilèges de paix et une société bâtie sur ces privilèges. En paix il ne s'agit pas qu'un individu abandonne ces privilèges, ce qui serait une goutte d'eau dans la mer, mais qu'il lutte pour la suppression de *tous* les privilèges (en disant cela je pense, comme la présence de Paul, socialiste, m'y invite, à Blum et à Zyromski[1] et j'ai l'arrière-pensée vague de le tirer de mon côté). Ce que je veux, c'est ne pas y ajouter des privilèges neufs, les privilèges de guerre. » Ce dont personne ne se rend compte, c'est que la conversation a dévié — et dévié dangereusement pour moi par suite de ma maladresse : je me bornais à dire que dans chaque milieu militaire particulier il fallait accommoder son niveau de vie au niveau moyen. Mais l'idée s'est modifiée au cours de la conversation : il s'est agi de partager le sort des moins favorisés de *toute* la société militaire : ne pas avoir de sac de couchage si d'autres, invisibles et lointains, n'ont pas de sac de couchage — ne pas recevoir de visites si d'autres, en ligne, ne peuvent pas faire venir leur femme, etc. Et cela tient vraisemblablement à ce que la première idée est glissante et inconsistante : au fond c'est une apparence. C'est donc parce que j'ai *mal* pensé que j'en suis venu à défendre soudain cette exagération sans principes : vivre le sort des plus malheureux. Ou plutôt le principe de cette nouvelle idée, j'en sentais obscurément la présence, c'était l'humanisme de Guille[2], fort soutenable mais que je ne partage pas. Cette distinction des privilèges de paix et des privilèges de guerre ne convainc pas Paul, il secoue la tête et se tait. Cependant Pieter s'acharne à me prouver que je jouis de nombreux privilèges : j'ai un lit — qu'il m'a procuré —, je déjeune au restaurant, etc., etc. Je le sais pardieu bien. Je reprends l'offensive, mais à partir de ce moment-là, je suis sonné : j'aurai Pieter, parce que je veux l'avoir par vanité blessée, mais au fond je sais qu'il m'a eu. Je lui dis : « Tu as toujours été au-dessous de la question. Tu t'es débarrassé de ce que je te disais sur la conscience que j'avais de ma faute, en prétendant que c'étaient des *mots* et une attitude. — Eh bien oui.

1. Il s'agit là très probablement du romancier polonais Stefan Zeromski. *(N.d.E.)*

2. Ami de Sartre. Il fut son condisciple à l'Ecole Normale, de même que Raymond Aron, Paul Nizan et René Maheu, dont il sera question plus loin. *(N.d.E.)*

Qu'est-ce qui me prouve que tu dis vrai ? Ça peut être par goût du théâtral. » Il est adossé au calorifère, tout rouge, oratoire. Je lui dis (je suis assis à ma place) : « Regarde-toi et dis-moi lequel de nous deux est le plus théâtral (mauvaise foi car la question n'est pas là, mais je remporte un point car je fais rire Keller et Paul). Tu aurais pu mentionner que rien ne te prouvait ma sincérité. Mais ne pas t'arrêter là, parce qu'alors la conversation finit là : je ne peux pas te la prouver, pas plus que tu ne peux me prouver que ta bonne conscience est sincère. Mais si tu voulais discuter, il fallait au contraire accepter l'hypothèse de cette sincérité et me combattre sur ce terrain. Tu ne manquais pas d'arguments. » Je lui en cite quelques-uns, assuré que ceux-là il ne me les resservira pas puisque je les lui fournis moi-même : il croira que j'ai les réponses prêtes. Or je n'ai pas de réponses. J'ajoute : « Ce qu'il y a, c'est que tu n'es pas capable de comprendre ce que ça veut dire : penser sur soi-même. Si je te dis que dans telle circonstance j'ai agi en salaud, tu réduis ça à des *mots*, tu ne vois pas ce que peut être l'effort pour se juger. Et tu ne le vois pas parce que tu es incapable de faire cet effort. Ton raisonnement c'est : je ne suis pas un salaud parce que cinq cent mille types sont salauds comme moi, tu t'évades de toi-même et plutôt que de te regarder comme individu seul et unique, tu te tranquillises en te fondant dans une catégorie sociale. Tu es au-dessous de l'examen de conscience. Ça n'est pas vrai ? Tu n'es pas cloué ? » Lui : « Oh ! naturellement tu m'as cloué, tu es habile. » Moi : « Il n'est pas question d'habileté. L'autre jour pour la question du mariage c'était pareil : je me mets sur le plan de la valeur et de la pensée et tu restes indéfiniment sur celui des faits et des mots. » Pieter : « Bon. Eh bien désormais quand je discuterai avec toi je commencerai par jouer sur les mots. » Cela achève sa défaite : je le désigne d'un geste lassé à Paul et à Mistler qui vient d'entrer et je dis : « Vous le voyez ! Indécrottable. » Rires. « Oh ! dit-il, tu auras toujours raison. » Sur ce il est neuf heures et nous rentrons. On parle d'autre chose. Je suis énervé et j'ai mauvaise conscience car mon triomphe est d'apparence, au fond Pieter m'a touché au vif. En nous quittant, devant la porte de sa logeuse, il dit sournoisement à mon intention : « Ah ! et à présent on va retrouver un bon lit. Ce sont des privilèges bien agréables. » Je lui dis : « Tu sais très bien que je peux coucher sur la paille, je m'en fous, combien de fois t'ai-je remplacé pour ton tour de garde — et à Marmoutier je couchais tout uniment par terre. » Mais tout de même en rentrant avec Paul dans la chambre que nous partageons, je me sens ridicule et pareil à un personnage de Dos Passos (Richard) et je me raconte l'histoire en style Dos Passos : « Et Sartre s'emporta et il dit qu'il fallait vivre dans le dénuement parce qu'on était en guerre. Et il condamna Pieter parce que Pieter s'était fait pistonner. Et il déclara qu'ils étaient tous des salauds, y compris lui-même et qu'on devait coucher sur la paille ou dans la boue comme les soldats du front. Neuf heures sonnèrent et chacun rentra chez soi. Sartre salua son hôtesse et se coucha dans un bon lit avec un édredon sur les pieds. » Et même ce serait un peu gros pour du Dos Passos. Dans la chambre je tourne un peu, agacé, je veux reprendre la question avec Paul, parce qu'il a davantage l'habitude des idées et que je pourrai, en conséquence, plus facilement le duper et me rassurer en le dupant. Il m'écoute, hésitant, courtois, peu convaincu. A vrai dire la question le touche personnellement, parce qu'il est socialiste antimilitariste et, cependant, fortement privilégié par la guerre (fonctionnaire, météo, etc.). On éteint et je reste un bon moment avant de pouvoir m'endormir.

Cet épisode comique offre plus d'un enseignement. Sur Pieter, sur Paul, sur moi.

Sur Pieter. Il apparaît à la lumière de cette conversation comme le plus beau spécimen du rationalisme inauthentique, très exactement du « *on* » heideggerien. Spécimen d'autant plus achevé qu'il n'est pas bête et qu'il a du goût pour la discussion et le raisonnement. Il est bavard, mais comme un Grec : il pose des principes, en tire les conséquences, examine chemin faisant des hypothèses secondaires, soulève des objections à sa thèse, qu'il réfute, fait des concessions à un adversaire supposé pour le mettre mieux en déroute et conclut enfin. Il n'est pas d'exemple où l'on n'ait compris ce qu'il veut établir *avant même* qu'il n'ait commencé de parler. Il arrive même qu'on ait déjà exprimé en trois mots ce qu'il va développer en un quart d'heure. Il ne s'en soucie pas car il ne s'agit pas tant pour lui de convaincre ou d'enseigner que de jouir le plus longtemps possible de l'accord de son esprit avec lui-même. Il commence tous ses exposés par : *Non.* Mais ce Non n'est pas proprement négatif d'une phrase prononcée antérieurement par quelque adversaire et qui serait en contradiction avec sa pensée. C'est un Non néantisant, destiné à faire table rase de tout ce qui a été dit, vrai ou faux, sur la question, pour pouvoir tout reprendre et refondre à neuf. Il arrive même qu'il répète ce qu'on vient de lui dire et le développe en le faisant précéder d'un Non catégorique. Comme dans cet exemple, que j'ai retenu parce qu'il est le plus typique. Moi : « Paul est un foirard. » Lui : « Non. Ce qu'il y a chez Paul, c'est que c'est le type qui a peur, le foirard, etc., etc. » Il se réjouit tout particulièrement en exerçant sa raison pratique : principes d'action, plan, projets, détails etc. Il explique ses projets et termine régulièrement en disant : « Tu comprends ? Tu comprends... le coup ? » avec une pause brève entre Tu comprends et Le coup. Coup a ici le double sens de coup de main, entreprise et d'objet discuté, matière intelligible, comme on voit dans l'expression « discuter le coup ». Car cette raison disputeuse et juive est sociale : elle a besoin d'un auditoire. L'auditoire est indispensable parce que lui seul peut transformer l'exercice pur et simple de logique en « coup ». Il y a du jeu, de l'importance et de la politesse dans ses discours logiques. Sociale encore est sa raison par la matière sur laquelle elle s'applique : us et coutumes, psychologie publicitaire, politesse. C'est une raison bourgeoise qui pense les hommes et non les choses. Encore qu'il ne soit ni malhabile ni sot en face d'un outil à réparer ou à utiliser.

Seulement c'est une raison qui ne se retourne jamais sur elle-même, non pas seulement parce qu'elle ignore l'abstraction, mais encore parce que tout ce qui ressemble à une pensée ou à un jugement est inconnu pour lui. Non qu'il ne pense ou juge, mais dès qu'il juge ses jugements ou les jugements en général, il en détruit par principe l'universalité et le caractère absolu. C'est ce qui ressortait naïvement de ses discours d'hier. Tout d'abord la *pensée* se réduit pour lui à des mots. Je *dis* que j'ai du remords. Je le *dis* mais qu'est-ce qui le prouve ? J'entends bien qu'ici — et c'est ce qui m'a troublé — il estime que des *actes* le prouveraient. Si je demandais à m'engager dans l'infanterie, ma pensée serait solide et juridiquement valable. Mais ces actes à leur tour, quand ils ont lieu, il les explique par le tempérament. Celui qui agit de telle ou telle façon, c'est qu'il lui est *naturel* d'agir de la sorte. J'avais été frappé tout au début par la façon dont il avait essayé de démontrer que l'héroïsme était une fable : ceux qu'on appelle des héros, c'est que leur tempérament les pousse — ou alors c'est l'occasion qui les fait. L'argument ne valait pas grand-chose mais ce qui m'intéressait c'était la tendance à réduire toute obligation ou contrainte à une éclosion naturelle. Naturellement il va de là sans effort à la morale de l'intérêt : puisque chacun suit son tempérament, c'est que chacun recherche son intérêt. Mais, en plus, il ne veut même pas reconnaître le tempérament individuel, encore un absolu et qui serait d'ailleurs trop complexe pour lui : il n'existe que des types. Les types sont d'ailleurs formés par l'intersection de la nature héritée et de l'activité professionnelle. Il ne dira jamais : Paul a peur — mais : Paul c'est le type qui a peur. Non point seulement par une vulgarité foncière qui le fait choisir d'instinct les tournures les plus vulgaires, mais par besoin de se référer à des catégories tranchées. C'est ainsi que je suis pour lui « le Bohème », « le Montparnasse », etc. Et il expliquera toutes mes réactions par mon caractère bohème et ma profession intellectuelle. Ce matin, revenant sur notre discussion d'hier, il m'a expliqué d'une façon charmante comment il comprenait ma position : « Tu comprends, toi et moi, c'est pas pareil. Moi, je suis un commerçant, toi aussi. Mais moi, à sept heures et demie je ferme ma boutique, je ne dois compte de ma vie privée à personne. Au lieu que toi, ni le jour ni la nuit tu ne fermes boutique, tu dois compte de tout ce que tu fais. Moi, je peux me faire embusquer dans la météo et dire que je suis content, ça ne regarde personne. Mais toi, si tu dis ça dans tes livres, on ne t'achètera pas. Alors tu es obligé de faire des sacrifices de pensées comme je fais des sacrifices sur mes stocks. » Ainsi la pensée et les actes étant une émanation du tempérament et celui-ci à son tour provenant de l'hérédité, de la profession et du milieu, tout est noyé dans un relativisme universel. L'argument frappant lui-même se réduit pour lui à une réussite technique. On en félicite l'ouvrier mais les félicitations mêmes en font une réussite de hasard et individuelle. Il ne dira jamais, s'il est cloué par une raison, que la raison est bonne mais bien que je suis *habile.* Lui-même se perd exprès dans ce relativisme, il se dissout dans le social. Comme l'être inauthentique de Heidegger qui dit : *on* meurt, pour ne pas dire : *je* meurs. Il n'a de rapport avec lui-même qu'à travers la société : il parle de lui sur le même ton qu'il parle des autres, simplement avec plus de tendresse. Il dit : je suis le type qui... comme lorsqu'il parle de Paul, ce qui suppose toujours qu'il vient à lui-même à travers des catégories. S'il se défend contre une accusation — car il ne peut même pas concevoir qu'on s'accuse soi-même — il invoque à son secours la catégorie dont il fait partie et qui varie selon les situations, disant, par exemple : « Il y a cinq cent mille planqués comme moi, et si je n'étais pas là, un autre serait à ma place », et cette interchangeabilité même du « planqué » atténue à ses propres yeux, en même temps que sa faute, son irremplaçabilité d'individu. Il se considère par contre, avec une certaine âpreté, comme sujet de droit. Mais il s'agit de droits sociaux, c'est dans une société donnée et le code à la main qu'il entend user de ses droits — et tout juste de ceux que le code lui accorde. Il n'imaginerait pas d'en rêver d'autres ; s'il n'en trouve pas où il croyait en trouver, il n'insiste pas, mais il fait rendre tout leur suc à ceux qui existent, toujours à mi-chemin entre le profiteur de la loi et le citoyen à cheval sur ce qu'on lui doit. Tout ceci s'accompagne d'une cécité totale aux valeurs : il est incapable de distinguer le devoir-être du fait. Si on lui parle de la *valeur* d'une union libre, il répond en disant : « Toutes celles que je connais ont fini par un mariage ou ont tourné au collage. » Ou bien je lui dis que son ami *devrait* se mettre au niveau de vie moyen de ses camarades et il me répond : « Toi tu ne ferais pas comme ça. »

Et ce ne serait rien car ce genre de réponse est spontané chez tous, comme le plus facile. Mais ce que je ne peux rendre ici c'est que, malgré mes efforts pour distinguer à ses yeux la valeur du fait et bien qu'il comprenne avec sa raison la distinction que je fais, il n'arrive pas par la suite à y adapter ses discours et revient deux minutes après aux mêmes arguments. Individualité perdue dans le « on », relativisme social et tolérance universelle, rationalisme de politesse, cécité aux valeurs, voilà le fond de son inauthenticité. Joints à son importance juive, à son besoin de serrer les mains, de rendre service par générosité vraie et par calcul à longue portée, à sa curiosité de commère, à son besoin de se frotter à tous et surtout aux plus haut placés, ces traits constituent ce que j'appellerais volontiers son « radical-socialisme ». Ce qui me frappe c'est que son inauthenticité est sans aucun trou, à la différence de celle de la plupart des gens. C'est un système du monde cohérent et sans failles. C'est là que se pose le mieux la question du Castor : « Mais si l'inauthenticité est cohérente, qu'est-ce qui prouve qu'elle vaut moins que l'authentique ? » De fait sa psychologie à la La Rochefoucauld finit par être troublante, non d'elle-même, car elle est trop grosse mais parce qu'elle vous en suggère une autre du même ordre. Après tout n'est-ce pas parce que je suis penseur professionnel, etc. que j'écris ce carnet ? Vertige de l'explication par les causes. Et justement je reçois une lettre de L. qui me dit qu'un certain Ullmann, que je ne connais d'Eve ni d'Adam, agrégé de philo, dit que « *La Nausée* pue le professeur de philosophie. »

Sur Paul. C'est un rien, mais qui m'a charmé. A la suite de la discussion d'hier. Il était en train de se glisser par reptations successives dans son sac de couchage, j'étais déjà couché sur le sommier. Nous causons et je dis : « Quand on est officier, même si l'on est socialiste, même si l'on est “ bon pour ses hommes jusqu'à la faiblesse ”, on est complice. » Il est de mon avis, il dit pensivement : « Même si l'on est caporal ! » Je dis avec politesse : « Oh ! Caporal... — Si ! si ! Même si l'on est caporal. Je l'ai été malgré moi, tu sais. Mais il n'y avait pas moyen d'aller autrement à Nancy et ma femme y était. Alors je me suis laissé nommer mais je le lui ai caché. Seulement, l'année dernière, quand les gendarmes sont venus pour changer mon fascicule de mobilisation, je n'étais pas à la maison. C'est ma femme qui l'a pris. Qu'est-ce qu'elle m'a passé quand je suis rentré ! »

Voilà qui en dit long sur sa sournoiserie et sur ses rapports avec sa femme. Il vient de me demander l'adresse de la *N.R.F.* pour que sa femme puisse commander *Le Mur* et *La Nausée* mais ça me gêne abominablement parce que j'y vois une courtoisie de collègue. Je dis gauchement : « Tu sais, il ne faut pas te croire obligé... » et il me dit, très à son aise : « Mais si, mais si ! Je serai enchanté que ma femme te lise et moi-même, à ma prochaine permission... » Il me dit dans la conversation qu'il est socialisant depuis l'âge de 15 ans et inscrit au parti S.F.I.O. depuis 1930. Cela m'amuse parce qu'il m'avait dit, il y a un mois et demi : « Euh... je suis sympathisant mais je ne suis pas du parti. »

Je m'arrête pour aujourd'hui, je n'arrive plus à rien penser parce que j'ai mal aux yeux. Je n'avais jamais si bien senti que je *pense avec les yeux.* Aujourd'hui j'ai un horizon rétréci, une impossibilité de fixer mes pensées, parce qu'il m'est impossible de fixer un objet, l'impression que j'ai deux murs sombres à ma droite et à ma gauche et entre ces murs un papillotement de kaléidoscope. L'impression que mes pensées ne m'offrent que leur surface et glissent et s'enfoncent avant que j'aie pu les saisir. En belle humeur pourtant.

Jeudi 16

Je n'ai pas écrit hier dans ce carnet parce que mes yeux me font trop mal. Heureusement, parce que je vois plus clairement ce que j'ai à dire sur moi. Je le dirai dès que je pourrai. Je noterai seulement aujourd'hui l'aventure de Paul. Il avait un message à porter à bicyclette. Il s'affaire et s'inquiète. Nous lui disons : « Tu mettras casque et fusil. » C'est l'ordre. A l'idée de prendre son fusil il a une de ces explosions de rage nerveuse et mauvaise qui lui sont coutumières et qui ne viennent pas de méchanceté mais de peur. Il dit : « Ah ! ça non ! Un fusil, je n'y vais pas alors. Je refuse tout net d'y aller. » Et il explique qu'il a des troubles des canaux semi-circulaires et qu'il ne pourra jamais se tenir en équilibre sur sa bicyclette avec un fusil sur l'épaule. Finalement le colonel lui prête un vieux revolver. Je note ici que ce revolver, entre parenthèses, bien que déchargé et hors d'usage, inspire à Pieter une terreur respectueuse : « Hé là ! Hé là ! dit-il, ne joue pas avec ça ! » Paul part, casqué ; il a l'air d'une vieille fille. Une heure passe. Il revient, je vois d'abord, quand il entre, casque et lunettes et puis sa figure gris sale qui a un air sinistre. Il a tout un côté de sa veste et de son pantalon maculé de boue. Sa main gauche saigne, sa main droite est enflée. Il a voulu éviter une auto, la chaîne du vélo a sauté, il est tombé en avant, sur la tête et sur les mains. Je commence à comprendre la part de peur de soi qu'il y a dans sa haine de la guerre et dans son désarroi. C'est évidemment énorme, pour garder son égalité d'âme, de posséder un corps docile et qui ne dit rien. Mais il a dû avoir, en partant, l'impression d'être abandonné à son corps, dont il ne se rend maître que dans la paix, dans les circonstances les plus favorables, et qui, lâché en guerre, parmi des hommes rudes, va cabrioler, lui faire des farces sinistres et se venger de sa servitude.

J. Romains : « En guerre, il n'y a pas de victimes innocentes. »

Hier j'ai reçu une carte de Nizan, ça m'a fait plaisir.

Vendredi 17

Mes yeux me font toujours mal. Je me laisse aller un peu à l'inquiétude et à la nervosité parce que ce malaise est sans justification. Il ne s'agit plus de se guinder dans une attitude vis-à-vis d'un bouleversement social mais de supporter sans inquiétude un petit mal quotidien. C'est plus difficile. Et puis, faute d'oser *durcir* mes yeux, mes pensées gardent un certain flou, elles manquent de netteté. Cette netteté qui me serait nécessaire précisément pour penser mon mal rudement et clairement, comme je ferais d'une douleur à la main ou au foie. J'ai l'impression que mon champ visuel est rétréci par d'inquiétants rideaux de fer. J'ai tout de même travaillé à mon roman. Bien, je crois. J'écris les brouillons, les yeux fermés. Mais j'ai quelque répugnance à écrire sur ce carnet en petits caractères — comme aussi bien d'ailleurs (par manie de collectionneur) à changer la grosseur des caractères et l'espacement des lignes. Il en résulte une espèce de paresse à penser et une promptitude zélée à accueillir les besognes quotidiennes, cirage des souliers, balayage de la salle d'école, etc., qui me dispenseront de penser et d'écrire. Je converse davantage. Pourtant je sais que j'ai bien des choses en retard sur ce carnet, notamment les remarques que je veux faire sur moi, à propos de ma conversation du 13, et aussi la définition de l'être-dans-sa-classe et la conclusion de mes réflexions sur la politique. Mais l'indolence militaire dans laquelle baignent tous les acolytes est là pour m'aider à la paresse, pour m'engluer. Il est si facile de vivre ici sans ennui à ne rien faire, puisque, par grâce de guerre, l'attente est supprimée. L'attente et le souci. Ce mal d'yeux d'ailleurs est beaucoup plus supportable qu'un simple mal de tête. Ce qu'il y a, c'est l'inquiétude. Justement cette inquiétude dont je pensais qu'on est débarrassé en guerre. Et par le fait, je pense qu'on en est ordinairement débarrassé mais *à propos* des maux qui viennent de la guerre. Celui-ci s'accompagne de tous les soucis civils : crainte de perdre la vue, de ne pouvoir plus écrire, etc. Tout cela sur le mode de croyance imaginaire, naturellement. Je ne « me frappe » pas, mais je suis d'un peu moins belle humeur qu'à l'ordinaire.

Ce que je voulais dire et que j'ai clairement vu à l'occasion de ma conversation du 13, c'est que je me suis composé, depuis que je suis à Brumath, une attitude de pitre moral. Quelque chose comme *Ridendo castigat mores.* L'autre jour, j'y étais pris. Je suis rentré chez ma logeuse très affecté, je me prenais au sérieux. Je me disais : c'est vrai, je devrais m'engager dans l'infanterie. Et puis tout d'un coup : mais non, ce n'est pas de ça que je dois m'en vouloir. Ce qu'il y a c'est que je fais le bouffon, voilà ce dont je suis coupable. Le fond ç'a été mon pédantisme moral. Au début je faisais des remarques désagréables à mes acolytes par humeur moralisante et parce que je ne pouvais pas m'en empêcher. D'ailleurs, comme je l'ai noté ici, je me le reprochais parfois. Je ne songeais pas vraiment à *réformer*, je n'avais pas cette folie. Simplement il y avait deux « natures » qui m'agaçaient profondément : l'éparpillement apeuré et minutieux de Paul, l'abandon à soi débonnaire et douillet de Pieter, sa manière gourmande et obèse d'avoir l'air de « se passer » comme une fantaisie attendrissante tout ce qu'il fait. Se lève-t-il pour aller prendre du pain, on a l'impression qu'il se passe complaisamment une envie. Et d'ailleurs c'est vrai, ce gros homme se lèche comme un chat. A ce point de vue les claquements pâteux de sa bouche quand il mange me sont des signes de cet abandon aussi bien que n'importe quel acte concerté. Mais, assez sur Pieter. Ce que je voulais marquer c'est que c'étaient surtout leurs atmosphères morales qui m'étaient déplaisantes. Lorsque je leur faisais une réflexion désagréable sur telle ou telle de leurs conduites, c'est que je pouvais les blâmer au nom d'un principe moral simple. Mais ce blâme, au fond, ne visait pas tant leur faute vénielle particulière que leur existence même, il était un symbole d'un blâme plus radical, que je ne pouvais tout de même pas leur infliger et qui, par son exagération même, les aurait laissés plus insensibles que mille petites critiques particulières. Tout d'abord donc ces blâmes étaient de petits plaisirs honteux que je me donnais et je les considérais plutôt comme des faiblesses que comme des mérites. Là-dessus survient Mistler, qui s'amuse de ces blâmes, portés en général de façon bouffonne, qui en rit et qui approuve en outre leur contenu. Cette admiration discrète et amusée me donne alors l'impression que mes discours grotesques contiennent une substantifique moelle. Et moi d'en corser le grotesque et de les fourrer chaque jour davantage à la moelle substantifique. Non pas seulement lorsque Mistler est là, mais tout le jour. Je m'amuse à leur enseigner la liberté. En sorte que mes discours, d'abord purement négatifs et qui se référaient à une morale commune, deviennent des endoctrinements positifs. Mais, en proportion, ils deviennent plus grossiers, par un balancement esthétique. Cette fois l'attitude est prise : je deviens un bouffon moralisant. Naturellement je n'ai pas besoin de dire que je me fous comme du tiers et du quart de libérer Paul de ses servitudes. C'est l'attitude qui me plaisait ; elle me permettait de décharger ma bile, d'exposer mes idées, de faire des discours truculents, de jouer un personnage. Car je suis social et comédien — ici par ennui, sans doute, et par besoin de dépenser un trop-plein de turbulence, ailleurs pour faire le joli cœur, d'autres fois simplement pour refléter dans les yeux d'autrui une figure nette. Et puis c'était, je pense, une manière d'avoir des rapports suivis avec les acolytes : comme ils ne m'amusent pas, il fallait bien que je m'amuse d'eux, c'est-à-dire que je « me joue à eux », comme dit Montaigne ; je les entraînais dans une comédie que je me donnais, sous prétexte de la donner à Mistler ; j'y vois aussi comme une espèce de recul pudique, une façon de ne pas vouloir être avec eux sans cérémonie, précisément parce que nous vivons sans cérémonie. Ce ne sont pas des excuses que je donne, mais des explications. Toujours est-il qu'il ne fallait pas m'y prendre, ce n'était tolérable que sous forme de batelage gratuit. Et puis, ce jour du 13 Novembre, je m'y suis laissé attraper. Heureusement que ma prompte déconfiture m'a ramené à la raison. Je suis revenu depuis à une distribution de blâmes désordonnée et sans dessein. Je crois qu'ils me supportent mieux ainsi ; ils aiment mieux expliquer ces blâmes par mon agressivité que par mon prosélytisme.

Aujourd'hui à l'Ecrevisse je déjeune avec un chasseur qui revient de la première ligne. Il dit : « Les Allemands sont à deux cent cinquante mètres. On les voit très bien, les premiers jours ils jouaient dans l'herbe et ils avaient des accordéons et des harmonicas. Mais, il y a huit jours, il y a un Marocain de chez nous qui a descendu un des leurs à coups de fusil et depuis lors il n'y a plus moyen de sortir de l'abri sans qu'ils nous tirent dessus. » Il conclut avec mélancolie : « Y en a toujours un pour faire une connerie et c'est les autres qui paient », phrase courante ici mais que j'entends d'ordinaire prononcer lorsqu'un soldat ivre a fait du scandale et qu'on a consigné les cafés.

J'aimerais savoir l'âge moyen des mobilisés de cette guerre-ci. Leur nombre, très supérieur je crois à celui du début de la dernière guerre, le fait qu'il y a des « classes creuses », m'incitent à croire que cet âge moyen est plus élevé que celui de la guerre de 14. En tout cas, dans notre division, la classe 23 est la plus nombreuse, elle représente les 2/3 de l'effectif, le 3e tiers étant formé par toutes les autres classes de réserve depuis 1912. Et Paul, classe 29, est le plus jeune de tous les services. L'âge moyen de la division serait donc trente-six ans, et les deux extrêmes 30 et 47. Il est vrai qu'elle est considérée comme une division de vieux. Il n'est pas très rare d'y rencontrer des gens qui ont « fait l'autre ». Le postier aux gros sourcils noirs, par exemple.

Il faut l'avouer, si je ne considère que moi, strictement que moi, je serais un peu déçu de voir cette guerre finir brusquement dans un mois. A présent que j'y suis lancé je voudrais la voir donner son plein (son plein d'escroquerie et de combine) avant de disparaître.

Samedi 18

Le matin, visite médicale dite « d'incorporation ». Dans une salle de brasserie on nous a fait pisser dans des bocks de bière. Les acolytes se sont mis à poil. Moi aussi. De moi je ne dis rien, sinon que j'avais l'impression d'*avoir un dos,* cependant que je cherchais l'attitude dégagée devant six soldats assis à une table et qui compulsaient des papiers. Mais les acolytes m'ont surpris : à poil, ils n'étaient pas plus nus qu'à l'ordinaire. Le derrière de Paul et la légère déviation de sa colonne vertébrale ne m'ont pas dépaysé. Il me semblait que je les connaissais depuis toujours. Pas davantage l'énorme ventre malicieux comme un sourire que Keller étalait, de l'air de dire : « Voilà un fait ! » pendant que le major dictait à ses aides : « Obésité o-b-é-s-i-t-é. » Il me semble que je les ai toujours vus nus. Je pense que, malgré ces vestes et ces culottes gros bleu, nous vivons à l'état de nudité complète. Les sexes mettaient dans cette réunion de bon ton une ombre de mélancolie. Ridés, flapis, honteux, ils tentaient en vain de se cacher sous leurs poils. Le major les palpait d'un doigt élégant, en disant « Toussez ». Et j'ai compris et approuvé de tout mon cœur cette phrase d'André Breton : « J'aurais honte de paraître nu devant une femme à moins d'être en érection. » Ça ne se discute pas, c'est une question de délicatesse. Après la visite, promenade à la campagne. Elle me faisait penser, je ne sais pourquoi, à la promenade du Docteur Faust quand il rencontre le barbet. Je marchais devant, les acolytes suivaient. Léger dégoût, pour avoir vu tant de verges. Mais qu'y a-t-il là de dégoûtant ? C'était sexuel, j'imagine. Une façon de me poser comme hétérosexuel. Au fait, je m'accuse peut-être à tort, en tout cas c'était léger et spontané. L'odeur de l'urine y était peut-être bien aussi pour quelque chose. Celle de Paul sent l'aigre, je m'en étais déjà aperçu. Lui-même est terne et gris mais les humeurs de son corps ont du mordant.

Lundi 20

Toute la matinée Hang et le sergent Naudin se sont mutuellement reproché de ne pas être au front et traités d'embusqués.

Cassou, *48 :* parlant de l'atmosphère avant 48 : « Ce qu'il faut en considérer ici, à son départ, c'est la croyance, c'est l'acte religieux. C'est par un acte religieux que l'homme se sépare de ses croyances, de ses religions, pour se satisfaire de la Religion, celle par laquelle il se révèle lui-même à lui-même en tant qu'espèce, en tant qu' " homme cosmique ", comme disait le mystique lyonnais Ballanche, ou qu' " être collectif ", comme disait St-Simon. " L'homme, disaient encore les St-Simoniens, est un être religieux qui se développe. L'humanité a un avenir religieux. "... " L'intérêt du genre humain (proclame Lamartine) s'attache au genre humain lui-même " » (page 43).

C'est bien ça le fondement de l'humanisme : l'homme se considérant comme *espèce.* C'est cet abaissement de la nature humaine que je condamne. Espèce dont le destin est de conquérir et d'aménager le monde : homme cosmique, comme dit Ballanche. En face, ceux qui définissent l'homme en prenant les coutumes qui leur sont commodes pour des traits de sa nature. L'homme fera toujours la guerre. L'inégalité est la loi de la nature, etc. Maurras et son pseudo-positivisme expérimental. Cela traîne finalement, brouillé, mêlé dans toutes les consciences politiques : l'homme comme espèce biologique avec son destin d'espèce — l'homme comme réalité positive à déterminer d'après des expériences. Rien ne montre mieux l'urgence d'une tentative comme celle de Heidegger, et son importance *politique :* déterminer la nature humaine comme structure synthétique, comme totalité pourvue d'essence. Il est certain qu'il était, au temps de Descartes, urgent de définir l'esprit par des méthodes propres à l'esprit lui-même. Mais par là même on l'isolait. Et toutes les tentatives ultérieures pour constituer l'homme complet en ajoutant quelque chose à l'esprit étaient vouées à l'échec parce qu'elles n'étaient que des additions. La méthode de Heidegger et de ceux qui peuvent venir après lui est la même au fond que celle de Descartes : interroger la nature humaine avec des méthodes propres à la nature humaine elle-même; savoir que la nature humaine se définit déjà par l'interrogation qu'elle formule sur elle-même. Seulement d'un seul coup nous posons non l'esprit, non le corps, non le psychique, non l'historicité, non le social ou le culturel mais la condition humaine en tant qu'unité indivisible, comme objet de notre interrogation. L'erreur de l'idéalisme est de poser l'esprit d'abord. L'erreur du matérialisme et de tous les naturalismes est de faire de l'homme un être naturel. La religion de l'homme, conçu comme espèce naturelle : l'erreur de 48, la pire erreur, l'erreur humanitaire. Contre cela, établir la réalité humaine, la condition humaine, l'être-dans-le-monde de l'homme et son être-en-situation. L'idée d'espèce humaine a fait des ravages incroyables puisque le Castor elle-même s'aperçoit un jour, dans la conversation, qu'elle a deux repères fixes dans la série infinie du temps : l'apparition de l'espèce humaine, au passé — au futur, la disparition de l'espèce humaine. Ma gêne devant les grandes anticipations scientifiques et romanesques : extinction du soleil, rencontre de la terre et d'une comète, etc. Pour moi cela ne veut rien dire et c'est *ennuyeux.*

Pieter a la colique. Il fait de gros yeux malheureux quand je le regarde. Il a la gourmandise de se faire plaindre. Je lui refuse ce plaisir.

Lettre de Paulhan : « Le capitaine Marchat interroge Alain, fort poliment, chez lui[1]. " Ayant vu dans le manifeste le mot *Paix,* dit Alain, j'ai signé sans lire le reste. " »

La guerre n'a jamais été plus insaisissable que ces jours-ci. Elle me manque, car enfin, si elle n'existe pas, qu'est-ce que je fous ici ?

Un décret paru à l'Officiel institue discrètement des camps de concentration en France. Les fonctionnaires pourront être révoqués sans jugement. A la bonne heure. Mais qu'est-ce qu'on veut que je défende, si ça n'est même plus la liberté ?

Ecrit une lettre stupide à Paulhan, que je n'envoie pas. Je la copie ici par mortification (et puis parce que je la trouve spirituelle) :

« Pour l'instant, je suis cantonné dans un petit village où je travaille mon roman : je suis entièrement libre et parfaitement seul : c'est une retraite. Si les Allemands tiraient, cela me dérangerait peut-être ; mais, si les Allemands tiraient, ce serait une autre guerre (et Sartre un autre Sartre, comme dirait Vandal).

1. Alain avait été inculpé pour avoir signé le tract du pacifiste Louis Lecoin, diffusé en septembre 1939. Ce tract, intitulé *Paix immédiate !* assurait qu'aucun des belligérants ne souhaitait la guerre, et appelait les armées à déposer les armes. Des poursuites furent engagées contre tous les signataires. *(N.d.E.)*

Celle-ci ressemble à l'affaire Oustric[1] et à la philosophie de M. Brunschvicg. Ce n'est pas à son honneur, mais chaque époque a la guerre qu'elle mérite. Tant mieux. J'ai appris avec le plus vif intérêt que Petitjean[2] avait été blessé. Je n'aurais pas conçu qu'il en fût autrement. Sinon, derechef, Petitjean eût été un autre Petitjean. Si l'on considère, d'ailleurs, le nombre des blessés quotidiens, on peut dire que c'est une vraie chance et cela me confirme dans ma croyance au destin.

« J'ai été fort sensible à l'envoi de la *N.R.F.* que vous m'avez fait si gracieusement. Mais avec quelle stupeur j'ai lu la Chronique de Caerdal. N'est-il personne qui puisse tirer M. Suarès par la manche ? Cette guerre est bien petite et bien technique pour de telles imprécations — et si naïves. Je suis passé comme lui à Rothenbourg et il ne m'a pas semblé que les petits enfants se moquassent de moi : cela doit dépendre des personnes. »

Lettre absurde et antipathique. D'abord elle n'est pas simple. Dès que je me mets en posture de répondre à Paulhan, je perds toute simplicité, influencé sans aucun doute par la réputation de méchanceté qu'il me fait et que je ne mérite pas. Je cherche à être bref et incisif avec politesse. Ensuite je joue le jeu très *N.R.F.* de la « fausse confiance au lecteur ». Voici ce que j'entends par là : je suis persuadé que Paulhan ne peut pas comprendre à première vue pourquoi je compare la guerre à la philosophie de Brunschvicg. Il faudrait quelques mots d'explication. Mais précisément, je ne les écris pas. Je lui fais une fausse confiance, persuadé qu'il comprendra quelque chose, n'importe quoi — car il est entendu qu'on comprend toujours à la *N.R.F.* — et même qu'il adoptera simultanément une pluralité d'explications incompatibles. Et ces interprétations que je pressens sans les connaître donnent à ma phrase, dans le temps même que j'écris, une profondeur délectable et de l'étrangeté à mes propres yeux. Généralisez le système de la fausse confiance,

1. Scandale financier qui eut lieu sous la Troisième République (1929). *(N.d.E.)*

2. Libraire et homme de Lettres, ami de Paulhan et de Joë Bousquet. *(N.d.E.)*

étendez-la à tous les lecteurs possibles et vous avez le procédé de fabrication des notules critiques qu'on lit dans la *N.R.F.* Ensuite j'étais agacé parce que dans chacune de ses lettres Paulhan me parle de Petitjean : dans la première il m'avisait que son régiment avait été durement éprouvé ; voilà que dans la seconde il me mande que Petitjean est blessé. C'est le héros de la *N.R.F.* Non que je l'envie, ni que je jalouse sa gloire. Mais je soupçonne Paulhan d'établir un discret parallèle, dans chacune de ses lettres, pour me tenir en haleine. Et puis je ne suis pas sûr que son « Souffrez-vous de la boue et du froid ? » ne soit pas ironique. Alors j'insiste sur le peu de nocivité de la guerre, pour faire étalage d'un cynisme qui est ma seule défense.

Mais il y a plus. Je sens en moi la naissance de droits que je veux étouffer. Ce sont des droits neufs. Les droits du combattant. Disons plus modestement les droits du mobilisé. Il y a deux sortes de droits du mobilisé — contradictoires. Les premiers, dont je ne serai jamais infecté, sont bruts : réclamer l'admiration et la reconnaissance des civils, se sentir important et héroïque. Ce soldat qui, *avant* la guerre, rappelé de permission au 15 Août, mettait les pieds sur la banquette du wagon en disant : « Nous qu'on va se faire tuer. » Se sentir d'une autre essence que les civils et leur dénier le droit de parler de la guerre, soit pour en dire du mal soit pour en dire du bien, parce que seuls ceux qui la font peuvent en parler. Mais les autres, ceux qui me menacent, sont plus insidieux : puisque c'est *ma* guerre, j'ai le droit de la déprécier. A d'autres de la trouver terrible — ceux qui ne la font pas — moi j'ai le droit de dire, sur un ton très simple : Mais non, mais ça n'est rien du tout. Et je retrouve cette tactique dont j'ai parlé à propos de mon attitude politique, ou plutôt je la vois poindre, cette ruse de mon orgueil que j'ai appelée : me mettre avec les faibles contre les forts dont je devrais faire naturellement partie, avec la femme contre le mari, avec l'enfant contre les parents, avec les élèves contre les professeurs. Je sens déjà naître en moi, par horreur de faire partie d'une nouvelle élite munie de ses droits, l'élite des « mobilisés », la tendance à me mettre avec les civils contre les combattants, par une manière de leur dire : « Mais non, mais non, ne vous faites pas d'idées. Ça n'est pas dur là-bas. Vous n'avez aucun devoir vis-à-vis de nous, etc. » Cela ne serait pas très antipathique si j'étais réellement combattant. Mais enfin je ne le suis pas : mobilisé seulement. Et je sais bien que, si je combattais, le résultat serait de me donner jusqu'à l'exagération cette tendance. Mais faute de combattre, je n'ai qu'à me taire sur ce sujet.

Mardi 21

Grâce à Cassou je saisis la logique propre et les développements dialectiques de cette idée d'humanité dont il place l'apparition vers le milieu de la Monarchie de Juillet. L'esprit analytique du XVIIIe siècle dissout les communautés en individus. La Révolution française est une révolution analytique et critique, en ce sens qu'elle envisage une société comme un contrat entre des *individus*. L'esprit de synthèse réapparaît avec Maistre et Bonald. Il s'oppose à l'esprit critique en ce qu'il affirme que l'analyse détruit ce qu'elle démembre. Par exemple, c'est l'esprit d'analyse qui verra dans un roi un homme sur un trône. L'esprit conservateur lui répondra qu'il détruit par cette analyse précisément ce qui fait le roi : la royauté. Le triomphe théorique de l'esprit de synthèse sur l'esprit d'analyse se traduit en politique par un triomphe de la pensée conservatrice sur la pensée révolutionnaire. La société devient une hiérarchie de formes indécomposables. Si la force révolutionnaire a pu renverser les institutions monarchiques, c'est que d'abord l'esprit analytique les avait dissoutes, en détruisant leur sens. Car réduire une institution en ses éléments, c'est manquer son sens, qui réside dans sa totalité indécomposable. Sous l'influence de ces doctrines officielles il se produit chez les réformateurs et les révolutionnaires une dissociation entre l'esprit d'analyse et l'esprit de révolution. Les *mobiles* pour changer la structure sociale demeurent et s'aggravent mais il convient de changer de motifs. L'esprit d'analyse est écrasé, ce qui en reste est accaparé par de vieux libéraux voltairiens. C'est à l'esprit de synthèse que la nouvelle opposition demandera de lui fournir ses motifs. Les conservateurs utilisent l'esprit de synthèse lorsqu'ils déclarent qu'un tout n'est pas réductible à ses éléments — donc que la société ne peut se réduire aux individus. Le révolutionnaire ne songera donc plus, comme en 1789, à se réclamer des droits de l'individu. Il abandonne cette conception du monde périmée, la *Weltanschauung*[1] analytique, dont l'outil est émoussé. Il n'opposera plus au tout ses éléments, à la société les individus. Il cherchera au contraire une synthèse plus vaste et qui englobera les diverses sociétés en elle, de façon qu'il puisse reprocher à chacune de celles-ci de se rebeller contre cette totalité, comme les conservateurs reprochent aux individus de se rebeller contre la totalité collective. L'objet synthétique est tôt trouvé : c'est l'humanité. Mais cette expression d'humanité peut avoir bien des sens. Le sens moderne : la condition humaine de chaque individu, n'est pas encore dévoilé. L'humanité c'est, par suite, nécessairement la totalité historique des hommes qui ont vécu, vivent et vivront. Ce qui permet au révolutionnaire et au réformiste d'opposer une tradition humaine à la tradition monarchiste ou nationale. Mais cette humanité, dès lors qu'elle est nommée et pensée comme totalité, la voilà qui transcende son histoire. Il n'y a d'histoire que *dans* l'humanité. Ici encore une porte pouvait s'ouvrir vers la condition humaine. Mais l'esprit synthétique de 48 est passé à côté. Le seul concept transcendant l'histoire qu'il ait trouvé, c'est l'*espèce.* Et cette notion d'espèce lui est fournie par la biologie. Elle s'accompagne nécessairement de l'idée complémentaire de globe terrestre, puisqu'une espèce subit le conditionnement de son milieu. Il y a donc ici une double dégradation : celle de la condition humaine en espèce humaine et celle du monde en globe terrestre. Mais ce qui est paradoxal, quoique assez commun en somme, c'est que les concepts dégradés n'ont pas encore été entrevus. La dégradation est antérieure, historiquement, aux notions qu'elle dégrade. L'inauthentique se donne avant l'authenticité. Par l'idée d'espèce, l'homme est jeté hors de lui-même non pas *dans* le monde

1. Perception du monde. *(N.d.E.)*

au sens heideggerien, mais au milieu du monde, ou, plus exactement, sur la terre. Et l'intimité de sa liaison avec le monde est pressentie, mais sous la forme dégradée d'une symbiose avec la terre et l'univers physique. En ce sens Ballanche pourra bien parler « d'homme cosmique », mais on voit ce que cela veut dire : l'idée d'une *faune* cosmique, voilà l'idée de l'être-dans-le-monde. De là ces formules : « destin terrestre de l'homme ». De là l'apparition — à cette charnière — de l'idée de *travail* ou action de l'homme sur la terre. Idée des Saint-Simoniens : à l'exploitation de l'homme par l'homme doit se substituer l'exploitation du globe par l'humanité. Corbon écrit : « Le plus significatif des phénomènes de la vie... est la constitution progressive de l'instrument de travail et l'augmentation progressive de l'action humaine sur le monde. » On voit ici que le travail et la création d'outils sont donnés comme des phénomènes de la vie. Mais non de la vie des individus : de la vie de l'espèce. Et Renan : « Le grand règne de l'esprit ne commencera que quand le monde matériel sera parfaitement soumis à l'homme. » De là la dignité du *travail*, par quoi l'espèce humaine s'empare chaque jour mieux et davantage de l'univers. De là la sainteté du travail : « O travail, sainte loi du monde », Lamartine (*Jocelyn*).

Pourquoi *sainteté ?* Parce que l'idée d'espèce humaine a deux faces : un aspect biologique et un aspect religieux. Pour l'homme c'est une religion, parce que chaque individu est un « être collectif » (St-Simon) et qu'il vit toujours dans un « coin de l'espèce humaine » (Blanqui). L'humanité pour lui est un milieu charnel et spirituel. Il n'est jamais sur terre qu'*à travers* cette humanité. C'est l'espèce privilégiée qui est absolue et fin en soi. Cassou insiste avec raison sur cet aspect de l'humanitarisme : « C'est par un acte religieux que l'homme se sépare de ses croyances, de ses religions pour se satisfaire de la Religion, celle par laquelle il se révèle lui-même à lui-même en tant qu'espèce... » (Cassou [p.] 43). Le Saint-Simonisme et le positivisme sont des religions : « L'humanité a un avenir religieux » (St-Simon). Mais ces religions sont dégradées comme le reste puisque leur objet c'est une *espèce*. Il y a là comme un racisme de l'humanité.

C'est à parer à ce *chosisme* que sert le deuxième aspect de l'idée d'espèce. Son aspect biologique. La découverte du siècle c'est que les espèces *évoluent*. C'est Ballanche qui utilise le premier cette expression. Le progrès humain va trouver sa source dans les forces les plus sourdes et les plus organiques de l'espèce, il s'appuie sur le transformisme. L'espèce humaine, au lieu d'être pauvre et statique comme elle l'eût été du temps de Linné, porte donc en elle un avenir indifférencié, inconnaissable encore mais d'une immense richesse. Nous récupérons donc par là cette indifférenciation adorable du Dieu des mystiques, que nous perdions par la dégradation et l'inauthenticité des notions premières. En même temps le chosisme et l'idolâtrie sont évités : on adore l'humanité mais l'humanité n'*est* pas, elle devient. Par là, d'ailleurs, elle ne s'oppose que mieux aux sociétés présentes avec leurs systèmes politiques, qui *sont* simplement. Comme dit Cassou : « Désormais l'avenir est la substance dans quoi nous sommes, vivons et nous mouvons. »

De là, dernier avatar dialectique de l'idée d'espèce humaine : le culte de la femme, comme matrice universelle, comme symbole de la fécondité. C'est par la femme que l'Avenir de l'humanité nous est acquis.

Ainsi l'idée synthétique de la totalité des hommes se transforme par sa dialectique propre en l'idée d'espèce biologique transcendant son histoire. Celle-ci appelle l'idée complémentaire de « milieu terrestre » qui se transforme en « univers à conquérir ». Cette idée de la conquête du globe comme mission propre de l'humain se retrouvera dans l'antiphysis de Comte et de Marx, elle communique au *travail* une dignité qui se retrouvera dans la définition marxiste de la valeur. Cependant l'idée de transformisme qui s'adjoint à l'idée d'espèce combat la tendance propre au concept de « genre humain » qui est de s'appauvrir et de se fixer. Et l'individu perdu au sein de la substance humaine, comme l'homme spinoziste dans son Dieu infini, n'a pas de peine à adorer ce tout synthétique dont il fait partie.

La doctrine ne se tient pas. Mais enfin elle nous a marqués. L'humanitarisme a donné naissance à notre humanisme. Gide lui-même en est marqué. Je copierai un de ces jours ici même de curieux passages humanitaires de son journal, où il dit que Dieu est dans l'avenir. Au fond, si l'on cherche aujourd'hui des principes politiques, on n'a guère à choisir qu'entre quatre conceptions de l'homme. La conception synthétique conservatrice étroite : *A.F.*[1] par exemple — la conception synthétique étroite rajeunie : racisme, marxisme — la conception synthétique large : humanitarisme — la conception analytique : individualisme anarchique. Mais nulle part on ne trouve de référence à la condition humaine, déterminée à partir de la « réalité humaine » individuelle.

Nous faisons ici une consommation énorme de journaux (pour aveugler les fenêtres, pour les cabinets, etc.) mais nous n'utilisons jamais celui du jour. Keller le défend. Bien que dès midi il ait été lu, relu et commenté par chacun — et que, d'ailleurs, chacun ait convenu qu'il n'y avait rien dedans — si nous faisons mine de le prendre, il nous l'arrache des mains avec indignation : « Pas çui-ci, il est d'aujourd'hui. » Il exige que chaque journal fasse un stage d'une durée mystérieuse et d'ailleurs variable dans la salle d'école. Au bout duquel stage, le journal est considéré comme blet, déchu de sa qualité de journal et tombé au rang de papier. Action dégradante de la durée pure et vieillissement.

Keller n'est ni peureux ni poète. Pourtant lorsqu'il est de garde à l'école, au lieu de dormir, comme chacun de nous, sur la paillasse, il veille toute la nuit. Nous n'avons jamais pu savoir pourquoi. Si on lui demande le lendemain : « Qu'as-tu fait ? » Il dit : « Ben, j'ai lu le journal jusqu'à minuit. A trois heures, j'ai cassé la croûte. A quatre heures j'ai chié. — Mais pourquoi veilles-tu ? » Il se trouble et ne sait que dire ou bien il dit : « Oh ben, à présent, y a de la lumière... » Le lendemain il est abruti

1. Action Française. *(N.d.E.)*

toute la journée et s'endort à sa place, par à-coups, troublant le silence de petits ronflements plaintifs.

Automne
Les feuilles tombent, nous tomberons comme elles
Les feuilles meurent parce que Dieu le veut
Mais nous, nous tomberons parce que les Anglais le veulent
Au printemps prochain personne ne se souviendra plus ni des feuilles mortes, ni des poilus tués, la vie passera sur nos tombes.

Ce texte est imprimé sur un papier dentelé en forme de feuille, avec des nervures et une belle couleur rouille. C'est un tract que des avions allemands ont laissé tomber à deux cents mètres d'ici et qu'un paysan a ramassé. Il est venu nous le porter, on se le passe de main en main. Sous le texte, une tête de mort coiffée d'un casque.

Pieter se plaint de ce que sa femme commence à le traiter d'embusqué. Elle lui écrit, à propos d'une lettre commerciale urgente : « Ecris-lui, toi, puisque tu n'as rien à faire. Moi, je n'ai pas le temps. »

Mercredi 22
Lu dans *48* de Cassou cette phrase : « Le sang exotique de Flora Tristan et son destin aventureux devaient renaître dans ce sublime héros de l'art et de l'anarchie, son petit-fils Paul Gauguin. » Choc désagréable. Vis-à-vis de Gauguin, Van Gogh et Rimbaud j'ai un net complexe d'infériorité parce qu'ils ont su se perdre. Gauguin par son exil, Van Gogh par sa folie et Rimbaud, plus qu'eux tous, parce qu'il a su renoncer même à écrire. Je pense de plus en plus que, pour atteindre l'authenticité, il faut que quelque chose craque. C'est en somme la leçon que Gide a tirée de Dostoïevski et c'est ce que je montrerai dans le second livre de mon roman. Mais je me suis préservé contre les craquements. Je suis ligoté à mon désir d'écrire. Même en guerre je retombe sur mes pieds parce qu'aussitôt je pense à écrire ce que je sens et ce que je vois. Si je me remets en question, c'est

pour écrire les résultats de cet examen et je vois bien que je *rêve* seulement de remettre en question mon désir d'écrire parce que si vraiment j'essayais, fût-ce une heure, de le tenir en suspens, de le mettre entre parenthèses, toute raison s'écroulerait de remettre quoi que ce soit en question. Je vois bien qu'il y a là une assurance fort agaçante pour les autres (pour T., pour la femme lunaire par exemple) parce qu'elle vient malgré tout de ce que je laisse quelque chose *d'intact* en moi, par saloperie.

Une histoire de Naudin : Un officier allemand est en vue de l'autre côté du Rhin, il regarde du côté de la France avec des lorgnettes. Un lieutenant français commande à un homme de l'abattre. L'homme refuse. « Pourquoi ? — C'est un homme. Il ne m'a pas fait de mal. Je veux point prendre la vie d'un homme. » L'officier commande à un deuxième soldat (ils n'étaient que deux avec lui) qui refuse également. Alors il leur dit : « Eh bien tirez tous les deux, comme ça vous ne saurez pas qui de vous l'a dégringolé. » Ils tirent et l'officier tombe.

Pour me faire douter de la vérité de cette histoire, il suffit que ce soit Naudin qui la raconte. Mais enfin le fait est qu'il la raconte et sans aucune indignation : comme un fait tout naturel. Le fait est qu'*on* la raconte. Car il la tient sûrement de quelqu'un qui la tient de quelqu'un, etc. La réaction de l'adjudant est tout autre (bête de guerre) : « Eh bien voilà deux hommes qui ont eu de la chance. Si ç'avait été moi, je leur faisais coller douze balles dans la peau et ils ne les avaient pas volées. » Agacé, je lui explique que ces fusillades isolées sont inutiles et nous coûtent des hommes en pure perte. Il file doux aussitôt parce qu'il a le respect de l'instruction, développant le thème *à côté :* « Les batteries ne doivent pas tirer sans ordre parce qu'on peut les repérer au son. » Et pour reprendre son assurance sur le terrain même de l'instruction, où il vient de la perdre, il explique les principes du repérage au son, au tableau, craie en main.

Naudin par ailleurs a un drôle de pessimisme du détail, qui vient de puérilité, d'une bouderie inconsciente contre la guerre, d'un désir de tâter cette guerre insaisissable par quelque côté, de sauver son inactivité par des mythes, et enfin qui vient d'une importance pleurarde de paysan. Il ne lui suffit pas que les avions allemands aient jeté hier des tracts, il veut qu'ils aient aussi arrosé la contrée de stylos qui explosent quand on les touche. On lui explique en vain qu'ils ne peuvent *à la fois* faire une propagande en faveur de la paix et la compromettre par des « atrocités ». Il se tait, à la fin, dominé par les voix mais non par les raisons. Il rumine son pessimisme en silence. Il finit par sortir en claquant la porte et l'adjudant, important et navré, désignant la porte qui vient de se refermer : « Un type comme ça serait désastreux pour le moral d'une batterie. Un chef, un véritable chef... » La porte se rouvre, Naudin rentre et l'adjudant ne dira jamais ce qu'un véritable chef doit faire : il s'agite et je vois que ce discours rentré le taquine par le dedans.

Ces révoltes larvées de Naudin sont du plus haut intérêt. C'est un révolté *noué*. L'envie le taraude et le rend amer : paysan mobilisé, il envie les ouvriers qui sont restés ou reviennent à l'usine, sergent-chef de réserve, il envie les sous-officiers d'active qui reçoivent une solde, il envie aussi les fonctionnaires qui touchent encore leurs traitements. Mais ce mécontentement n'ira jamais jusqu'à la révolte parce que trop de facteurs le freinent et l'éparpillent : catholicisme, conformisme bien-pensant, sottise, étourderie, impossibilité de récapituler ses griefs et d'en faire un bouquet, complexe d'infériorité vis-à-vis de l'instruction. Et puis il « a du bien ». Mais qu'un beau parleur fasciste vienne, qu'il groupe ses ressentiments locaux sous le drapeau de la bonne pensée et Naudin marchera. Jusqu'au bout ? Je ne sais, car il est couard. Mais il marchera.

Au début de la guerre Naudin disait : « J'ai été mobilisé trois fois : en Septembre 38, en Mars, en Août 39. J'en ai marre, ça ne peut plus durer, et je veux aller jusqu'au bout, je préfère que ça pète un bon coup et qu'après on soit tranquille. » Trois mois ont passé. Il a eu une grosse déception à l'occasion des soldes de sous-officiers. A présent, dans l'intervalle de ses accès quinteux d'héroïsme, il dit avec rancune : « Tout ce que je demande, c'est de revenir indemne et le plus tôt possible. » A part ça, c'est un grand type costaud, dont le corps est heureux de vivre. Il a vingt-neuf ans, joli garçon, joues rouges, un filet de voix agréable. Pieter dit qu'il est sans doute le coq de son village. Bons muscles, mais déjà un peu d'estomac. Fossette au menton, tout ce qui n'est pas rouge, des joues, est bleu de fer, à cause de la barbe qui est drue. Aspect comique et flaireur de jeune chien, un peu cascadeur aussi, de brise-cœur.

Dans le civil, Keller, chaque soir, applique une échelle sur la façade de sa maison, branche deux fils de dérivation sur la ligne d'arrivée du courant et peut ainsi s'éclairer sans passer par le compteur. Le matin à la prime aurore, il reprend son échelle et débranche les fils. Plus tard, après la guerre, son ambition est d'acheter un terrain et de faire construire. Mais il n'y aura pas le gaz dans sa maison, car, avec le gaz, ces économies sont impossibles. Il aura une cuisinière électrique qu'il alimentera par le même procédé. « C'est, dit-il à Paul, un gros avantage de la banlieue sur Paris. A Paris, comprends-tu, toutes les lignes sont sous tube d'acier. »

Jeudi 23

Dans les régions évacuées, du côté de Sarreguemines, les soldats cantonnés ont tout cassé, chié dans les lits, brisé les armoires à coups de hache. Je note à cette occasion que les Français « de l'intérieur », bien que reçus à bras ouverts par la population alsacienne, hébergés gratuitement par les bourgeois, mignonnés par les filles, ovationnés par les enfants, blâment sévèrement les Alsaciens. Il leur arrive de se désoler entre eux, en buvant du vin d'Alsace et en mangeant de la choucroute : « Que voulez-vous, disait gravement un sergent lettré, l'autre jour, ces gens-là ne seront jamais comme nous. » « Ah ! disait-il avec tristesse, on a été trop doux, beaucoup trop doux en 1918. Respecter les croyances c'est très joli mais il fallait en faire des

Français d'abord. » Nombreux sont les soldats qui s'affligent d'entendre les enfants parler alsacien : « Pensez. Une heure de français par semaine, dans leurs écoles ! » Ils s'en envoient des claques d'indignation sur les cuisses. Ils ont tous rencontré un Alsacien qui leur a dit : « Je ne suis ni Français, ni Allemand : Alsacien. » Un soldat saoul, dans une taverne de Brumath, voyant le Castor repousser ses avances, lui a dit, mécontent : « Alors, tu es Alsacienne ! » Et, revenant à la charge : « Es-tu pour nous ou contre nous ? » Il leur arrive, en s'empiffrant de saucisses, de hocher la tête avec gravité : « Des sauvages ! Impossible de trouver un bout de saucisson sec dans tout Brumath ! » Et un caporal l'autre jour, navré : « Je te le dis, je suis charcutier, j'ai fait causer le boucher de Brumath, eh bien, les vaches qui ont la fièvre aphteuse ou la tuberculose, ils raclent un peu leur viande et ça leur sert de chair à saucisse. Voilà comment elle est faite, leur fameuse saucisse de Strasbourg. » Et un adjudant : « Vous verrez : le plus chouette en permission, ça ne sera pas de retrouver la bourgeoise et les gosses, ça sera d'entendre parler français par des Français de France. » On voit que cette légitime indignation peut conduire assez facilement à chier dans les lits des évacués. D'ailleurs les mères et les femmes de ces bons Français font bien voir aux Alsaciennes, de leur côté, qu'il ne faudrait tout de même pas se prendre pour des Françaises. En Limousin, en Dordogne on les traite comme des chiennes. Le tambourinaire de St-Germain-les-Belles, m'écrit Poupette, se promène dans le village pour annoncer l'arrivée des évacués et termine sa harangue par ces mots : « Et n'oubliez pas que ce sont tout de même des Français. »

On parle politique ce matin. Hang, Pieter, Paul, moi-même, sur l'organisation de l'Europe après la guerre. On dit nombre de sottises. Naudin au fond de la salle essaye d'écrire une lettre. Le bruit de notre conversation l'en empêche et il râle : « Vous me faites chier, vous me faites chier. » Hang essaye de l'intéresser à la discussion mais en vain. Alors je lui dis brusquement, comme il se prend la tête à deux mains pour mieux s'abstraire du monde :

« Tu sais, Naudin, près de Wissembourg, les Allemands ont écorché vif un prisonnier français. » Il se lève et vient vers moi d'un air flaireur : « Qui c'est qui t'a dit ça ? » Je réponds, vague à dessein : « Un type... » Je donne quelques détails : « Il y avait deux prisonniers. Il y en a un qui ne voulait pas parler, on l'a écorché vif. L'autre, on l'a menacé d'arroser ses vêtements d'essence et d'y foutre le feu. Alors il a pris peur et a lâché le morceau. » Naudin s'indigne, il en oublie sa lettre : « Ah les salauds ! Qu'ils y viennent ! Un contre un, je voudrais les y voir, on verra s'ils m'écorcheront. » Il va s'asseoir dans un coin, bras croisés, il s'occupe à hocher la tête, terrifié, furieux, grave et content : il a sa ration d'horreur pour ce matin.

Dans les discussions, l'adjudant, isolé par sa grandeur, se prête mais ne se donne pas.

Cette nuit, réveillé brusquement vers une heure du matin, je me mets à penser à la volonté. Il s'en faut que j'aie tout compris mais je crois avoir débrouillé un peu la question.

Je vois d'abord que la conception classique de la volition, acte spécial surgissant au sein de la conscience, se heurte à deux écueils.

D'abord un acte volontaire, à l'image de la conscience — qui doit être conscience d'elle-même —, devrait se vouloir lui-même. Je veux aller à Paris. Soit. Mais si ma volonté est motivée par un désir, ce n'est plus une volonté, un acte privilégié sortant du sein de la conscience, c'est une structure motivée semblable aux autres. Il faut que la volonté soit voulue. Sinon ma volonté d'aller à Paris serait involontaire. C'est ce qu'a bien vu Kant, avec son autonomie de la volonté : une volonté qui se veut bonne à l'occasion de l'acte qu'elle veut. Il ne servirait à rien, comme il l'a vu aussi, de dériver la volonté du Moi, car elle émanerait encore d'un donné (peu importe que ce donné ne *soit* pas mais *dure,* à la manière du Moi profond de Bergson : de toute façon la volonté en sera une émanation *naturelle*). La volonté ne peut dériver du Moi que si le Moi dérive de la volonté. Ainsi la volonté, comme la conscience, renvoie à elle-même. Et, comme pour la conscience, à moins de tomber dans une cascade réflexive de volontés voulantes et voulues, il faut bien admettre que ce renvoi à soi correspond à l'infrastructure de la volonté. Il s'agirait donc d'une sorte d'argument ontologique de la volonté : la volonté se voulant elle-même comme vouloir de X. Nous aurions une infrastructure non-thétique (comme pour la conscience) : volonté (du) vouloir, et une intentionnalité volontaire transcendante : le vouloir voulu serait vouloir *de* X. Seulement l'analogie avec la structure typique de la conscience ne doit pas ici tromper : qu'une conscience soit conscience (de) soi, rien de mieux car, dans la conscience non-thétique, la conscience n'est pas objet pour la conscience : il ne s'agit pas ici de *connaissance,* qui suppose dualité objet-sujet mais de la translucidité propre de la conscience comme sa condition existentielle. Au contraire il semble que ce vouloir voulu soit du type de la connaissance, c'est-à-dire qu'il comporte par essence une dualité. Si nous ne nous payons pas de mots, il est impossible de concevoir l'unité immanente de la volonté et de son objet, fût-il un vouloir. Et ceci pour une raison évidente, c'est que l'objet de la volonté est futur. C'est un certain type de possible dont la substance ontique est l'avenir. Il y a donc par définition un intervalle temporel entre la volonté et son objet, quelque petit que puisse être cet intervalle. L'idée d'un vouloir voulu dans l'infrastructure d'une même conscience est contradictoire. Pourtant c'est à cela qu'aboutit par sa logique l'idée d'acte volontaire — à moins qu'on n'en fasse un processus strictement déterminé (mais alors l'acte volontaire a perdu sa spécificité — il devient impossible de le distinguer du désir, de la passion, des mécanismes, etc).

La seconde difficulté c'est que l'objet de ma volonté est distant de moi par sa position dans le temps. Or la liberté même, que vous posez dans l'acte volitionnel, vous interdit de vouloir *contre* le temps. Vous voulez demain faire cette démarche. Mais qui vous garantit contre vous-même ? Demain votre volonté d'aujourd'hui aura chu dans le passé, hors de la conscience, elle se sera ossifiée et vous serez entièrement libre par rapport à elle : libre de la reprendre à mon compte ou de m'engager contre elle[1]. On ne peut jurer contre soi ni contre le temps. Le serment à soi, prototype de tous les serments, est une incantation vaine par quoi l'homme essaie de charmer sa liberté future. Il ne jure d'ailleurs que lorsqu'il sent bien qu'il y a des risques pour qu'il manque à son serment. Le serment est aveu de détresse. Or tout acte volitionnel du type susdit — et nous en faisons souvent — n'est au fond pas autre chose qu'un serment déguisé. Ce que je veux c'est mon vouloir de demain. Et nous retrouvons bien la dualité vouloir voulu, mais justement je ne peux pas vouloir mon vouloir ultérieur. Si je roule les yeux, si je ferme les poings et crispe les mâchoires en disant : « je *veux* lui être fidèle », je veux à vide, je veux une foule de vouloirs particuliers qui risquent de m'échapper un à un. J'appellerais volitions vides ce genre de volitions — d'ailleurs très fréquentes — par analogie avec les intentions vides de Husserl. J'ai peur qu'elles n'aient servi de modèle à la conception classique de la volonté. Elles se détachent dans le cours de la conscience et s'accompagnent d'une forte tension, c'est ce qui les fait sans doute croire pleines. Mais précisément il leur manque la chair qui pourrait les remplir, ce vouloir même qui semble le phénomène primitif et auquel nous voilà renvoyés. Plus d'un qui a remarqué l'inefficacité de ces volitions vides en est venu, par déception et scepticisme, à ne tenir pour volonté que la conscience qui s'étend à travers l'exécution de l'acte. Il n'y a plus de différence entre la volition et l'acte. Non seulement mon acte est témoin à moi-même de mon vouloir, mais d'autre part mon vouloir se précise et se définit par l'acte, au sens où Alain dit que l'exécution de la statue dégrossit l'idée directrice du sculpteur, au point que finalement l'idée concrète à son dernier point de développement et de richesse, c'est la statue elle-même. C'est le cercle éternel : il faut juger les actes d'après les intentions. Mais les intentions elles-mêmes d'après quoi les jugerons-nous sinon d'après les actes eux-

1. On attendrait : « à votre compte ou de vous engager ». Signalons que l'auteur n'a pas revu les Carnets. *(N.d.E.)*

mêmes ? L'acte est le soutien matériel et l'explicitant de la volition comme le langage est soutien et explicitation de la pensée. L'acte est l'aspect extérieur de la volonté et la volonté le thème unificateur interne de l'acte ; pas plus de volonté sans acte que de pensée sans langage.

Je ne blâmerai pas cette décision sévère de moraliste qui revient à juger de l'intention sur le résultat. C'est une excellente précaution. Et, précisément, c'est l'existence des volitions vides qui oblige à cette précaution pour les déceler et les mettre hors jeu. Pourtant je connais avec évidence, si je m'examine en cet instant, qu'il existe en moi un certain nombre de vouloirs pleins et efficaces qui ne s'accompagnent pourtant pas de réalisation. Le vouloir de rester ferme et dur, de ne rien regretter, de ne pas m'abandonner au cafard, de me remettre en question, de quitter sans regret demain ou après-demain Brumath pour Morsbronn, de terminer mon roman avant de commencer autre chose, de tenir ce carnet tous les jours, d'écrire tous les trois jours au Castor, tous les deux jours à ma mère. Décisions plus proches de moi : répondre demain à Paulhan, ce soir même, après avoir fermé le carnet, au Castor et à T., etc., etc. Décisions plus lointaines encore, touchant mon retour à la vie civile, quand la paix sera revenue. Pourtant je ne fais rien présentement pour les réaliser — et je n'ai rien à faire. Mais ce ne sont pourtant pas là des volitions vides ni non plus des actes volitionnels pleins qui auraient existé autrefois et sommeilleraient en attendant de se manifester à nouveau par des actes. Il ne s'agit pas de souvenirs de vouloirs mais de vouloirs réels, actuellement existants et constituant mon être propre. Chacun peut trouver en soi de semblables vouloirs tenaces et âpres et qui pourtant ne se *réalisent* pas. Est-ce que l'erreur ne viendrait pas de ce que l'on considère la volonté ordinairement comme un *acte* de conscience, bref et temporellement localisé. C'est-à-dire précisément comme une volition vide ? Ce qui reviendrait à dire que la conscience, ordinairement non volontaire, peut prendre dans certaines conditions la structure volontaire. Mais j'ai déjà marqué dans mon 2e carnet qu'il était impossible de surajouter la volonté à la conscience si elle n'y était d'abord. Il faut donc revenir à la doctrine de Spinoza et identifier volonté et conscience. J'expliquerai demain ce dont il s'agit.

Ce soir, brusquement, je me sens un peu misérable. Et puis ça passe.

Vendredi 24

Nouvelle crise de somnambulisme de Paul, cette nuit. Il se met tout à coup à crier : « Ho Ho Ho Ho Ho ! Oh ! » Le dernier « Oh » lent, vibrant et scandalisé. Je dis : « Paul ! » Paul, d'une voix endormie : « S' qu'il y a ? » Moi : « Paul ! » Lui, avec un petit rire confus et courtois (du ton dont on dit à quelqu'un qui vous aborde et prétend vous connaître : « Je ne sais vraiment pas qui vous êtes. ») : « Je ne sais pas du tout où je suis. » Et, s'amusant de son propre embarras, avec une sorte de gourmandise psychologique : « Non ! vraiment pas du tout ! » Il pouffe. Moi : « Tu es à Brumath. » Paul, très agacé : « Eh ! je le sais bien. » Moi : « Pourquoi as-tu crié ? » Paul, avec mauvaise foi : « Moi ? j'ai crié ? » Silence, puis j'entends tout un remue-ménage, de la soie froissée, des objets lourds qu'on traîne, un halètement. Moi : « Qu'est-ce que tu fais ? » Paul, digne et offensé : « Rien. Seulement je suis réveillé. » Et *aussitôt après* une respiration égale et forte qui se change bientôt en petits ronflements. Nous convenons ce matin qu'il est resté totalement endormi pendant toute cette conversation. Il m'a répondu — et de façon presque adaptée — sans s'être réveillé.

Revenons à la volonté. Je constate que sa structure essentielle est la transcendance, puisqu'elle vise un au-delà qui ne peut être que dans l'avenir. Mais cette transcendance suppose un donné à transcender. La volonté a besoin du monde et de la résistance des choses. Elle en a besoin non pas simplement comme d'un point d'appui pour atteindre son but, mais essentiellement, en elle-même, pour être volonté. Seule en effet la résistance d'un réel permet de distinguer ce qui est possible de ce qui est, et de projeter par-delà ce qui est le possible. Ici comme partout le réel est antérieur au possible. Le monde du rêve qui est imaginaire ne permet pas cette distinction puisque, dans le rêve, ce qui est conçu reçoit de la conception même une sorte d'existence rêvée. Souhaiter boire, en rêve, ne se distingue en aucune façon de rêver qu'on boit. Ainsi l'esprit, victime de sa toute-puissance, ne *peut* vouloir. Il ne peut même pas vouloir se réveiller. Il rêvera seulement qu'il se réveille. Pour qu'il se retrouve, il faut que le réel fasse irruption dans son rêve en quelque manière. Ainsi le rêveur est-il ligoté par son pouvoir absolu. Il en serait de même, si nous poussons à la limite, d'un esprit divin qui procéderait par intuitions créatrices. Si, à cet esprit, la simple conception suffit pour produire intuitivement l'objet, s'il ne rencontre aucune résistance d'inertie, s'il n'y a pas de décalage temporel entre la conception et la réalisation, Dieu rêve. Ses créations ne peuvent se distinguer de ses affections. Il est captif en lui-même et ne peut rien vouloir. La toute-puissance divine équivaut à une totale servitude subjective. Dieu est précipité de création en création sans pouvoir « prendre ses distances », par rapport à soi et par rapport à l'objet. Il n'est de volonté que finie et chez un être fini, et la finitude de la volonté ne lui vient pas d'une limitation extérieure mais de son essence même. La résistance d'un monde est contenue dans la volonté comme le principe de sa nature. Et comme on ne peut concevoir ni que la volonté soit postérieure au monde — ce qui nous ramènerait au matérialisme — ni que le monde soit produit par la volonté — ce qui nous rejetterait dans le domaine des intuitions créatrices et du coup supprimerait la volonté —, il faut bien concevoir que monde et volonté sont donnés du même coup. Il n'y a de volonté que d'un être jeté dans le monde. C'est le monde qui libère la conscience investie par ses propres rêves, par sa totale liberté. La volonté caractérise la condition humaine comme la nécessité pour un être délaissé dans le monde de retrouver ses propres buts par-delà un réel qui en rend la réalisation immédiate impossible. Elle se définit par le décalage nécessaire entre le but et la conception du but. Il ne peut y avoir volonté que si le monde entier s'intercale entre ma conscience et ses fins. Qu'un génie me donne le pouvoir de réaliser immédiatement mes souhaits et voilà que je m'endors, faute de pouvoir les tenir à distance, de pouvoir *empêcher* qu'ils ne se réalisent. C'est ce qu'ont obscurément perçu tous ces conteurs qui nous relatent des histoires de vœux exaucés et tournant au tragique. La volonté se présente donc comme un « être-dans »-le-monde qui est un « être-pour » changer le monde. N'importe quel possible voulu n'est jamais qu'un changement d'une situation donnée. Changement qui ne peut être *voulu* que s'il apparaît à l'horizon de cette situation donnée comme le résultat du développement des virtualités spécifiques de cette situation. En ce sens nous percevons pour changer et nous voulons le changement à partir du perçu. Toute perception se dessine sur un fond de changement possible — mais de changement réglé — et en même temps, par son épaisseur même, elle le recule. Percevoir une fenêtre comme fermée, c'est possible seulement dans un acte qui projette à travers elle la possibilité réglée de l'ouvrir. Sans cet acte la fenêtre ne serait ni fermée, ni ouverte : elle ne serait rien du tout. Mais réciproquement, sans la fermeture présente de la fenêtre, il ne pourrait y avoir qu'une image néantisante de fenêtre ouverte ou — dans le cas du souhait réalisé magiquement — la surrection magique d'une fenêtre ouverte qui ne serait pas *chose,* faute de pouvoir résister (elle s'anéantira ou se fermera à mon gré) et qui ne pourra délivrer la conscience de son immanence. Ainsi la structure première de la volonté c'est d'être une transcendance qui pose une possibilité dans l'avenir par-delà un état du monde présentement donné. Par là on voit le sens profond de la volonté qui est de ne pouvoir être elle-même qu'en s'échappant à elle-même, qu'en se jetant hors d'elle-même vers l'avenir. Elle est pro-jet (*Vorwurf*). Il sort évidemment de là que le monde n'est connu dans son état présent qu'à partir de l'avenir. Ainsi volonté et perception sont inséparables. Ce qui signifie encore que la volonté n'est pas un acte individuel surgissant à un instant donné de la chaîne temporelle mais le rapport de la conscience à ses propres possibles.

Reste à déterminer quel est ce rapport de la conscience à ses possibles. Jusqu'ici nous avons en somme suivi Heidegger. Mais à présent nous ne pouvons plus le suivre. En effet pour lui le *Dasein*[1] *est* tout simplement ses propres possibilités. Mais alors rien ne servirait de poser comme lui la transcendance si nous retombons dans une autre sorte d'immanence. La volonté est en effet le pouvoir qu'a la conscience d'échapper à soi. Toute immanence est état de rêve. Même l'immanence heideggerienne, puisque l'être se *retrouve* comme possibilités par-delà le monde. Et j'entends bien qu'*il y a du temps* entre l'être projetant et les possibilités projetées. Mais comme ce temps se lit à rebours, il perd sa vertu séparatrice, il n'est plus que la substance de l'union du *Dasein* avec lui-même. Les possibilités de la conscience, en fait, sont transcendantes. Elle les soutient, elle les veut, elle est conscience voulante *de* ces possibilités, mais, précisément, elles sont hors d'elle. Elles tirent leur objectivité transcendante de la matière à travers quoi elles sont saisies, qui est précisément l'objet présent à modifier. Ainsi sont-elles des existences extérieures d'un type très particulier. Nommons-les des exigences.

Par là il faut entendre des objets qui exigent d'être réalisés. Ce sont des options sur nous. Mais s'ils exigeaient seulement, ils ne seraient pas *voulus.* On peut en effet concevoir des exigences qui demeureraient non remplies : « meliora video proboque deteriora sequor ». Ils éveillent en outre la confiance, je *prévois* leur réalisation. Et j'ai l'impression d'être privilégié dans cette prévision. Il s'agit d'une évidence qui s'approche de l'adéquat. Les autres objets futurs — ceux qui ne sont pas voulus — je peux bien les *prévoir* mais leur possibilité est elle-même une probabilité. Au lieu que la possibilité de l'objet voulu est certitude. Par exemple il se peut que je ne trace pas le mot « certitude » qui vient sous ma plume : je peux être dérangé, de mille et une façons. Mais je sais que *si* je ne suis pas dérangé il naîtra, je sais que ce qu'on dérangera c'est *sa* naissance. On ne m'empêchera

1. Etre-là. *(N.d.E.)*

pas de former un autre mot que celui-là et il aura au moins cette existence, d'être celui qui a été empêché de naître. Au lieu que si je mets ma fortune sur l'eau, en marchandises que je veux vendre outre-mer, il est possible qu'un naufrage en détruisant la cargaison me ruine, mais je ne saurai jamais si c'est bien *la bonne affaire* que le naufrage a empêchée : ce pourrait être aussi bien la ruine par concurrence déloyale ou mauvais calcul, etc. La bonne affaire n'a été que *probablement* empêchée. Par ailleurs ces possibles-options, je ne les connais pas au sens contemplatif, je les réalise. Cela signifie qu'ils paraissent à l'horizon de mes actes comme leur sens. Heidegger a bien dit que nous ne les thématisons pas. Par le fait, les thématiser serait les néantiser, en faire des concepts ou des images. C'est en agissant qu'on les fait surgir le plus clairement quoique innommés.

Ainsi donc le sens de notre situation est donné à chaque instant par ces possibles-options, corrélatifs noématiques de notre vouloir et qui nous attendent dans l'avenir. Et ce sont eux qui motivent et façonnent nos perceptions. Notons qu'ils sont *mes* possibles en deux sens : d'abord parce que ce sont mes options propres, comme nous l'avons vu — ensuite parce qu'ils sont l'image objective et transcendante de mon être-dans-le-monde. En effet ces options ont crédit sur nous pour l'amour de nous-mêmes. Heidegger a bien marqué que le monde est « ce à partir de quoi la réalité humaine se fait annoncer ce qu'elle est ». C'est pour nous que ces options existent. Pour nous ou pour autrui. C'est-à-dire en définitive pour une réalité humaine. Seulement l'erreur serait de croire que cette réalité humaine possible, projetée par-delà le monde par *notre* réalité humaine, *est* notre réalité humaine. Elle ne peut être que transcendante, précisément parce qu'elle est de l'autre côté du monde, au-delà des options. Les options sont le corrélatif noématique des projets qui se réalisent à travers les actes et la réalité humaine projetée est l'unité synthétique des options. Certes, elle non plus n'est pas thématisée mais il suffit de penser qu'elle est unité d'options transcendantes pour comprendre qu'elle est transcendante elle-même. La conscience ne peut échapper à son immanence, elle ne peut être objet de son propre vouloir que si elle projette son image passivisée de l'autre côté du monde. Ainsi les options qui attendent dans l'avenir sont colorées d'humanité. Ce sont possibilités humaines et possibilités miennes. Elles existent « à fin d'homme ». Mais d'autre part, qu'elles disparaissent et la réalité humaine transcendante ne sera plus qu'une forme vide, car elle n'est que l'unité de ces options. C'est ce que nous appellerons l'ipséité ou ombre portée de la conscience au-delà du monde — qui n'a rien à faire avec le Moi, unité des consciences réflexives.

Il suit de là qu'il existe à chaque instant pour la conscience un certain nombre de possibilités qui sont siennes, c'est-à-dire qui lui apparaissent sous la forme que nous venons de décrire. Ces possibilités sont le corrélatif noématique de ce que nous appellerons la volonté de la conscience et, par le fait, cette volonté n'est pas autre chose que l'être-particulier de la conscience. La conscience se détermine elle-même à chaque instant comme la conscience qui a certains possibles. Il faut entendre cela existentiellement : c'est l'être de la conscience que d'être conscience entourée de certains possibles, c'est par là que son existence est qualitativement différente de l'existence de telle autre conscience, c'est par là qu'elle a sa façon propre de se jeter dans le monde. Et naturellement, quoique ce jet soit un, les options qui le manifestent noématiquement peuvent être légion puisque ce jet se réfracte à travers la diversité du monde. Elles nous sont toutes présentes à la fois quoique non thématiquement. Ainsi à chaque instant être conscience c'est vouloir ses possibles et ceux-là seulement. Et le lien de la conscience à ses possibles est un lien aussi réel, aussi concret que le lien de la conscience aux choses perçues. La conscience à chaque instant se détermine elle-même à la saisie non thématique d'une pluralité concrète de possibles-options, à travers une *situation.* La situation c'est la résistance inerte des choses, ordonnée en hiérarchie de motifs et en hiérarchie d'outils. Finalement la situation c'est le monde s'ordonnant tout entier en fonction des possibles propres de la conscience.

Dans ces conditions on comprendra que ce que je veux, à chaque instant, c'est précisément ma situation dans le monde. Je *suis* ce que je *veux*. Et cela est forcément limité. Je suis un être fini profondément et totalement responsable de moi-même. On comprendra aussi que ce qu'on appelle ordinairement acte volontaire singulier *ou bien* est une volition vide vers des possibles qui ne sont pas *mes* possibles mais que je souhaiterais tels pour des raisons diverses (c'est le cas du serment) *ou bien,* dans le cas de volitions pleines, sont seulement la brusque thématisation de possibles jusque-là non thématisés. Dans ce dernier cas, loin qu'il y ait renforcement des options, ce qu'on appelle volition n'est que la néantisation du vouloir de la conscience. Néantisation provisoire qui ne supprime d'ailleurs pas plus l'option néantisée que la néantisation imageante ne supprime la présence imaginée. Elle l'abolit le temps de la néantisation, ni plus ni moins. Ainsi suis-je tout entier vouloir puisque je veux ce que je suis. Aucune volition particulière ne peut surgir sur ce fond. Changer un de mes possibles, c'est changer tous mes possibles en même temps, c'est changer ma situation, c'est me vouloir autre. La chose arrive constamment d'ailleurs mais toute modification, pour fréquente qu'elle soit, est toujours existentielle et totale.

En somme, en face de la conscience, il y a la totalité du réel, à chaque instant, groupe en situation. Et ce réel comprend : les choses perçues — les présences —, les options — les valeurs —, les options qui ne sont pas *mes* options — les possibles qui ne sont possibles de personne —, certaines de ces réalités étant thématiquement données (choses perçues par exemple) et d'autres non thématiquement. Il y a conscience *de* tout cela.

Les options c'est l'avenir réel, sens de mon présent. Mais cet avenir, avenir du monde, avenir de l'ipséité, est *transcendant* à la conscience.

Je condamnerais définitivement un homme sur un tic de langage mais non pas pour l'avoir vu assassiner sa mère.

Samedi 25

Action de consignes dans le rêve : Paul me réveille cette nuit par son petit « Ho ho ho ho » stéréotypé. Mais il tourne brusquement court et bafouille « Pardon ! » se retourne de l'autre côté et se rendort. Ce qui est frappant c'est que, depuis 3 mois que je le connais, il n'a jamais exprimé la terreur autrement que par ces « Ho ho ho ho ho ! Oh ! » Ça semble rituel et figé. Il y a guerre éclair qui faisait long feu, l'Angleterre répondait en agacé et tatillon d'un supérieur (professeur) — un peu cuistre — et l'impuissance désolée d'un vieillard (mon grand-père, à l'époque de sa démence sénile, poussait des cris semblables lorsqu'il se promenait dans sa chambre à mon bras et que le pied lui manquait : « Ho ho ho ho ho ! tiens-moi, petit, tiens-moi ! »), quelque chose de sec et de sanglotant, de tremblotant. Le Oh ! final au contraire s'étale avec une sorte d'évidence, comme si les premiers cris marquaient le blâme prophétique devant une catastrophe imminente et le Oh ! final une lamentation devant la catastrophe accomplie. Le type se presse d'abord et ses petits cris prophétiques tentent de prévenir, d'arrêter par le blâme, comme lorsqu'on gourmande un enfant qui joue avec un bibelot précieux. Mais la catastrophe le prend de vitesse, voilà le bibelot par terre, en morceaux et le dernier Oh ! s'étale avec loisir, il se prolonge dans la satisfaction scandalisée et amère du prophète qui voit sa prophétie réalisée : « Je l'avais bien dit. » En général, si on ne le réveille pas, Paul éclate tout de suite après en cris inhumains. Et puis les gestes commencent : il se dresse, se met à quatre pattes et rampe à travers la chambre.

Un des phénomènes les plus curieux de cette guerre technique ç'aura été la transplantation méthodique des Alsaciens. Il y avait eu des réfugiés en 14, mais ils avaient été arrachés à leur sol sous la pression des circonstances. L'exode des Alsaciens est organisé, au contraire, et au lieu de les disséminer dans toute la

France, le gouvernement a cru bien faire en les transportant par communes et villages, précautionneusement, sans les casser, avec leurs municipalités et leur administration. Les journaux « inspirés » insistent avec satisfaction sur le fait : « Strasbourg (Dordogne) », écrit *L'Œuvre.* Mais le résultat est évidemment paradoxal : en les isolant, on les eût désarmés, plongés dans un milieu social qui les aurait pénétrés. Mais voilà qu'on a transplanté de petites collectivités entières avec leurs représentations collectives, leurs mœurs, leurs rites, mais privées de l'ambiance à laquelle ces mœurs et ces rites s'adaptent : climat, géographie, civilisation matérialisée dans l'architecture, le style des maisons, culture. On devine que le ritualisme social s'exaspère et devient frénétique, à proportion que les bases réelles lui manquent davantage. Il s'agit maintenant d'une sorte de société sans terre, rêvant sa spiritualité au lieu de la saisir à travers les mille besognes de la vie quotidienne. Cela provoque l'orgueil, comme réaction de défense, et un resserrement maladif des liens sociaux. Voilà une société frénétique et en l'air. Il n'aurait pas été mauvais dans ce cas de mettre ces gens en contact avec des foyers de haute culture — avec la civilisation industrielle des Lyonnais — avec la société du Midi. Peut-être n'était-ce pas possible. Mais qu'a-t-on fait ? On les a envoyés chez les croquants limousins, les derniers des hommes, arriérés, obtus, âpres au gain et misérables. Ces Alsaciens, encore tout éblouis par le souvenir de leurs cultures méthodiques et soignées, de leurs belles maisons, tombent dans ces campagnes, dans ces villes sales, chez ces gens méfiants et laids, sales pour la plupart. Il suffit de comparer les fermes superbes d'Ittenheim, par exemple, où tous les bâtiments sont groupés autour d'une cour — la forme la plus évoluée de la maison paysanne — à ces maisons « bloc à terre » et « bloc en hauteur » du Limousin, pour sentir quelle déception et quelle surprise les communautés alsaciennes ont dû ressentir. Le contraste a dû être exagéré encore par la différence des langues et par le complexe d'infériorité des Alsaciens vis-à-vis de la France. Complexe qui les rend évidemment encore plus critiques. Leurs habitudes de propreté ont dû être choquées par ces petites villes, comme Thiviers où, il y a encore douze ans, les ordures ménagères et les excréments se déversaient dans des sentines [1]. Toujours est-il que le résultat est clair : tous les Alsaciens qui écrivent au pays traitent les Limousins de *sauvages.* Le mot revient dans toutes les lettres, c'est vraiment une représentation collective : « Nous sommes chez les sauvages. » Les Limousins d'autre part réagissent en traitant les Alsaciens de Boches. Sans animosité particulière, à ce qu'il paraît. Plutôt à titre de constatation. Naturellement il en est résulté des rixes, au début, jusqu'à ce que des décrets sévères y mettent ordre. Naturellement la communauté limousine, avec ses petits cancers disséminés dans son sein, prend plus âprement conscience d'elle-même. Il y a, par là-bas aujourd'hui, deux chauvinismes qui s'affrontent. Ce qui vient aggraver tout cela, c'est l'impéritie des pouvoirs publics. Dans beaucoup de régions cinquante pour cent des évacués n'ont pas encore de lit. Les malades n'ont pas été soignés. Notre hôtesse nous cite le cas d'une femme obligée de faire chaque jour douze kilomètres pour trouver le lait nécessaire à ses enfants. On parque deux ou trois familles à la fois dans une grange, et elles souffrent de la promiscuité : « Nous n'osons plus nous habiller, écrit une Alsacienne, le petit de Thérèse (14 ans) est toujours là à nous regarder quand nous nous lavons. » Les maires alsaciens sont, paraît-il, aussi coupables que les préfets : ils ne s'occupent de rien. Quant aux habitants, ils se procurent de petits bénéfices : ils louent dix sous une botte de paille, etc. « Tout ça n'est pas pour décourager l'autonomisme », soupire Mistler. Evidemment. Mais ce qui est plus curieux, c'est ce contact immédiat de deux provinces restées entières et *organisées.* Cela ne s'était jamais vu. A inscrire au chapitre de ces transplantations massives, inaugurées par la Russie pour raisons économiques, poursuivies par l'Allemagne et l'Italie pour raisons politiques.

1. Tout ce passage prend une résonance particulière quand on sait que la famille maternelle de Sartre est d'origine alsacienne et que son père, lui, était né à Thiviers. *(N.d.E.)*

La concentration étonnante des Alsaciens évacués (un village de 1 000 habitants doit en recevoir 1 100) se justifierait par une volonté de conserver intacts les cadres (municipalités, préfectures, cadres *religieux :* consistoire, etc.), ne pas laisser l'individu (ferment de révolte) à lui-même.

Fluchtlings geld : 10 francs par tête à chaque évacué. Mistler dit : dans un village on peut avec dix francs par jour s'en tirer et dans le cas de familles nombreuses (où chaque individu reçoit 10 francs) mettre de l'argent de côté. Paul répond : « Tu sais, dans un village on peut faire des économies quand on y a des racines, mais pas autrement. »

Dimanche 26

Je m'aperçois que, par une drôle de pudeur un peu bien hypocrite, je n'ai pas noté mon changement d'humeur depuis sept ou huit jours. Je ne l'ai pas noté parce que je ne le sentais pas « intéressant ». Et par le fait, ça n'a rien de bien palpitant mais si ce journal est l'histoire d'un homme en guerre, qui n'est ni parmi les moins favorisés ni parmi les plus heureux, il faut que je note toutes ces variations avec scrupule. Je ne les ai pas notées, ni trouvées intéressantes parce qu'elles n'étaient pas à ma gloire. En fait depuis sept ou huit jours mon état de guerrier me pèse. Ce n'est point le « cafard », ni la rage, ni la révolte. Ce sont d'imperceptibles changements dans le monde : le confort poétique de Brumath a disparu. C'est une ville que j'ai quittée une fois pour toutes. On nous a trop parlé de départ. Je n'y suis plus. Elle allait devenir querencia. Elle n'est plus qu'un décor sans charme. Elle devait en partie sa poésie à sa proximité des lignes. Il y avait un au-delà vers l'Est, tout coloré de danger et d'exotisme. Tout cela a disparu : comme le disait Mistler hier : « Qui pense aux Allemands ? Qui parle des Allemands ? Qui donc fait la guerre contre les Allemands ? » L'adjudant peut-être. Mais c'est professionnel. Brumath n'est plus qu'une *résidence* dépourvue de sens, avec quelque chose de sombre et de froid. Certains endroits qui avaient une sorte de charme ***mondain*** et ***humain***, comme la taverne de l'Ecrevisse, l'ont soudain perdu. Dans ce dernier cas c'est moins à cause de mon humeur que du dévoilement progressif de la vérité. Au début ces servantes courtisées et hardies, qui se frottaient aux hommes et les appelaient soudain à la cave, d'où ils revenaient ébouriffés, cette patronne sournoise et jolie qui ressemblait à Jacqueline Delubac et puis la présence de cette « jeunesse dorée », fantassins et chasseurs qui avaient été des papillons dans la vie civile (l'un qui, fils à papa, parlait avec regret de ses maîtresses, danseuses à Tabarin, l'autre, acteur de cinéma, beau petit homme gras), tout cet effort pour reconstituer ici quelque chose d'équivalent à un bar de Montmartre, cette sélection qui s'opérait par les prix (les moins fortunés allant plutôt un peu plus bas au café-boulangerie), tout cela donnait à ce café un charme étrange, comique et un peu pervers. Mais à présent que j'y déjeune tous les jours, j'en connais les ficelles : ignominie bourgeoise de la jeunesse dorée, vice bête des deux fillettes qui ont une niaiserie de pensionnaires, esprit de lucre de la patronne. D'ailleurs la clientèle a changé peu à peu, les sous-officiers ont remplacé les soldats et quelquefois des capitaines y viennent en partie fine. La taverne de la Rose a toujours son charme, le matin, mais l'habitude l'émousse un peu, je ne retrouverai son étrange poésie que plus tard dans mes souvenirs. Voilà donc Brumath desséché. La salle d'école a quelque chose d'une cage, d'une salle d'opérations et d'un bureau à présent. En même temps l'avenir commence à se sculpter et à me tourmenter. Ce n'est plus cette nébuleuse du mois de Septembre. Il y a d'abord ma permission que j'attends, qui peuple mes jours de drôles d'images : longs séjours dans des wagons obscurs et froids, Paris sombre avec des étoiles violettes au coin des rues, sa masse noirâtre au pied du Sacré-Cœur, etc. Et puis, j'ai honte de l'avouer, je commence à attendre la fin de la guerre. Oh, c'est une croyance imaginaire, je l'attends comme j'ai attendu pendant l'hiver 39[1] la fin de la paix, je n'y crois pas. Mais enfin je suis

1. Il faut lire, vraisemblablement, 38. *(N.d.E.)*

mal assis dans la guerre comme j'étais en 38-39 mal assis dans la paix. J'avais cru m'y installer au mois d'Octobre et puis, j'imagine que la visite du Castor m'a un peu décentré. En espérant la paix — et pas trop lointaine — je participe, je crois, à un phénomène collectif. Tous ces hommes qui sont partis avec moi étaient gonflés à bloc au départ — je me suis expliqué là-dessus dans le premier carnet. Tous, sauf les mignards et les doux, ont connu les mésaventures grotesques du stoïque. Alors ils ont décrété que la guerre durerait six ans — et c'était une manière de plonger dans un autre stoïcisme. Plus propre, peut-être : il ne s'agissait plus de l'héroïsme d'impatience qui se porte au-devant des coups, mais d'une longue patience humaine qui s'entraîne à subir un exil quotidien. A l'époque les journaux nous aidaient : il s'agissait d'effrayer l'Allemagne. A la fameuse guerre éclair qui faisait long feu, l'Angleterre répondait en annonçant qu'elle se préparait pour trois ans de guerre. A quoi Hitler répondait à Dantzig : cinq ans — dix ans s'il le faut. Il ne manquait pas de sages officiers, alors, pour hocher la tête, pour écrire dans les journaux inspirés : ce sera long, plus long qu'on ne pense. Et c'était de la publicité. Et puis encore une manière de penser contre 14. On ne voulait pas retomber dans l'erreur de ces hommes qui partirent il y a 25 ans pour une « promenade militaire ». On aimait mieux se tromper dans l'autre sens. Et j'étais pénétré comme les autres par cette croyance sombre, encore que mon optimisme personnel me portât sournoisement à espérer une guerre courte. J'avais pris le juste milieu et je répétais volontiers : « J'ai fait provision de courage jusqu'au printemps 41. »

Et puis voilà que brusquement le bruit d'une guerre courte commence à courir. C'est d'abord, ici, un curé qui lit dans le cirage des bottes et qui prédit la chute de Hitler pour Décembre. Et puis ce sont des réflexions discrètes de sages — les mêmes qui prévoyaient une guerre longue, ou d'autres — les uns parlant d'une possibilité mystérieuse pour la guerre de « tourner court », les autres plus francs écrivant « J'ai la conviction que la guerre sera plus courte qu'on ne pense. » Ici, les plus pessimistes désarment. En partie sans doute sous l'influence de cette nouvelle propagande (est-elle concertée ? S'agit-il de remonter un moral assez bas ?), en partie aussi parce que cette longue patience humaine est difficile à acquérir et qu'ils étouffent d'ennui. Tous ces esprits me renvoient l'image de mon optimisme et voilà que l'espoir revient. C'est peut-être le plus dur, parce qu'alors notre vie quotidienne redevient inhumainement absurde. En même temps la guerre perd de son attrait fascinant. Et la paix, ce sera vraiment une escroquerie sans grandeur au profit des classes dirigeantes. Et nous nous retrouverons dupés, bâillonnés après avoir perdu un an de notre vie. Encore une fois je n'entends pas donner ici des *causes* qui expliqueraient une humeur sombre, mais plutôt décrire le changement d'atmosphère et d'horizon, au milieu duquel je reste d'une humeur sèche. Les seuls changements que je trouve *en moi,* c'est une irritabilité accrue et des accès d'angoisse passionnelle à propos de T. Hier, par exemple, j'ai reçu vers deux heures une lettre d'elle qui se termine ainsi : « Je m'arrête parce que je vois émerger le crâne de B., des gens l'accrochent au passage mais son regard est dirigé sur moi et il marche doucement dans ma direction avec l'obstination d'un crabe. A demain. » Cette fin de feuilleton « la suite à demain » m'a précipité dans un accès de prophétie jalouse : j'étais *sûr* qu'il y allait avoir une histoire entre eux. J'ai écrit sur-le-champ une lettre irréparable, que j'ai fini par déchirer. Je suis revenu aujourd'hui à des vues plus nuancées. Mais ces crises passionnelles annoncent un manque d'équilibre. Peut-être cela vient-il du physique : mes yeux allaient mieux mais j'étais mal foutu. Et ce matin, ils recommencent à me gêner. Encore une fois, je ne connais mon état que par ce léger sinistre qui colore les choses et par ces éclats. Toujours est-il que l'après-midi hier était particulièrement sombre : je cuisais dans ma jalousie, la tête en feu, pendant que Paul, qu'on avait piqué le matin contre la typhoïde, se promenait de long en large, rouge et misérable, quelques gouttes de sueur au front, enveloppé dans sa capote bleue. A travers lui je percevais l'inconfort de cette salle d'école. Tout était sombre. Aujourd'hui je ne sais : je suis sec et dur, comme toujours le matin, sans amitié pour moi, sans passion, sans intérêt pour la guerre et sans espoir de la voir finir bientôt. Cet état me paraît, au fond, la meilleure façon de vivre la guerre pour cette période qui commence. Pendant que j'y pense, je note, comme signe de déséquilibre, que j'ai eu il y a quatre ou cinq jours, par contre, des états de sensiblerie poétique assez violents. J'en ai écrit au Castor. Il est à remarquer que le Castor a senti mon changement d'humeur dans mes lettres avant que je ne m'en sois moi-même aperçu.

En somme la guerre est une idée concrète qui contient en elle sa propre destruction et qui la réalise par une dialectique également concrète. Le jour où, comme l'a montré Romains, on a constaté que les moyens de destruction contenaient en eux-mêmes leur propre destruction et qu'il suffisait de simples *constructions* de fortune, infiniment moins coûteuses et plus primitives, pour y parer, la guerre des *hommes* a été pratiquement terminée et la destruction s'est portée vers les marchandises. Il se peut que les modes de transport de l'avenir rendent également la guerre de blocus inefficace (par exemple si le transport se fait par voie aérienne. Il avait été question d'instituer un transport par zeppelins de matières premières, de Russie en Allemagne). En ce cas la guerre aura vécu. Ce n'est donc pas du pacifisme mais de la dialectique propre à la guerre qu'il faut attendre sa suppression. L'essence de la guerre sera concrètement *réalisée* le jour où la guerre sera devenue impossible.

J'ai conseillé à Mistler de faire une petite enquête sur place (il est Alsacien logé chez des Alsaciens) sur la condition des évacués d'après leurs lettres. Ça l'intéresse. Il me rapporte ce matin, après des conversations avec la logeuse et ses voisines, que les lettres des évacués sur les Sauvages qui les accueillent ont provoqué chez ceux qui restent un sentiment intense de fierté et de peur. Leur riche pays, civilisé et gras, avec son confort et son luxe, leur paraît comme une chair délicate et exquise aux frontières d'un pays rude et arriéré. Ils ont plus que jamais la terreur de l'évacuation. Notre logeuse nous déclarait encore récemment : « Je ne partirai que si on m'évacue de force. » Les vieilles qu'a vues Mistler répétaient : « Nous voulons bien être bombardés mais pas pillés. » Car l'évacuation pour eux c'est le pillage. On se colporte des histoires de caisses louches, qui étaient en gare de Strasbourg, expédiées par un « Höcher » à sa femme et que les autorités ont fait ouvrir : il y avait à l'intérieur du linge de femme. Les « Höcherer » (officiers — gros messieurs) sont plus redoutés que les soldats. On parle aussi d'un officier qui, à Brumath, avait présenté à la poste trois gros paquets qu'il envoyait à sa femme. Les demoiselles de la poste, intriguées, ont ouvert : encore du linge et des chapeaux de femme. Cette dernière histoire est parfaitement invraisemblable, attendu que les officiers pas plus que les soldats n'ont le droit d'user de la poste civile. D'ailleurs, à supposer que des militaires aient ici ou là envoyé des colis de linge à leur femme, ne s'agirait-il pas de ces Strasbourgeois à qui on a permis récemment de passer quelques heures dans leur ville pour envoyer des effets chauds — qu'ils ont été prendre chez eux — à leur famille évacuée ? En tout cas le bruit du pillage est tenace et les considérants dont on l'accompagne sont curieux : « Pas étonnant qu'ils pillent, ces sauvages : ils n'ont rien de tout ça chez eux. » (Propos de la fille du directeur de la centrale électrique.)

L'absence de bases solides, de racines et la conservation des cadres sociaux doit provoquer, si je ne me trompe, une crise de mysticisme social chez les évacués. Les prêtres et le consistoire sont là, d'ailleurs, pour détourner ce mysticisme au profit de la religion. Cependant les pouvoirs publics ont commencé une contre-propagande à l'usage des Alsaciens restés en Alsace. Il n'est pas de jour où des Alsaciens (maire, curé, etc.) évacués ne viennent faire une petite causerie en alsacien à la radio pour leur expliquer de quel bien-être et de quel confort ils jouissent en Limousin. En vain : les lettres détruisent tout l'effet de ces discours.

Mistler entre et je lui relis ce que je viens d'écrire. Il trouve la note de la page précédente beaucoup trop catégorique. A vrai dire je n'ai fait que reproduire ses propos, mais je leur ai donné, par le seul fait de les écrire, une fermeté qu'ils ne voulaient pas avoir. Il se corrige et voici ce qu'il dit — qui est beaucoup plus intéressant : le fait est qu'il y a une psychose de l'évacuation et du pillage à Brumath. Mais la caractéristique des bruits dont elle se nourrit est d'être inconsistants. Ce sont des brouillards. Aucune précision. Les faits sont comme voilés et vagues à dessein. Par exemple, il n'est pas vrai qu'on lui ait dit : Un militaire a envoyé des caisses pleines de linge par la poste. Non, c'est plus vague et plus mystérieux. C'est de la forme : *Il y a eu* des caisses pleines de linge à la poste. Et le lien entre les colis et les Höcherer est tout affectif. Il existe mais on ne va pas jusqu'à dire qu'ils les ont envoyés. Ils ont quelque chose à faire là-dedans, voilà. Encore n'est-ce même pas dit, mais sous-entendu. D'ailleurs, si on cherche à faire préciser le bruit, il fond. Les Alsaciens se méfient et disent : Oh vous savez, moi je n'étais pas là : voilà ce qu'on m'a dit. En somme il s'agit plutôt d'un délire secret qui attend les *faits* pour cristalliser en conviction. C'est une peur hésitante et discrète qui se méfie d'elle-même et d'autrui, toujours prête à se rétracter, à se diminuer en public, mais sans doute d'autant plus tenace quand ils sont seuls ou entre eux, qu'elle n'a pas d'objet précis.

Comme pour confirmer ce que je disais ce matin, les journaux publient une déclaration de Roosevelt : « J'espère que la guerre va finir au printemps. »

Le planton du 68e qui habite Strasbourg dans le civil reçoit de nombreuses lettres d'évacués à Périgueux. Les Alsaciens y sont fort maltraités. La population est fort montée contre eux, on leur reproche d'être *cause* de la guerre. Si Hitler a déclaré (?) la guerre, en effet, c'est qu'il veut reprendre l'Alsace-Lorraine.

Lundi 27

Se vaincre soi-même plutôt que la fortune. Fort bien dit. Mais voilà qui montre bien la sournoiserie du stoïcisme. Car enfin, pour prendre un cas précis, si je tiens de toutes mes forces à quelque objet qui m'échappe, que peut signifier pour moi la renonciation ? Croit-on que je peux continuer d'affirmer avec ma chair la valeur de l'objet, bref de faire le martyr de cette valeur et *en même temps* de trancher à la racine tout mon désir ? Ne voit-on pas que je saisis cette valeur à *travers* mon désir ? Il est donc nécessaire de faire subir à l'objet une certaine dépréciation qui favorise l'extinction de mon désir. A cela serviront de petites ruses jésuitiques qui me permettront d'affirmer sans cesse par des mots et des pensées la valeur de l'objet (par fidélité à moi) en me détournant de la sentir. Mais c'est être aveugle volontairement, car la valeur de l'objet, pour n'être sentie qu'à travers mon désir, est *vraiment* constitutive de l'objet. En ce sens, toutes ces fameuses diatribes épicuriennes et stoïciennes contre les amoureux (un grand cheval leur paraît d'une taille élancée, une boiteuse a un charme capricieux dans la démarche) ne sont que stratagèmes jésuitiques et slogans, car il est vrai que la grâce est cachée dans la boiterie de telle femme, il n'est que de l'y découvrir. Mais il faut l'aimer pour l'y découvrir. Aveugles et sourds, voilà les stoïciens. Par principe, parce que la fin justifie les moyens. Peu importe ici que la fin soit l'égalité d'âme. De toute façon le stoïcien est un pragmatiste qui recourt à la violence et au mensonge à soi pour atteindre son but. Que faire alors ? Eh bien, il faut plutôt souffrir et geindre et pleurer mais ne jamais se voiler la valeur des choses. L'authenticité exige que nous soyons un peu pleurards. L'authenticité et la vraie fidélité à soi. Ce que je dis de l'amour, je le dirai aussi de la vie. Il est dur de quitter la vie. Celui qui soudain se guinde et pense la quitter sans regret, celui-là s'est dupé, de façon ou d'autre. Excellent passage dans *Le Testament espagnol* de Koestler : « Ils sont morts dans les larmes, les vains appels au secours et dans une grande faiblesse, comme les hommes doivent mourir. Car mourir est une chose bien sérieuse, il ne faut pas en faire un mélodrame. Pilate, d'ailleurs, n'a pas dit : Ecce héros, il a dit Ecce homo. » L'essentiel c'est que cette faiblesse affreuse et qui révèle le sens de ce que Koestler appelle *le* mourir, ne vous empêche pas, s'il le faut, de mourir. J'avais toujours rêvé, je m'en souviens, à l'époque même où j'étais barricadé dans mon stoïcisme, de peindre un héros geignard et lâche et qui pourtant ferait toujours juste à point ce qu'il faudrait, qui périrait en hurlant et en demandant grâce, mais sans avouer pourtant ce qu'on voulait lui faire avouer. Pour moi, à vrai dire, je sais qu'en pareil cas, les cris me seraient arrachés malgré moi. J'essayerais de toutes mes forces de ne pas pleurer. Je pleurerais sans doute — je ne sais — mais vaincu par la peur et humilié, la peur romprait mon stoïcisme comme une digue, mais j'essayerais sans doute d'être stoïque. C'est par orgueil et je me blâme. Orgueil — respect humain. Et puis, au fond, qu'y a-t-il dans ce beau stoïcisme, sinon la peur de souffrir. L'authenticité exige qu'on accepte de souffrir, par fidélité à soi, par fidélité au monde. Car nous sommes libres-pour-souffrir et libres-pour-ne-pas-souffrir. Nous sommes responsables de la forme et de l'intensité de nos souffrances. Il est très facile d'être éperdu — très facile aussi d'être stoïque. Mais j'éprouve tous ces temps-ci qu'il est presque impossible de *tenir* l'authenticité. Je comprends bien à présent ce discours d'un personnage de Stevenson qui dit être un gourmet de la peur, parce que la peur est l'émotion la plus intense — plus intense que l'amour. Il vaudrait mieux dire : la plus authentique.

Au nombre des mobiles qui me font écrire cette page, il y a d'une part un événement de ma vie personnelle sans aucun intérêt ici — il y a d'autre part sur un autre plan toujours cet étrange et orgueilleux désir de me mettre avec les faibles contre les forts pour me sentir plus fort que les forts. Je dois le dire : j'ai une espèce de répugnance spontanée et irrationnelle contre ceux qui se plaignent quand ils souffrent. Pour rien au monde je ne voudrais le faire et, dans les petites souffrances qui caressent une vie d'homme moyen, d'habitant des villes, j'ai toujours gardé, sans grande peine mais avec une grande satisfaction, une attitude discrète. Cette discrétion d'attitude, au milieu de ces bobos, valait magiquement comme *signe* d'une discrétion et d'une sobriété semblables gardées au sein des souffrances les plus atroces. Magiquement je me considérais à tous les moments de ma vie tout comme si j'avais fait mes preuves et si je revenais d'endurer sans mot dire les pires douleurs. Et puis de temps en temps, il y avait des trous d'orgueil et je me demandais avec bonne volonté quelles étaient mes limites en ce domaine, agacé de n'avoir aucune preuve. Mais je le répète, je me considère gratuitement comme *du côté* de ceux qui ne gémissent pas. Eh bien, tout naturellement, je vais me ranger du côté de ceux qui gémissent et cette ruse me donne l'impression satisfaisante de les dépasser les uns et les autres : les forts, les muets, parce que je suis capable de leur mutisme et n'en veux pas, les autres parce que je recherche librement une authenticité qui s'impose à eux souvent en raison de leur faiblesse. Et voici une preuve de plus de cette extrême difficulté d'atteindre l'authentique. Dans sa recherche même se glissent la duperie et la ruse.

J'apprends qu'il y a un avant-projet du *Times* basant la paix sur la Fédération des peuples. « A cet effet les différentes nations d'Europe accepteront une certaine limitation de leur indépendance en matière économique, financière et même politique. » Cet article a été quasi étouffé en France. On a laissé latitude à *Je suis partout* de le critiquer ; par contre Francisque Gay note dans *L'Aube :*

« Nous l'avons déjà noté, une extrême discrétion est " recommandée " aux journalistes démocrates qui s'essaient à préciser les grandes lignes de nos buts de guerre. Ils doivent user de réserve, non seulement pour approuver le sensationnel article de l'officieux *Times,* mais même pour se réjouir des concordances constatées entre certains discours de MM. Lebrun, Daladier, Paul Reynaud et les déclarations encore plus précises de MM. Chamberlain et Eden, de Lord Halifax ou de Sir Nevile Henderson. Par contre il apparaît bien qu'on use du plus large libéralisme envers les écrivains qui jugent opportun de développer les plus vigoureux réquisitoires contre les traités de 1919. »

Suivent des citations d'articles du *Petit Parisien,* de l'*A.F.*, du *Temps,* de *Je suis partout,* etc. qui n'ont pas du tout ou qui ont fort peu été censurés. Il s'agirait d'initiatives de censeurs subalternes et réactionnaires.

Aujourd'hui, je n'ai pas précisément de raisons pour être joyeux : cette histoire de T. et puis mes yeux me font mal, le temps est couvert et sombre, je n'ai plus le sou et je ne sors pas. Et pourtant vers midi et demi, seul dans la salle d'école avec Keller qui s'empiffre de haricots pendant que je mange du pain et du chocolat, je suis allé regarder par la fenêtre le ciel et les volets rouges de la maison d'en face et, pendant que je pensais à l'authenticité, au dialogue de Mathieu avec Marcelle, une joie solide et dure, pas très forte mais résistante, un petit durillon de joie s'est installé en moi. Je n'en sais pas du tout la cause. J'ai connu la joie d'abord et je suis réduit aux hypothèses mais je sais bien que je ne la dois qu'à moi-même. Elle ne vient pas de mon orgueil, ni d'une poésie louche des objets, ni d'un attendrissement discutable. Elle n'a rien d'un emportement fragile. Elle est enfantine et paisible et, comme je ne lui vois aucun mobile, je la crois pure.

Cette authenticité dont je cherche à me rapprocher, je vois clairement en quoi elle diffère de la pureté gidienne. La pureté est une qualité toute subjective des sentiments et du vouloir. Ils sont purs en ce qu'ils se brûlent eux-mêmes comme une flamme, aucun calcul ne les souille. Purs et gratuits. A ce moment-là, ils n'ont besoin d'autre justification qu'eux-mêmes, ils n'en cherchent pas d'autre non plus. Ils ne sont qu'eux-mêmes et tout entiers eux-mêmes. Mais l'authenticité n'est pas exactement cette ferveur subjective. Elle ne peut se comprendre qu'à partir de la condition humaine, cette condition d'un être jeté en situation. L'authenticité est un devoir qui nous vient à la fois du dehors et du dedans parce que notre « dedans » est un dehors. Etre authentique c'est réaliser pleinement son être-en-situation, quelle que soit par ailleurs cette situation, avec cette conscience profonde que par la réalisation authentique de l'être-en-situation on porte à l'existence plénière la situation d'une part et la réalité humaine d'autre part. Cela suppose un apprentissage patient de ce que la situation exige et puis, ensuite, une façon de s'y jeter et de se déterminer soi-même à « être-pour » cette situation. Naturellement les situations ne sont pas cataloguées une fois pour toutes. Elles sont au contraire neuves chaque fois. Il n'y a pas ni n'y aura jamais une étiquette des situations.

Mistler vient me trouver. « Je veux te poser une question à propos des papas soldats. — Vas-y. — J'ai remarqué comme toi qu'ils disent tous regretter leurs enfants plus que leurs femmes. Pourquoi ? — Pour se masquer l'échec de leur vie conjugale. A partir de la déclaration de guerre, ils peuvent tirer un trait sous leur vie passée et faire le total. Tout est mort, on peut faire un examen et dire : Qu'est-ce que j'ai valu ? Eh bien, leurs rapports avec leurs femmes leur apparaissent comme ils sont : minables et ratés, leur plus gros échec. Alors ils s'en détournent, ils s'en divertissent par la pensée de l'enfant. L'enfant n'est rien encore, il n'y a pas de total à faire. Par contre, c'est l'avenir. Leur avenir aussi bien que le sien : c'est l'après-guerre, une après-guerre qui est *la leur* puisqu'ils ont fait l'enfant. C'est une manière de penser : ma vie n'est pas encore close, le total n'est pas encore fait, il y a un sursis. L'enfant c'est le seul sursis de cette vie morte. — Mais, dit Mistler, n'y a-t-il pas des cataclysmes individuels en pleine paix qui puissent induire un particulier à penser de la sorte ? — Peut-être, mais cela n'est pas du tout pareil. En paix il y a un système individuel, la vie d'un homme et ses coordonnées : l'époque. Le système individuel peut varier mais les coordonnées restent fixes. Il varie par rapport aux coordonnées. Il n'y a donc jamais cet arrêt total de la vie. Au contraire, dès que la guerre arrive, le trait est tiré, ce n'est pas seulement le système individuel qui s'arrête et se fige, c'est aussi ses coordonnées. Tout est tombé dans le passé, on peut juger sa vie, son époque et sa vie en tant qu'elle est construite avec des matériaux fournis par l'époque. Ce serait l'occasion d'être libres, mais ils ne veulent pas. Ils se cachent leur liberté totale par rapport à cette vie manquée au moyen de l'amour paternel. »

Terre des hommes, de St-Exupéry, rend un son très heideggerien : « Un spectacle n'a point de sens sinon à travers une culture, une civilisation, un métier » (p. 14). « Les nécessités qu'impose un métier transforment et enrichissent le monde. » « Aux simples voyageurs la tempête demeure invisible... Seules de grandes palmes blanches s'étalent, marquées de nervures et de bavures, prises dans une sorte de gel. Mais l'équipage juge qu'ici tout amerrissage est interdit. Ces grandes palmes sont pour lui semblables à de grandes fleurs vénéneuses » (p. 33, 34).

« L'avion est une machine sans doute, mais quel instrument d'analyse ! Cet instrument nous a fait découvrir le vrai visage de la terre. Les routes en effet, durant des siècles nous ont trompés... elles évitent les terres stériles, les rocs, les sables, elles épousent les besoins de l'homme et vont de fontaine en fontaine... Cette planète, nous l'avons crue humide et tendre. Mais notre vue s'est aiguisée et nous avons fait un progrès cruel. Avec l'avion nous avons appris la ligne droite... Nous voilà donc changés en physiciens... nous voilà donc jugeant l'homme à l'échelle cosmique. »

Je lis *Terre des hommes* avec une espèce d'émotion. Pourtant je n'aime pas trop le style, un peu vaticinant et dans la lignée Barrès, Montherlant ; je n'aime pas certaine mignardise, ni une certaine rondeur politicienne qui nous fait voguer de l'oraison funèbre (« Ton retour, Guillaumet, tu décidais, avare, de nous le refuser ») à des panégyriques dignes de *La Science et la vie.* Et surtout je n'aime pas ce nouvel humanisme : « Ce que j'ai fait, je te le jure, jamais aucune bête ne l'aurait fait. — Cette phrase, la plus noble que je connaisse, cette phrase qui situe l'homme, qui l'honore, qui rétablit les hiérarchies vraies », etc. Mais il reste bien assez de bons et même d'excellents passages pour m'émouvoir. Et puis rien n'est plus propre encore à tirer les larmes des yeux d'un captif que ces récits de vertigineux voyages. Depuis la mobilisation, il m'est souvent arrivé de regretter les villes et les paysages du monde que je connais — et c'est quelquefois amer.

Mais ce soir, je regrette l'Argentine, le Sahara, toutes les parties du monde que je ne connais pas, toute la terre — et c'est beaucoup plus doux, résigné, sans espoir. C'est une « tendre souffrance » qui ressemble au bonheur. C'est comme le regret d'une vie que j'aurais pu avoir, du temps que j'étais « mille Socrates ». A présent je n'en suis plus qu'un seul. Ou deux ou trois peut-être.

Mardi 28

Mistler continue son enquête. Voici les faits recueillis ce matin. Il semble que la question *travail* soit d'une importance considérable. La réflexion d'un évacué (rapportée par un Messin mobilisé ici) est assez typique : « Peut-être qu'on nous a envoyés ici pour *leur* apprendre à travailler. » Réflexion suscitée évidemment par l'aspect primitif des outils et des travaux agricoles de ces « sauvages ». Voilà donc des gens fiers de savoir travailler, tout prêts à apprendre aux autres ce qu'ils savent et à conseiller. Le caractère alsacien est très conseilleur. Or leur déception la plus forte, d'après leurs lettres, semble être de ne pas pouvoir *placer* leur force de travail. J'imagine en outre que, s'ils pouvaient travailler, ils retrouveraient une dignité d'hommes, ils ne [se] sentiraient plus « foule évacuée ». Mais on ne les emploie pas, ou peu (il faut tout de même que je cite, pour nuancer, la remarque d'un Périgourdin mobilisé à Brumath : dans son village une ferme emploie 10 Alsaciens. Il prétend qu'ils ont été d'abord déconcertés par le caractère *moderne* et *neuf* des outils — notamment des charrues. Mais ils se seraient rapidement adaptés). En tout cas la plupart ne travaillent pas. Ils disent : « Mais enfin il y a eu des mobilisés en Limousin, il y a des gens à *remplacer*. Comment se fait-il qu'on ne nous emploie pas ? » Ils se heurtent évidemment à la méfiance limousine ; les Limousins préfèrent se crever à la tâche et *tout* faire par eux-mêmes. Mais voici l'amorce d'un phénomène social : de gros fermiers, las de l'inaction, projettent d'acheter des terres en Limousin. Il sera curieux de voir les conséquences de ce projet s'ils y donnent suite.

D'autre part, voici qu'à St-Junien un certain nombre de familles alsaciennes, dégoûtées par la nourriture périgourdine (« Ils mangent des ordures »), ont décidé de mettre en commun le Fluchtlings geld. Une ou deux femmes, plus habiles que les autres, feront le marché et la cuisine. Je remarque ici cette tendance à socialiser un argent qui est d'origine socialiste. Ils ont moins de peine à le mettre en commun parce qu'ils ne le sentent pas comme *à eux.* Sans doute ont-ils bien *droit* à l'indemnité de dix francs par jour. Mais ils n'ont pas avec ces dix francs le lien âpre et intime qu'on a avec l'argent gagné ou hérité. En même temps, il me semble voir naître sous cette ébauche de phalanstère, sous ces repas pris en commun, cette tendance à un mysticisme social dont je parlais l'autre jour. On se retrouve, on se serre les coudes. Peut-être le repas retrouve-t-il ce caractère sacré qu'il a perdu depuis longtemps. En tout cas, pour généraliser cette institution neuve, les Alsaciens de St-Junien invitent ceux des communes voisines à se joindre à eux. Ici intervient un autre phénomène : les autorités des communes voisines *refusent* aux Alsaciens qui sont leurs ressortissants la permission d'aller prendre leur repas à St-Junien. Pourquoi ? Il peut y avoir à cela diverses raisons : peut-être simplement s'agit-il d'une initiative locale d'une municipalité tatillonne ou hostile. Mais peut-être aussi ne veut-on pas qu'une société plus large et des communautés semblables à celles des Chrétiens primitifs se créent *en dehors des cadres* que le gouvernement a pris un soin jaloux de conserver. Peut-être aussi ne tient-on pas trop à ce que les Alsaciens évacués dans une commune limousine sachent ce qui se passe dans les autres. C'est multiplier le mécontentement.

A noter que — le mépris des Alsaciens pour la nourriture limousine étant égal à celui des soldats du centre pour la nourriture alsacienne — on a vu paraître quelques charcuteries montées par des Juifs évacués et qui vendent des saucisses de Strasbourg et des saucissons gras.

Les Alsaciens de Limoges, furieux de ne pas trouver d'emploi, rapportent que les boutiquiers de Limoges se plaignent d'avoir trop de travail : « C'est à cause de ces évacués, disent les commerçants limousins en gémissant, vous comprenez, ils viennent tout le temps faire des achats, il faut que nous nous réapprovisionnions en tout. »

Hang, à qui je parle de mon enquête, me signale qu'il reçoit des lettres de son jardinier et de la femme du jardinier, qui se plaignent surtout d'être exploités d'une manière éhontée. Mais, bien qu'Alsacien, il est conformiste et ne *veut* pas s'indigner. Il me dit : « Je leur réponds qu'ils sont beaucoup plus heureux que les réfugiés de 1914, et qu'ils n'ont pas à se plaindre, parce que la guerre aurait pu tourner tout autrement. » Tout de même cette idée qu'on les exploite le tracasse un peu. Mais il hausse les épaules et me dit : « Que veux-tu, c'est tellement humain ! »

L'adjudant depuis quelque temps répète en fronçant les sourcils : « Vivement le boum-boum ! Les Boches, moi, j'ai un compte à régler avec eux. » Les premières fois cette formule guerrière avait tous les caractères d'une improvisation. Mais peu à peu elle est devenue rituelle et il a bien fallu lui chercher des bases. Ce matin, c'est fait. En prenant son café, il me dit : « J'ai un compte à régler avec les Boches. Je veux leur rendre les coups de cravache qu'ils m'ont foutus quand j'étais petit. » Moi, vivement intéressé : « Ah ! ils vous ont foutu des coups de cravache ? — C'est-à-dire non. J'étais en région occupée, quand j'étais petit. Alors les Boches, ils me donnaient du chocolat pour que je crie : " Frankreich kaputt ". Moi je ne savais pas l'allemand, je criais. Mais mon grand-père, une fois, m'a dit devant eux : " Ne crie pas ça ". Alors ils m'ont menacé de la cravache. »

Paul, dans une crise de rage, hier a reproché à Pieter de manquer de dignité parce qu'il quémande toujours. Et, par le fait, Pieter adore *demander :* un service, une faveur, n'importe quoi. Mais ce serait une grave erreur de croire qu'il le fait par bassesse. Au contraire. D'abord il y a un certain lyrisme de l'entregent, chez lui. Il demande parce qu'il sait demander. Il dira, d'un air de ménager une surprise agréable à son interlocutrice : « Vous ne savez pas, madame, ce que je vais vous demander ? » de façon que la personne, en apprenant ce qu'on attend d'elle, soit ravie et comblée parce qu'on a satisfait sa curiosité. Ou bien : « Ah ! je vais encore vous embêter... » Il y a une espèce de générosité de la demande chez lui. Il lui arrive de commencer une demande, mais sans savoir ce qu'il va demander : pour le plaisir. Mais tout cela n'est pas l'essentiel. En fait, pour lui, la demande est un rite sacré de la religion humaniste, c'est une cérémonie naïve et quasi féodale qui rétablit pour un moment l'égalité entre le demandeur et le donneur. L'acte de demander met deux hommes face à face dans leur nudité d'hommes. Pieter se met tout entier dans sa demande : « Vous voyez qui je suis, un homme comme tant d'autres, dans sa dignité d'homme. » Et s'il aime tant demander à des supérieurs, c'est qu'il a l'illusion de s'adresser à l'homme. Et en effet, dans sa demande, il y a toujours quelque chose de confidentiel et de chuchoté qui, sous le respect très apparent, signifie : « Je n'oublie pas que vous êtes officier mais ce que je désire de vous, c'est de l'homme que je le désire, etc. » Aussi, quand on le lui accorde — et il est rare qu'on ne le lui accorde pas — il est doublement heureux — et surtout parce qu'il a l'impression que le lieutenant ou le capitaine le lui a donné *en tant qu'homme.* Ainsi la demande, chez Pieter, est une communion mystique et sans cesse renouvelée de son humanité avec celle des autres. La contrepartie c'est qu'il donne aussi généreusement qu'il demande — même et surtout quand on ne lui demande rien.

Ce matin, en me levant, je suis encore tout occupé par cette pensée de St-Exupéry, si heureusement développée : « Un spectacle n'a de sens qu'à travers un métier. » Paul dit en frissonnant : « Il fait plus froid qu'hier. » Hier il pleuvait. Et je sens que ce froid, aigre et vif, n'est pas du tout pareil à celui que je pourrais ressentir à Paris, certains jours, dans ma chambre de l'hôtel Mistral. Celui-ci, c'est *mon* froid, la matière de mon travail, un froid que j'aurai mission, tout à l'heure, de mesurer. Il est beaucoup moins pénible à supporter que l'autre, parce que je ne le subis pas passivement. Il ne me mord pas, il me caresse et m'égratigne un peu, comme un félin qui jouerait avec moi. En même temps il n'est pas, comme autrefois, une petite mare glacée qui a coulé dans la chambre par les interstices des fenêtres et qui stagne là : il est un signe du beau temps. Il *est* le beau temps. Dans cette chambre, toutes persiennes closes, à travers la lumière jaune des ampoules électriques, il s'est glissé, rayon de soleil, aurore sèche et rose. Je n'ai pas besoin d'ouvrir les fenêtres, je suis déjà dans le beau temps et ce lever de deux soldats aux yeux roses n'a plus rien de sinistre, c'est un lever dans les champs, les murs ne comptent plus. Ils ne sont pas tombés mais ils ne peuvent rien contre cette dimension de froidure, mon nouveau milieu. Il y aurait beaucoup de transformations semblables à noter, mais j'en ai paresse, je les écrirai si elles me viennent. Il en est une, toutefois, à laquelle je pensais et qui ne naît point de mon métier de météorologiste mais de ma condition de soldat en guerre. Les beaux ciels purs et froids cachent à présent quelque chose de vibrant et de velu qui s'étend d'un bout à l'autre de l'horizon comme une aile d'insecte : ce sont des ciels *à* raids d'avions allemands. C'est leur nature, une qualité de leur paysage, qu'on aperçoit le matin en levant la tête. Ça ne fait pas peur du tout, parce que les avions ne sont pas méchants, ça n'intéresse pas non plus énormément ; c'est là, le ciel est discrètement vénéneux, comme ces palmes blanches dont parle St-Exupéry. Et les ciels de pluie, au contraire, sont des parois solides qui nous isolent, un avant-goût de la paix. Pour notre logeuse qui a peur des attaques aériennes, le sens du climat s'est renversé. Elle ouvre ses volets et sourit à la pluie comme elle souriait autrefois au soleil.

J'oubliais de dire que le froid matinal n'est pas une aventure locale de ma personne, de mes camarades. Il vient de loin, de haut à présent, il est chargé d'une poésie exotique comme un vol d'oiseaux migrateurs. Le Castor, en lisant ces lignes, pensera sans doute au froid des sports d'hiver, qui était un lien humaniste entre les hommes, un milieu humain et en même temps une substance épaisse et perceptible qu'on touchait avec les mains, avec la peau du visage. Lui non plus n'était pas subi, puisqu'on allait le chercher jusque dans ses montagnes pour le plaisir de s'enfoncer en lui et de le sentir siffler autour de nous comme de l'air troué par un projectile.

Deux anecdotes de Hang, dont il garantit l'authenticité. Près de Wissembourg, une patrouille française est surprise par les Allemands. Les hommes s'enfuient, le sergent est fait prisonnier. On l'emmène dans une casemate et un officier allemand l'interroge pendant une demi-heure en excellent français. Le sergent fait la bête mais commence à craindre qu'on ne le malmène un peu pour le faire parler. Au bout d'une demi-heure l'officier allemand lui dit : « Bon. Eh bien à présent foutez-moi le camp, rentrez chez vous et ne venez plus nous emmerder avec vos patrouilles. » Autre histoire : toujours près de Wissembourg on permet à des civils évacués de revenir vingt-quatre heures dans leur village pour reprendre des objets indispensables. Sur ces entrefaites les Allemands s'emparent du village. Ils voient les civils occupés à déménager leurs biens et les aident à faire leurs paquets, puis les laissent repartir. Cette seconde anecdote me paraît plus louche. Mais le fait est qu'on les colporte ici. Il se confirme que les rares tués ou blessés dans ce secteur-ci l'ont été, de part et d'autre, par représailles, à la suite d'un coup de feu inopportun. Autre histoire : une nuit la 65e, en grand secret, vient occuper son secteur. Le lendemain matin, pancarte allemande, de l'autre côté des lignes : « Bienvenue à la 65e. »

En somme la volition est ordinairement considérée comme une fulguration qui ne modifie pas la substance dont elle émane. Je la considère, au contraire, comme une modification totale et existentielle de la réalité humaine.

Comme pour confirmer ce que je disais hier, d'après Valois[1], voici ce que je lis aujourd'hui dans *L'Œuvre* :

« Hier, à minuit, *L'Œuvre* donne en titre cette phrase du discours de M. Chamberlain sur les buts de paix : " Il ne s'agirait pas de redessiner les cartes géographiques conformément à nos idées de vainqueurs mais de doter l'Europe d'un esprit nouveau. " Phrase excellente, en plein accord avec les déclarations dix fois répétées du gouvernement français, le " nouvel esprit " dont parle M. Chamberlain étant, de toute évidence, l'esprit de liberté, de justice et de paix.

« Cependant, à deux heures du matin, la censure invite *L'Œuvre* à supprimer la phrase du Premier anglais.

« Nous nous empressons d'ajouter que, pour l'édition suivante, le titre supprimé était rétabli : les chefs étaient intervenus. »

La fin de l'article, qui incriminait sans aucun doute les censeurs subalternes, a été supprimée par la censure.

Je copie ici cette lettre charmante et ironique de T. sur l'authenticité : « Si tu devenais authentique, tu n'en serais ni mieux ni plus mal, ça serait autre chose. D'un point de vue social tu vaudrais moins et ta vie à l'extérieur ferait sans doute moins réussie. Mais en soi tu serais mille fois plus poétique et mille fois plus pur ; au lieu d'écrire, tu serais un sujet de livre (ça ne te dit rien ?). Je crois comme tu dis que ça doit être terriblement dur d'atteindre l'authenticité. J'ai toujours pensé qu'on était en pâte authentique de naissance. C'est un défaut de construction que tu n'as pas. Et puis tu t'es fait en sens contraire, tu as trop pensé, tu te connais trop bien et puis tu écris. En admettant qu'on ait une lueur d'authenticité, tout s'en va quand on écrit. Ça m'a fait doucement marrer quand tu dis que tu regrettais de ne pas être intelligent quand tu perdais, pour en tirer profit. On ne peut pas tirer profit de ça parce que l'authenticité, ça ne se sait pas. Je

1. Georges Valois, journaliste et homme politique (1875-1945). Il fonda le mouvement *Le Faisceau* en 1925. Plus tard il se sépara du fascisme et fut déporté pour sa participation à la Résistance. *(N.d.E.)*

vois ça comme un truc sans milieu et toi tu y vas en amateur sans vouloir trop t'y casser le nez. Le résultat c'est que tu écriras sous peu un merveilleux livre en plusieurs tomes sur l'authenticité. Au fond tu devrais te droguer pour ça. Les seuls écrivains un peu authentiques sont surréalistes et encore : Rimbaud. »

Le soir Pieter et moi mangeons en général du pain et du chocolat ou des conserves. Paul et Keller s'envoient les quatre parts de viande et de légumes. Hier soir, Pieter a la fantaisie de manger un peu de pommes de terre. Il dit à Keller : « Je prendrai un peu de pommes de terre. — Bon », grogne Keller. Pieter s'en va, Keller et Paul mangent. Au bout de dix minutes Pieter revient pour manger ses pommes de terre : la gamelle est entièrement vide, ils ont tout pris : « C'est tout ce qui me reste ? » demande-t-il. Et Keller froidement : « Aujourd'hui on a été mal servis. »

C'est vrai, je ne suis pas authentique. Tout ce que je sens, avant même que de le sentir je sais que je le sens. Et je ne le sens plus qu'à moitié, alors, tout occupé à le définir et à le penser. Mes plus grandes passions ne sont que des mouvements de nerfs. Le reste du temps, je sens à la hâte et puis je développe en mots, je presse un peu par ici, je force un peu par là et voilà construite une sensation exemplaire, bonne à insérer dans un livre relié. Tout ce que les hommes sentent, je peux le deviner, l'expliquer, le mettre noir sur blanc. Mais non pas le sentir. Je fais illusion, j'ai l'air d'un sensible et je suis un désert. Pourtant quand je considère mon destin, il ne me semble pas si méprisable : il me semble que j'ai devant moi une foule de terres promises où je n'entrerai pas. Je n'ai pas eu la Nausée, je ne suis pas authentique, je suis arrêté au seuil des terres promises. Mais du moins je les indique et les autres pourront y aller. Je suis un indicateur, c'est mon rôle. Il me semble qu'en ce moment je me saisis dans ma structure la plus essentielle, dans cette espèce d'âpreté désolée à me voir sentir, à me voir souffrir, non pour me connaître moi-même, mais pour connaître toutes les « natures », la souffrance, la jouissance, l'être-dans-le-monde. C'est bien *moi*, ce redoublement continuel et réflexif, cette précipitation avide à tirer partie de moi-même, ce regard. Je sais bien — et souvent j'en suis las. C'est de là que vient cette attraction magique qu'exercent sur moi les femmes obscures et noyées, T., autrefois O. Et puis alors, de temps en temps, j'ai des plaisirs innocents d'âme pure, mais aussitôt reconnus, dépistés, exprimés, répandus dans ma correspondance. Je ne suis qu'orgueil et lucidité.

Mercredi 29
Depuis le 2 Septembre, j'ai lu ou relu :
Le Château de Kafka
Le Procès de Kafka
Au bagne[1] de Kafka

Le Journal de Dabit
Le Journal de Gide
Le Journal de Green
Les Enfants du limon de Queneau
Un rude hiver de Queneau
Les *N.R.F.* de Septembre-Octobre-Novembre
Mars ou la guerre jugée d'Alain
Prélude à Verdun de Romains
Verdun de Romains
Quarante-huit de Cassou
La Cavalière Elsa de Mac Orlan
Sous la lumière froide de Mac Orlan
Le Colonel Jack de De Foe
Deuxième tome des *Œuvres* de Shakespeare (Pléiade)
Terre des hommes de St-Exupéry
Le Testament espagnol de Koestler

Jeudi 30
Comme je n'ai plus d'argent et que je ne veux pas obérer le

1. Il s'agit de *La Colonie pénitentiaire (In der Strafkolonie). (N.d.E.)*

mois de Décembre en empruntant à Pieter, je ne vais pas déjeuner, depuis cinq jours, à l'Ecrevisse. La cuistance ne m'inspirant guère de désir, j'en profite pour jeûner à demi : le matin une tartine de pain et de fromage, le soir un morceau de pain et de chocolat, hier rien du tout. J'espère perdre ainsi les deux ou trois kilos de trop que j'ai pris depuis Septembre. Déjà j'ai « gagné un cran » à ma ceinture. A vrai dire j'aurais peut-être été déjeuner hier dans une auberge, mais je sens que mes acolytes me guettent. Je leur ai tant reproché leur faiblesse, si souvent laissé voir qu'ils m'agaçaient avec leurs résolutions cent fois prises et cent fois remises en question ! Ils seraient heureux de me prendre en flagrant délit. Ils n'auront pas ce plaisir. Paul s'est rattrapé toutefois en confiant sous le sceau du secret à Mistler, qui me l'a répété, que « je n'avais jamais été si agressif que depuis ce jeûne volontaire ». Cela m'amuse et m'instruit : je ne m'en rendais pas compte. Mais en comparant les dates, je vois bien que cette agressivité nerveuse est liée tout simplement à cette drôle de crise passionnelle où je me suis jeté, à propos de T. Et cette crise elle-même est antérieure à ma résolution de moins manger. Avant-hier fut, de ce point de vue passionnel, vraiment pénible. Hier, beaucoup moins. Le courrier ne m'avait pas apporté de lettre d'elle et, quand je suis dans cet état, je préfère son silence. Je sens moins qu'elle est une conscience. Sa vie à Paris me semble irréelle. Une lettre, c'est l'éclatement brusque d'une petite conscience infidèle et absolue au milieu de ce Paris que je regrette. Quand je compare ce que j'écris aujourd'hui à ce que j'écrivais Dimanche 26, je vois que j'ai dû traverser une crise de « cafard ». Mais comme, par orgueil, j'étais buté dans ma décision de ne pas regretter ma vie passée et de ne pas me plaindre de celle-ci, ce petit désespoir éphémère s'est jeté dans la seule voie libre qu'il a pu trouver : une inquiétude maladive et jalouse à propos de T. Non que je n'aie eu — que je n'aie encore — des *motifs* d'inquiétude. Mais j'aurais, sans aucun doute, réagi différemment en temps de paix.

En tout cas, enfermé volontaire et jeûneur par obstination, je lisais avant-hier et hier un livre qui s'accordait admirablement avec mon humeur sombre et à qui les circonstances présentes ont fait rendre son maximum : *Le Testament espagnol* d'Arthur Koestler. L'intérêt passionné qu'il éveillait chez moi est allé rejoindre rétrospectivemant et en faisant tache d'huile celui qu'avait éveillé *Verdun* de Romains. Les livres durs qui parlent de cruauté, de misère et de mort me sont précieux en ce moment. Je souhaiterais ne lire qu'eux pour l'instant. Le seul fait d'être plongé dans cette guerre — qui n'est pas bien terrible pourtant, mais qui a tout de même un discret avenir de destruction et de mort — suffit à rendre vivants et réels ces récits sombres. L'an dernier je les eusse lus avec l'indignation qui convient, naturellement, mais il m'aurait semblé qu'ils ne me concernaient pas, mon indignation eût été « généreuse ». Cette guerre de 14, elle est bien enfouie — et puis l'Espagne n'est pas la France. J'imagine que la majorité des bourgeois de bonne volonté ne peuvent se défendre, en lisant les journaux ou de semblables témoignages, d'une sorte de sécurité civilisée : ça n'arrivera pas en France. L'Espagne est un pays arriéré — ou encore : on s'est toujours massacré dans les Balkans, etc. Un Français considère toujours plus ou moins la France comme un Kosmos au sein d'un univers démesuré, informe et violent. L'univers s'agite et des orages immenses le traversent mais ça ne concerne pas le Kosmos. Mais aujourd'hui que malgré tout nous sommes en guerre, ce qui est tout de même au minimum une façon de remettre en jeu le Kosmos, je suis ouvert pour ces livres sombres, ils me décrassent de cette mince couche d'optimisme idéaliste qui me restait encore. J'ai l'impression qu'ils me parlent des hommes tels qu'ils sont. Un Français, c'est toujours un peu un type qui mange du bœuf mais qui jugerait sévèrement celui qui lui proposerait d'aller faire un tour aux abattoirs pour voir comment on tue les bestiaux. Je me suis rapproché des abattoirs. Le premier jour le récit de la prise de Malaga m'a donné un mélange d'horreur et d'envie pour cette guerre paresseuse et cruelle qui du moins se faisait au soleil. Le lendemain j'ai surtout été saisi par l'énumération systématique des ruses au moyen desquelles un homme en danger de mort se masque le danger et se rassure, tout en ayant l'air à ses propres yeux de chercher uniquement à être courageux. J'aime beaucoup cette remarque sur les gens à la veille de la chute de Malaga : « J'ai l'impression gênante que tout cela est du cinéma... que tous, moi y compris, nous jouons un drame naïvement pathétique sans avoir vraiment conscience de la réalité perfide de la mort. » Je sens fort bien l'espèce de ruse qu'il y a sous cette irréalisation pathétique de la mort. Et puis, ensuite, quand l'heure du « drame » est passée, quand il faut vivre misérablement avec l'idée constante de la mort, chaque sursaut d'héroïsme est au fond un subterfuge qui cache Dieu sait quelle manière naïve de se rassurer. Un réconfort en général magique, que nous n'accepterions jamais dans sa nudité, mais que nous visons par côté, en feignant de ne pas le savoir. Ce sont bien toujours les ruses du stoïcisme et cette manière d'être pris par-derrière et *par soi-même,* au moment où l'on jurerait qu'on se bande vers un courage désespéré. Cela éveille bien des échos en moi : n'ai-je pas usé de cette technique du réconfort, au début de cette guerre, tout en me croyant bien brave ? De là cette remarque : « Je ne crois pas que depuis que le monde est monde, un seul homme soit mort *conscient.* Quand Socrate, parmi ses disciples, saisit la coupe de ciguë, il devait être au moins à demi persuadé qu'il leur jouait la comédie... Certes il savait en théorie que le breuvage devait avoir un effet mortel ; mais il avait sûrement le sentiment que la chose était bien différente de ce qu'imaginaient ses disciples affligés et sans humour, et qu'il devait y avoir, au fond de tout cela, une ruse que lui seul soupçonnait. » Et cette autre remarque : « La nature a pris soin de ne pas laisser croître les arbres jusqu'au ciel. Ceux de la douleur pas plus que les autres. » Mais pour moi il ne s'agit pas de la nature, il s'agit de nous-mêmes et nous sommes entièrement responsables de ces ruses-là. D'ailleurs il reconnaît qu'il a eu quelques heures d'authenticité : « La plupart d'entre nous ne craignaient pas la mort mais seulement le mourir et il y avait des heures où nous surmontions même la peur de mourir. Dans ces heures-là nous étions *libres...* hommes sans ombres congédiés du rang des mortels ; c'était l'expérience de la liberté la plus absolue qu'un homme puisse connaître. »

Cette remarque aussi : « La proximité constante de la mort pesait sur (notre vie) et tout ensemble l'allégeait. Nous étions déchargés de toute responsabilité. » J'ai déjà dit que la guerre pouvait servir de justification : elle allège, elle excuse « d'être-là ». A présent je vois que la mort aussi. Tant il est difficile de vivre seulement, sans être *aucunement* justifié.

En somme cette crise passionnelle c'est tout simplement le dévoilement, motivé par une circonstance extérieure, de toute une dimension de mon univers et de mon avenir et, en même temps, le dévoilement de la terrible *simultanéité* qui, par bonheur, nous demeure cachée la plupart du temps. J'imagine que si on la vivait *ici* dans toutes ses dimensions, la simultanéité, on passerait ses journées à saigner comme un sacré-cœur, mais bien des choses nous la couvrent. Par exemple les lettres que je reçois mettent trois jours à me parvenir, celles que j'envoie mettent trois jours à arriver. En sorte que je vis flottant entre le passé et l'avenir. Les événements que j'apprends sont déjà passés depuis longtemps et même les projets à courte échéance dont on me fait part, ils sont déjà réalisés (ou ils ont échoué) quand j'en prends connaissance. Les lettres que je reçois sont des bouts de présent entourés d'avenir mais c'est un présent-passé entouré d'un avenir mort. Moi-même, quand j'écris, j'hésite toujours entre deux temps : celui où je suis en traçant les lignes pour le destinataire, celui où sera le destinataire quand il me lira. Cela ne rend pas cet « entourage » irréel, mais plutôt intemporel. De ce fait il s'émousse, il perd de sa nocivité. Grâce à quoi mon présent d'ici, mon présent neutre peut reprendre quelques couleurs, je peux tenir à certaines choses, à mes lectures, à mes petits matins à la Rose, etc. De même les lettres que je reçois ne m'apparaissent plus comme des signes inquiétants de l'existence d'autres consciences mais comme une forme commode qu'ont prises ces consciences pour voyager jusqu'à moi. Quand je lis les lettres, je tiens ces consciences captives, en cercle autour de moi, elles ne peuvent s'échapper, aller refléter d'autres cieux et d'autres visages, elles sont un peu pétrifiées, un peu passées. Mais que tout à coup la simultanéité se dévoile, alors la lettre est un coup de poignard : d'abord elle révèle des événements irrémédiables, puisqu'ils sont passés, et ensuite elle laisse échapper l'essentiel, cette vie présente des consciences, qui ont survécu à leurs lettres, qui y ont échappé et qui poursuivent leurs vies par-delà ces messages morts, comme les vivants par-delà les tombes. A ce moment-là, je ne sais comment dire : il me semble que c'est moi qui suis passé, impuissant, inefficace. Je ne puis me raccrocher à mon avenir d'ici, il s'engloutit. D'où un état de nervosité qui peut prendre alors la forme de la jalousie.

Je ne regrette pas, d'ailleurs, ces quelques jours sombres. C'était de la vie pleine ; ils m'ont apporté, en marge de cette nervosité stérile et pénible, les « tendres souffrances » dont parle Exupéry et la soirée poétique du 27, ils m'ont apporté aussi les clartés sinistres du *Testament espagnol.* Tout cela par déséquilibre évidemment : je me jetais dans les divertissements. Mais au moins étais-je pris à ces divertissements ; au moins, par deux fois, ai-je été un autre.

Madame Magdelin, m'écrit ma mère, fait des galons d'or pour garnir les chasubles des aumôniers du front. « Et, comme on doit tout économiser, les habits brodés des préfets, des académiciens, les robes de bal, les étoffes anciennes, tout est réquisitionné par leur troupe de travailleuses. »

L'adjudant est hébergé gracieusement par une jeune femme (dont le mari est allemand — et présentement dans un camp de concentration). Mais il souffre et « ne lui pardonnera jamais parce qu'elle appelle son gosse Willy, comme les Boches ».

Il se confirme que, du côté de Wissembourg, les soldats français ont tout pillé.

A six heures l'adjudant rentre et nous annonce que la Russie a attaqué la Finlande. Mauvais.

Vendredi 1er Décembre

Le bruit se précise : Pieter a causé hier soir avec sa logeuse. « J'en connais un, dit-elle, et je pourrais même dire son nom, qui est gardien à Strasbourg et spécialement affecté à la surveillance des maisons évacuées. Eh bien, il revient chaque semaine avec des paquets pleins de linge et de vêtements. »

Notre logeuse a dit à la sienne qu'après notre départ elle n'accepterait de loger que des officiers parce qu'au moins ils pourraient lui faire la conversation.

Pieter me dit : « Nous causions justement de toi avec Paul, hier soir. Prends garde, mon vieux, que tu travailles seize heures par jour ! Comment veux-tu, avec ça, ne pas être irritable ? » D'abord flatté, je réfléchis que je ne puis travailler au maximum que 13 heures, puisque je ne suis guère à ma table qu'à 8 heures et que je quitte l'école à 9 heures du soir. Ensuite il faut décompter là-dessus les deux heures de repas (11 à 1 h). Sans doute j'écris sur mon carnet pendant ces deux heures-là mais beaucoup moins. En outre Pieter confond sous le nom général de travail les moments où je lis des romans et ceux où je réponds à des lettres. Je compte donc au plus 8 à 9 heures de travail effectif. Il n'en est pas moins vrai que je dois faire dix à onze heures de lecture et d'écriture par jour. Cela explique la fatigue de mes yeux.

Frappé hier, en feuilletant à nouveau le journal de Gide, de son aspect *religieux.* C'est d'abord un examen de conscience protestant et ensuite un livre de méditations et d'oraisons. Rien à voir avec les essais de Montaigne ou le journal des Goncourt ou celui de Renard. Le fond c'est la lutte contre le *péché.* Et la tenue du journal se présente très fréquemment comme un des humbles moyens, une des humbles ruses qui permettent de lutter contre le Démon.

Ex. : « Je n'ai jamais été plus modeste qu'en me *contraignant* à écrire quotidiennement dans ce carnet des pages que je sais, que je sens si pertinemment médiocres... Je m'attache à ce carnet désespérément, il fait partie de ma patience, il m'aide à ne pas m'enfoncer » (1916 — 7 Février). Et (16 Septembre 1916) : « Je n'y parviendrai que par un effort constant, un effort de chaque heure et constamment renouvelé. Je n'y parviendrai pas sans ruse et pas sans minutie.

« Rien d'obtenu si je prétends ne noter ici que l'important. Dans ce carnet je dois prendre le parti de tout écrire. Je dois me forcer à écrire n'importe quoi. »

Le carnet est une tâche, une humble tâche quotidienne et c'est plutôt avec humilité qu'on le relit. Naturellement il n'est pas et ne peut pas être que cela. D'abord à cause de la personne de Gide, de son métier d'écrivain, et puis à cause de l'idée dialectique de carnet qui s'impose et se réalise par l'écrivain. Mais l'armature reste religieuse. De là l'austérité de ce journal et par instant son caractère *sacré.* En même temps c'est le journal d'un *classique.* C'est-à-dire qu'il tient un livre de *relecture* et de méditations à propos de ces relectures. A cela d'ailleurs aussi il faut attribuer l'aspect sévère de bien des notes. Il n'est pas question que le carnet soit le reflet d'une vie. C'est une sorte d'offertoire religieux et classique, un livre de comptes moraux, avec une page pour le crédit, une page pour le débit. Et presque chaque note, plus que la transcription fidèle d'un acte ou d'un sentiment, est elle-même un acte. *Acte* de prière, *acte* de confession, *acte* de méditation. A partir de là, j'ai fait un retour sur mon carnet à moi et j'ai vu combien il différait de ceux de Gide. C'est d'abord un carnet de témoin. Plus je vais, plus je le considère comme un témoignage : le témoignage d'un bourgeois de 1939 mobilisé, sur la guerre qu'on lui fait faire. Et moi aussi j'écris n'importe quoi sur mon carnet, mais c'est avec l'impression que la valeur historique de mon témoignage me justifie à le faire. Entendons-nous : je ne suis pas un grand de ce monde et je ne vois pas les grands de ce monde, mon journal n'aura donc pas la valeur que pourrait avoir celui de Giraudoux ou de Chamson. D'autre part je ne suis pas en position pivilégiée, par exemple dans la ligne Maginot ou, au contraire, à l'arrière, au 2e bureau ou parmi les censeurs. Je suis dans un état-major d'artillerie à vingt kilomètres du front, entouré de petits et moyens bourgeois. Mais précisément à cause de tout cela, mon journal est un témoignage qui vaut pour des millions d'hommes. C'est un témoignage *médiocre* et par là même *général.* Ici intervient alors une ruse du Diable, comme dirait Gide : je suis enhardi par la médiocrité même de ma condition, je n'ai plus peur de me tromper et je parle hardiment sur cette guerre parce que mes erreurs auront une valeur historique. Si je me trompe en considérant cette guerre comme une escroquerie, etc., cette erreur n'est pas seulement ma propre sottise, elle est représentative d'un moment de cette guerre. D'autres, plus ou moins intelligents que moi, plus ou moins renseignés, ont été surpris comme moi, ont réagi comme moi, sans l'écrire ou en usant d'autres mots. Il n'en faut pas plus pour me convaincre que tout ce que j'écris est intéressant, même la confession de mes morosités, car ce sont des morosités, des cafards de 1939 — même ce « n'importe quoi » que Gide s'excuse d'écrire et se force à écrire. Ainsi écrirai-je n'importe quoi sans humilité. On voit la ruse d'orgueil. Trop lucide pour attribuer de la valeur à *tout* ce que j'écris (ragots, cancans, vaticinations politiques, humeurs), je reviens à conférer cette valeur à mes notes sans exception, par un détour du côté de l'Histoire. J'utilise la *relativité* historique à parer mes notes d'un caractère absolu. L'avantage de cette ruse — car elle a tout de même un avantage — c'est de me donner le sens de mon historicité — que je n'avais en somme jamais eu. De me le donner quotidiennement, dans mes actes les plus humbles, au lieu que je ne l'avais atteint, au mois de Septembre, que dans le sublime, ce qui est toujours à éviter. Mais, donc, ce journal est sans humilité — et puis, comme je l'ai noté quelque part, il est sans intimité. C'est un journal païen et orgueilleux. D'un autre point de vue et dans un esprit tout différent, ce journal est une remise en question de moi-même. Et là encore on pourrait le rapprocher des confessions gidiennes. Mais cela n'est qu'une apparence. En fait cette remise en question, je ne la fais pas en gémissant et dans l'humilité, mais froidement et afin de progresser. Rien de ce que j'écris n'est un acte, au sens où je parlais d'actes de Gide. Ce sont des enregistrements et, en les écrivant, j'ai l'impression — fallacieuse — de laisser derrière moi ce que j'écris. Je n'en ai jamais honte, je n'en suis jamais fier. Il y a presque toujours décalage entre le moment où j'ai senti et le moment où j'écris. C'est donc essentiellement une mise au net. Sauf peut-être dans quelques cas où le sentiment a commandé d'un seul élan l'écriture. J'essaye de constituer en écrivant une base solide et cristallisée d'où partir. En somme, il y a chez les primitifs des cérémonies pour aider le vivant à mourir, pour aider l'âme à se dégager du corps. Mes notes « confessionnelles » ont le même but : aider mon être présent à couler dans le passé, l'enfoncer un peu, au besoin. Il y a là une part d'illusion, car il ne suffit pas de dénoncer une constante psychologique pour la modifier. Mais au moins cela dessine-t-il des lignes de changement possible.

Toutes ces remarques me conduisaient naturellement à confronter la formation morale de Gide et la mienne. Ce que j'ai fait. J'essaierai d'écrire ici cette après-midi et ces jours-ci ce que furent mes divers essais moraux depuis ma dix-huitième année et je tâcherai de mettre au jour certaines constantes morales que j'y ai découvertes et qu'on pourrait appeler mes « affections » morales. J'imagine en effet que chacun se détermine librement une sorte d'affect moral, à partir duquel il saisit les valeurs et conçoit ses progrès. Par exemple il est certain que dès l'origine j'ai eu une morale sans Dieu — sans péché mais non sans mal. J'y reviendrai.

J'ai perdu la foi à douze ans. Mais j'imagine que je n'ai jamais cru bien fort. Mon grand-père était protestant, ma grand-mère catholique. Mais leurs sentiments religieux, autant que j'aie pu voir, étaient décents et glacés. Il y avait chez mon grand-père un refus de principe pour la chose religieuse, comme grand phénomène culturel, joint à un mépris de « parpaillot » pour les curés. Il faisait je crois des plaisanteries anticléricales à table et ma grand-mère lui tapait sur les doigts en disant : « Tais-toi, papa. » Ma mère me fit faire ma première communion mais c'était plutôt, je crois, par respect pour ma liberté future que par conviction vraie. Un peu comme certaines gens font circoncire par hygiène leurs enfants. Elle n'a pas de religion mais plutôt une religiosité vague, qui la console un peu quand il faut et qui, le reste du temps, la laisse fort en paix. Je n'ai guère de souvenirs religieux : je me vois toutefois, rue Le Goff, à sept ou huit ans, brûlant les rideaux de tulle de la fenêtre avec une allumette et ce souvenir est lié au Bon Dieu, je ne sais pourquoi. Peut-être parce que cet acte incendiaire n'avait nul témoin et que je pensais cependant : le Bon Dieu me voit. Je me rappelle aussi que je fis une narration sur Jésus au catéchisme de l'abbé Dibildos (c'était dans les locaux de l'école Bossuet) et que j'obtins une médaille en papier d'argent. Je suis encore tout pénétré d'admiration et de jouissance quand je pense à cette narration et à cette médaille, mais cela n'a rien de religieux. C'est que ma mère avait copié de sa belle écriture ma composition, et j'imagine que l'impression que j'avais eue en voyant ainsi ma prose transcrite était à peu de chose près comparable à l'émerveillement que j'ai eu à me voir imprimé pour la première fois. En outre la médaille d'argent, qui était d'un beau gris pâle et chatoyant, devait se coller sur la première feuille du devoir et le tout constituait un objet superbe et précieux. En plus de cela, l'abbé qui avait corrigé mon travail était joli, roux et pâle, tout jeune avec de belles mains. J'ai beau chercher, je ne trouve rien d'autre en moi. Si. On m'emmenait encore assez souvent à l'église, mais — ceci, qui me revient, marque assez le genre de bourgeoisie à laquelle j'appartiens — c'était surtout pour y entendre de belle musique, l'orgue de St-Sulpice ou celui de Notre-Dame. Je vois bien quel sentiment de haute spiritualité provoquait chez ma mère et chez ma grand-mère cette union des formes les plus pures de l'art avec les formes les plus élevées de la foi, et je vois bien aussi que chez ces femmes et filles de professeur la religion n'avait accès qu'en se parant des charmes de la musique. Elles ne savaient plus trop, j'imagine, si la musique les bouleversait parce qu'elle était religieuse ou la religion parce qu'elle était harmonieuse. Et leur respect de la religion se confondait avec leur culte universitaire des valeurs spirituelles. Pour moi, je n'entendais rien à cette musique, à ces grands vents gémissants qui remplissaient tout à coup l'église. Mais ces messes étaient liées pour moi, malgré tout, à l'idée de vertu. Comme je m'ennuyais fort, ma mère avait su me prendre, en m'expliquant qu'un petit garçon *vraiment* sage devait se tenir comme une image à la messe. Je réalisais donc en moi à peu de frais cette sagesse parfaite pendant l'heure que durait le service, pour pouvoir demander ensuite à ma mère, sûr de la réponse : « Ai-je été bien sage, maman ? » J'en remettais, même, attentif à éviter le moindre craquement de ma chaise, le moindre traînement des pieds. Mais je détestais me mettre à genoux parce que, je ne sais comment, j'ai deux bosses assez sensibles aux genoux. Et voilà. C'est bien maigre. Dieu existait mais je ne m'en occupais pas du tout. Et puis un jour, à La Rochelle, en attendant les demoiselles Machado qui faisaient route avec moi le matin quand j'allais au lycée, je m'impatientai de leur retard et, pour occuper mon temps, je m'avisai de penser à Dieu. « Eh bien ! me dis-je, il n'existe pas. » Ce fut une authentique évidence, encore que je ne sache absolument plus sur quoi elle s'appuyait. Et puis ce fut fini, je n'y pensai jamais plus, je ne m'occupai pas plus de ce Dieu mort que je ne m'étais soucié du Dieu vivant. J'imagine qu'on trouverait difficilement de nature moins religieuse que la mienne. J'ai réglé la question une fois pour toutes à douze ans. Beaucoup plus tard j'examinai les preuves de la religion et les arguments des athées. J'appréciais les fortunes de leurs controverses. Je me plus à dire que les objections de Kant n'atteignaient pas la preuve ontologique de Descartes mais tout cela ne me paraissait pas beaucoup plus vivant que la querelle des anciens et des modernes. Je crois devoir dire tout cela parce que je suis, je l'ai dit, atteint de moralisme et que, souvent, le moralisme prend sa source dans la religion. Mais il n'en fut rien chez moi. D'ailleurs j'ai été élevé et éduqué, en somme, par des parents et des maîtres dont la plupart avaient été champions de la morale laïque et tenté partout de la substituer à la morale religieuse.

J'interromps pour noter une charmante anecdote sur Keller. Au fort de St-Cyr, en 21, on lui a fait une piqûre contre la typhoïde et donné trois cachets de quinine pour le cas où la piqûre lui donnerait la fièvre pendant les quarante-huit heures qui la suivraient : « La piqûre ne m'a rien fait, dit Keller avec superbe, mais j'ai tout de même avalé les trois cachets, pour pas les laisser perdre. »

Je note ici quelque chose qui est tout en faveur de Pieter et que je voulais noter depuis longtemps : il n'a reçu qu'une instruction sommaire et le sait. Aussi profite-t-il de ces loisirs forcés pour faire de l'algèbre, trois ou quatre heures par jour, sans grand bonheur et avec acharnement. Mistler et moi nous l'appelons l'Ange, ou le Chérubin. Et de fait c'est un ange, il y a dans ses roueries une espèce d'innocence qui me charme et puis il est pur de tout complexe et ne demande qu'à être heureux. Il l'est d'ailleurs, même ici. Et puis ses câlineries à lui-même lui donnent l'air d'un séraphin qui se caresse la joue à ses ailes. — Ces heures d'algèbre c'est un refus de perdre le temps de guerre, un refus de se laisser aller, une volonté de mettre à profit cette oisiveté ; le seul refus de la guerre qui nous soit possible. Quand je considère, auprès de lui, Keller qui s'empiffre parce que la nourriture est gratuite, Paul, ce rat traqué, et tous les autres, ça me donne de l'estime pour lui.

Je ne crois pas schématiser trop en disant que le problème moral qui m'a préoccupé jusqu'ici c'est en somme celui des rapports de l'art et de la vie. Je voulais écrire, cela n'était pas en question, cela ne fut jamais en question ; seulement à côté de ces travaux proprement littéraires, il y avait « le reste », c'est-à-dire tout : l'amour, l'amitié, la politique, les rapports avec soi-même, que sais-je ? Quoi que l'on fît on était jeté au milieu de toutes ces questions. Que faire ? Je pense rester fidèle à la vérité en distinguant trois périodes, de ce point de vue, dans ma vie de jeune homme et d'homme. La première va de 1921 à 1929, c'est une période d'optimisme, le temps où j'étais « mille Socrates ». A ce moment-là je pense de gaîté de cœur qu'une vie est toujours ratée et je construis une morale métaphysique de l'œuvre d'art. Mais, au fond, je ne suis pas du tout convaincu ; le vrai c'est que je suis persuadé qu'il suffit de se consacrer à écrire et que la vie se fera toute seule pendant ce temps-là. Et la vie qui doit se faire, elle est déjà prétracée dans ma tête : c'est la vie d'un grand écrivain, telle qu'elle paraît à travers les livres. Il y a cette confiance magique, au fond : pour avoir la vie d'un grand écrivain il suffit seulement d'être un grand écrivain. Mais pour être un grand écrivain il n'est qu'un moyen : s'occuper exclusivement d'écrire. Ainsi cette vie pathétique et comblée au dessin séduisant, celle de Liszt, de Wagner, de Stendhal, le destin me la devrait si seulement je faisais de bons livres. Cet optimisme me venait sûrement de mon enfance et puis d'une pensée aristotélicienne (pensée par concept et participationniste) : un grand écrivain a une vie de grand écrivain, c'était donc à devenir un grand écrivain que je devais consacrer tous mes efforts. Le reste irait de soi. Maintenant, si on me demandait ce que je désirais le plus alors : faire un bon livre ou avoir une vie de grand homme, je serais bien empêché de répondre. Il me semble que j'étais plein de concupiscence pour cette vie merveilleuse mais que je voulais la *mériter* par de bons livres. Non par morale mais pour qu'elle fût vraiment à moi. Quant au contenu de cette vie, on l'imagine assez : il y avait de la solitude et du désespoir, des passions, de grandes entreprises, un grand temps d'obscurité douloureuse (mais je le raccourcissais sournoisement dans mes rêves, pour ne pas être trop vieux quand il prendrait fin) et puis la gloire, avec son cortège d'admirations et d'amour. J'avoue à ma honte que *Jean-Christophe*[1], cet infâme laxatif, m'a fait venir plus d'un coup les larmes aux yeux quand j'avais vingt ans. Je savais que c'était mauvais, que ça présentait une image abjecte

1. Œuvre de Romain Rolland. *(N.d.E.)*

de l'art, que c'était l'histoire d'un artiste écrite par un universitaire philistin, mais tout de même... Il y avait une façon de lever le doigt, à la fin des chapitres, une façon de dire : Vous verrez ! Vous verrez ! Ce petit Christophe, il souffre, il s'égare. Mais ses souffrances et ses égarements deviendront musique et la musique rachètera tout — qui me faisaient crisser des dents d'agacement et de désir. En somme j'aurais voulu être sûr de devenir un grand homme plus tard, pour pouvoir vivre ma jeunesse comme une jeunesse de grand homme. D'ailleurs, faute d'en être sûr, je faisais comme si j'eusse dû le devenir et j'étais très conscient d'être le jeune Sartre, comme on dit le jeune Berlioz ou le jeune Goethe. Et de temps en temps j'allais faire un petit tour dans l'avenir, pour le seul plaisir de me retourner, de là-haut, dans mon jeune présent et de hocher la tête comme je croyais que je ferais alors, en me disant : « Je ne pensais pas que cette souffrance me servirait à ce point, etc. », je me tournais, vieux, vers ma jeunesse et je la considérais avec un attendrissement plein d'estime. Ces dédoublements factices laissèrent des traces dans un gros carnet que j'ai perdu où, entre deux sèches notations de philosophie, je gourmandais Simone Jollivet, m'écriant à peu de chose près : « Tu me fais souffrir mais rira bien qui rira le dernier, car je suis grand. » Dans ce cas-là en somme, je me divertissais à juger mes peines d'amour avec la sollicitude navrée d'un universitaire de l'avenir, comme Koszul parlant des chagrins de Shelley, Lauvrière de ceux de Poe. Mais j'imagine qu'il y avait, par-dessus tout, une très jeune confiance dans l'avenir et puis cette décision bourgeoise qui limite le vraisemblable à son gré et l'arrête toujours avant l'horrible, avant les catastrophes. Et puis j'étais disponible : tout m'était encore possible puisque je n'étais rien. Moyennant cette robuste confiance en mon étoile, je pouvais affirmer avec tranquillité que la vie est une partie perdue d'avance et méditer dans l'enthousiasme ce mot d'Amiel parlant de Moïse : « Tout homme a comme lui sa Terre Promise, son jour de gloire et sa fin en exil. » La fin en exil, je l'acceptais volontiers, elle était loin et puis cette nuance pessimiste me permettait d'accepter le jour de gloire sans me déjuger. Pardieu, la vie était ratée puisqu'elle se terminait toujours par un échec. Seulement il y avait le jour de gloire. Méprisable jour de gloire, bien entendu, puisqu'il se terminait en défaite. Mais enfin, il était là, comme un soleil invisible, il me réchauffait le cœur.

Ce sont ces ruses, ce pessimisme couvrant et masquant mon optimisme foncier qui me permirent d'aborder une période plus sombre et plus découragée, sans que mes principes eussent changé en apparence. Je restais persuadé que la vie était une partie perdue, seulement cette fois j'y croyais. Et j'y croyais parce que j'avais besoin d'y croire. Il y avait encore du mensonge, là-dedans. Voici pourquoi : j'avais toujours pensé qu'un grand homme devait se garder libre. Il ne s'agissait pas là de la liberté bergsonienne du cœur ni surtout de celle que j'ai découverte à présent en moi et qui n'est pas une plaisanterie, mais d'une sorte de caricature de la liberté hégélienne : se garder libre pour réaliser en soi et par soi l'idée concrète de grand homme. On risquait à tout moment de buter contre des obstacles, de se faire engluer par des pièges, mais il fallait poursuivre son chemin impitoyablement. On a beaucoup écrit sur cette liberté du grand homme — libre-pour-son-destin — qui prend naturelle ment le visage de la fatalité pour tous ceux qu'il rencontre sur sa route. Je me souviens d'une pièce assez sotte, *Moloch*[1], qui développe ce thème. Bref j'en avais la tête farcie et, comme il est naturel à cet âge, je songeais surtout à affirmer cette liberté contre les femmes. C'était d'autant plus comique qu'elles étaient loin de me courir après et que c'était moi qui courais après elles. Ainsi, dans les quelques aventures qui purent m'arriver alors, après m'être donné un mal inouï pour circonvenir une jeune personne, je me croyais obligé de lui expliquer avec une pudeur farouche qu'elle devait se garder d'attenter à ma liberté. Mais au bout de peu de temps, comme j'étais d'un bon naturel, je lui faisais don de cette précieuse liberté ; je lui disais : c'est le plus beau cadeau que je puisse vous faire. Rien n'était changé dans

1. Il s'agit probablement du drame inachevé du dramaturge allemand Friedrich Hebbel (1813-1863). *(N.d.E.)*

nos rapports, mais si la personne était encore un peu naïve, elle était pénétrée de gratitude — et si elle était rouée, elle feignait de l'être. Heureusement pour moi, d'ailleurs, des circonstances indépendantes de ma volonté survenaient à temps pour me rendre, en m'étrillant un peu, à cette chère liberté que je m'empressais aussitôt de donner à une autre jeune personne. Une fois je fus pris au jeu. Le Castor accepta cette liberté et la garda. C'était en 1929. Je fus assez sot pour m'en affecter : au lieu de comprendre la chance extraordinaire que j'avais eue, je tombai dans une certaine mélancolie. En même temps je quittai l'Ecole Normale et ce milieu amorphe et violent de camaraderie pour vivre seul. Il y eut aussi mon service militaire qui m'incita à une très grande modestie — que j'abandonnai d'ailleurs joyeusement par la suite. Mais cette modestie acheva de nettoyer toutes les dernières crasses de surhumanité que je conservais encore. En outre, je devenais professeur. J'ai dit plus haut que ce fut un coup dur. C'est que brusquement je devenais un seul Socrate. Jusque-là je me préparais à vivre : chaque instant, chaque événement m'effleurait sans me vieillir, il s'agissait toujours de répétitions avant la pièce. Et puis voilà que je jouais la pièce, tout ce que je faisais désormais était fait *avec ma vie,* je ne pouvais pas reprendre mes coups, tout s'inscrivait dans cette existence étroite et courte. Chaque événement arrivait du dehors dans ma vie et puis tout d'un coup il devenait ma vie, ma vie était faite avec ça. Je fus comme ce Chinois dont parle Malraux dans *Les Conquérants,* je découvrais tard que la vie était unique. Je me rappelle d'ailleurs qu'en lisant cette phrase dans *Les Conquérants,* j'en fus frappé comme d'un aimable jeu intellectuel mais je n'en sentis pas la vérité (c'était en 1930). Je ne l'ai vraiment sentie, cette vérité, que dans les années qui suivirent, 31, 32, 33. Ce que je sentais obscurément, c'est qu'on ne peut pas prendre de point de vue sur sa vie pendant qu'on la vit, elle vient sur vous par-derrière et on se trouve dedans. Et pourtant si on se retourne, on constate qu'on est responsable de ce qu'on a vécu et que c'est irrémédiable. Je me sentais très fortement engagé dans une voie qui allait en se rétrécissant, je sentais qu'à chaque pas je perdais une de mes possibilités, comme on perd ses cheveux. Les cheveux, à propos, je commençais à les perdre — ça s'est arrêté depuis ou poursuivi sur un rythme plus lent. Lorsque je m'en aperçus — ou plutôt lorsque le Castor, au trou de Bozouls, s'en aperçut dans un cri — ce fut un désastre symbolique pour moi. Je restais à peu près insensible à l'idée de la mort. Mais par contre, tout ce que le vieillissement peut avoir d'irrémédiable et de tragique, je le dégustai vers cette époque-là. Et, pendant longtemps, je me suis malaxé la tête devant des glaces, l'enchauvissement devenait pour moi le signe tangible du vieillissement. Bref j'ai supporté aussi mal que possible le passage à l'âge d'homme. A trente-deux ans, je me sentais vieux comme un monde. Comme elle était loin cette vie de grand homme que je m'étais promise. Par-dessus le marché je n'étais pas très content de ce que j'écrivais et puis j'aurais bien voulu être imprimé. Je mesure aujourd'hui toute ma déception quand je me rappelle qu'à vingt-deux ans j'avais noté sur mon carnet cette phrase de Töpffer qui m'avait fait battre le cœur : « Celui qui n'est pas célèbre à vingt-huit ans doit renoncer pour toujours à la gloire. » Phrase totalement absurde, bien entendu, mais qui me plongeait dans les transes. Or à vingt-huit ans j'étais inconnu, je n'avais rien écrit de bon et j'avais fort à faire si je voulais jamais écrire quoi que ce soit qui vaille la peine d'être lu. J'eus des vacances d'un an à Berlin, j'y retrouvai l'irresponsabilité de la jeunesse et puis, au retour, je fus ressaisi par Le Havre, par ma vie de professeur, plus amèrement peut-être. Je me souviens qu'en Novembre de cette nouvelle année, le Castor et moi, au Havre, assis dans un café nommé Les Mouettes, en face de la mer, nous déplorions que rien de neuf ne pût nous arriver. Nos amitiés étaient fixées : Guille, Mme Morel, Poupette, Gégé ; nous étions las de nos examens de conscience exacts d'intellectuels, las de cette vie vertueuse et rangée que nous menions, las de ce que nous appelions alors le « construit ». Car nous avions « construit » nos rapports, sur la base de la sincérité totale, d'un entier dévouement mutuel et nous sacrifiions nos humeurs et tout ce qui pouvait y avoir en nous de trouble à cet amour permanent et *dirigé* que nous avions construit. Au fond ce dont nous avions la nostalgie c'était d'une vie de désordre, de laisser-aller trouble et impérieux à l'instant, c'était d'une sorte d'obscurité faisant contraste avec notre rationalisme clair, c'était d'une façon d'être noyés en nous-mêmes et de sentir sans savoir que nous sentions. C'était aussi de l'existentiel et de l'authentique, que nous pressentions vaguement par-delà notre nationalisme petit-bourgeois. Nous avions besoin de démesure, pour avoir été trop longtemps mesurés. Tout cela se termina par cette drôle d'humeur noire qui tourna à la folie vers le mois de Mars de cette année-là — et, pour finir, par ma rencontre avec O. qui était précisément tout ce que nous désirions et qui nous le fit bien voir. Ainsi donc la vie était unique et ce qu'on m'offrait c'était cette existence pâteuse et manquée — si loin, si loin de la fameuse « vie de grand homme » que j'avais rêvée. Alors commença un patient petit travail de termite par lequel j'entrepris de me persuader que *toute* vie était d'avance perdue. Cela m'était d'autant plus facile que je l'avais toujours *dit* (mais sans le croire). Les arguments ne manquaient pas, naturellement. Et j'en eusse inventé, au besoin : c'eût été trop affreux pour moi d'imaginer que cette vie d'homme illustre était *possible,* qu'elle avait été vécue par d'autres hommes, en d'autres temps, en d'autres lieux et que *moi,* je ne la vivrais pas. Désormais, pour moi, l'écrivain se jugeait à ses œuvres — objectivement — et sa vie ne différait pas des vies les plus médiocres. Racine était un petit-bourgeois du temps de Louis XIV. Mais ce petit-bourgeois avait écrit *Phèdre.* On ne pouvait pas remonter des œuvres à la vie, elles s'échappaient de la vie, roulaient hors d'elle et restaient dehors, pour toujours ; elles n'appartenaient pas plus à celui qui les avait créées qu'à leurs lecteurs. Moins peut-être. A partir de là, je m'attachais avec une espèce d'acharnement à écrire. Le seul but d'une existence absurde, c'était de produire indéfiniment des œuvres d'art qui lui échappaient aussitôt : c'était sa seule justification ; une justification imparfaite d'ailleurs, qui n'arrivait pas à sauver ces longs glaires [1] de temps qu'il fallait avaler un à un. C'était vraiment une morale de salut par l'art. Pour la vie elle-même, il fallait la vivre à la va-comme-je-te-pousse, n'importe comment. Je la vivais si bien « n'importe comment », que je m'encroûtais ; je prenais des habitudes de vieux garçon.

Je fus au plus bas au moment de ma folie et de ma passion pour O. : deux ans. De Mars 1935 à Mars 1937. Mais pourtant ces infortunes me furent profitables. La folie recula les limites du vraisemblable : de ce moment j'ai abandonné mon optimisme bourgeois et j'ai compris que *tout* pouvait m'arriver, aussi bien qu'à un autre. J'entrai dans un monde plus noir mais moins fade. Quant à O., ma passion pour elle brûla mes impuretés routinières comme une flamme de bec Bunsen. Je devins maigre comme un coucou et éperdu ; adieu mes aises. Et puis nous subîmes, le Castor et moi, le vertige de cette conscience nue et instantanée, qui semblait seulement sentir, avec violence et pureté. Je l'ai mise si haut, alors que, pour la première fois de ma vie, je me suis senti humble et désarmé devant quelqu'un et que j'ai désiré apprendre. Tout cela m'a servi. Vers la même époque et justement à cause de cette passion, je commençai à douter du salut par l'art. L'art semblait bien vain en face de cette pureté cruelle, violente et nue. Une conversation où le Castor me remontra la saloperie de mon attitude acheva de me détourner de cette morale.

Et justement vers ce moment, quand j'étais au plus bas — à ce point de misère que j'envisageai à plusieurs reprises la mort avec indifférence — me sentant vieux, déchu, fini, persuadé — par suite d'un malentendu — que *La Nausée* venait d'être refusée par la *N.R.F.*, tout se mit à me sourire : mon livre fut pris, *Le Mur* parut dans la *N.R.F.* de Juin 37, je connus T., je fus nommé professeur à Paris. Je me suis senti tout d'un coup pénétré d'une formidable et profonde jeunesse, j'étais heureux et je trouvai ma vie belle. Non point qu'elle eût rien de la « vie d'un grand homme », mais c'était *ma* vie. Je m'expliquerai là-dessus une

1. Ce mot est fait ici masculin. *(N.d.E.)*

autre fois. Et cette fois la vie reprit le pas sur l'art, mais lentement, timidement. Je pense à présent qu'on ne perd jamais sa vie, je pense que rien ne vaut une vie. Et pourtant j'ai conservé toutes mes idées ; je sais qu'une vie est molle et pâteuse, injustifiable et contingente. Mais c'est sans importance, je sais aussi que tout peut m'arriver mais c'est *à moi* que cela arrivera ; tout événement est *mon* événement. Je ne veux pas m'étendre là-dessus. Cette division en trois périodes de ma vie n'est qu'un préliminaire. J'ai voulu situer dans une atmosphère affective les oscillations de ma morale. Tout ce que je viens d'écrire ne représente en somme que la description des *mobiles.* Je parlerai demain des motifs.

Samedi 2 Décembre

J'ai voulu marquer hier l'atmosphère affective dans laquelle le problème moral s'est formulé pour moi. Je vois qu'il a, en un sens, toujours été résolu. Du seul fait que j'ai toujours pensé à faire une « œuvre », c'est-à-dire une série d'ouvrages reliés les uns aux autres par des thèmes communs et reflétant tous ma personnalité, j'ai toujours eu tout l'avenir devant moi. Quoi que j'aie pu penser à diverses époques sur ma vie, tantôt la parant dans l'avenir de couleurs romanesques, tantôt la concevant sous un jour noir, je n'en étais pas moins dès ma plus petite enfance pourvu d'une *vie.* Et je n'ai pas cessé de l'être. Une vie, c'est-à-dire un canevas à remplir avec, déjà, une foule d'indications faufilées, qu'il faut ensuite broder. Une vie, c'est-à-dire un tout existant avant ses parties et se réalisant par ses parties. Un instant ne m'apparaissait pas comme une unité vague s'ajoutant à d'autres unités de même espèce, c'était un moment qui s'enlevait *sur fond de vie.* Cette vie était une composition en rosace où la fin rejoignait le commencement : l'âge mûr et la vieillesse donnaient un sens à l'enfance et à l'adolescence. En un sens, j'envisageais chaque moment présent du point de vue d'une vie faite, pour être exact il faudrait dire : du point de vue d'une biographie, et je me considérais comme devant rendre compte de ce moment à cette biographie, je sentais qu'on ne pouvait en déchiffrer le sens complet qu'en se plaçant dans l'avenir et j'esquissais toujours devant moi un avenir vague qui me permît de faire rendre à mon présent toute sa signification. Toute cette « vie », naturellement, était projetée devant moi de façon non thématique et c'était l'objet de ce que Heidegger appelle « compréhension préontologique ». Au moins la plupart du temps : car il m'arrivait d'*imaginer* des moments de mon existence future. Cette façon d'être embarqué, dès l'enfance et sans avoir pu réfléchir, dans une « grande vie » comme d'autres dans la foi catholique ou communiste, m'a toujours interdit les inquiétudes et les crises de conscience où je voyais se complaire tant de mes camarades. J'étais assuré, j'avais la foi du charbonnier. J'insiste sur le fait que cette « vie » n'avait rien de commun avec le concept populaire et biologique de vie, dans lequel sont étrangement mélangées les idées de conscience, de *vécu,* de destin. Ma vie, c'était une entreprise. Mais une entreprise favorisée des dieux. Je risquais seulement, par légèreté, par passion, par paresse, de m'en détourner, de m'attarder trop longtemps ici ou là, dans quelque néfaste délice. Ce serait ma faute, si je manquais ma vie. Mais mon assiduité, au contraire, mon souci de me garder libre et mon zèle me donnaient un droit incontesté à la réaliser. En somme elle ressemblait à une carrière : le brillant jeune homme entre dans une banque, il a des protecteurs puissants, sa carrière se fera toute seule. On ne lui demande que de l'application — et de témoigner, par tous ses actes, son mérite. Tout cela je ne l'ai jamais vraiment remis en question et, même pendant mes années sombres, l'effondrement de ma jeunesse se fit par en dessous et la façade demeura, toute vie était une partie perdue mais je n'en étais pas moins l'homme d'une vie. J'avais coutume de dire alors : « J'ai eu tout ce que j'ai voulu mais jamais de la façon dont je le voulais. » Et je donnais à entendre par là que ma vie était réussie autant qu'il est possible à une vie de l'être, mais que ce n'était vraiment pas grand-chose, une vie réussie. Et il est assez vrai que j'ai eu tout ce que désirait mon imagination naïve. Et il est vrai qu'à chaque fois j'ai été déçu. C'est que j'aurais voulu que chaque événement me survînt comme dans une biographie, c'est-à-dire comme lorsqu'on connaît déjà la fin de l'histoire. C'est cette déception que j'ai exprimée à propos de l'aventure dans *La Nausée.* Bref j'étais toujours hanté par l'idée de vie. Simplement, lorsque j'étais à l'Ecole Normale j'avais encore un sentiment de liberté et d'irresponsabilité par rapport à cette vie, mes coups ne comptaient pas, je m'y préparais. Au lieu qu'ensuite je tombai dedans. On voit comment furent toujours écartés de moi certains excès superbes, le désespoir surréaliste, l'humilité chrétienne, la foi révolutionnaire. J'étais pénétré par un idéal de vie de grand homme que j'empruntais au romantisme. C'étaient Shelley, Byron, Wagner, qui avaient eu ces vies que je prenais pour modèles. Aussi voulais-je avec obstination et sans m'en rendre compte réaliser entre 1920 et 1960 une vie de 1830. Cela m'était caché, naturellement, et j'empruntais mes matériaux au siècle : marxisme, pacifisme, antifascisme, etc. Mais le canevas datait du temps d'*Antony*[1]. Il ne me vint jamais à l'esprit non plus d'essayer une morale du plaisir pur ou du bonheur : cela n'était pas mon lot. Au contraire on voit comment, dans cette perspective, les idées de progrès, de surhomme, le conseil de se surmonter soi-même prenaient une valeur toute particulière. Je les extirpais de leurs morales propres et les introduisais dans le cadre de ma vie. Le but final c'était, non pas de créer le surhomme, non pas de faire progresser la morale, mais seulement d'avoir une belle vie. C'étaient des conseils spécialement adressés à moi et valables uniquement pour moi, pour ma carrière, tout juste comme lorsque le protecteur bienveillant dit au jeune homme d'avenir : allez rendre visite au sous-directeur, ménagez M. X qui est un client d'importance. Si maintenant je me demande quel était le critère qui permît de reconnaître une belle vie, je vois qu'une belle vie c'était simplement celle qui mouille les yeux du lecteur quand elle est racontée par un biographe sensible. J'ai été jusqu'aux moelles pénétré de ce que j'appellerai l'illusion biographique, qui consiste à croire qu'une

1. Drame d'Alexandre Dumas père. *(N.d.E.)*

vie vécue peut ressembler à une vie racontée. Aurais-je pu autrement trouver « belle », du point de vue où je me plaçais, la vie de Stendhal, avec ses amours malheureuses et son long ennui à Civitavecchia ? Seulement, quand on la lisait, chez Arbelet ou Hazard, on ne perdait pas de vue *La Chartreuse de Parme* et *La Chartreuse de Parme* sauvait la vie tout entière.

Ce que je viens d'expliquer, je ne me le suis jamais dit — ou très mal. Mais je le sentais. Par contre j'avais de claires préoccupations morales : je ne voulais pas seulement être un grand écrivain, ni seulement avoir une belle vie de grand homme. Je voulais être quelqu'un de « bien », comme je disais vers 1930, avec une sorte de pudeur. Ces préoccupations morales venaient d'une autre source, certainement, que mon désir d'écrire et d'être grand. Mais elles rejoignaient sans peine mon rêve de vie belle et s'y fondaient : je mériterais plus encore de cette vie si j'y vivais moralement ; et la biographie serait plus riche, plus émouvante encore, si cet homme qui avait tout connu et tout aimé passionnément, qui avait laissé des œuvres belles, avait été par-dessus le marché un homme « bien ».

Mais pendant longtemps ces tendances morales, pour s'être fondues à mon désir de *vie,* restèrent subordonnées à lui : c'était *pour réaliser* la vie la plus belle que je serais moral et non pour la morale elle-même. Naturellement cette subordination de la morale disparaissait lorsque j'envisageais le problème moral en lui-même ou lorsque j'essayais d'agir moralement. Mais le reste du temps elle était à l'arrière-plan sans que je m'en rendisse compte. C'est plus tard, après la désagrégation de ma jeunesse, que les préoccupations morales prirent le dessus.

Si je laisse de côté l'individualisme destructeur et anarchisant de ma dix-neuvième année, je vois que tout aussitôt après je me préoccupai d'une morale constructrice. J'ai toujours été constructeur et *La Nausée* et *Le Mur* n'ont donné de moi qu'une image fausse, parce que j'étais obligé d'abord de détruire. Je cherchai donc une morale en même temps qu'une métaphysique et je dois dire que, spinoziste en cela, *jamais* la morale ne s'est distinguée à mes yeux de la métaphysique. La morale du devoir ne m'a jamais intéressé, d'abord pour les raisons que j'ai exposées le 5 Novembre : elle était incarnée à mes yeux par mon beau-père. Mais surtout, on avait beau me dire que l'impératif catégorique était l'expression de l'autonomie de ma volonté, je n'en croyais rien. J'ai toujours voulu que ma liberté fût au-delà de la morale et non en deçà, je l'ai voulu, comme je l'ai marqué plus haut, dans le temps même que j'étais un enfant gâté. Et puis la morale du devoir équivaut à séparer la morale de la métaphysique et c'était à mes yeux la priver de son plus grand attrait. Je vois clairement aujourd'hui que l'attitude morale avait à mes yeux, dès ma vingtième année, le privilège de conférer à l'homme une plus haute dignité métaphysique. C'est ce que nous décorions vers 1925, Nizan et moi, du mot spinoziste de *salut*. Tout le temps que je restai à l'Ecole, être moral équivalait pour moi à faire son salut. L'expression était impropre mais la chose est restée. Faire son salut, non pas au sens chrétien du terme, mais au sens stoïcien : imprimer à sa nature une modification totale qui la fasse passer à un état de plus-value existentielle. Cette expression d'existentiel dont j'use ici, je ne la connaissais pas alors ni la chose même, mais je la pressentais. C'est-à-dire tout simplement que j'en avais besoin. En philosophie avoir besoin d'une notion c'est la pressentir. Chez Spinoza aussi je trouvais cette idée de transformation totale — et, à bien le prendre, même chez Kant. Ainsi, être moral équivalait à acquérir une plus haute dignité dans l'ordre de l'être, à exister davantage. C'était en même temps s'isoler. Le sage n'est plus compris du reste des hommes et il ne les comprend plus. Et cette transformation existentielle s'installait une fois pour toutes chez le sage et n'en bougeait plus : « Le sage peut faire trois fois la culbute. » Je vois bien que c'était notre période d'incubation dans la surhumanité qui nous avait conduits là, Nizan et moi : qu'est-ce que se surmonter soi-même sinon accéder à une dignité plus haute ? Je vois aussi que notre mépris des hommes nous commandait de nous retrancher de leurs rangs, ainsi perdions-nous d'un seul bloc notre humanité. Je vois enfin que la recherche du salut était la quête d'une voie d'accès vers l'absolu. Cette recherche de l'absolu était d'ailleurs une mode de l'époque. Les revues ***Esprit*** et ***Philosophie*** (avec Friedmann et Morhange), le surréalisme, à sa façon, cherchaient aussi à le conquérir. Mais cela correspondait pour nous à une tendance profonde. Il m'était désagréable de lire dans un ouvrage philosophique les arguments ordinaires du relativisme contre les philosophies absolues. J'étais réaliste à l'époque, par goût de sentir la résistance des choses mais surtout pour rendre à tout ce que je voyais son caractère d'absolu inconditionné ; je ne pouvais jouir d'un paysage ou d'un ciel que si je pensais qu'il était absolument tel que je le voyais. Le mot d'intuition et tous les termes qui désignent la communication immédiate de l'esprit avec les choses en soi me réjouissaient au-delà de toute mesure. Et cette première morale que je construisis, sur quelques lignes de *La Possession du monde*[1], elle commandait de se réjouir sur la simple perception de n'importe quoi. C'est qu'alors la perception, opérée cérémonieusement et respectueusement, devenait un acte sacré, la communication de deux substances absolues, la chose et mon âme. J'ai dit qu'il m'arrivait de considérer ma table et de me répéter : « C'est une table, c'est une table » jusqu'à ce que naisse un timide frisson que je baptisais du nom de joie. De cette tendance à considérer les choses perçues comme des absolus est née je crois une manie de mon style, qui consiste à multiplier les « il y a ». Guille se moquait de moi en ces termes : « On disait de Jules Renard qu'il finirait par écrire : la poule pond. Mais toi, tu écrirais : il y a la poule et elle pond. » Cela est vrai : par le « il y a » je séparerais avec plaisir la poule du reste du monde, j'en ferais un petit absolu tranché et immobile et je lui attribuerais la ponte comme une propriété, un attribut. Il y a quelque chose de transitif dans « la poule pond », qui me déplaît fortement, qui fait s'évanouir la « substance » poule en une pluralité de rapports et d'actes. Bref, je cherchais l'absolu, je voulais être un absolu et c'est ce que j'appelais la morale, c'est ce que nous nommions « faire notre salut ». Ainsi la morale payait. Je n'ai jamais cru que la morale ne payât pas. Ce réalisme c'était aussi l'affirmation

1. Essai de Georges Duhamel (1919). *(N.d.E.)*

de la résistance du monde et de ses dangers contre la philosophie dissolvante de l'idéalisme, l'affirmation du Mal contre la philosophie optimiste de l'unification. Mais il avait, j'imagine, une autre source : il venait de mon émerveillement devant le monde et l'époque que je découvrais. Comment admettre que tant de charmes, tant de plaisirs à conquérir et tant de beaux dangers étaient seulement des ombres, des « représentations » mal unifiées. Il fallait bien qu'il y eût quelque chose à conquérir, nous étions affamés comme des loups et rêvions de conquêtes brutales, de viols. Le monde était une terre promise et notre conquête devait être absolue. D'ailleurs l'idéalisme c'était la science, c'était mon beau-père. Il y avait dans ce monde réel quelque chose d'âpre, d'immoral et de nu qui se moquait des parents et des professeurs. Si les couleurs des choses n'étaient pas des apparences, alors elles avaient toutes des secrets que les savants ne connaissaient pas. Alors pour conquérir le monde, il n'était plus besoin de suivre la filière, de faire la queue derrière les hommes de laboratoire, on pouvait le posséder seul, on pouvait penser seul sur lui, il livrait ses secrets à l'homme seul, je ne venais pas trop tard. Je regardais les arbres et l'eau et je me répétais avec extase : « Il y a à faire. Il y a beaucoup à faire. » Et chacune de mes « théories » était un acte de conquête et de possession. Il me semblait qu'à la fin, en les mettant bout à bout j'aurais soumis le monde à moi tout seul. C'était l'époque d'ailleurs d'un violent néoréalisme littéraire. En relisant quelques-uns des ouvrages de ce temps, je viens d'être frappé au contraire par leur sécheresse intellectuelle. Mais nous ne les prenions pas comme tels, à l'époque. Ils nous parlaient du monde entier, de Constantinople, de New York et d'Athènes et leur chatoiement de comparaisons — que précisément je trouve aujourd'hui fort précieuses et construites — nous éblouissait et nous assourdissait d'un tohu-bohu de lumières et de sons. J'ai mis longtemps à comprendre qu'il faut comparer le moins possible. A l'époque toute comparaison me semblait une possession. Gide dans son journal raille les auteurs qui veulent des images à tout prix : « Un pré rasé de frais. Pourquoi " rasé de frais " ? » Eh bien « rasé de frais » c'est une incantation magique : on a inventé une manière personnelle de dire « faucher », on l'a inventée *devant* le pré en question et cette invention verbale équivaut à une appropriation. Je mettais des images partout, avec une ivresse brutale. J'ai retrouvé la semaine dernière cette ivresse chez Mac Orlan, en relisant *Sous la lumière froide :* « Un Norvégien rose et blanc tenait son petit verre entre ses deux mains jointes, ainsi qu'un oiseau qu'on veut réchauffer. » Que vient faire cette image, mon Dieu ? Mais alors j'assommais les choses à grands coups d'images avec une joie barbare. Et l'invention d'images était, au fond, une cérémonie morale et sacrée, c'était l'appropriation de cet absolu, la chose, par cet autre absolu, moi-même.

Cette quête de l'absolu, je l'ai dit, pouvait me conduire à l'existentiel. Mais à vrai dire l'idée même d'existentiel était trop ardue pour que je l'inventasse seul. Et puis j'en fus détourné alors pour une autre raison. Il y avait alors de l'existentiel qui traînait un peu partout dans notre petit monde. Pour beaucoup d'étudiants, le premier contact avec la philosophie s'était traduit par une sorte de stupeur vraiment existentielle et authentique, mais au demeurant assez sotte, devant la mort, le temps, l'existence des autres consciences. Le Castor n'y a pas échappé, précisément, parce qu'elle est plus naturellement authentique que moi. A dix-huit ans, elle s'asseyait sur une chaise de fer, au Luxembourg, le dos contre le mur du Musée et elle pensait : « Je suis là, le temps coule et cet instant ne reviendra plus », ce qui la faisait tomber dans un ahurissement comparable au sommeil. Or cette pauvreté philosophique est en réalité de la philosophie très authentique, c'est le moment où la question transforme le questionneur. Le Castor sur sa chaise était vraiment un petit être métaphysique, elle s'était métaphysiquée de tout son cœur, elle se jetait dans le temps, elle vivait le temps, elle *était* le temps. Seulement au réveil, c'était les mots, les mots creux et ronflants qui trahissaient cette étrange métamorphose : « Cet instant ne reviendra plus. » La pauvreté même de ce langage obligeait ces étudiants métaphysiciens à en emprunter un qui fût plus riche.

Ils trouvaient celui de Baruzi [1] vaporeux et abscons, celui de Brunschvicg dissolvant ; ils s'en accommodaient comme ils pouvaient, ils essayaient de couler leurs impressions dans ces mots neufs mais ils n'y parvenaient guère. Il en résultait une espèce de rhétorique philosophique dissimulant des extases, une manière de remâcher les problèmes sans solution, des mots. L'écart était trop grand entre ces heures métaphysiques et ce langage universitaire. Pour nous, Nizan, Aron, moi-même, nous étions fort injustes pour ces pauvres gens qui avaient vraiment le *sens* de la philosophie mais qui manquaient d'outils. C'étaient pour nous les représentants les plus haïssables de la lâche pensée et du verbalisme. Contre eux, nous nous étions placés sous le signe de Descartes parce que Descartes est un penseur à explosions. Rien ne nous déplaisait tant que cette pensée grise, ces transmutations, ces évolutions et ces métamorphoses, ces lents frissons. Des phrases comme « Deviens ce que tu es » nous faisaient grincer des dents. Nous passions notre temps au contraire à isoler les concepts, à les rendre incommunicables et chacun fermé sur soi, comme Descartes séparant si bien l'âme et le corps que personne n'a pu les rejoindre depuis. Nous aurions dit volontiers : « On ne peut devenir que ce qu'on n'est pas encore. Donc on ne peut pas devenir ce qu'on est. » Ainsi, affectant de nous en tenir aux définitions strictes, nous répudiions les pensées élégantes et molles et nous avions l'impression de penser à grands coups d'épée. C'était ce que nous appelions une pensée révolutionnaire. Et en effet Descartes, en refusant des intermédiaires entre la pensée et l'étendue, fait preuve d'un tour d'esprit catastrophique et révolutionnaire, il tranche et taille en laissant aux autres le soin de recoudre. Nous tranchions et taillions à sa suite. Il m'est resté quelque chose de cette époque : par exemple j'ai pouffé de rire devant ce titre extraordinaire de Chardonne : *L'amour c'est beaucoup plus que l'amour.* Et certes le titre est con. Mais c'étaient surtout mes vieilles indignations

1. Jean Baruzi (1881-1950), historien des religions au Collège de France. *(N.d.E.)*

cartésiennes qui se réveillaient, car il est vrai que l'amour c'est beaucoup plus que l'amour. Seulement il fallait le dire autrement. Ainsi notre perception isolait les choses pour en faire des absolus juxtaposés ; notre pensée morcelait les concepts et les rendait incommunicables, et nous nous donnions de la sorte l'impression de penser barbare et fort, de percevoir âprement et jusqu'à la lie. Penser, séparer les concepts, c'était pour nous agir en moralistes et en justiciers. Nous légiférions par ces refus têtus de sortir des concepts, et nous aurions fini par devenir des Mégariens si, heureusement pour nous, nous n'avions été moins difficiles pour notre propre pensée que pour celle des autres. Toujours est-il que nous nous orientions vers un pluralisme néoréaliste et, pour chercher l'absolu dans les choses, je tournais le dos à l'absolu existentiel en moi. Pourtant, je me sentais vaguement une conscience absolue et libre ; en tant qu'agent moral je me considérais comme un inconditionné. C'est cette intransigeance, comme d'ailleurs ma théorie de la contingence, qui me conduisit à adopter une morale du salut par l'art, que j'ai résumée dans ce carnet le 8 Novembre. Mais on voit sur combien de plans je me mouvais alors : officiellement tout n'était que contingence et toute vie était perdue, il n'était possible que de créer hors de soi des œuvres belles. Mais par en dessous j'étais bien persuadé que j'aurais une vie qui répondrait à mes œuvres et je recherchais l'amitié, l'amour, toutes les passions, je quêtais toutes les expériences. Et pour mériter cette vie que j'attendais — mais par rapport à laquelle je n'étais pas encore engagé, je me considérais comme encore libre — je ne jugeais pas suffisant d'écrire, il fallait encore que je fusse moral. Cette morale c'était pour moi une transformation totale de mon existence et un absolu. Mais finalement je recherchais plutôt l'absolu dans les choses qu'en moi-même, j'étais réaliste par morale. En même temps, par austérité protestante de justicier, j'avais adopté une pensée tranchante et dure qui m'éloignait de cet absolu que j'étais moi-même et me confinait dans un pédantisme rude, qui se réjouissait de sa propre dureté. Cette dureté allait de pair avec les violences que j'exerçais sur mes camarades d'école. Tout cela m'entraînait vers une jouissance violente d'un monde criard et coloré en complète contradiction avec celui que je m'étais donné par ma théorie de la contingence. Et j'en arrivais à prêcher une morale nietzschéenne de la joie alors que par ailleurs toute joie, toute dureté se révélaient impossibles dans le monde contingent et nauséabond que j'avais découvert.

C'est dans ce désordre heureux que s'écoulèrent mes années d'Ecole Normale. Puis vinrent les années sombres. Alors la morale esthétique que je m'étais donnée par un pessimisme de générosité, prit peu à peu plus d'importance à mes yeux. Il n'était pas bon que l'homme se connût, s'occupât trop de lui-même, il ne fallait qu'écrire et créer. Pourtant je ne renonçai pas à l'absolu mais, par un glissement fort naturel, il s'en vint revêtir les œuvres de l'homme. Désormais l'homme était une créature absurde, dépourvue de raison d'être, et la grande question qui se posait, c'était celle de sa *justification.* Je me sentais moi-même tout falot et injustifié. Cette justification, seule l'œuvre d'art pouvait la lui donner, car l'œuvre d'art est un absolu métaphysique. Ainsi voilà l'absolu rétabli mais *hors de* l'homme. L'homme ne vaut rien. C'est vers ce moment que mon opposition théorique à l'humanisme fut la plus forte. Je dis théorique car, vers la même époque, comme je l'ai déjà marqué, je cherchais sournoisement des compromis. Et, comme on voit, c'était bien toujours une morale du *salut,* mais cette fois il n'était aucun bouleversement au cœur de l'homme qui pût le sauver. Le salut lui venait du dehors. J'ai dit de quelle humeur morose je soutenais cette thèse. Au fond je ne me consolais pas d'avoir perdu ma « vie de grand homme ». J'avais des bêtes noires : Benda parce que ses clercs ressemblaient un peu à mes artistes, Elémir Bourges, parce qu'il avait soutenu lui aussi une théorie du salut par l'art. Proust lui-même m'inquiétait. Je détestais particulièrement Tennyson, parce que cet écrivain anglais — dont je n'ai pas lu une seule ligne — avait vécu, selon des rapports dignes de foi, conformément à mes prêches : il avait écrit et il ne lui était jamais rien arrivé. Je disais au Castor avec rage : « Je ne voudrais tout de même pas avoir la vie de Tennyson. » Par contre la vie sinistre et laborieuse de Cézanne me frappait par sa grandeur. Evidemment c'était elle qui pouvait le mieux illustrer ma thèse. Mais tout de même je trouvais ça un peu dur. Etre comme Cézanne. Oui. Evidemment. Si l'on voulait. Mais je ne pouvais m'empêcher de loucher vers les vies tragiques et brillantes de Rimbaud et de Gauguin.

La question se compliqua vers cette époque parce que la lecture de Scheler me fit comprendre qu'il existait des *valeurs*. Au fond, jusque-là, tout absorbé par la doctrine métaphysique du salut, je n'avais jamais bien compris le problème spécifique de la morale. Le « devoir-être » me semblait représenté par l'impératif catégorique, et comme je repoussais celui-ci, il me semblait que je repoussais l'autre avec lui. Mais quand j'eus compris qu'il existait des natures propres, pourvues d'une existence de droit et qu'on nommait valeurs, quand j'eus compris que ces valeurs, proclamées ou non, réglaient chacun de mes actes et de mes jugements et que précisément leur nature était de « devoir être », le problème se compliqua énormément. Vers le même moment le Castor m'obligeait à renoncer à la théorie du salut par l'art. Depuis longtemps j'avais abandonné la pensée cartésienne par glaives étincelants. Je ne comptais plus depuis longtemps sur ma « vie d'homme illustre ». Notre foi commune dans la valeur du construit était ébranlée par l'histoire Z. Il ne restait plus qu'à tout recommencer.

Dimanche 3

Mistler ce matin me dit avec émerveillement : « C'est marrant, j'ai toujours considéré la guerre comme une immense connerie, je continue d'ailleurs et pourtant elle sera pour moi l'occasion d'immenses progrès. »

Le journal de Gide : les 4/5 en ont été écrits (tel qu'il est publié ici du moins) de 40 à 67 ans. C'est un journal de maturité. Il me rappelle ce cahier à la couverture ornée de fleurs et que mon grand-père me montra un jour. Mon arrière-grand-père y inscrivait : les événements principaux de sa famille (naissances, morts, mariages, etc.) — des maximes morales et pieuses — des exhortations qu'il s'adressait à lui-même. Est-ce que ça ne s'appelle pas un livre de raison ? Ce cahier semblait avoir été choisi avec pompe — et je vois que Gide met beaucoup de soin à choisir les siens. Et on sentait un rôle magique de l'écriture : fixer, graver les formules et les dates, les protéger contre l'oubli, leur donner une sorte de pompe. Ce genre de carnet dérive des pancartes qu'on fixait aux murs chez les protestants, ornées de maximes pieuses, comme l'art des mystères dérive des vitraux. Il y a au fond de tout cela l'idée de *graver* et un sentiment mystique et profond qui semble remonter aux origines de l'écriture. Je trouve ce sentiment dans le journal de Gide, atténué, civilisé mais réel. Et, pour moi, ce sentiment magique et religieux est à l'origine du classicisme : le classique grave une maxime sur le mur, il l'enfonce dans la matière et puis il se plante devant et médite. Le classicisme c'est l'art des méditations dirigées.

En même temps — et ceci va en sens inverse, mais la contradiction est chez Gide lui-même — le journal est chez lui un exercice d'écriture spontanée. Apprendre à écrire d'un seul jet. Cette curiosité de lui-même, ce désir de se voir *dé*-composé le conduira plus tard à ses « Dictées ». Il ne voudra même plus écrire au courant de la plume, la plume ne doit plus être entre lui et le papier. « Le grand secret de Stendhal... c'est d'écrire *tout de suite*. On dirait que sa pensée ne prend même pas le temps de se chausser pour courir. » Ce chemin vers la pensée détendue et gratuite, défaite, cette valeur de vrai conférée à ce qui n'est point vêtu pourrait conduire à l'écriture automatique — y a même conduit d'autres écrivains. Mais il faudrait se perdre et Gide ne se perd jamais. Il ne fait qu'indiquer. Il veut fixer la pensée à l'extrême limite où elle se compose, mais non pas au-delà. C'est contre les mots qu'il en a — non contre la pensée. Naturellement, à l'opposé de ce souci, il y a la préoccupation constante de *travailler*, d'écrire ferme et dur. Voici ce qu'il dit le 27 Juillet 14 d'un manuscrit de J.-E. Blanche : « Ce matin, j'ai récrit complètement trois pages (de ce manuscrit) — presque sans rien changer du reste, que l'ordre des mots et des phrases, qui s'éparpillaient au hasard. Les extraordinaires défaillances de son style m'éclairent sur celles de sa peinture : il n'étreint jamais son objet ; ses qualités sont toutes d'*impatience* ; il se contente facilement. Dès qu'en le recopiant il a porté quatre retouches sur une page, il croit qu'il l'a beaucoup travaillée. » Mais n'est-ce pas aussi l'impatience qui est la qualité maîtresse de Stendhal et de cette pensée qui court sans se chausser ? Pourquoi blâmer ici ce qu'on approuve là ? A cause des résultats ? Mais un élément neuf apparaîtrait alors : le don ou l'exercice antérieur, qui n'a rien à voir ici.

A vrai dire ce journal est l'image de l'indécision gidienne entre deux aspects de sa vie personnelle : la tension et la détente. L'acte gratuit, la sensualité gidienne, sa célèbre curiosité qui eut tant d'influence sur notre littérature, son désir enfin de se perdre pour mieux se retrouver, sont des aspects de la *détente.* C'est le monde qui lui apprendra ce qu'il est. Pareillement, c'est la phrase qu'il a écrite à la hâte, *dans l'instant,* qui lui apprendra ce qu'il pensait. Il s'agit en somme de se jeter dans l'univers pour que l'univers vous renvoie votre image. Atteindre l'individu à travers le panthéisme. Cette image inattendue et révélée, c'est aussi la fameuse *part du diable.* Au fond Gide cherche à se surprendre dans les moments où il ne sait pas qu'il s'observe. Seulement, cette façon de se perdre, est-il bien sûr qu'elle nous permettra de nous retrouver ? Par moments, Gide en doute. Alors il l'appellera (15 Janvier 1912) : dépersonnalisation volontaire. Et il écrira à la même date : « Constante *vagabondance* du désir — une des principales causes du détériorement de la personnalité. » Et les ordres qu'il se donne à cette date nous renseignent sur sa coutume vagabonde : « Ne plus jamais sortir sans but précis ; s'y tenir. Marcher sans détourner le regard. Dans le chemin de fer, choisir n'importe quel compartiment. » On voit sur quelles infinies curiosités se fonde cette disponibilité qu'il vante dans *Les Nourritures terrestres.* Mais il faut se *ressaisir* ; reprendre la personnalité composée : « Danger de vouloir illimiter son empire. En conquérant la Russie Napoléon dut risquer la France. Nécessité de relier la frontière au centre. Il est temps de rentrer. » Il use aussi de l'expression « se ressaisir ». Ce journal intime est essentiellement l'outil du *ressaisissement.* Par suite, plutôt le témoin et l'instrument des *tensions* que des détentes. C'est pourquoi il est rare que Gide y note les spectacles qu'il a vus, les conversations qu'il a tenues, qu'il y décrive les gens qu'il a fréquentés. Tout cela c'est de la détente. Il s'y laisse aller parfois mais comme à regret. Il semble d'ailleurs qu'il use souvent, pour ses notations extérieures, d'autres carnets qu'il n'a pas publiés dans le Journal : « J'ai stupidement laissé à Cuverville... le petit carnet, frère de celui-ci, vieux seulement de quatre jours, mais sur lequel j'avais écrit hier soir ou ce matin même quelques réflexions assez sombres au sujet de X. » (25 Juillet 14).

Au contraire le journal étant surtout un outil de ressaisissement, il est rempli d'exhortations, de petits conseils simples que Gide se donne à lui-même :

« Pour en être plus économe, je noterai minutieusement l'emploi de mon temps.

« Sept heures et demie : bain, lecture de l'article de Souday sur A. C.

« Huit heures et demie à neuf : déjeuner, etc.

« 1912 11 Juin : " Me répéter chaque matin que le plus important reste à dire, et qu'il est grand temps ", etc. »

C'est à ce moment-là que le journal ressemble le plus et d'une façon agaçante aux ouvrages moraux du Pasteur Wagner. On y trouve des maximes enfantines dans le goût de celle-ci : « Ne pas dédaigner les petites victoires ; dès qu'il s'agit de la volonté, le *beaucoup* n'est que la patiente addition du *peu.* » Eh, parbleu oui, pense-t-on. Qu'a-t-il besoin de l'écrire, chacun le sait. C'est qu'il l'écrit non pour nous l'enseigner, non pas même pour se l'enseigner, mais pour se le *redire,* pour le *graver.* C'est la pancarte protestante suspendue au-dessus du lit et qui gourmande. C'est la petite ruse pieuse, familière aux esprits dévots.

En somme, oscillation chez Gide entre deux conceptions du vrai : le vrai c'est ce que je suis (ce qu'Alain appelle lâche penser des psychologues) — le vrai c'est ce que je veux être.

Et le journal lui-même devient un devoir. Gide s'exhorte à le tenir. Et s'il n'y parvient pas, il a péché. Ainsi, en nous invitant à le lire, il nous convie à le regarder dans l'accomplissement difficile de ses devoirs. Nous entrons de plain-pied dans la morale dès que nous ouvrons le livre.

Autre mission du journal : permettre à Gide d'écrire n'importe quoi, lorsqu'il ne se sent pas en veine de travail, pour ne pas perdre la main, pour garder l'élan et la vitesse acquise. De là des réflexions comme celle-ci : « Assez bon travail, d'où le silence de ce carnet » (11 Janvier 1917).

J'explique ainsi la déception de ceux (dont je fus d'abord) qui, influencés par la lecture des journaux de Stendhal, de Renard, des Goncourt, etc., ouvrirent celui de Gide avec l'espoir d'y trouver des détails sur sa vie, sur son caractère ou sur son milieu. Ma déception date de Berlin, quand je lisais les fragments du journal dans les *Œuvres complètes.* J'avais alors jugé l'ouvrage fort ennuyeux. Mais je me trompais : tout y est. Seulement tout est enveloppé. Le souci de Gide n'y est point de connaître mais de réformer. Aussi, si l'on veut connaître, pour juger à son tour, faut-il résister au penchant naturel qui porte à se faire le complice de l'auteur. Il faut lire d'un œil sec, en restant en dehors, en mettant en question les principes même de la réforme. Gide s'est constamment observé lui-même et il se meut toujours sur le plan réflexif. Quelquefois même il y a redoublement de la réflexion. Mais il n'est jamais psychologue, son but n'est jamais de constater purement et simplement. Le souci originel est moral.

Il ne faut jamais lire les phrases du journal de Gide comme si c'étaient de simples constatations, fussent-elles à l'indicatif : ce sont des vœux, des prières, des commandements, des hymnes, des regrets, des blâmes. Je n'en veux pour preuve qu'un très curieux Amen, qui se trouve à la fin d'un passage qu'on croirait de pure information : « Je prétends empêcher que l'on dise jamais de personne qu'il m'imite ou me ressemble... Je veux n'avoir pas de *manière...* Amen. » Amen est évidemment ironique. Mais il trahit en le raillant le tremblement intime, la ferveur avec laquelle Gide écrivait ces lignes. Le *Je veux* n'est pas constaté (comme lorsque je demande à Keller : « Où vas-tu ? » et qu'il me répond : « Je veux me raser. ») mais il est voulu, c'est la volonté même. Il le dit lui-même, d'ailleurs : « Dès que l'émotion décroît, la plume devrait stopper. » Ce qui n'est guère possible en dehors des journaux intimes — et ce qui me choque un peu, moi qui dans ce journal-ci suis tout de suite gêné dans ma pudeur si je ne tiens pas à distance respectueuse ce que j'écris.

Le rôle de l'*exercice* chez Gide au sens grec d'ασκησις : le journal, exercice spirituel, la lecture de l'anglais, exercice littéraire, exercice de pensée, les exercices au piano (et études). A Cuverville souvent, journées d'exercices : piano, anglais, journal. Besoin de ne pas se lâcher la bride (un peu comme on faisait faire de la tapisserie aux demoiselles). Désir constant de profit, également. L'exercice remplace chez lui la profession.

A peine ai-je écrit ces lignes que je tombe sur un passage, p. 389 : « Je me suis occupé ces jours derniers à mettre au net les *Souvenirs de la Cour d'Assises.* C'est, je crois, un très bon exercice... »

Journal plus curieux encore et plus caractéristique par ce qu'il omet que par ce qu'il montre. Tous les rapports avec Em. sont passés sous silence. Et certes, Gide en a supprimé une bonne partie au moment d'éditer son journal. Mais on sait aussi qu'il en a déchiré en cours de route à la prière d'Em. elle-même. Et surtout on peut lire en divers endroits qu'il *s'interdit au jour le jour* de parler d'Emmanuelle. Pourquoi, puisqu'il reconnaît en 1939 ne livrer ainsi qu'un « moi mutilé » ? Par piété je pense. Il y a ainsi des hiérarchies de sacré dans son âme. Le livre de bord est sacré, mais Emmanuelle sacrée davantage. Il n'y faut pas toucher. Mais d'autre part — si l'on excepte quelques allusions à sa passion pour M. en 1914 — le journal ne présente guère sa vie sexuelle que sous l'aspect du vice et des remords qu'elle inspire. On y parle beaucoup du péché solitaire et je vois bien que c'est parce que ce péché est de la nature de la paresse, de l'étourderie, du manque de zèle, de tous ces défauts dont on peut se gourmander avec soi-même. Il s'agit essentiellement dans ce journal de rapports avec soi ; il est un domaine que Gide n'aborde jamais : celui des rapports *construits* avec autrui. Sans aucun doute il en aurait eu l'occasion s'il avait parlé d'Emmanuelle. Mais précisément il n'en parle pas. Ses nuits d'amour lui inspirent quelques cris de joie mais il les cache — encore qu'il ait aimé, semble-t-il, à les raconter. Enfin tout ce qui a rapport aux hommes, au monde, à la société (que ce soit Wilde, la cour d'assises ou certaines curieuses rencontres), il le verse ailleurs, sans doute parce que ce sont des matériaux littéraires et, comme tels, indignes d'avoir leur place dans le livre de raison. Quelquefois cependant il s'oublie, esquisse un portrait, raconte une anecdote. Mais c'est *à l'occasion* d'une admonestation qu'il se fait parce qu'il perd trop de temps en société ou bien c'est pour animer un morne compte rendu de ses journées. Il s'agit donc d'un journal très surveillé et sans laisser-aller. S'il s'est abandonné à la démesure, il déchire. Je me rappelle Dabit se blâmant sévèrement dans son journal parce qu'il avait eu la tentation de déchirer. Mais Gide, s'il se blâme parfois aussi, est coutumier du fait. Il écrit le 15 Juin 1916 : « J'ai déchiré une vingtaine de pages de ce carnet... Les pages que j'ai déchirées, on eût dit les pages d'un fou. » Mais précisément c'est ce Gide fou que nous aurions curiosité de voir. Seulement, même dans le remords, même dans l'abandon ému, il est classique encore : quand il ne compose pas, il choisit.

Et puis au cœur du carnet, se détachant sur toute cette trame, le produit le plus ingénieux, le plus civilisé de tout cet examen de conscience : le Diable. C'est au Diable que devraient être dédiés ces carnets, il l'aurait bien mérité.

Je sors avec Mistler et je vais déjeuner avec lui au Lion d'Or. Il m'explique qu'il a complètement changé grâce à moi, qu'il était parti désespéré en Septembre et qu'il est à présent serein ou presque, qu'il a compris que cette guerre était un événement de *sa* vie. Il est intimidé et bafouille en me remerciant. Je suis intimidé aussi et je bois du lait. Et puis je suis content parce que c'est comme une vérification expérimentale de mes nouvelles idées morales. Mais en même temps, toujours cette drôle d'impression que ça ne s'adresse pas à moi, que je joue la comédie et qu'au fond je suis un misérable polichinelle qui dupe le monde.

Un excellent passage dans les *Feuillets* de 1913-14 :

« Celui qui proteste fera plus tard du savoir renoncer la sagesse de sa vie.

« Cela aussi peut être une morale de complaisance. »

Cette expression de « morale de complaisance » me paraît riche et profonde. Elle cadre assez bien avec mes préoccupations actuelles :

la résignation peut être une morale de complaisance (sérénité triste, mélancolie lumineuse et apaisée, etc.)

le stoïcisme aussi. J'en ai fait l'expérience tout au long de ces trois mois.

Le naturalisme. Il y a un certain naturalisme chez Gide, une certaine confiance dans les vertus de la nature nue (être soi-même sans pactiser, s'adapter au monde comme l'organisme à son milieu) qui le tourmente souvent et dont il se demande s'il n'est pas inspiré par le Diable.

La morale du devoir. Tout ce que dissimule cette honteuse formule d'aspect kantien : je n'ai le droit que de faire mon devoir...

Finalement je ne vois guère qu'une morale de l'authenticité pour échapper au reproche de complaisance. (De l'authenticité et non de la pureté.)

Mauriac (*Le Figaro* du 2 Décembre) : « La question éternelle qui a toujours divisé les Français, qu'il s'agisse d'une dispute intérieure comme l'Affaire Dreyfus, ou de la tragédie espagnole ou de la guerre avec l'Allemagne, touche aux rapports de la politique et de la morale. »

Je crois que je comprends et que je *sens* à présent ce qu'est la vraie morale. Je vois comment se lient métaphysique et valeurs, humanisme et mépris, notre liberté absolue et notre condition dans une vie unique et bornée par la mort, notre inconsistance d'être sans Dieu et qui n'est pas son propre auteur et notre dignité, notre indépendance autarcique d'individu et notre historicité. Je m'en expliquerai demain ou quelque autre jour, je veux encore y réfléchir. Mais du moins cette fois ce sera une morale que j'aurai sentie et appliquée avant de l'avoir pensée.

Je me suis laissé aller quelque temps mais ces jours-ci j'ai retrouvé la tension des premiers jours de guerre.

Lundi 4 Décembre

Nous partons demain matin pour Morsbronn. Ce matin grande nervosité autour de moi, pendant que je travaille. Les acolytes et les 3 du S.R.A. s'affairent après leurs paquets. Disputes et engueulades.

Non pas *accepter* ce qui vous arrive. C'est trop et pas assez. L'*assumer* (quand on a compris que rien ne peut vous arriver que par vous-même), c'est-à-dire le reprendre à son compte exactement *comme si* on se l'était donné par décret et, acceptant cette responsabilité, en faire l'occasion de nouveaux progrès *comme si* c'était pour cela qu'on se l'était donné.

Ce « comme si » n'est pas du mensonge. Cela vient de l'intolérable condition humaine à la fois cause de soi et sans fondement, de sorte qu'elle n'est pas juge de ce qui lui arrive mais que tout ce qui lui arrive ne peut lui arriver que *par elle* et sous sa responsabilité.

Partir de ces deux idées :

1) L'homme est un plein que l'homme ne peut quitter.

2) Il faut perdre tout espoir. La morale commence là où s'arrête l'espérance (vie future, perfectibilité humaine, etc.)

On est totalement responsable de sa vie.

Le monde est à chaque instant présent à ma vie dans sa totalité.

On n'a jamais d'excuse, parce que l'événement ne peut vous atteindre que s'il est assumé par vos possibilités propres.

Keller ramasse les ordures des autres, principalement des officiers — un numéro de *Conferencia,* un exemplaire de *La* moustaches. » C'est ce que j'appellerai l'imparfait virgilien : parce qu'une bouteille de sirop pour la toux s'était renversée dessus et qu'il puait —, il met tout sans regarder dans son paquetage et dit, tantôt : « C'est pour ma femme » et tantôt : « C'est pour le petit, je le lui apporterai en permission. » Ce qui l'attire ici c'est l'objet à prendre qui peut encore « faire usage », il rôde autour des caisses à ordures, paniers à papier, etc. et trouve toujours à y pêcher.

Personne ne vous doit rien — et surtout vous n'avez aucun droit sur le destin. Tout est toujours donné, parce que vous êtes toujours de trop par rapport au monde.

Valeur métaphysique de celui qui assume sa vie ou authenticité. C'est le seul absolu.

Nous partons demain matin à 5 heures pour Morsbronn. En secteur. Les officiers semblent mal supporter la perspective de ces responsabilités nouvelles.

Quand Pieter parle quelques instants avec un officier, il dit toujours « j'ai bavardé », pour évoquer l'abandon confiant d'une conversation entre hommes.

Mardi 5 Décembre

4 heures du matin. Les acolytes terminent leurs paquets et je note pendant ce temps les passages principaux d'un article de X.

dans *La Revue des Deux Mondes* du 15 Août 1939 : « La Paix-Guerre ».

« Dans l'état présent de la technique militaire, il faut une centaine de chars et plus de cent tonnes d'obus pour rompre d'une façon certaine la résistance offerte sur un seul kilomètre par un seul bataillon bien retranché et couvert par des fils de fer… Sur des frontières restreintes comme celles de l'Europe, trop étroites pour les effectifs énormes de la levée en masse, machinées pour la défense de la fortification permanente, il n'est que peu d'espoir de mettre en défaut les dispositions de l'adversaire… La décision ne pourra être obtenue qu'après le succès de nombreuses actions offensives, donc au prix d'un effort gigantesque qui suppose une supériorité numérique et industrielle considérable. S'il n'en était pas ainsi le conflit ne pourrait être résolu que par l'usure morale et matérielle de l'un des deux belligérants. Dans les deux cas la lutte prendrait la forme d'une lutte à mort entraînant des pertes et des ruines telles que les conditions de paix les plus avantageuses ne pourraient les compenser.

« *La conception classique de la guerre conduit donc à une forme de conflits qui ne répond plus aux possibilités et aux nécessités de l'Europe d'aujourd'hui.* Celle-ci en effet n'est pas encore remise des bouleversements de tous ordres occasionnés par la Grande Guerre. Elle a besoin de paix pour se refaire et réorganiser son économie en fonction des moyens de production modernes… D'autre part l'opinion publique de la plupart des nations européennes se refuse instinctivement à l'idée de la guerre… *Cette conviction est un fait capital particulier à notre époque.*

« Dès lors, comment résoudre les conflits entre nations ?… Des méthodes nouvelles s'imposent… Le problème reste entier : il consiste à forcer un Etat à souscrire aux obligations qu'on veut lui imposer, en un mot à capituler. La guerre peut changer de formes mais son objet essentiel demeure.

« Incapable de réduire d'un seul coup l'adversaire à sa merci, la guerre nouvelle visera à le convaincre de préférer la capitulation à la continuation de la lutte. A une action radicale succède une *action persuasive* de la force. Seulement… la politique ne disposait autrefois que d'une marge de pression très faible... la moindre erreur de manœuvre, le moindre excès pouvaient entraîner la guerre. La politique ne s'exerçait donc que par un jeu nuancé de combinaisons et de compromis. La situation est aujourd'hui tout autre : le spectre toujours présent de la guerre totale, la crainte qu'elle inspire conduisent à ne voir en elle qu'une solution de désespoir à laquelle on n'aura recours qu'à la dernière extrémité. L'impuissance de l'action militaire a rendu l'épiderme des nations très peu sensible (Anschluss, Sudètes, intervention en Espagne, combat russo-japonais de Kouang-Tchéou-Feng), on pourrait multiplier les exemples de la patience étonnante dont témoignent les nations en regard de leur nervosité ancienne.

« Ainsi cette répugnance à la guerre totale, par un détour surprenant, autorise un emploi de la violence qui dépasse nettement le cadre des traditions diplomatiques... Ce n'est plus la paix et pas encore la guerre telle que nous l'envisageons, mais un état intermédiaire que nous appellerons la paix-guerre.

« La paix-guerre repose sur l'idée de profiter de la crainte de la guerre-catastrophe pour exercer des pressions plus importantes qu'autrefois, tout en évitant de créer une tension suffisante pour amener l'ennemi à recourir à la guerre totale.

« Le premier élément de toute combinaison consistera donc à évaluer la valeur du point critique au-delà duquel l'adversaire préférerait la guerre totale à la capitulation.

« Procédé caractéristique : *guerre politique,* c'est-à-dire l'intervention dans la politique intérieure du pays adverse. On s'attaque ainsi directement aux centres nerveux d'où dépend la capitulation. (Ludendorff, *guerre totale* : la cohésion animique de la nation est facteur essentiel de la victoire.)

« 3 solutions :

« Le soulèvement réussit. Le but est atteint. Le nouveau gouvernement accepte spontanément les conditions imposées.

« Le soulèvement ne réussit que partiellement (Espagne, Palestine) : guerre civile et intervention.

« Le soulèvement échoue complètement. En cas de conjoncture internationale favorable : intervention directe (Sudètes). Sinon on se lave les mains (assassinat de Dollfuss).

« *Guerre économique* :

« Même caractère insidieux mais son application dans la guerre-paix n'a pas donné des résultats décisifs. C'est que la guerre totale requiert une réorganisation totale de toute l'économie pour subvenir aux besoins énormes qu'elle fait naître. Il est alors indispensable de réduire la consommation civile au minimum et de combler les déficits par des importations. Ainsi, en dernière analyse, l'effort ne pourra être poursuivi avec l'intensité désirable que si la nation possède des ressources financières ou un crédit suffisants et si elle dispose de voies de communication libres. Ces considérations ont conduit les théoriciens d'après-guerre à attribuer une valeur considérable aux ressources économiques d'un pays dans l'évaluation de son " potentiel de guerre "... Cette idée a été l'origine de l'organisation des sanctions sous l'égide de la Société des Nations. *Son application contre l'Italie a conduit à un échec complet. Raisons : les sanctions économiques ne peuvent avoir d'effet décisif que contre une nation entreprenant un conflit ayant le caractère de la guerre totale.* Or ce n'était pas le cas : la conquête de l'Ethiopie... n'était qu'une guerre à efforts limités... L'Italie n'a jamais eu à organiser une économie de guerre... Les sanctions ont été déclenchées en pleine économie de paix.

« A côté du blocus — diverses formes de la lutte économique (dumping, etc.).

« Emploi constant des *forces militaires* :

« α) sous forme de menace,

« β) intervention d'appoint dans un conflit intérieur,

« γ) actions militaires directes. Très fréquentes mais très restreintes et présentant l'aspect de simples coups de main déclenchés le plus souvent par surprise. »

Arrivée à Morsbronn à 7 heures. Je suis aussitôt commis au central téléphonique dans une grande pièce remplie des allées et venues de nos officiers et des officiers que nous remplaçons.

Ceux-ci nous offrent trait pour trait notre *image* : la division est exactement constituée comme la nôtre : ce lieutenant c'est le symétrique du lieutenant Penato ; ce colonel c'est le symétrique de notre colonel, il n'y a pas jusqu'à nos symétriques propres, les sondeurs, qui ne soient présents, un gros Fatty rougeaud avec des lunettes et un air de préciosité sur sa chair de bon vivant, un autre maigre et pâle avec la barbe en collier. Nous regardons avec curiosité et hostilité ces images de nous-mêmes. Vague sentiment de solidarité avec *nos* officiers contre *leurs* officiers. Ils ont l'air d'ailleurs fort antipathiques. L'un d'eux, un lieutenant beau parleur, revient de Paris et dit à son colonel : « Toujours d'attaque, mon colonel ! — Et que disent-ils à Paris ? — Ils disent qu'ils les emmerdent de ne pas attaquer parce que la guerre sera plus longue ; ils trouvent que ça n'est pas drôle, Paris la nuit, avec toutes ces lumières éteintes et ils voudraient que nous nous cassions la gueule plus vite, pour que ça finisse. — En somme, dit un capitaine, exactement ce que nous pensons. » Léger sentiment d'importance parce qu'on m'a confié cet appareil redoutable et sonnant, avec une vingtaine de fiches et de fichiers. Mais très emmerdé au fond parce qu'on passe environ 200 communications par jour et que je n'aurai plus le temps de travailler. Inquiétudes : va-t-on me laisser à ce poste ? Je persuade Paul de protester : je suis sondeur et non téléphoniste. J'écris ceci sur une chaise pendant un court répit et ce sont autour de moi des allées et venues continuelles.

Cette paix-guerre dont parle intelligemment X., elle permet de comprendre la suite, ce que nous vivons : la guerre-paix. Le passage est insensible de l'une à l'autre. Et ceci tient à deux causes : 1) l'Allemagne ne *voulait* pas la guerre. Elle tenait par-dessus tout à cette forme de rapports internationaux, la paix-guerre, qui lui étaient particulièrement favorables. Elle a joué une partie délicate en Pologne et n'a pas su déterminer le « point critique ». Pour elle, la partie se joue toujours sur le plan « paix-guerre » ; elle refuse la guerre totale parce qu'elle ne peut la faire. 2) Mais les puissances démocratiques sont essentiellement soucieuses d'appliquer des sanctions. Au fond elles s'en tiennent au Covenant de Genève et à la technique pacifique des sanctions, comme au temps de la guerre d'Abyssinie. Il s'agit, ici comme là, de punir une agression. Seulement, instruites par l'expérience d'Ethiopie, elles savent que pour utiliser avec fruits les sanctions économiques contre une nation il faut avoir préalablement obligé cette nation à se mettre sur le pied de guerre totale. Ainsi les armées françaises sur la frontière d'Allemagne n'ont d'autre but que de contraindre l'Allemagne à réaliser une économie de guerre destinée à rendre le blocus efficace. De sorte que la guerre totale demeure le spectre agité par les belligérants, comme du temps de la paix-guerre. Que fait Hitler lorsqu'il nous menace d'un débarquement en Angleterre, d'un raid d'avions sur Londres, etc. sinon évoquer le fantôme de la guerre totale ? Et les réfugiés, les provinciaux qui commencent à s'habituer à cette guerre-ci, ils craignent la guerre, la vraie, comme s'ils étaient en paix. Quant aux procédés, ils restent les mêmes : la force militaire reste un appoint ; la guerre économique s'accompagne d'une guerre politique, chacun des belligérants compte sur un soulèvement chez l'adversaire pour lui épargner l'emploi de la force armée. Reste la possibilité de chercher la décision sur des champs de bataille lointains dans des pays non défendus par des barrières de fortifications, où s'affronteront des corps expéditionnaires. Si par exemple la Roumanie est envahie par une armée allemande et que nous envoyions là-bas des renforts. En ce cas la guerre reprendra l'aspect des anciens conflits (ceux qui vinrent avant 1914) où, comme dit J. Romains, c'est le *vaincu* qui décide qu'il est vaincu — comme par exemple la Russie décidant après Tsoushima que le Japon l'a défaite. Cette guerre c'est donc : sanctions genevoises et économiques d'un côté contre paix-guerre de l'autre. Le souci commun des belligérants est de n'en pas venir à la guerre totale. Et si elle semble une « drôle de guerre », c'est que c'est une guerre dans laquelle les adversaires sont animés avant tout du souci de ne pas faire la guerre.

Mercredi 6 Décembre

Je me suis à peu près débrouillé au téléphone. A la fin ça me semblait magique tous ces petits volets qui sonnaient en tombant, ces fiches qu'on enfonçait dans les trous et qui faisaient jaillir des voix et surtout ces longues conversations dont j'étais le témoin muet. Ça m'amusait, j'avais une étrange impression de puissance, comme si j'étais un prestidigitateur qui croyait à ses tours. Seulement le poêle fumait et m'a donné un violent mal de tête. Je lisais pendant les rares moments de répit *L'Education sentimentale* de Flaubert. Que c'est maladroit et antipathique. Quelle sottise, cette hésitation constante entre la stylisation dans les dialogues et les peintures et le réalisme. Une histoire piteuse gravée dans du marbre. On voit Zola qui perce à travers un style parnassien et mastoc. Jusqu'ici c'est d'ailleurs parfaitement stupide : sans une impression, sans une idée, sans un caractère, sans même ces remarques historiques dont Balzac est capable. Ses descriptions ne peignent pas. La phrase est lourde et embarrassée lorsqu'elle veut mordre sur les choses, décrire les machines par exemple : « Le tapage s'absorbait dans le bruissement de la vapeur qui, s'échappant par des plaques de tôle, enveloppait tout d'une nuée blanchâtre, tandis que la cloche à l'avant tintait sans discontinuer. » Ce tapage qui « ***s'absorbe*** » — et comment la vapeur peut-elle s'échapper ***par des plaques de tôle ?*** « Le tout tremblait ***sous*** une petite vibration intérieure. » Sous ? Il veut dire qu'une petite vibration montait des flancs du bateau et se communiquait au pont. Platitude des verbes (en général faute de terme précis Flaubert use de métaphores animistes : les berges filent, les colis montent, le tapage s'absorbe). Souvent il emploie des passifs du plus malheureux effet : « Un châle ***était placé*** sur son dos. » Un usage agaçant de l'imparfait (qui annonce les Goncourt) pour faire tableau et noyer ce que l'***acte*** a de désobligeant dans une sorte de répétition poétique qui équivaut à un recul dans le merveilleux. « Mlle Marthe courut vers lui et, cramponnée à son cou, elle tirait ses moustaches. » C'est ce que j'appellerai l'imparfait virgilien : ***ibant obscuri sub sola nocte.*** L'exemple le plus typique (je crois que la réminiscence virgilienne y est frappante — Nisus et Euryale) : « Frédéric lui jeta la moitié de son manteau sur les épaules. Ils s'en enveloppèrent tous deux ; et, se tenant par la taille, ils marchaient dessous côte à côte. » On remarquera que chaque fois l'imparfait est précédé d'un participe en apposition au sujet. Tic de style : faire marmoréen.

Exemple de la négligence dans les verbes : « Une énergie impitoyable reposait dans ses yeux glauques. » Ce n'est pas par hasard que Flaubert est recherché dans ses substantifs et négligé dans ses verbes : ce parnassien soigne le *spectacle* et néglige l'*événement.* L'événement reste scandaleux pour lui : je hais le mouvement qui dérange les lignes. Mais ses phrases sont des colosses aux pieds d'argile : elles s'effritent en mots parce que les articulations ne tiennent pas. Importance de Flaubert : son style est de transition. La civilisation industrielle de Louis-Philippe et les mouvements sociaux de 48 inclinaient les esprits à parler des *choses* (machines, outils, etc.) et le style que Flaubert trouvait à sa disposition avait été lentement formé à la description des mœurs et des hommes. Flaubert essaie de *traduire.* Il s'agit de parler des objets en gardant la *tenue* du style. Ce sont les insuffisances de Flaubert qui amèneront les Goncourt à leurs inventions verbales. En somme Flaubert, ennemi du bourgeois louis-philippard, est lui-même un bourgeois, et son art est un produit de l'industrie de 48. C'est la bourgeoisie industrielle curieuse d'elle-même, de sa culture, de ses métiers, des hommes et des choses sur quoi elle règne, mais qui veut les connaître à travers certains tics culturels, à travers une forme classique. L'assouplissement ultérieur sera aussi une vulgarisation, un abandon de certaines exigences. Il faut noter que les corrections que propose Maxime Du Camp à la demande de Flaubert sont toutes conservatrices, c'est-à-dire visent à sauver la pureté de la forme. Flaubert y est fort sensible.

Le pire défaut de *L'Education sentimentale,* c'est que ce livre peut être lu par un téléphoniste de central, qui lit une phrase, s'arrête, y revient, etc. Il n'y a aucun courant qui risque d'être coupé. J'imagine au contraire que la lecture ininterrompue doit être d'un ennui intolérable. Chaque phrase s'isole et il faut du mal pour se désengluer d'elle et passer à la phrase suivante.

Je note ici quelques exemples de la faiblesse du verbe chez Flaubert :

« Il était toujours irrité, et dans cette exaltation à la fois factice et naturelle qui *constitue* les comédiens. »

« Son chapeau à bords retroussés le *faisait reconnaître* de loin, dans les foules. »

« Il enfonçait son âme dans la blancheur de cette chair féminine »

« Les maisons *se succédaient* (on s'en doute) avec leurs façades grises, leurs fenêtres closes. »

« Il éprouva comme une pénétration à tous les atomes de sa peau. » (!!!)

« Des édifices que l'on n'apercevait pas faisaient des redoublements d'obscurité. »

Chez beaucoup de jeunes écrivains il y a une banalité de l'adjectif qui permet de prévoir la qualification quand le substantif est donné. La vallée est toujours « riante », par exemple. Chez Flaubert la faiblesse congénitale du verbe entraîne sa banalité et c'est plus déplaisant encore parce que le substantif, la plupart du temps, enferme déjà la signification de l'action, de sorte que le verbe se colle au sujet comme un gros paquet normand. Exemple : « Un vent léger *soufflait.* » Eh, que peut faire le vent sinon souffler ? Mieux vaudrait écrire alors « vent léger », comme Loti. C'est un peu par horreur de ça que j'écrirais plutôt, moi : « il y avait un vent léger », parce que le « il y a », vague et indéfini, ne préjuge pas de la suite, et la phrase finit en force. Autre exemple chez Flaubert : « Un air humide l'enveloppa. » Voilà encore un de ces appendices volumineux et inutiles. La phrase de Flaubert finit toujours en faiblesse. Et que de grosses malices normandes qui gênent. Par exemple : « Il se reconnut aux bords des quais. » Pour supprimer le verbe être.

Plus haut, une voiture à deux chevaux attend Frédéric Moreau à la gare : « les deux chevaux n'appartenaient pas à sa mère. » C'est-à-dire qu'un seul des deux chevaux lui appartenait, mais

Flaubert s'est refusé à écrire une phrase si lourde. En conséquence il a commis une incorrection de pensée plus lourde encore. Car « les deux chevaux n'appartenaient pas à sa mère », cela veut dire qu'aucun des deux ne lui appartenait.

Exemple typique de la mort en faiblesse des phrases de Flaubert, par asthénie du verbe :

« Une faculté extraordinaire, dont il ne savait pas l'objet, lui était venue. »

« Son visage s'offrait à lui dans une glace. »

L'avachissement secret de ce marbre : les mots conjonctifs : où, en, par, employés dans des sens vagues de liaison (défaut qu'il passera à tous les naturalistes et réalistes).

Ex. : « Il fut saisi par un de ces frissons de l'âme *où* il vous semble qu'on est transporté dans un monde supérieur. »

« Les réverbères brillaient en deux lignes droites. »

Et les participes en apposition qui signifient indifféremment « parce que, quoique, étant donné que, etc. ».

« Sénécal, interrogé, déclara..., etc. »

« Pellerin, croyant avoir trouvé un argument... »

Au fond la plupart de ces appositions remplacent un *verbe*, par conséquent un acte. Toujours cette même défaillance :

« On interrogea Sénécal et il déclara que... »

« Pellerin crut trouver un argument et... »

Educ. sentim. chap. V : « L'entretien fut pénible... il ne trouvait pas de joint pour y introduire ses sentiments. » Un joint sert à joindre, non à introduire.

Changement assez profond depuis que je suis à Morsbronn. D'abord l'hôtel où nous sommes installés ressemble beaucoup plus à un Q.G. classique en temps de guerre que notre paisible école de Brumath. Tous les services y sont rassemblés. Les soldats et les officiers couchent dans l'hôtel, le colonel prend son petit déjeuner dans une des salles à manger — et c'est là que les officiers déjeunent, sur une table ronde couverte d'une toile cirée, qui porte presque toute la journée leurs couverts, avec des anneaux de serviette où ils ont gravé au couteau leur chiffre. L'hôtel, isolé au bord de la route — il est à cinq cents mètres de Morsbronn — offre tous les caractères superposés de la paix et de la guerre. Du dehors c'est *encore* un hôtel — de second ordre (il paraît que ce sont surtout les petites gens : assurances sociales, mutuelles, etc. qui se soignent à Morsbronn). Mais dès qu'on y entre on est saisi par une odeur de négligé et de lente pourriture très particulière aux maisons évacuées. Les chambres sentent le champignon. Elles sont pleines à craquer d'un fouillis d'affaires militaires, paquetages, capotes, musettes etc. Mais pourtant il y flotte un relent de misères civiles. Sous les gros couvre-pieds rouges, les matelas sont épais et les ressorts du sommier exquis, comme il convient aux rhumatisants. Les papiers muraux déchirés et sales, avec leurs fleurs, sont plus civils, plus individuels que les murs ripolinés de l'école entre lesquels le socialisme militaire n'avait aucune peine à s'insérer ; les chambres évoquent — mensongèrement d'ailleurs — les chambres d'hôtel misérables et louches d'ouvriers parisiens. La salle des secrétaires où se trouve le téléphone est vraiment devenue un objet très particulier et individuel où ces diverses couches de signification se fondent. C'est une pièce rectangulaire et fort sale qui s'ouvre sur la grand-route qu'elle domine d'assez haut par une longue baie vitrée. Le plafond de bois, aux poutres saillantes, descend en pente rapide depuis le fond jusqu'à la baie. Il est peint en blanc mais la saleté l'a fait virer au gris. Le soir on aveugle la baie avec des couvertures et des tapis qui font une impression orientale : tente, peaux de bête, campement — et éveillent vaguement, vaguement, l'idée d'un luxe tartare. Contre le mur on a poussé une desserte, une armoire à glace en chêne et une petite commode basse genre Boulle, avec dessus de marbre. Une nature morte fort sombre et des réclames : Suze, Mandarin, Lithia, Pernod fils, Dubonnet, eau de table Carola, Dolfi. Dans un cadre doré sur papier blanc, « Lanson père et fils. Reims » sous verre. Mais au-dessous une ardoise noire est pendue à un clou : « Tour de garde : Mistler — Planton : Hantziger. » Les mots sont tracés à la craie. Au milieu de la pièce un poêle allemand de Nuremberg. Contre les fenêtres de la baie, sept tables rectangulaires avec des machines à écrire, des fichiers, des chemises : l'état-major. Mais contre la dernière table, il y a encore une petite table ronde couverte d'une nappe rouge et blanc. Et sur cette nappe un grand verre à pied avec des fleurs artificielles du genre iris, qui représente à lui tout seul un restaurant. Un restaurant d'habitués, avec bonne cuisine bourgeoise. Au mur, près de la porte, des portemanteaux. Des masques à gaz, des capotes kaki pendent aux patères. Les cinq lampes voilées par des journaux répandent sur tout cela une lumière tamisée et familiale. J'oubliais deux objets étranges, mécaniques tous deux, mais qui sont aux objets mécaniques ce que les Arlequins de Picasso sont aux hommes : les fils téléphoniques qui pendent lamentablement du plafond comme une chevelure raide et feutrée de crasse et — au milieu du plafond, surréaliste par cette saison et avec les difficultés que nous éprouvons à nous chauffer — un ventilateur qui se met en marche impitoyablement chaque fois qu'on veut allumer ou éteindre. La proximité de la salle à manger des officiers communique à cette pièce une douceur alimentaire.

« Alors il m'a diii... » Et Pieter répète d'un air important les « dicts » de n'importe qui. Je n'avais vu que l'importance mais aujourd'hui, quand il s'est penché vers moi en confidence pour me dire : « Tu sais, j'ai rencontré Dubois. Alors nous avons bavardé. Il m'a diiii », j'ai eu une illumination. Il accomplit un rite social. Il prend les « dicts » et les aime, parce qu'ils ont une odeur humaine. Qu'ils se rapportent aux plaintes de la buraliste ou à la façon de préparer le saucisson en Alsace, ce sont des dicts d'homme et il accomplit sa fonction d'homme en les colportant. Il y a ainsi deux communions humaines : celle qui eut lieu lors du « dict », celle qui a lieu lors du colportage du « dict ». Il dit « Dubois m'a diii... » et sa voix devient chaude, il bat de ses lourdes paupières, il est heureux.

Il m'a agacé ce matin parce qu'il voulait absolument que tous les soldats qu'il rencontrait fussent du 109e, parce qu'il a un copain qui est du 109e. Et, au restaurant, désignant un soldat qui portait un cor de chasse sur ses écussons, « mais regarde, disait-il tout agité, c'est 109, je te dis que c'est 109 ». Il veut toujours *reconnaître :* les gens et les choses. Et s'il n'y a pas moyen, au moins trouvera-t-il bien un rapport indirect entre eux et lui. C'est sa manière de sourire au monde, de s'ouvrir aux événements avec aménité, d'affirmer son optimisme.

Il est malade aujourd'hui, notre ange, ses ailes sont froissées, il a des vertiges. Il rentre son menton dans le col de son manteau et il a l'air tout étonné et tout candide. Il ne croyait pas au Mal, ni qu'on pût tant souffrir. D'ailleurs il ne souffre pas du tout. « Mon père était comme moi, vers la fin, mon pauvre père. Il causait avec moi et puis pendant trente secondes, il se détournait, il ne disait rien ou bien simplement : Oh mon cœur, mon cœur ! et puis il reprenait la conversation comme si de rien n'était. — Qu'est-ce qu'il avait ? — Une angine de poitrine. » Et, devant mon air : « Oh, je suis sûr qu'il souffrait beaucoup plus que moi. Mais… — Mais tu ne souffres pas ? — Non. J'ai le vertige. »

Partout, dans les écoles, dans les postes et les mairies, où il y a des cabinets pour femmes et des cabinets pour hommes, les officiers s'adjugent les cabinets pour femmes, on écrit au-dessous de W.C. « Officiers ». Ça leur donne un petit air de demoiselles qui sied fort bien à leur uniforme, à leur taille pincée. Je veux bien admettre que les officiers sont l'élément féminin de l'armée. Et que nous, les frelons, avec nos grosses godasses et notre air gourd, nous sommes les mâles. Mais Pieter, pieusement, va toujours dans les cabinets d'officiers, tant il y a de tendresse dans son cœur et dans son gros cul.

La cuisine roulante s'était établie à deux cents mètres de notre hôtel mais le colonel Deligne a exigé qu'elle s'éloigne parce que ça lui coupait l'appétit de voir des hommes passer avec leurs gamelles.

Je n'ai pas noté ceci à Brumath. A l'Ecrevisse, il y avait un soldat, un petit à l'air cancre, une face pâle encadrée de larges oreilles, qui disait d'un air buté et sans espoir : « Quand mon père, il est revenu en 1916, on me poussait dans ses bras, on me disait : Voilà ton papa, et moi je pensais : Qu'est-ce que c'est que ce monsieur ? À présent c'est mon tour, il fera comme ça mon fils, il ne me reconnaîtra pas. Il fera comme ça, il fera comme ça. »

J'ai oublié ceci, à propos des dicts et de Pieter. Ce qui le charme et le pénètre d'une importance ravie et comme mystique, c'est précisément que ce sont des « *on*-dit ». Ce que Pieter aime partout et toujours, c'est l'homme sous la forme du *on*. *On* vit, *on* dit, *on* meurt. En rapportant les *on*-dit, il célèbre la messe de son inauthenticité. Pieter ou l'ange de l'inauthenticité.

Jeudi 7

Il faut commencer à mettre en ordre mes idées sur la morale.

La première question : la morale est le système des fins ; à quelle fin doit donc agir la réalité humaine ? La seule réponse : à fin d'elle-même. Aucun autre but ne peut se proposer à elle. Constatons d'abord qu'une fin ne peut être posée que par un être qui est ses propres possibilités, c'est-à-dire qui se pro-jette vers ces possibilités dans l'avenir. Car une fin ne peut être ni tout à fait transcendante à celui qui la pose comme fin, ni tout à fait immanente. Transcendante, elle ne serait pas *son* possible. Immanente, elle serait rêvée mais non voulue (voir dans ce même carnet Jeudi 23 Nov.). La liaison de l'agent à la fin suppose donc un certain lien du type de « l'être-dans-le-monde », c'est-à-dire une existence humaine. Le problème moral est spécifiquement humain. Il suppose une volonté limitée — il n'a point de sens en dehors d'elle, chez l'animal ou dans l'esprit divin. Mais en outre la fin a un type existentiel très particulier : elle ne saurait être un existant donné, sinon elle cesserait du même coup d'être fin. Mais elle ne peut être non plus une virtualité pure au sens de simple possibilité transcendante : elle perdrait sa vertu attractive. Elle a une existence plénière et *à* venir, qui revient de l'avenir sur la réalité humaine comme exigeant d'être réalisée par elle dans un présent. De ce fait une existence éternelle et transcendante comme Dieu ou la volonté divine ne saurait être fin pour la volonté humaine. Au contraire la réalité humaine peut et doit être fin pour elle-même parce qu'elle est toujours *du côté de* l'avenir, elle est son propre sursis.

Mais d'ailleurs la réalité humaine est bornée partout par elle-même et quel que soit le but qu'elle se propose, ce but est toujours elle-même. On ne saisit le monde qu'à travers une technique, une culture, une condition ; et à son tour, le monde ainsi appréhendé se livre comme humain et renvoie à la nature humaine. Ces fleurs vénéneuses que St-Exupéry voit de son avion, dessinées par les vents sur la mer, c'est à travers son métier de pilote qu'il les saisit comme vénéneuses. Mais, derechef, leur vénénosité lui renvoie l'esquisse d'une réalité humaine, car c'est pour l'homme qu'elles sont vénéneuses. J'avais écrit dans *La Nausée :* « L'existence est un plein que l'homme ne peut quitter. » Je ne m'en dédis pas. Mais il faut ajouter que ce plein est humain. L'humain est un plein existentiel que la réalité humaine retrouve à perte de vue à l'horizon. L'homme retrouve partout son projet, il *ne* retrouve *que* son projet. A ce sujet ce qu'on peut dire de plus fort pour une morale sans Dieu, c'est que toute morale est humaine, même la morale théologique, toute morale est à dessein de la réalité humaine, même la morale du Christ. Mais cela ne signifie *ni* que la morale doit être un utilitarisme social, *ni* un individualisme où l'individu se prend lui-même pour fin, *ni* un humanisme en extension, au sens où *les* hommes, particules singulières d'humanité, seraient une fin pour l'homme. Cela signifie seulement que la réalité humaine est d'un type existentiel tel que son existence la constitue sous forme de valeur à réaliser par sa liberté. C'est ce que Heidegger exprime en disant que l'homme est un être des lointains. Mais comprenons bien que cet être-valeur qui nous constitue en tant que valeur de nos horizons, ce n'est ni vous, ni moi, ni les hommes, ni une essence humaine *faite* (au sens d'un eudémonisme aristolélicien), c'est le sursis toujours mouvant de la réalité humaine elle-même (à la fois et en toute indifférenciation, moi et vous et tous). La réalité humaine existe à dessein de soi. Et c'est ce *soi* avec son type d'existence propre (comme ce qui l'attend dans l'avenir pour être réalisé par sa liberté) qui est la *valeur.* Il n'existe d'autre valeur que la réalité humaine pour la réalité humaine. Et le monde est ce qui sépare la réalité humaine de son dessein. Sans monde point de valeur. La morale est chose spécifiquement humaine, elle n'aurait point de sens pour les anges ou pour Dieu. Il faut être séparé de soi-même par un monde, il faut vouloir, il faut être limité pour que le problème moral existe. Kant parlait de la colombe qui pense voler plus haut et mieux si on supprime l'air qui la soutient. Il applique l'image à l'usage des catégories. Sur ce point, il y aurait à dire. Mais l'image prend toute sa force quand on l'applique à la moralité : l'homme croit qu'il serait *plus* moral s'il était soulagé de la condition humaine, s'il était Dieu, s'il était ange. Il ne se rend pas compte que la moralité et ses problèmes s'évanouiraient en même temps que son humanité.

Mais si la réalité humaine est à fin de soi, si la morale est la loi qui règle *à travers* le monde le rapport de la réalité humaine avec soi, il en résulte d'abord que la réalité humaine ne doit compte de sa moralité qu'à soi. Dostoïevski écrivait : « Si Dieu n'existe pas, tout est permis. » C'est la grande erreur de la transcendance. Que Dieu existe ou n'existe pas, la morale est une affaire « entre hommes » et Dieu n'a pas à y mettre son nez. L'existence de la morale, au contraire, loin de prouver Dieu, le tient à l'écart, car c'est une structure personnelle de la réalité humaine. Il en résulte en second lieu que pour déterminer les prescriptions de cette morale, il n'y a d'autre méthode que de déterminer la nature de la réalité humaine. Il faut prendre garde ici que nous ne tombions pas dans l'erreur qui consiste à dériver la valeur du fait. Car la réalité humaine n'est pas un fait.

La caractéristique de la réalité humaine, du point de vue qui nous occupe, c'est qu'elle se motive elle-même sans être son propre fondement. Ce que nous appelons sa liberté c'est qu'elle n'est jamais rien sans qu'elle se motive à l'être. Il ne peut jamais rien lui arriver *du dehors.* Ceci vient de ce que la réalité humaine est d'abord conscience, c'est-à-dire qu'elle n'est rien qu'elle ne soit conscience d'être. Elle motive sa propre réaction à l'événement du dehors et l'événement en elle c'est cette réaction. Elle ne *découvre* d'ailleurs le monde qu'à l'occasion de ses propres réactions. Elle est donc libre en ce sens que ses réactions et la façon dont le monde lui apparaît lui sont intégralement imputables. Mais la liberté totale ne peut exister que pour un être qui est son propre fondement, c'est-à-dire responsable de sa facticité. La facticité n'est pas autre chose que le fait qu'il y ait dans le monde à chaque instant une réalité humaine. C'est un *fait*. Il ne se déduit de rien, comme tel, et ne se ramène à rien. Et le monde des valeurs, la nécessité et la liberté, tout est suspendu à ce fait primitif et absurde. Si l'on examine une conscience, quelle qu'elle soit, on n'y trouvera rien qui ne lui soit imputable. Mais le fait qu'*il y ait* une conscience qui motive sa propre structure est irréductible et absurde. Chaque conscience comporte en soi la conscience d'être responsable de soi et celle de n'être pas cause de son propre être. Cette facticité n'est pas un « dehors » mais elle n'est pas non plus un « dedans ». Ce n'est pas une passivité d'objet créé et soutenu, mais ce n'est pas non plus la totale indépendance du *ens causa sui*. Mais si l'on considère mieux les choses, on voit clairement que cette facticité ne signifie pas que la conscience a son fondement en autre chose qu'en soi, par exemple en Dieu — car tout fondement transcendant de la conscience tuerait la conscience de ses propres mains, en l'enfantant. C'est seulement que la conscience existe *sans* fondement. C'est une sorte de néant propre à la conscience, que nous appellerons la gratuité. Cette impalpable gratuité est là, étendue à travers toute la conscience, nulle part et partout. Cette gratuité pourrait se comparer à une chute dans le monde et les motivations de la conscience à une sorte d'accélération que la pierre qui tombe serait libre de se donner à elle-même. Autrement dit la vitesse de chute dépend de la conscience mais non la chute elle-même. C'est au niveau de la gratuité que s'insère la possibilité de mort pour la conscience. Et de ce fait, ce n'est pas une de *ses* possibilités ni sa possibilité la plus intime, comme le prétend Heidegger. Mais ce n'est pas non plus un possible extérieur à elle. La mortalité de la conscience ne fait qu'un avec sa facticité. Et, par suite, la conscience, qui ne peut *concevoir* sa mort, car elle conçoit encore comme de la conscience, la renferme existentiellement en elle-même au niveau même du néant qui la traverse de part en part. Il n'y a pas d'être-pour-mourir au sens heideggerien, mais toute conscience est transie par le Néant et par la mort, sans même pouvoir se retourner sur ce Néant pour le contempler en face.

La structure propre de la conscience c'est de se jeter en avant dans le monde pour échapper à cette gratuité. Mais elle s'y jette à dessein d'elle-même pour être dans l'avenir son propre fondement. Dire que la réalité humaine existe à dessein de soi, cela revient à dire que la conscience se jette vers l'avenir pour y être son propre fondement. C'est-à-dire qu'elle projette par-delà le monde, à l'horizon, un certain futur d'elle-même, dans l'illusion que lorsqu'elle sera ce futur, elle le sera en tant que son propre fondement. Cette illusion est transcendantale et vient de ce que la conscience, libre fondement de ses possibles, est fondement de son être à venir, sans pouvoir être fondement de son être présent. Cet être *à venir* en effet, nous l'avons vu, sans avoir par rapport à la conscience la transcendance d'un possible réel par rapport à une chose, est affecté pourtant d'une transcendance noématique. Etre à venir de la conscience, il n'est plus, de ce fait, *de la* conscience. Et, en conséquence, il est bien totalement relatif à elle. C'est là ce qu'on appelle la volonté. Et ma description rejoint ici celle que je faisais les Jeudi 23 et Vendredi 24. Ce qui échappe ici à la conscience, c'est que, lorsque cet avenir deviendra présent, fût-elle exactement comme elle *devait* être, elle sera conscience et, en conséquence, tirera sa motivation de soi, tout en étant transie de gratuité et de néant.

Ainsi la valeur première et l'objet premier de la volonté c'est : être son propre fondement. Il ne faut pas entendre cela comme un vain désir psychologique mais comme la structure transcendantale de la réalité humaine. Il y a chute originelle et effort vers la rédemption, et cette chute avec cet effort constitue la réalité humaine. La réalité humaine est morale parce qu'elle veut être son propre fondement. Et l'homme est un être des lointains parce que c'est seulement en tant que possible qu'il peut être son fondement. L'homme est un être qui se fuit dans l'avenir. A travers toutes ses entreprises, il cherche, non à se conserver comme on l'a souvent dit, ni à s'accroître mais à se fonder. Et à la fin de chacune d'elles il se retrouve tel qu'il était : gratuit jusqu'aux moelles. De là ces fameuses déceptions après l'effort, après le triomphe, après l'amour. De là l'effort du créateur, de là, comme la manifestation la plus basse de ce désir, le sentiment de la propriété (dans ces deux derniers cas il y a transfert sur les objets : l'objet *créé* représente symboliquement la réalité humaine fondée sur soi. L'objet *possédé* représente symboliquement la réalité humaine en possession de soi. L'amour est l'effort de la réalité humaine pour être fondement de soi chez autrui). De là l'origine profonde du sentiment d'avoir des *droits :* le droit consiste à couvrir la facticité de la réalité humaine en nous choisissant comme existant-qui-existe-parce-qu'il-a-le-droit-d'exister. Mais cette saisie de soi-même comme existant de droit ne peut se faire qu'à l'occasion d'objets particuliers sur lesquels nous prétendons avoir des droits.

Ainsi la source de toute valeur et la valeur suprême, c'est la substantialité ou nature de l'être qui est son propre fondement. Cette substantialité fait partie de la nature humaine mais seulement à titre de projet, de valeur constituante. Et la réalité humaine diffère de la pure conscience en ceci qu'elle projette une valeur devant soi : elle est la conscience se motivant elle-même vers ce but.

La *vie* est l'objet transcendant et psychique construit par la réalité humaine en quête de son propre fondement.

Cependant cette quête de l'absolu est aussi fuite devant soi. Fonder la substantialité pour l'avenir, c'est fuir la gratuité donnée à présent. La réalité humaine se perd en essayant de se fonder. La *vie* qu'elle sécrète n'est une totalité qu'en apparence, elle est rongée à l'envers par la mort, le *droit* est un ignoble mensonge, l'amour se nie par la *jalousie* ou saisie de l'impossibilité d'être pour autrui le fondement de la réalité humaine. La réalité humaine demeure prisonnière de son injustifiable facticité, avec elle-même à l'horizon de sa quête, partout.

Il lui arrive alors de connaître la lassitude et de se délivrer du tourment de la liberté en s'excusant sur sa facticité, c'est-à-dire qu'elle essaie de se voiler le fait qu'elle est pour toujours condamnée à être sa propre motivation par le fait qu'elle n'est pas son propre fondement. Elle s'abandonne, elle se fait chose, elle renonce à ses possibles, ils ne sont plus ses *propres* possibles, elle les saisit comme des possibles extérieurs analogues à ceux des choses. Par exemple la guerre a pu apparaître à chacun, l'an dernier, comme un possible extérieur, un déchaînement mécanique qui échappait à toute réalité humaine particulière comme échappe à la bille qui roule le pli du tapis qui l'arrêtera. Cet état nous le nommerons réalité humaine ballottée, car elle se réalise elle-même comme ballottée entre les possibles, comme une planche entre les vagues.

Mais cet état lui-même est inauthentique. Car la réalité humaine se voile ici par lassitude le fait qu'elle est condamnée à se motiver elle-même. Et elle se motive elle-même à le voiler. Elle se démet, elle se fait chose mais elle réalise elle-même cette démission. Et cette démission même n'est qu'un épisode dans sa quête de la substantialité. Elle se démet pour échapper à la contrainte des valeurs, pour réaliser la substantialité par quelque autre moyen, etc., etc. Elle refusera par exemple d'assumer un événement sous prétexte qu'elle en a refusé le principe. De ce point de vue, le type de la conscience ballottée, c'est Paul me disant l'autre jour : « Moi, soldat ? Je me considère comme un civil déguisé en militaire. » Cela serait fort bon s'il ne se *faisait* militaire, en dépit qu'il en ait, par ses vouloirs, ses perceptions, ses émotions. Militaire, c'est-à-dire reprenant à son compte les ordres de ses supérieurs pour les exécuter lui-même, complice donc jusque dans ses bras qui portent le fusil, dans ses jambes qui marchent, militaire dans ses perceptions, ses émotions et ses vouloirs. Il s'obstine donc à *fuir* ce qu'il *se fait,* ce qui le plonge dans un état d'angoisse misérable et dissipée.

C'est cet état de misère qui *peut* être un motif pour que la conscience revienne à la vue exacte de soi-même et cesse de se fuir. Il ne s'agit pas pour elle de chercher d'autre valeur que la substantialité, sinon elle cesserait d'être conscience *humaine.* La valeur qui lui assignera sa nouvelle attitude reste la valeur suprême : être son propre fondement. Elle ne cessera pas plus d'affirmer cette valeur et de la vouloir que la conscience cognitive, après l'εποχη [1] de Husserl, ne cesse de poser le monde. C'est dans l'élan premier vers la substantialité que la réalité humaine doit puiser le motif-valeur qui lui permet de se reprendre. En effet la conscience ballottée peut, en toute liberté, vouloir réaliser dans son authenticité plénière son effort pour se fonder. Et cela non point parce que l'authenticité serait originairement valeur et supérieure à l'inauthenticité mais plutôt comme on corrige un effort maladroit et inefficace en le purifiant de tous les gestes inutiles et parasitaires. Ainsi l'authenticité est une valeur mais non première, elle se donne comme un moyen de parvenir à la substantialité. Elle supprime ce qui dans la quête est *fuite.* Mais, naturellement, cette valeur d'authenticité est seulement *proposée.* C'est la conscience qui peut seule se motiver elle-même à faire la conversion.

Quelle est cette conversion ? La recherche d'un fondement exige qu'on *assume* ce qu'on fonde. Si l'acte de fonder est antérieur à l'existant qu'on fonde, comme dans le cas de la création, l'assomption est contenue a priori dans l'acte de fonder. Mais s'il s'agit, comme dans le cas qui nous occupe, d'un effort pour fonder ce qui existe déjà en fait, l'assomption doit précéder le fondement, comme une intuition qui révèle *ce que* l'on fonde. Assumer ne signifie en aucune façon accepter, encore que, dans certains cas, les deux aillent de pair. Quand j'assume, j'assume *pour* faire un usage donné de ce que j'assume. Ici, j'assume *pour* fonder. En outre assumer signifie reprendre à son compte, revendiquer la responsabilité. Ainsi la conversion assomptive qui se présente comme une valeur pour la conscience n'est donc autre chose qu'une intuition du vouloir qui consiste à reprendre à son

1. Suspension (« mise entre parenthèses », chez Husserl). *(N.d.E.)*

compte la réalité humaine. Et par cette reprise la réalité humaine est dévoilée à elle-même dans un acte de compréhension non thématique. Elle est dévoilée non pas en tant qu'on la connaîtrait par concepts mais en tant qu'elle est *voulue.*

Mais si l'assomption se présente comme une valeur d'authenticité, c'est qu'elle existe déjà par avance. La valeur ne prescrit en somme à la liberté humaine que de faire ce qu'elle fait. La conscience se motive elle-même, elle est libre sauf pour acquérir la liberté de ne plus être libre. Nous avons vu qu'elle ne renonce à ses possibles qu'en en acquérant d'autres. Elle peut *se faire librement* semblable aux choses mais elle ne peut *être* chose. Tout ce qu'elle est, elle se le fait être. Tout ce qui lui arrive doit lui arriver par elle-même, c'est la loi de sa liberté. Ainsi la première assomption que peut et doit faire la réalité humaine en se retournant sur elle-même, c'est l'assomption de sa liberté. Ce qui peut s'exprimer par cette formule : *on n'a jamais d'excuse.* On se souvient en effet que la conscience ballottée était une conscience qui *s'excusait* sur sa facticité. Mais il faut savoir que la facticité n'a rien à faire ici. Certes c'est la facticité qui fait que je suis jeté en guerre. Mais ce que sera pour moi la guerre, le visage qu'elle me dévoilera, ce que moi-même je serai dans la guerre et pour la guerre, tout cela, je le serai librement et j'en suis responsable. Il y a là quelque chose d'intolérable mais dont on ne peut se plaindre car c'est également insaisissable, c'est cette obligation d'*endosser* ce qui m'arrive. C'est ce qui a donné sans doute naissance à la notion religieuse d'*épreuve* que le Ciel m'envoie. Mais en refusant l'excuse et en assumant ma liberté, je me l'approprie. Bien entendu il ne s'agit pas seulement de *reconnaître* qu'on est sans excuse, mais aussi de *vouloir* l'être. Toutes mes lâchetés, toutes mes sottises, tous mes mensonges, je les porte à mon compte. Il ne s'agit pas de dire comme le saint : « C'est trop, Seigneur, c'est trop. » Rien n'est jamais trop. Car au moment même où je lâche prise, où le corps « me domine », où j'avoue dans les souffrances physiques ce que je voulais garder secret, c'est par moi-même, par la conscience libre de ma souffrance que je me détermine à avouer. Jules Romains dit que dans les anciennes guerres, c'était le vaincu qui décidait lui-même qu'il était vaincu (car ce n'étaient pas des guerres totalitaires et il disposait encore de ressources en hommes, en armes, en richesses). Eh bien, pareillement, c'est toujours à moi qu'incombe la terrible responsabilité de me reconnaître vaincu et où que je m'arrête, c'est moi qui ai décidé que je ne pouvais pas aller plus loin, et donc j'aurais pu aller un peu plus loin encore. Mais enfin si je reconnais et si je veux n'avoir jamais d'excuse, ma liberté devient *mienne,* j'assume pour toujours cette terrible responsabilité.

L'assomption de ma liberté doit s'accompagner évidemment de celle de ma facticité. C'est dire que je dois la vouloir. Et, sans doute, la vouloir *pour la fonder.* Mais nous verrons ce qu'il en adviendra. Que veut dire vouloir sa facticité ? C'est d'abord reconnaître qu'on est sans droits comme sans excuses. Je ne me reconnais aucun droit à ce qu'il m'arrive autre chose que ce qui m'arrive. Et, là encore, je ne fais que vouloir ce qui est. Tout ce qui m'arrive a un double caractère : d'une part cela m'est *donné,* en vertu de ma facticité et de ma gratuité — et, quoi que ce soit, c'est encore trop par rapport à ce qui m'est dû, puisque mon existence même est *donnée* — et d'autre part j'en suis responsable puisque je me motive moi-même à le découvrir, comme je l'ai marqué plus haut. En conséquence je n'ai aucun *droit* à ce que cela ne m'arrive point. Par exemple, pour la guerre [1],

1. Le carnet IV manque. *(N.d.E.)*

CARNET V

Décembre 1939

Morsbronn

« ... et on s'est un peu gratté la tête. Il s'agit exclusivement de dormir et de manger et de n'avoir pas froid. C'est tout. On ne peut guère penser à autre chose... Tout ce que j'avais imaginé à travers les récits et les livres, c'est au-dessous de la réalité. On est exactement comme des bêtes. C'est invraisemblable.

« Je tâche de tenir mon journal le mieux possible mais ça n'est pas facile. Mais je le ferai après coup et de toute façon je n'oublie rien de ce que je vois et fais en ce moment.

« Quand je pense qu'en ce moment même il y a des gens dans les cafés, dans des restaurants et en civil et propres et qui iront coucher dans un lit, ça me fait rire et ça ne me fait vraiment pas envie, je n'imagine pas que ça puisse m'arriver à moi et si on me proposait de me mettre d'un coup de baguette à leur place j'accepterais mais avec un haussement d'épaules sceptique et sans enthousiasme. Jamais encore je n'avais été dans une situation pareille[1]. »

Dimanche 17

Pieter depuis une quinzaine a les lèvres sèches, conséquence, imagine-t-il, d'une légère fièvre d'indigestion. Il se les lèche toute la journée pour les humecter un peu. Du moins au début c'était pour ça. Mais peu à peu, l'habitude s'est prise et c'est

1. Sartre cite là la lettre d'un ami, mobilisé aussi. *(N.d.E.)*

devenu chez Pieter une véritable paillardise. Il se lèche les lèvres pour se toucher, à présent, comme les jeunes garçons qui se tripotent à travers leur poche, il s'offre ce doux contact de muqueuse comme une sucrerie. Tout en vous écoutant, tout en vous parlant même, il prend un air furtif et sensuel et, avançant sa lèvre supérieure en gouttière, il attire sa lèvre inférieure dans sa bouche, comme un suborneur attire une fillette chez lui, il l'aspire, il la hume et, pour obéir à son appel, elle se gonfle et s'enfonce dans la bouche, énorme et turgide — et là, Dieu sait tout ce qu'il lui fait, des langues et de frissonnantes caresses, il la mordille aussi un peu. Mais le principal de ses plaisirs, c'est, je crois, la plus primitive des voluptés, la pâmoison de la muqueuse nue, épanouie, posée sur une autre muqueuse comme une figue sèche sur une autre figue — et le plaisir passe de l'une à l'autre muqueuse, comme une huile épaisse, par osmose. Mais pour que la jouissance soit complète, il faut qu'elle s'accompagne de bruit. Pieter est toujours entouré d'une foule de petits bruits, secs ou mous, mélodieux et plaintifs ou un peu rauques, qui sont comme la chanson perpétuelle et angélique de son abandon à soi. Tandis qu'il masturbe sa lèvre, il émet mille claquements pâteux évoquant des tétées gourmandes, des lapements, des « miam-miam » de nourrisson, des halètements de mâle à l'ouvrage et des râles consentants de femme comblée, et puis la lèvre ressort, obscène et molle, luisante de salive, elle pend un peu, énorme et femelle, épuisée de bonheur. Quand je le vois faire, quand je vois sur son visage cet air furtif et coquin d'enfant vicieux et de gâteux, il m'effraye presque par la profondeur organique et infantile de son narcissisme. A ce petit jeu, d'ailleurs, il a gagné à la base de la lèvre inférieure un gros bouton blême qui brille et il est, ce matin, tout malheureux. Il se lèche encore un peu, parce qu'il est absolument incapable de prendre sur soi et de refréner ses gourmandises — mais avec circonspection, sans plaisir.

Pieter a invité un camarade, voyageur de commerce, qui se trouve par hasard cantonné à 3 kilomètres d'ici. Il est chasseur et ça ne semble pas fort drôle, là-bas. Pieter nous quitte un moment et le type me dit avec une conviction qui fait baisser sa voix de trois tons : « Ah, son père ! c'était une lumière, cet homme-là ! Une intelligence ! » Il fixe sur moi un regard gênant qui exige que j'approuve avec force et je le ferais certainement si j'avais connu le père de Pieter. Mais que faire ? Je dis : « Oui, oui. Il m'a dit... » en mettant dans ma voix autant de respect que je peux pour l'opinion de Pieter. Mais c'est évidemment insuffisant. Le type reprend : « Tu pouvais lui poser n'importe quelle question. Il avait une manière de transiger (?) que je ne l'ai connue à personne qu'à lui. Je peux dire que c'est un des hommes et même pour autant dire... le seul homme que j'aie rencontré. Et puis, un hercule. Tu vois cette table, eh bien il aurait tapé dessus elle s'enfonçait net. Et taper dans un mur, à coups de poing, je l'ai vu, moi qui te parle, j'étais encore tout petit : le mur s'écroulait ! »

J'aime m'imaginer ce père légendaire, à travers son fils, ce gros ange gourmand. Il était Polonais, sous le régime russe et, vers 1898, soldat dans une sotnia. Un lieutenant le gifla, un mois avant la libération et le père Pieter le corrigea si fort qu'il le laissa sur le carreau. C'était le Conseil de Guerre, mais le médecin militaire, qui avait pris [le père] Pieter en amitié, lui dit : « Tout ce que je peux te dire, pauvre idiot, c'est que, si par hasard je pouvais constater que tu as le tympan crevé, je pourrais dire que la gifle t'a démoli l'oreille et que tu as agi sous l'empire d'une folie de colère. » Pieter le père rentre dans la chambrée, prend de l'esprit de sel et se le verse dans l'oreille. En conséquence de quoi, l'autorité militaire préféra étouffer l'affaire et le soldat Pieter fut libéré avec pension. Il vint s'installer à Paris en 1900, mon Pieter y est né en 1902. Les Pieter habitaient rue des Rosiers et le gosse allait à l'école Place des Vosges ; ses camarades étaient des durs qui rêvaient d'aller danser plus tard rue de Lappe et de régner sur des filles très soumises. « Ah, la rue de Lappe, dit Pieter volontiers, elle n'est plus ce qu'elle était. A cette époque-là, c'étaient des vrais de vrais. » Et souvent, pour deux sous, il faisait le guet, sur la Place des Vosges, pendant que les grands caïds de la Bastille jouaient au Pharo dans le square, une couverture sur leurs genoux. La guerre fit disparaître peu à peu ces grands ténors, et les copains de Pieter arborèrent des casquettes vaches et commencèrent à faire les grandes personnes ; les plus âgés avaient déjà une femme ou deux qui travaillaient pour eux. Pieter les suivait dans les bordels où ils s'essayaient à parler haut. Il y avait de temps en temps des cassages de figure. Tout cela a, surtout au début, paré pour moi ce gros corps d'une poésie qu'il ne méritait guère. La Pologne d'abord et le destin similaire du Juif V. et du Juif Pieterkowski. Similaire mais à des niveaux différents. V. abandonne Vienne et ses études de médecine, appelé à Paris par un cousin diamantaire et, après la mort de celui-ci, il prend avec ses frères la direction d'une grosse affaire de bijoux. Pieterkowski s'installe rue des Rosiers et monte péniblement un commerce, puis il déménage et va s'installer rue du Faubourg-du-Temple. Il y a là je ne sais quel destin juif et polonais que j'ai déjà senti à travers L. et qui m'émeut un peu chez Pieter. Au début, quand on croyait que la guerre était sérieuse, Pieter, prudent comme toujours, disait : « Je m'appelle Pieterkowski mais j'aime mieux me faire appeler Pieter, parce que si les Allemands me faisaient prisonnier et qu'ils voyaient que je porte un nom polonais, ils me massacreraient tout de suite. » Et puis je sens autour de lui la poésie très particulière d'un quartier de Paris que j'aime à l'égal des plus beaux. Combien de fois ai-je erré, avec le Castor, avec T., avec O., avec L., avec le petit Bost, dans la rue des Francs-Bourgeois, dans la rue Vieille-du-Temple, dans la rue de Rivoli, derrière le lycée Charlemagne, dans la rue des Rosiers. J'y ai des centaines de souvenirs, un petit café sombre, rue des Rosiers, en face d'un marchand de hardes en plein air, où je buvais des rhums avec T., une lourde après-midi d'été où je me promenais, retour de Laon, avec O. dans ces rues étroites et sombres et où mes sentiments pour elle n'étaient pas encore morts. Un 14 Juillet aussi et je ne sais quelle soirée d'ennui mortel avec la F. où je découvris dans la nuit, non loin de la rue des Rosiers, un charmant passage couvert tout encombré de voitures de quatre-saisons. Tout cela nimbait Pieter — que c'était donc injuste ! — d'autant qu'il avait à mes yeux l'auréole d'avoir *habité* ce quartier où je ne fus jamais qu'un touriste, de l'avoir habité, Juif parmi les Juifs, voyou parmi tous ces petits voyous qui traînent le soir aux abords du Dupont de la Bastille. Et puis autre chose, plus profond, plus secret : son adolescence est liée à ce Paris poétique et mystérieux de la guerre de 14, ce Paris en veilleuse, où l'avant-guerre se transformait imperceptiblement, sous la compression des horreurs, des deuils et des interdits, en après-guerre, comme un gaz refroidi et comprimé par un piston passe insensiblement à l'état liquide. J'avoue ici, puisque je parle de gaz liquéfié, que ce n'est pas la première fois que cette comparaison me sert. J'ai été émerveillé, en seconde, quand on m'a parlé d'un certain état de ces gaz — invisible, caché par les parois solides du corps de piston — qui n'était ni l'état solide ni l'état liquide, mais intermédiaire entre l'un et l'autre. Ça m'a paru mystérieux et pervers, ça m'aiguisait l'esprit comme un paradoxe et c'est resté pour moi comme un schème intellectuel de l'ambiguïté — qu'il faut ranger à côté de la « mort au soleil » et de la « porcelaine souillée ». Ainsi cette ambiguïté qui eût scandalisé un systématique (et pourtant je suis un systématique), cette ambiguïté que Kierkegaard appelle à son secours contre Hegel, elle m'apparut pour la première fois à travers une expérience de physique, ou du moins cette expérience de physique fixa *contre la physique* cette idée d'états ambigus. En tout cas, pour fermer la parenthèse, ce Paris de la guerre passée n'a commencé à me sembler poétique que tout récemment, justement lorsqu'il s'est mis à briller de son feu sombre entre deux périodes mortes, 1900-1914 et 1918-1939, et lorsque j'ai appris à rêver un peu à l'arrière pour échapper un moment à la pression de l'avant. Il m'est apparu dans son ambiguïté, sombre petit joyau en veilleuse et, il faut le dire, Pieter a beaucoup contribué à me révéler son charme, ses récits me le dépeignaient comme une grande cité nocturne abandonnée aux enfants terribles. Par exemple j'avais bien entendu parler de ces veuves de guerre qui faisaient la retape en robe de deuil, mais c'était resté pour moi un menu fait historique et littéraire, un trait de mœurs. Mais Pieter a perdu son pucelage avec une de ces femmes-là. Il venait de livrer un paquet à un client. Il attendait l'autobus, quelque part du côté de Clichy et cette femme l'attendait aussi. Ils ont remonté ensemble une longue avenue de Montmartre, obscure et triste, et elle lui tenait de drôles de discours minables et coquins. Elle s'est donnée à lui, dans une chambre d'hôtel, elle a accepté cent sous, mais elle voulait le retenir contre elle, elle lui disait « Reste, reste ». C'est lui qui a voulu partir. Il n'a jamais su si elle avait cherché avant tout de la tendresse et du plaisir, avec un petit bénéfice par-dessus le marché ou si c'était une professionnelle de l'érotisme triste. Et voilà : il bénéficie de tout ça, de ces souvenirs, de ces atmosphères. J'ai vu de lui une vieille photo — il avait vingt ans — qui le représente assis sur une barque, au bord de la mer, maigre et joli avec de beaux yeux de velours et de lourdes paupières aux cils de femme. Il se dépeint volontiers bagarreur et casse-cou. Il a eu de l'argent en 1920, à vingt ans, ça aussi c'est classique, c'est tout à fait « après-guerre » — il dit : « J'ai été riche trop tôt. » Une voiture, des femmes, une excellente chaude-pisse qui se rappelle encore, de temps à autre, à son bon souvenir. J'imagine qu'il exagère un peu ses aventures d'autrefois. Mais tout de même, comment est-il devenu *ça ? Ça,* cette douceur gourmande et pot-au-feu, cette sensualité masturbée, cette inauthenticité radicale-socialiste.

J'ai dit dans le carnet 3 que je me décrirais, une fois, *faisant un acte.* Je ne vois pas encore que cela soit mûr. Encore que j'aperçoive déjà plusieurs petites choses : par exemple les objets devenant entre mes mains des balais d'apprentis sorciers, développant des caprices initiaux avec une rigueur qui m'affole et déjoue tous mes plans. Les objets ne sont pour moi ni des machines ni des êtres vivants. Ce sont des mécaniques déréglées qui gardent quelque chose d'un esprit malin dans leurs comportements, mais voilent cette mauvaise volonté sorcière par une affectation de rigidité cadavérique. Je m'en méfie énormément. Il y a toujours en eux, dès que j'y touche, quelque chose de rieur, ils ont l'habitude de se désassembler quand je veux les prendre d'ensemble ; mais, dès que je me rabats sur le détail, le tout se reforme sans que je m'en aperçoive et le moindre changement que j'apporte à l'élément retentit sur le tout de façon imprévisible. Mais laissons cela. Ce que je voudrais marquer aujourd'hui et qui n'est pas si loin de l'acte, c'est la façon dont je suis fidèle à une décision prise. Par exemple, je puis dire en gros que j'ai été fidèle hier et aujourd'hui à ma décision de faire un seul repas par jour et de ne point boire ni manger de pain. Mais ce triomphe vu de près se décompose en petites défaites particulières, comme les batailles qui, vues de près, sont toujours des défaites pour le vainqueur. D'abord, la décision une fois prise, j'ai eu un repentir, j'ai ajouté en post-scriptum : finalement je mangerai tout de même du pain à mon petit déjeuner. Non pas tant parce que je jugeai cela sans importance mais parce que, après une rapide inspection de mes possibles, j'ai vu que je ne pourrais m'empêcher de le faire. Quand on veut prendre une décision, on fait un tour d'horizon autour de soi et on inspecte ses possibles. Il y en a qui sont durs comme des rocs et qu'il faut tourner, et d'autres qui forment des masses molles et gélatineuses, c'est là qu'il faut porter son effort, ceux-là il faut les enfoncer. Mon petit déjeuner du matin est un roc. Il m'est tout à fait indifférent de sauter un repas de midi ou même les deux repas, de me nourrir de pain ou au contraire de salade sans pain, ou de jeûner un ou deux jours. Je puis aussi rester une nuit ou deux sans dormir. Du temps de ma passion pour O., je restais fréquemment quarante heures debout. Mais j'ai la plus grande peine à renoncer au petit déjeuner. Je ne sais trop pourquoi, c'est une heure où je suis larvaire et de mauvaise volonté, j'aime être seul avec moi mais il faut un prétexte, le prétexte c'est le bol de café et les tartines de pain. Si on me les donne, je suis aux anges, je me sens poétique et parfumé. Je n'aime pas la compagnie pendant ce moment-là. Je supporte difficilement même le Castor. Il m'est arrivé, quand elle m'attendait au Rallye, d'entrer au Café des Trois Mousquetaires et d'avaler rapidement un café et des croissants, pour demeurer un moment encore tout enveloppé de moi-même et des songes de la nuit. A ces moments-là ma pensée est vive et affable, je me raconte des histoires, je trouve des idées. Une journée commencée par un petit déjeuner est une journée faste. Et lorsque, ces dernières années, il m'arrivait de me lever vers onze heures, pour m'être couché à quatre heures du matin, je préférais prendre au Dôme deux cafés noirs et des croissants, plutôt que d'attendre une heure et de manger de la viande. C'était une manière, j'imagine, de prolonger le matin. Même ces jours-là, je voulais avoir eu mon matin. J'ai torturé Paul qui est gros dormeur, à Brumath, en mettant chaque soir l'aiguille du réveil sur 6 heures, alors que nous eussions pu nous lever seulement à sept, pour le seul plaisir d'aller à bicyclette, à travers le froid, manger deux petits pains joufflus et boire un verre de jus de chicorée à la taverne de la Rose, c'était un moment de charme. Vers la fin, Mistler le troublait en venant me parler de Heidegger. Donc le cœur m'a manqué quand j'ai compris que quelque chose ferait défaut à ce petit déjeuner. Car il faut qu'il soit fait de café et de pain (ou de croissants). T. a insisté en vain cent fois pour que je prenne du thé et des fruits. J'ai préféré descendre avant elle, le matin, au café de la Poste, boulevard Rochechouart, et me gorger de croissants en cachette.

(Je raconte tout cela avec un peu de complaisance, je me *sens* un peu ridicule et un peu sympathique ; je m'amuse de moi.) Bref, première petite défaite. Je note que le draconisme même de mes décisions en était une autre. Tous les quatre ou cinq mois, je regarde mon ventre dans une glace et je me désole. Je décide à ce moment-là de suivre un régime sévère et même difficilement supportable. L'horreur de devenir gros m'est venue sur le tard : en revenant d'Allemagne j'étais un petit Bouddha, Guille me prenait le ventre à pleines mains, à travers mon chandail, pour montrer à Mme Morel que j'en étais abondamment pourvu et je riais d'aise, ça ne m'ennuyait pas tant d'être gras. Mais quand j'ai connu O., j'ai pris les grosses gens en horreur et j'ai commencé à mourir de peur de devenir un petit gros chauve. A vrai dire, j'y aurais une légère tendance, si je ne m'observais pas. Mais justement, je ne sais pas m'observer. Cette Dame et le Castor m'ont souvent supplié de suivre des régimes bénins mais continus. Mais je ne suis absolument pas capable de me surveiller sans défaillance — et puis je suis pressé de voir les effets de mes régimes. Je choisis donc toujours le parti extrême et je préfère me torturer un peu parce qu'il me semble que je *sens* les progrès de mon amaigrissement à travers les protestations de mon estomac. Et puis, naturellement, si je me serre un peu rudement la vis, j'ai l'impression d'être maître de moi, donc libre. Mme Morel m'a dit une fois : « Vous aimez bien vous forcer à faire ce qui ne vous plaît pas. » Oui, mais par à-coups. Un mois de contrainte (et je me regarde tous les jours dans la glace, pour voir les progrès — et je me pèse tous les jours sur les balances automatiques que les pharmaciens mettent devant leurs portes) et puis, le résultat atteint — ou jugé tel, je me remets à vivre à mon gré, je ne m'observe plus, j'engraisse, jusqu'au jour où soucieusement je recommence à considérer mon ventre et à méditer sur les mesures à prendre pour le dégonfler. Donc, il y a de la faiblesse dans la décision même, dans sa brutalité, dans son excès. Je remarque aussi que je l'ai notée ici, faute de pouvoir la claironner, comme je fais d'ordinaire, non par forfanterie mais pour couper les ponts et m'engager davantage. Il y a d'ailleurs derrière moi un schème imaginatif, encore, qui fait qu'à l'ordinaire je tiens ces décisions jusqu'au bout : c'est une sainte horreur de tous ces types qui décident une fois par trimestre de ne plus fumer, qui tiennent un jour ou deux, au prix de quels efforts ! et puis qui cèdent et s'y remettent. Sinclair Lewis en a fort bien écrit dans Babbitt, et Babbitt est devenu pour moi le type de ces lâches. Ce que je voudrais montrer ici c'est que dans ma façon de tenir bon je ne diffère pas sensiblement d'eux dans leur manière de céder.

Donc je suis parti déjeuner, seul, au restaurant de la Gare et, comme ma décision, fraîche encore, restait en surface, je conservais une espèce de conviction profonde et heureuse, informulée, que j'allais faire un bon déjeuner sans contrainte, boire et manger à mon gré. Arrivé là-bas, je me suis rappelé ma résolution du matin et elle m'est apparue comme une impossibilité objective. Je me suis dit : « Ah, j'avais oublié que je ne dois ni boire ni manger de pain », dans l'état d'esprit où on peut être quand on se dit : « Ah, j'avais oublié qu'Untel (qu'on est allé voir) n'était jamais chez lui le lundi matin. » Et aussitôt, tout naturellement, précisément parce que, dans ma bonne foi, je prenais cet arrêté comme une impossibilité *objective,* j'ai cherché les moyens de la tourner — tout juste comme on cherche, après s'être rappelé qu'Untel n'est pas chez lui le lundi matin, les moyens de le joindre : à son bureau, chez ses parents, etc., etc. Cette méditation n'a duré qu'un instant ; tout de suite après, elle m'a découvert ce qui était bien le plus dangereux et le plus effrayant : l'absence totale d'*objectivité* de cette décision, son immanence et mon absolue liberté par rapport à elle. Si Kierkegaard a raison d'appeler angoisse « la possibilité de la liberté », ce n'est pas sans une petite angoisse que j'ai découvert une fois de plus hier matin que j'étais tout à fait libre de rompre le morceau de pain que la servante avait posé près de moi, et libre aussi d'en porter les morceaux à ma bouche. Rien au monde ne pouvait *m'empêcher* de le faire, même pas moi. Car s'abstenir n'est pas s'empêcher de... S'abstenir c'est seulement « différer de », rester en suspens, regarder avec attention d'autres possibles. Dans l'idée de « s'empêcher de », il y a l'image d'un bras vigoureux qui vient arrêter mon bras. Mais je ne dispose pas d'un bras inhibiteur, je ne peux pas dresser moi-même, en moi-même des barrières entre moi et mes possibles — ce serait abdiquer ma liberté et je ne le puis. Tout ce qui me reste c'est la possibilité d'un amenuisement intérieur de ma liberté, rongée par le dedans jusqu'à ce qu'elle s'écroule et se reforme librement un peu plus loin vers quelque autre possible. De sorte que ma fidélité aux décisions prises n'avait rien d'un coup d'arrêt, n'avait pas la noblesse d'un *Non.* C'était plutôt une façon sournoise d'introduire de la veulerie dans mon désir de manger du pain, une façon de me dire, bien mollement : « Oh ! est-ce que c'est bien la peine de manger du pain ? est-ce que j'en ai bien envie ? est-ce que ça me fera assez de plaisir pour que je ne regrette pas d'avoir violé mon serment ? » De sorte que le fameux « coup d'arrêt » est tout en faiblesse, c'est tout simplement une manière de perpétuer l'hésitation jusqu'à ce que le monde change et, supprimant l'objet de vos désirs, vous tire d'embarras en vous ôtant de lui-même un possible. Me voilà donc en train de déjeuner, plus mou qu'à l'ordinaire, avec l'impression désagréable d'être dans une « forme faible » au sens de Köhler, de faire partie d'un tout ouvert et sans équilibre, alors que, les autres jours, le restaurant, à midi, était un plein tout rond et dur, fermé sur soi, où je tenais ma place. Restait le *vin*. Ce qui m'aidait, c'est qu'il n'est pas fort bon dans ce restaurant, il a une couleur rose et trouble qui ne me ragoûte pas et puis une acidité sucrée qui rappelle plutôt la pomme que le raisin. Mais voilà que se produit le genre d'événements avec lequel il faut toujours compter, auquel on ne pense jamais et qui a pour caractère propre de vous induire à la faute en vous offrant sur-le-champ une excuse : « Je ne pouvais pas faire autrement. » La bonne, me souriant, alla, sans que je commande rien, remplir un pichet au tonneau et le posa sur ma table, de l'air de dire : « Vous voyez, je connais vos goûts. » Elle avait l'air heureuse d'être au courant des préférences de ses clients et je n'eus pas le courage de la détromper. Me voilà donc avec ce pichet plein sur la table et un verre vide contre mon assiette. Mais ce n'est pas fini : car si je laisse le pichet intact elle s'en étonnera à la fin du repas, elle dira : « Ce n'était donc pas bon, etc. » Que faire ? Boire, en pensant : « Je commencerai mon régime demain, aujourd'hui c'est impossible, à l'impossible nul n'est tenu », boire par respect humain ? En somme j'y étais presque résolu et j'ai quasi cédé. C'est que j'avais pris ma décision comme s'il n'y eut eu au monde qu'une bouteille, un verre et moi. Ma décision ne concernait que ces objets matériels dans un monde mort : « De moi-même je ne commanderai jamais une bouteille de vin. » Mais je n'avais pas prévu le cas où on viendrait m'apporter la bouteille sans que je la commande. Faute d'avoir envisagé cette éventualité, je n'avais pas pris de dispositions pour le cas où elle viendrait à se produire. J'étais en pays neuf et mon engagement ne tenait plus. Je pensais même obscurément que je m'embêtais assez moi-même par cette décision draconienne, sans aller risquer par-dessus le marché de contrister une servante, cela n'entrait pas dans mon contrat. Ce qui perd ici c'est qu'on a pris sa décision en considérant une situation très simplifiée et qu'on ne *reconnaît* pas cette situation dans l'événement réel qui se présente et qui est toujours plus complexe. Ce qui sauve, c'est la veulerie. Je remis à plus tard de décider, il y eut un trou dans mon attention et je me retrouvai lisant *Colomba* à cent lieues de la bouteille et de la servante. Puis, quand la question se reposa, je trouvai un biais : je verserais un peu de vin dans le verre. Ainsi la servante, voyant le pichet vide à demi, penserait simplement que je n'avais pas eu très soif et ne s'aviserait pas que le contenu du verre correspondait exactement à ce qui manquait dans la bouteille. D'ailleurs pour parfaire l'illusion j'y tremperais mes lèvres. Me voilà donc versant le vin dans le verre, acte ambigu qui, par un certain côté, était strictement adapté à la situation présente mais, par un autre côté, me mettait tout simplement dans la situation du joyeux buveur qui se verse une rasade. Et certainement, cet acte justifié par des circonstances particulières m'offrait une satisfaction symbolique, il mimait ce qu'il m'était interdit de faire. Faiblesse encore. Faiblesse aussi cette permission que je m'accorde aussitôt de boire une gorgée, persuadé qu'elle ne compte pas, puisqu'elle n'est pas inspirée par la soif, puisque c'est « pour le bon motif » et que je ne puis faire autrement. Je la bois donc, cette gorgée, mais chichement, car la peur me prend, tout de même, de me laisser entraîner trop loin. Le cœur me manque tout de suite et je m'arrête. Mais en même temps, « à tant faire que de la boire », j'ai essayé d'en jouir le plus possible, j'ai absorbé mon attention sur le fumet du vin, sur la fraîcheur de la gorgée de liquide, plaisir furtif et sournois, analogue à celui du médecin qui « profite » de l'auscultation d'une belle cliente pour envoyer toute sa sensualité au bout de ses doigts, et qui jouit d'elle par les doigts sans cesser ses explorations professionnelles. Faiblesse encore. Et faiblesse aussi cet arrêt brusque, cette manière soudaine de reposer le verre par *peur* de manquer à ma parole. En somme j'ai coqueté avec le Diable, sans avoir le courage de m'enfoncer jusqu'au bout. Ça me rappelle ce passage du journal de Gide (1917, p. 621) : « Pourtant cette nuit je ne m'abandonnai pas complètement au plaisir, mais ne bénéficiant même pas ce matin de la répulsion qui le suit, je doute si ce semblant de résistance n'était pas pire. Avec le Diable, on a toujours grand tort d'engager la conversation, car de quelque manière que l'on s'y prenne, il veut toujours avoir le dernier mot. »

Ce matin, même conjoncture : Pieter avait un invité (celui dont j'ai parlé plus haut) ; il avait fait monter une bonne bouteille, il insistait pour que j'en boive, il eût été impoli de refuser complètement, j'ai donc bu un fond de verre. Pourquoi noter tout cela en détail ? Parce que, de l'extérieur, c'est malgré tout un acte *réussi*. De l'extérieur, on voit un type qui a décidé de ne pas boire et qui, en effet, ne boit, dans chacun des cas cités, qu'une quantité pratiquement négligeable — par exemple un dixième de verre, au lieu des deux verres pleins qu'il avait accoutumé. Il avait dit qu'il ne mangerait pas de pain et il n'en a point mangé. Victoire donc, mais à la Pyrrhus. J'en remporterai encore cinq ou six comme cela et puis l'habitude de manger sans boire me reviendra et ainsi j'aurai *effectivement* tenu parole. Mais quand toutes ces veuleries disparaîtront, la conscience disparaîtra aussi, l'acte sera automatique. C'est pour cela que, lorsqu'on me fait quelque louange, j'ai toujours l'impression qu'on s'adresse à un autre. Il n'est pas d'acte sans faiblesse secrète. Les autres ne voient que le style, moi je ne vois que la faiblesse. Bref je tiendrai mon serment — et de mieux en mieux — jusqu'à ma permission. C'est ce qu'on appelle avoir de la volonté. On voit ce qu'en vaut l'aune.

Lundi 18

Les hommes, dit-on — disait Maheu dans sa dernière lettre — ne *méritent* pas la paix. Cela est vrai. Vrai en ce sens, tout simplement, qu'ils *font* la guerre. Aucun des hommes qui sont présentement mobilisés (je ne m'excepte pas naturellement) ne mérite la paix, pour la raison que s'il la méritait vraiment, il ne serait pas ici. — Mais il peut avoir été contraint, forcé... Ta ta ta : il était libre. Je vois bien qu'il est parti en croyant qu'il ne pouvait faire autrement. Mais cette croyance était décisoire. Et pourquoi en a-t-il décidé ainsi ? C'est là que nous retrouvons les mobiles et la complicité. Par inertie, veulerie, respect des puissances, peur d'une condamnation — parce qu'il a supputé les chances et calculé qu'il risquait moins à obéir qu'à résister — par goût de la catastrophe — parce que sa vie ne le *retenait* pas assez (en ce sens *réussir* sa vie, autant que le permet la nature de l'objet, c'est travailler à la paix. J'en ai vu qui, pour avoir manqué leur mariage, déclaraient en Octobre 38 qu'ils voyaient venir la guerre avec indifférence, sans paraître comprendre que leur situation d'*hommes historiques* donnait du poids et de la conséquence à cette indifférence et qu'elle rapprochait la guerre — pas assez pour la faire éclater, assez pour les rendre complices) — parce qu'il avait besoin d'un grand cataclysme pour accomplir son métier d'homme — par importance, sottise, naïveté, conformisme — par terreur de penser librement — parce que c'était un coq de combat. Voilà pourquoi, en guerre il n'y a pas de victimes innocentes. Le fussent-elles au départ, d'ailleurs, elles reprendraient la guerre à leur compte par mille manières de s'en rendre complices dans le détail de leur vie militaire. En sorte que le mythe de la rédemption prend ici toute sa force morale : la nature de l'historicité est telle qu'on ne cesse d'être complice qu'en devenant martyr. Seuls ne méritent pas la guerre les hommes qui ont accepté d'être les martyrs de la paix. Eux seuls sont innocents, car la force de leur refus est assez grande pour qu'ils supportent le malheur et la mort. Il est donc vrai qu'en acceptant les conséquences de leur refus, ils souffrent innocents pour autrui ; ils payent la dette d'autrui. Il n'y a donc pas d'autre manière d'assumer son historicité qu'en se faisant martyr et rédempteur. C'est ce qui m'a donné de l'admiration pour ce Koestler, journaliste étranger qui assiste en spectateur à la prise de Malaga. Ses amis le font monter avec eux dans une auto et ils partent vers Alicante au milieu de la panique générale. Mais au premier embarras de voitures, il saute à terre, il reste seul à Malaga. Il ne le dit pas mais on sent qu'il veut payer. Payer pour les généraux qui ont trahi, pour les soldats en déroute, pour les lâches gouvernements démocratiques qui n'ont pas osé intervenir. Payer parce qu'il se sent responsable de la réalité humaine et qu'il veut assumer son historicité. Complice ou martyr, telle est l'alternative. Et votre décision fait l'Histoire. En refusant la guerre, j'aurais payé pour les autres. En l'acceptant, je paye aussi mais pour moi seul.

Nous n'aurons plus la charge du téléphone. On envoie un type du génie pour nous relever.

Je voudrais noter ici à titre d'exercice et d'exemple et pour donner aux pages qui précèdent et qui suivront leur tonalité propre, les caractères principaux de ce que Lewin appellerait mon « espace hodologique », c'est-à-dire en somme la conformation du monde tel qu'il m'apparaît de cet hôtel Bellevue, les chemins qui le sillonnent, ses trous, ses pièges, ses perspectives. D'abord c'est un monde que je me suis *approprié.* Les premiers jours il était froid et inerte, le voilà *mien;* cette campagne, ce froid, ce point de vue particulier à partir duquel je vois s'étaler autour de moi la France, l'Allemagne, l'Europe, tout cela est à moi. Querencia. Je suis sur une crête du monde, sur le toit du monde (= en haut d'une colline). Le monde est plaine, dominé par cette crête (les Alpes, les Pyrénées sont *en bas, en dessous,* dominé par le toit. Ici synthèse évidemment de la hauteur réelle de cette faible éminence et du fait que, sur une carte de géographie, elle serait placée au-dessus des massifs alpins et pyrénéens). Certainement cette éminence qui se donne comme un toit du monde représente symboliquement ma volonté de *dominer la guerre.* Donc me voilà en haut d'un beau pain de sucre de sérénité dominatrice. Plus haut que tous les autres, car sur ce toit du monde il y a une maison et j'habite au premier étage de la maison. Matérialisation de mon mépris pour les secrétaires : je les regarde de haut en bas. Tourbillon de vent glacé et gris autour de la maison : la maison est tantôt un navire en haut d'une vague et tantôt un phare. Le soir quand je suis seul dans la pièce chaude où nous nous tenons d'ordinaire, c'est un phare, je *sais* que je suis dans une tour ronde. Le vent et le froid m'isolent. Pour moi froid a toujours eu la résonance affective « pureté » et « solitude ». L'Allemagne s'est éloignée — je ne sais pourquoi. A Brumath je la sentais contre nous, chaude et vénéneuse. Ici — quoique je puisse la *voir* par le beau temps (les collines grises au Nord-Est) — elle n'a qu'une proximité abstraite. Plutôt, je suis à un bout du monde, derrière moi sont les cités chaudes et bruyantes, les hommes et les *terres*. Certainement c'est une transposition de la direction arrière-front, qui me presse par-derrière vers les premières lignes. Et cette transposition m'apparaît à travers ce schème poétique qui agit je pense sur toutes les imaginations enfantines : phare du bout du monde, finis terrae, etc. Position d'*avant-garde*, là encore on voit le symbole. D'où un léger décalage des directions : la route qui passe devant l'hôtel et qui vient de Morsbronn me paraît celle d'arrière en avant, puisque Morsbronn est la dernière avancée du monde (= il y a encore des civils). Donc elle continue vers l'avant, vers l'Allemagne et la ligne du front. En fait elle va vers le *Nord* et le front est plutôt à ma droite quand je m'engage sur ce chemin. Mais, comme par ailleurs le Nord représente pour moi : pureté, isolement, arrêt de la vie, finis terrae, il en résulte que, tantôt je pense que la route va vers l'*Est*, et tantôt elle va bien vers le Nord, mais alors l'Allemagne est au bout. L'Allemagne, je l'ai dit, comme une mer sombre et non comme un danger.

Cette dernière avancée de l'arrière Morsbronn, je la sens au loin, derrière moi, comme une touffeur menaçante et vénéneuse (tropicale) mais grise : d'abord parce que Pieter y est allé parfois et m'a dit : « C'est toc. » Ensuite parce que c'est là-bas qu'on « est traité en soldat ». Là-bas sont les bureaux où l'on dispose de moi, l'infirmerie où l'on peut me faire mettre à poil pour un oui ou pour un non, où l'on va prochainement me piquer (la piqûre est un danger, non en elle-même, puisqu'elle donne droit à 48 heures de repos, mais parce qu'elle se fait en trois fois à des intervalles de huit jours et qu'on ne peut partir en permission dans l'intervalle). Pourtant il y a là-bas, au cœur de cette fleur empoisonnée, un sang chaud et civil : j'imagine des salons avec des pianos — parce que Hantziger a dit qu'il irait demander au maire de lui prêter des albums de musique. Entre le village et l'hôtel Bellevue il y a des avant-postes isolés : l'hôtel où le vaguemestre a son bureau et la ferme qui abrite la cuisine roulante. Lorsque j'accompagne Paul à la soupe, lorsque je vais chercher un colis chez le vaguemestre, je suis *renversé,* je vais à rebrousse-poil, je tourne le dos à ma direction naturelle, le Nord, je sens comme une résistance scandalisée de l'air. Dans l'hôtel même, au premier, deux trous : un trou de lumière et de chaleur, le « Home », la pièce réservée aux sondeurs (cabine du capitaine) — un trou noir où le vent s'engouffre et siffle, trou glacé (parce que Pieter laisse la fenêtre ouverte toute la journée) : ma chambre. Elle repousse : on y plonge comme dans l'eau froide, avec résolution, en serrant les dents. Poétique parce que c'est une sorte de crevé sur la campagne : la lande entre par la fenêtre. Au-dehors, le froid — qui est une substance, comme aux sports d'hiver — une substance métallique et pure qu'on peut *toucher,* dès le matin en sortant, comme un beau mur d'acier poli. Le ciel — ma dimension en hauteur (à cause des ballonnets que j'y envoie). Gris immobile, avec des courants d'air dont on peut tracer la courbe. Le ciel qui se divise en « *couches* ». A la fois ma compétence, l'objet de mon savoir technique et ce qui me domine. Un prolongement de moi-même en hauteur et aussi un séjour hors de portée. Je sais qu'il a, même aux jours de soleil, comme le lait sa noirceur secrète et glacée. Parce qu'on nous téléphone tous les jours sa température en hauteur. Par exemple : – 50 à 8000.

Tel est le schème de ma situation actuelle : directions symboliques, orientations qui reflètent mes soucis, mes préoccupations, mon métier. Je regrette de n'avoir pas fait ce travail pour Brumath et Marmoutier ; on a intérêt à fixer ces sites affectifs et peut-être à les comparer. Cette topographie montre assez comment l'esprit s'empare des sites et les aménage. A présent, si je veux déterminer au juste à quel niveau d'existence se place cette géographie, je dirai qu'elle est au plus bas, au niveau préthématique. C'est le fond de récifs. Si je la thématise, j'en fais un délire de fou mais c'est qu'elle n'est jamais thématisée. Elle est dans le geste que je fais, dans ma répugnance à placer l'Est où il doit être, etc. Paul à Brumath, malgré des expériences répétées, n'arrivait pas à mettre le Nord où il fallait. Il s'en plaignait, il disait : « J'ai beau faire, je le mets toujours à l'Est. » A la base de cette erreur, il y avait, j'en jurerais, une résistance de la topographie affective.

Kierkegaard (*Le Concept d'angoisse,* page 85) : « Le rapport de l'angoisse à son sujet, à une chose qui n'est rien (et nous disons aussi d'une manière topique que nous sommes angoissés pour rien)... »

L'influence sur Heidegger est nette : le recours à la phrase topique : « Nous sommes angoissés pour rien », se trouve mot pour mot dans *Sein und Zeit.* Mais il est vrai que l'angoisse pour Heidegger est angoisse-devant-le-Néant, qui n'est pas le Rien mais, comme dit Wahl, « un fait cosmique sur lequel se détache l'existence ». Au lieu que pour Kierkegaard il s'agit « d'une angoisse psychologique et d'un rien qui est dans l'esprit ». Ce rien en somme, c'est la possibilité. Possibilité qui n'est rien encore, puisque l'homme en état d'innocence ne sait pas encore *de quoi* elle est possibilité. Mais elle est là, cependant, comme annonce de la liberté : « Ce qui flottait aux yeux d'Adam innocent comme le rien de l'angoisse est maintenant intégré en lui et y est encore le rien, l'angoissante possibilité de *pouvoir.* De ce qu'il peut, il n'a aucune idée... Seule est donnée la possibilité de pouvoir, comme une forme supérieure d'ignorance, comme une plus haute expression de l'angoisse... »

Angoisse devant le Néant, avec Heidegger ? Angoisse devant la liberté, avec Kierkegaard ? A mon sens, c'est une seule et même chose, car la liberté c'est l'apparition du Néant dans le monde. Avant la liberté, le monde est un plein qui est ce qu'il est, une grosse pâtée. Après la liberté, il y a des *choses* différenciées parce que la liberté a introduit la négation. Et la négation ne peut être introduite par la liberté dans le monde que parce que la liberté est tout entière transie par le Néant. La liberté est son propre néant. La facticité de l'homme c'est d'être celui qui néantise sa facticité. C'est par la liberté que nous pouvons *imaginer,* c'est-à-dire néantiser et thématiser à la fois des objets du monde. C'est par la liberté que nous pouvons établir à chaque instant un recul par rapport à notre essence, qui devient sans force et suspendue dans le Néant, inefficace ; la liberté établit une solution de continuité, elle est rupture de contact. Elle est fondement de la transcendance parce qu'elle peut, par-delà ce qui est, projeter *ce qui n'est pas encore.* Enfin elle se nie elle-même, parce que la liberté future est négation de la liberté présente. Je ne peux pas m'engager parce que l'avenir de la liberté est néant. La liberté crée l'avenir du monde en néantisant le sien propre. Et derechef, je ne peux pas m'engager parce que mon présent devenu passé sera néantisé et mis hors de jeu par mon libre présent à venir. J'expliquerai une autre fois que ces caractères de la liberté ne sont autres que ceux de la conscience. Mais précisément, si par l'homme le Néant est introduit dans le monde, l'angoisse devant le Néant n'est pas autre chose que l'angoisse devant la liberté ou, si l'on préfère, l'angoisse de la liberté devant elle-même. Si, par exemple, j'ai éprouvé hier une légère angoisse devant ce vin que je *pouvais* boire et que je ne *devais* pas boire, c'est que le « je ne dois pas » était déjà du passé, il était en recul, hors de circuit, comme l'essence, et *rien* ne pouvait m'empêcher de boire. C'est devant ce *rien*-là que je m'angoissais, devant ce néant des moyens d'action de mon passé sur mon présent. *Rien* à faire. Et le fameux : « j'ai peur de moi », c'est précisément une angoisse devant *rien,* puisque *rien* ne me permet de prévoir ce que je ferai et que, pourrais-je même le prévoir, *rien* ne peut m'en empêcher. Ainsi l'angoisse est bien l'expérience du Néant et elle n'est pas, pour autant, un phénomène psychologique. C'est une structure existentielle de la réalité humaine, ce n'est rien autre que la liberté prenant conscience d'elle-même comme étant son propre néant. Les angoisses devant le Néant du Monde, devant les origines de l'existant, sont dérivées et secondaires. Ce sont des problèmes qui apparaissent à l'éclairage de la liberté. Le monde en lui-même *est* et ne peut pas ne pas être. Son caractère de *fait* ne permet pas de le déduire, ni de lui supposer un *avant.* Il n'y a un problème de l'origine du monde que par l'incidence de la liberté sur les choses. Ainsi la saisie existentielle de notre facticité, c'est la Nausée, et l'appréhension existentielle de notre liberté, c'est l'Angoisse.

Mardi 19

« L'angoisse devant le péché produit le péché. Si des désirs mauvais, de la concupiscence, etc. on fait des penchants innés, l'on n'a pas l'ambiguïté où l'individu devient à la fois coupable et innocent. L'individu succombe dans l'impuissance de l'angoisse, mais c'est justement pourquoi il est à la fois coupable et innocent » (Kierkegaard, *id.* p. 122).

L'angoisse devant un possible qu'on ne veut pas réaliser est en fait angoisse devant le Néant qui vous sépare de ce possible, devant le fait qu'on est empêché par *Rien* de le réaliser. Elle vise donc à supprimer ce Rien en réalisant le possible. A partir du moment où, au lieu de refuser ce possible, elle en fera son propre possible, il y aura adhésion pleine de la liberté à la possibilité, projet et esquisse de l'acte. A ce moment-là, le Rien disparaît, il y a plénitude. Ainsi la faute fait provisoirement disparaître l'angoisse en remplaçant le Rien par la facticité pleine. Il faut remarquer aussi que si *rien* ne nous empêche de *faire* l'acte incriminé, *rien* non plus ne nous y oblige. Et cet autre *Rien* est également donné dans l'angoisse. Il est le Rien positif dans la liberté, c'est de lui que dérive la responsabilité. Ce Rien se saisit dans le fait que les mobiles qui pourraient incliner à réaliser un possible sont toujours séparés de ce possible par un hiatus de néant. Mobiles, essence humaine, affectivité, passé sont retenus au sein de la liberté, ils sont en suspens et, dans le même moment, la liberté profile dans l'avenir le possible à réaliser. Mais il n'y a jamais *contact* entre les mobiles ainsi retenus et le possible ainsi profilé. Les mobiles ne font jamais qu'incliner.

Ainsi, au cœur de la conscience, un chaînon fait défaut et c'est l'absence de ce chaînon qui nous ôte toute excuse. Mais comprenons bien que ce Néant n'est pas un trou purement et simplement donné. S'il en était ainsi, ce Néant serait un donné, ce qui nous ramènerait à l'Etre et à la Facticité. Un Néant qui serait un Etre, cela n'a point de sens. En réalité ce Néant est un Néant que nous sommes. L'existence pour la conscience, c'est néantisation de soi. L'origine de la responsabilité, c'est ce fait premier que nous nous réalisons comme une solution de continuité entre les mobiles et l'acte. C'est de cela que nous sommes avant tout responsables : responsables de ce que l'acte ne découle pas naturellement des mobiles. Mais le possible lui-même ne peut être qu'une certaine concrétion du Néant, puisque son existence en tant que *mon* possible ne consiste pas à être prévu comme une réalité qui *sera* — mais maintenu comme une réalité qui *serait.* Il y a donc dans l'urgence du possible une certaine néantité. On voit aussi que le possible ne saurait être antérieur à l'être. Bien au contraire, les possibles originels sont mes propres possibles et découlent de ma « facticité-comme-être-qui-est-son-propre-néant ». Les possibles du Monde, liés aux choses par des rapports externes, comme lorsque je dis par exemple « qu'il est possible que le feu s'éteigne — que le vent tombe — que la bouteille se casse », sont des possibles dérivés, de toute évidence, reflets sur les choses de mes propres possibles. Nous retrouvons donc ici la trinité : Néant — Possible — Etre, mais dans un ordre nouveau. Il y a priorité de l'Etre et le Possible n'apparaît qu'à l'horizon d'un Néant. Encore faut-il que ce Néant soit Néant d'un être qui est son propre Néant.

On voit que la Faute est tentative pour combler le Néant avec de l'Etre. La Faute est toujours impatience devant l'angoisse, fuite du Néant dans le Réel.

La conscience est allégement d'être. L'être-pour-soi est une désintégration de l'être-en-soi. L'être-en-soi transi par le Néant devient l'être-pour-soi.

On voit l'origine de la troisième catégorie cardinale de modalité : la Nécessité. Il y a priorité du possible sur le nécessaire, comme Kant l'a bien vu, qui définit le nécessaire : un être tel que sa possibilité entraîne son existence. C'est ce que nous appellerons l'objet propre de la liberté. La liberté est Néant, derechef, parce qu'elle vise à se supprimer elle-même en néantisant le Néant qu'elle contient. L'idéal de la liberté est donc un possible qui se réaliserait sans avoir besoin du concours de la responsabilité, un possible qui serait aussitôt une *excuse.* Le rêve intime de toute liberté c'est la suppression du hiatus entre les mobiles et l'acte. Supprimons par la pensée le hiatus et nous n'avons pas rejoint pour cela l'existence pure, puisque nous gardons le décalage temporel entre mobiles et possibles. Mais voici que les possibles se réalisent à partir de leur propre conception. A partir de ce moment, « ça n'est pas ma faute ». Toute excuse invoque donc la Nécessité. Mais la Nécessité demeure naturellement sur le terrain des valeurs et ne descend jamais sur celui des existences. De ce point de vue, on voit quel est l'Idéal de tous les possibles : c'est une réalité humaine qui serait sa propre nécessité, c'est-à-dire à qui il suffirait d'être son propre possible pour devenir sa propre existence ; une réalité humaine où le vide du « pour-soi » serait comblé et qui serait son propre fondement. La Nécessité est donc une catégorie d'action, une catégorie *morale,* ce n'est que par l'incidence de la liberté sur les choses qu'elle peut apparaître comme une structure du réel. Le sens premier de la Nécessité appliquée aux choses est toujours celui d'*excuse.* « Ce qui m'est *nécessaire* » (« J'emporte ce qui m'est nécessaire », « Distinguons le superflu du nécessaire », « Réduire ses dépenses au strict nécessaire »), c'est ce dont l'absence constituerait pour moi une excuse provisoire ou permanente. Le manque de *nécessaire,* par exemple, pourra constituer chez un « nécessiteux » une *excuse* du vol qu'il a commis. Aussi toutes les sciences du Nécessaire sont des sciences normatives parce qu'elles étudient tous les cas où la conscience peut se démettre. Et naturellement ces cas demeurent strictement idéaux.

A force de vivre sur la défensive avec les mêmes gens, on finit par être rempli, comblé malgré soi du style et du sens de chaque geste qu'ils font, pas moyen d'y échapper. La manière dont Pieter prend une chaise est propre à Pieter et j'y retrouve Pieter tout entier. Il s'approche de la chaise à énormes pas de loup, un peu courbé, silencieux énormément et futé, désirant que chacun remarque comme il est silencieux, à la manière des enfants et, en même temps, tout étonné de faire un acte qui occupe du temps et qui pourtant n'est pas expressément destiné au social. Mais il pare à cet étonnement, à cette espèce de malaise qui le prend comme si l'air se raréfiait autour de lui, en se représentant ce qu'il fait du point de vue social. On sent qu'il se fait tribunal et s'acquitte avec des félicitations pour la façon heureuse et discrète dont il a pris la chaise. Mais il demeure en lui quelque chose de cancre et de malicieux comme s'il nous jouait un bon tour, il sait tout de même qu'il fait du bruit. Bref, il ne peut pas s'empêcher de prendre une chaise *pour nous,* bien que nous soyons absorbés dans nos lectures ou nos écrits. Il joue la comédie de prendre une chaise dans le moment même où il la prend. Comédie vertueuse et bien-pensante d'ailleurs : « Je prends une chaise. C'est mon droit de prendre une chaise. Tout le monde m'approuvera de prendre une chaise, etc. » Cependant il y a de la tendresse dans la façon dont il s'approche en tapinois de la chaise, il a l'air de la vieille gourmande qui « se confectionne de bons petits plats ». Il se donne un petit rendez-vous tendre dans l'avenir ; comme il va s'aimer, tout à l'heure, sur cette chaise ! Et, satisfait de lui-même et d'autrui, communiant avec nous à l'occasion de la petite surprise qu'il va se faire, il empoigne la chaise d'un air bon et trottine avec elle jusqu'au poêle, devant lequel il va s'asseoir.

C'est précisément *ça* que je voudrais arriver à saisir et à décrire chez moi : le style de mes actes, tel qu'il peut apparaître à quelqu'un qui a les nerfs à vif et que j'agace depuis trois mois. Je crains que ce ne soit impossible, j'essaierai pourtant.

Mes acolytes deviennent de plus en plus semblables aux aides de K. dans *Le Château.* Je leur ai trop souvent fait la morale — ce qu'ils acceptent, sur le moment, avec des mines sournoises et sans mot dire. A présent ils me guettent pour me prendre en faute et m'obligent à me tenir. Pieter m'appelle un « profiteur de la guerre » parce que j'en profite pour écrire ; il me soupçonne d'essayer sur eux des arguments, des principes moraux et des expériences qui me fournissent de la copie. Paul, contre-attaquant à son tour, me reproche ma mauvaise foi — parce que j'ai commencé par lui reprocher la sienne. Tous deux font le gros dos quand je les gourmande et affectent de croire que je parle par agressivité pure. En même temps ils me surveillent. A la première faute, quel triomphe ! Hier justement, j'avais été déjeuner avec Pieter et, comme il s'étonnait de me voir refuser le pain et le vin, je lui expliquai mon régime. Or il se trouvait qu'il y avait au menu des côtelettes de veau sur des choux de Bruxelles. Les côtelettes étaient fort minces et je n'aime pas les choux de Bruxelles. En suite de quoi, je n'ai presque rien mangé. Je sentais d'ailleurs, en mâchant les quelques petites bouchées qui me revenaient, que j'accumulais les excuses et les droits — à seule fin de pouvoir en user le soir si j'en avais envie ; j'étais dans la situation du saint qui dit : « C'est trop, Seigneur, c'est trop ! » roulant vaguement en moi-même des idées telles que : « Oui, j'ai décidé de jeûner le soir mais dans l'hypothèse où je ferais un repas correct à midi. Déjà je ne mange pas de pain… etc., etc. » Et passe encore pour les plaintes, si elles avaient été le fruit d'une indignation sincère ; mais elles étaient industrieuses et prévoyantes, elles voyaient loin. Il y aurait beaucoup à dire sur l'art patient de se constituer des excuses, c'est-à-dire de préparer une pièce montée d'un agencement tel qu'on puisse juger *nécessaire* de céder à la pression des circonstances. Ainsi comprimera-t-on le plus possible cette faible couche de néant qui sépare les mobiles de l'acte. Mais on oublie toujours que c'est la liberté qui jugera que le rapport des mobiles à l'acte est nécessaire, on déplace le Néant mais on ne le supprime pas : on reste sans excuse. Comme il s'agissait d'une sale petite cuisine intérieure, j'eus la discrétion de n'en rien dire à Pieter et je me gardai même de lui faire savoir que je n'avais presque rien mangé, ce qui était la stricte vérité. Vers cinq heures du soir, je commençai d'avoir faim. Je m'agitai une petite heure sur ma chaise et puis je me levai, je pris une boule de pain et j'enfonçai dedans mon couteau : la faim avait réveillé les plaintes et les droits soigneusement mis en réserve dès midi et leur avait insufflé une vie nouvelle. Pourtant j'ai horreur des excuses et j'ai toujours mis mon orgueil à n'en point avoir : ou bien, si l'on me prend en faute, je dis que je suis sans excuses — ou bien si l'excuse est prête, comme elle l'était hier, je la tourne, je lui ôte son sens d'excuse et je me donne à mes propres yeux comme me décidant librement sur vue des pièces du procès. L'excuse devient alors simplement un argument objectif que j'examine impartialement, avec le seul souci de me décider dans le sens du meilleur. Je déclarai donc d'un ton objectif, tourné vers les Aides : « J'ai fort peu déjeuné à midi, aussi je décide de faire une petite exception à mon régime ce soir. » Je le dis en toute innocence, plutôt pour moi que pour eux, trop absorbé dans mes petites saloperies intérieures pour prendre garde à leur jugement. Aussi fus-je comme désemparé par le résultat : ce fut un charivari épouvantable, ils se courbèrent en deux, ensemble, et se mirent à pouffer en frappant le sol du pied et en me faisant des grimaces et des signes d'intelligence. Pieter voulait parler mais il ne le pouvait pas car il riait trop fort. Il finit par s'arracher quelques mots dont le sens était que je jouais la comédie et que je ne pouvais pas plus qu'un autre résister à mes appétits. Je tenais toujours le pain avec le couteau planté dedans, je répondis avec dignité mais sans assurance que j'avais réellement fort peu mangé le matin. Sur quoi Paul — qui n'avait pas été au restaurant — tourné vers Pieter : « C'est vrai ? Il n'a pas beaucoup mangé ? » sur un ton sévère de juge qui s'informe. Et Pieter : « Mais ! Il a normalement déjeuné. » J'enrageais mais que faire ? Je pris le parti d'en rire et je dis : « Vous avez raison, vous me montrez ce que je dois faire. Ah ! heureusement que je vous ai. » Sur quoi je reposai le pain, mis le couteau dans ma poche et revins travailler. Je m'attendais à ce que leurs rires continuent — et moi, certes, en pareil cas, je n'aurais pas lâché l'adversaire, j'aurais « suivi », comme on dit en argot de boxe. Mais ils furent déconcertés par mon acquiescement, ne soufflèrent plus mot et même, après avoir été chercher la soupe, m'offrirent des haricots en me pressant d'en manger. Je crois qu'ils avaient peur que je ne m'affame par vanité. Je refusai tout, naturellement, mortifié et la faim au ventre. Mais aujourd'hui, pour le déjeuner au moins, le pli est pris ; il me paraît *naturel* de ne pas boire en mangeant et de ne pas manger de pain. Et déjà il est presque *naturel* de ne pas dîner, c'est-à-dire que mon temps diurne, qui était hier encore traversé par deux barres parallèles, le déjeuner et le dîner, se termine aujourd'hui par des plis libres ; l'après-midi flotte, souple et unie au-dessous du déjeuner, comme un drapeau en berne au-dessous de sa hampe, je n'attends rien qui puisse « la couper ».

Ainsi les Aides me forcent d'être libre.

Le Castor m'écrit (en date du Samedi 16) : « J'ai l'impression que vous êtes bien plus coupé du monde depuis Morsbronn qu'avant, bien plus enfermé dans la solitude... Vous me semblez tout ouaté de solitude, tout enfermé avec le téléphone, avec le poêle bien chaud et vos pensées morales. »

Est-ce vrai ? Je ne sais. Il me semble que je m'habituais déjà à la guerre et à Brumath quand le Castor y est arrivé au début de Novembre, et que sa venue a eu l'effet d'une bombe à retardement, disloquant mon calme quelques jours après son départ et me conduisant finalement aux pantèlements passionnels de fin Novembre. Et je pense que sitôt après la crise, comme il m'arrive toujours en pareil cas, je me suis reboutonné, j'ai commencé, par réaction, à ne plus m'occuper que de mes petites affaires. Par le fait, je suis fort calme et content, en ce moment. De toute façon je ne comprends pas tout à fait bien ce mois de Novembre, il y a eu là une drôle de lame de fond.

Ce matin, en écrivant sur ce carnet que je voudrais essayer d'attraper le style de mes gestes, je me suis fait l'effet d'un maniaque de l'analyse, genre Amiel. Pourtant je suis resté plus de quinze ans sans me regarder vivre. Je ne m'intéressais pas du tout. J'étais curieux des idées et du monde et du cœur des autres. La psychologie d'introspection me semblait avoir donné son meilleur avec Proust, je m'y étais essayé entre 17 et 20 ans avec ivresse, mais il m'avait semblé qu'on passait maître fort vite à cet exercice et que d'ailleurs les résultats étaient assez monotones. Et puis l'orgueil m'en détournait, il me semblait qu'à mettre le nez sur de minimes bassesses on les grossissait, on leur conférait de la force. Il a fallu la guerre et puis le concours de plusieurs disciplines neuves (phénoménologie, psychanalyse, sociologie), ainsi que la lecture de *L'Age d'homme,* pour m'inciter à dresser un portrait de moi-même en pied. Une fois lancé dans cette entreprise, je m'y acharne par esprit de système, goût de la totalité, je m'y donne tout entier par manie. Je veux faire un portrait aussi complet que possible, comme j'ai voulu, étant petit, avoir toute la collection des *Buffalo Bill* et des *Nick Carter,* comme j'ai voulu, un peu plus tard, tout savoir sur Stendhal, etc. etc. Il y a certainement chez moi un manque de mesure : indifférence ou acharnement maniaque, c'est l'un ou l'autre. Mais je ne pense pas qu'il y ait avantage à s'épouiller toute sa vie. Loin de là. J'avais horreur des carnets intimes et je pensais que l'homme n'est pas fait pour se voir, qu'il doit toujours fixer son regard devant lui. Je n'ai pas changé. Simplement il me semble qu'on peut, à l'occasion de quelque grande circonstance, et quand on est en train de changer de vie, comme le serpent qui mue, regarder cette peau morte, cette image cassante de serpent qu'on laisse derrière soi, et faire le point. Après la guerre je ne tiendrai plus ce carnet ou bien, si je le tiens, je n'y parlerai plus de moi. Je ne veux pas être hanté par moi-même jusqu'à la fin de mes jours.

Lu — depuis le dernier recensement de mes lectures :
Mac Orlan : *Sous la lumière froide*
Paul Morand : *Ouvert la nuit*
Marivaux : *Théâtre choisi*
Mérimée : *Mosaïque*
Mérimée : *Colomba*

Flaubert : *L'Education sentimentale*
Mac Orlan : *La Cavalière Elsa*
Kierkegaard : *Le Concept d'angoisse*
Dorgelès : *Les Croix de bois*

Reçu aujourd'hui :

Lucien Jacques : *Carnets de moleskine*
Maurois : *Les Origines de la guerre 1939*
Mac Orlan : *Quai des brumes*
Mac Orlan : *Maître Léonard*[1]
Lesage : *Le Diable boiteux*
Larbaud : *Barnabooth*

Mercredi 20

Belle préface de Giono aux *Carnets de moleskine.*

« Quand on n'a pas assez de courage pour être pacifiste on est guerrier. Le pacifiste est toujours seul. »

« Le guerrier est sûr d'être d'accord avec le plus grand nombre. Si c'est une affaire de majorité, il peut être bien tranquille, il en est... S'il a besoin de grandeur, comme tout le monde, c'est dans l'ordinaire qu'on lui trouve une grandeur " à sa taille ". Tout est à l'avance préparé pour lui. Si un homme tremble d'être un jour obligé de dépasser l'homme, qu'il ne tremble plus et qu'il se fasse guerrier, ou plus simplement encore, qu'il se laisse faire, qu'il s'abandonne, on le mettra d'office chez les guerriers... Tout le jeu de la guerre se joue sur la faiblesse du guerrier... Le simple soldat : ni bon ni mauvais, enrôlé là-dedans parce qu'il n'est pas contre. Il y subira sans histoire le sort des guerriers jusqu'au jour où, comme le héros de Faulkner, il découvrira que " n'importe qui peut choir par mégarde, aveuglément dans l'héroïsme comme on dégringole dans un regard d'égout, grand ouvert au milieu du trottoir "... Il

1. Sartre se trompe : le titre exact est *Le nègre Léonard et maître Jean Mullin.* *(N.d.E.)*

est absurde de prétendre qu'une armée, constituée de millions d'hommes, est la personnification du courage : c'est la conclusion du facile. »

Les carnets eux-mêmes sont ternes et gris, ils n'apprennent rien de neuf. Aspect rétrospectif de la guerre de 1914 à travers tous ces livres. Elle n'apparaît plus à mes yeux, comme elle faisait l'an dernier encore, comme l'image de *la* guerre, mais comme une certaine guerre, une certaine boucherie désordonnée qui eut lieu parce que les généraux n'avaient pas inventé encore la technique de ce que Romains appelle le « million d'hommes ».

Ville, sous-lieutenant d'artillerie, écrit au Castor : « La situation est si stationnaire que certains souhaitent de temps en temps que ça change. Mais réfléchissant soudain que si ça change nous recevrons des coups, ils renient leurs paroles imprudentes et se prononcent pour le statu quo. A quoi un autre oppose que le statu quo nous condamne à rester ici jusqu'à la vieillesse. On parle alors d'autre chose. Le problème est bien ardu ; pendant ce temps les jours passent, malheureusement. « Je ne sais pas très bien ce qui se passe à l'arrière ; les journaux sont si bêtes que personne ne les lit, bien que nous les achetions par habitude. Ce que nous pensons, pour l'instant, se résume en un mot : rien. Nous attendons le printemps, creusons, nous enfouissons sous des couches de rondins. Peut-être aurions-nous quelques idées personnelles si nous pouvions parfois être seuls. Mais le soldat n'est jamais seul ; ou s'il l'est, il a les pieds mouillés, ce qui paralyse l'intellect. »

Barnabooth vend tous ses biens, « châteaux, yacht, automobiles, immenses propriétés... » et il appelle ça « dématérialiser sa fortune ». Le geste est inspiré par celui de Ménalque, celui de Michel dans *L'Immoraliste.* Gidien. Ce mot de « dématérialiser » m'a fait rêver. Car en somme, il s'agit en effet de se détacher des ***biens,*** comme aspect concret de la fortune et de ne conserver que son aspect ***abstrait :*** l'argent. Ici d'ailleurs sous forme de paquets d'actions et de chèques. En somme, voilà le conseil donné par

Gide et suivi par Barnabooth. Troquer la possession réelle contre la possession symbolique, troquer la fortune-biens immeubles contre la fortune-signe. Ce n'est pas par hasard que Gide prêche la disponibilité. Au fond le disponible gidien c'est l'homme qui a la disponibilité de ses capitaux. Et ce que je voyais clairement, c'est que la morale de Gide est un des mythes qui marquent le passage de la grande propriété bourgeoise — possession concrète de *la* maison, des champs, de *la* terre, luxe intime — à la propriété abstraite du capitalisme. L'enfant prodigue, c'est le fils du riche commerçant en grains qui devient banquier. Son père avait des sacs de grains, lui il a des paquets d'actions. Possession de *rien,* mais ce rien est une hypothèque sur tout. Ne cherche pas, Nathanaël, Dieu ailleurs que partout : rejette la possession matérielle qui borne l'horizon et qui fait de Dieu un repliement sur soi en profondeur, troque-la contre la possession symbolique qui te permettra de prendre trains et bateaux et de chercher Dieu partout. Et tu le trouveras partout, pour peu que tu mettes ta signature sur ce petit bout de papier, dans ton carnet de chèques. Je n'exagère pas : c'est bien là ce que le gidien Barnabooth appelle, page 19, une « ardente quête de Dieu ». Et Gide lui-même, voyageur tantôt et tantôt chef de la communauté patriarcale de Cuverville, est une grande figure de transition entre la bourgeoisie possédante du XIXe siècle et le capitalisme du XXe. Il faut remarquer en outre que l'exotisme du XXe siècle, tout entier gidien, est, de signification, capitalisme. Il n'a même plus le sens vrai d'*ex*-otisme (en somme : s'éloigner de la maison). L'exotisme ancien se comprenait par rapport à des coordonnées fixes : le *bien* possédé au pays :

Heureux qui comme Ulysse, après un long voyage...

L'exotisme contemporain commence par affirmer l'équivalence de toutes les coordonnées. Ce qui veut dire qu'on peut « changer » partout une livre sterling. Il n'y a pas de point de vue privilégié pour voir le monde. Cela veut dire, vous pouvez considérer la livre sterling comme un pouvoir d'achat abstrait, décomposable à votre gré en marks, en francs, en öres, en pengös, etc. L'exotisme classique, c'est le soyeux lyonnais qui envoie son jeune fils en Chine pour le former aux affaires. Le jeune homme, au milieu de sa vie chinoise, restera lyonnais ; il est en Chine pour mieux être lyonnais, pour pouvoir mieux jouir, plus tard, de sa fortune lyonnaise. L'exotisme capitaliste est sans aucun point d'attache : le voyageur est perdu dans le monde. Il est chez lui partout ou nulle part. D'où cet aspect nouveau de l'exotisme littéraire : ramener tout ce qu'on voit à des structures communes — au lieu d'*opposer*, comme autrefois, l'étranger à la maison. Montrer sous l'aspect bigarré des mœurs locales, la contrainte universelle et partout semblable du capitalisme. Insister sur l'aspect croulant, moribond des mœurs, en tirer des effets poétiques (au lieu que l'ancien exotisme tirait des effets poétiques de l'exubérance spontanée des coutumes locales). Ecrire par exemple, comme Larbaud dans *Barnabooth*, que Florence est « une curieuse ville américaine bâtie dans le style de la Renaissance italienne ». C'est en ce sens qu'une musulmane avec ses voiles et à califourchon sur une bicyclette, que je rencontrai un jour entre Agadir et Marrakech, me parut l'incarnation parfaite de l'exotisme contemporain.

L'affaire du *Graf von Spee*. Prudence et ruse de la part des alliés. On annonce au monde entier que le *Renown* et *l'Ark Royal* attendent le navire allemand à sa sortie du port. Il prend peur et se coule. Le *Renown* et *l'Ark Royal* étaient à 1 000 milles de là. A rapprocher de notre recul secret au début d'Octobre : les Allemands, trompés par la résistance de quelques avant-postes, avancent dans le vide et se font cueillir par une barrière de mitraille. A comparer avec les principes de 14, l'héroïsme, la guerre franc-jeu. Nous entendons mener cette fois-ci une guerre de carottiers, de tricheurs. Une guerre contre l'honneur militaire. Les Allemands en font autant, d'ailleurs : suicide du *Graf von Spee*. Hitler a dit à Rauschning[1] : « Je n'ai que faire des

1. Ancien ami personnel du Führer, Rauschning se tourna contre le nazisme. Il est l'auteur notamment de *Hitler m'a dit* et de *La Révolution du nihilisme*. *(N.d.E.)*

chevaliers. » Les journaux français, qui n'en craignent point, ont l'audace de le lui reprocher et de railler l'abandon du *Graf von Spee.* Mais c'est qu'il faut maintenir quelque temps aux yeux de l'arrière la légende de l'honneur militaire. En fait la guerre se fait contre lui, comme elle se fait contre la guerre de 14. Il en sortira ruiné à jamais. Heureusement. Certes il y a toujours eu des stratagèmes de guerre. Mais celle-ci ne veut user que de stratagèmes. Encore deux ou trois ans de cet acabit et la notion de courage va s'attacher à la paix, la notion de lâcheté à la guerre. C'est d'ailleurs sous cet aspect d'ennui sans grandeur qu'on la voit à l'étranger, semble-t-il. Mon élève Christensen m'écrit de Norvège : « Il y a une ligne Mannerheim qui défend Helsinki. Cette région-là rappelle la guerre de position comme vous la connaissez. Et là on meurt d'ennui, du moins au figuré. J'espère cependant que la rédaction de quelques livres vous occupe un peu. »

Jeudi 21

Charmé par ***Barnabooth.*** C'est noble et gracieux. Fort influencé par Gide, dont les thèmes pénètrent le livre jusqu'aux os. Le mot de « ferveur » est même prononcé. Et la critique des Barrésiens au nom de la vie : refuser d'aller aux uffizi et se perdre avec jouissance dans un beuglant. Nous avons tous été formés à cette façon-*là* de voyager. Nous avons tous mis autant de scrupules à visiter le Barrio Chino de Barcelone, le quartier réservé de Hambourg ou tout simplement les quartiers ouvriers du Trastevere, que les Allemands vingt ans plus tôt à recenser les collections d'estampes, Baedeker en main. Nous avions aussi nos Baedeker mais ils ne se voyaient pas. Et ce bout de soirée que j'ai passé dans un bordel de Naples où des marins m'avaient conduit, c'était encore du grand tourisme. En somme j'ai trouvé dans les livres et l'air du temps cette tendance à démocratiser les objets qui valut, il y a trente-cinq ans, des combats de plume sévères et des scandales profonds — et qui se pose comme la suite du combat romantique pour démocratiser les mots. Le même travail se faisait vers 1910 contre gobelins et tableaux, architectures rares, qu'en 1830 contre les vieux mots du répertoire. Gide aussi aurait pu traiter un vitrail de Chartres, un portrait de Chardin, de « ci-devant ». Mais quand nous vînmes, nous autres, le combat était fini. On avait gagné pour nous le droit de flâner dans les docks de Londres au lieu d'aller à la National Gallery, le droit d'aller voir des danses du ventre au Boushbir de Casablanca, le droit de passer des jours entiers dans les brasseries misérables qui entourent à Berlin l'Alexanderplatz. Nous voyageâmes ainsi tout naturellement, « cherchant Dieu partout », sans même nous en rendre compte. La noblesse, qui avait quitté les hommes pour se réfugier dans les mots, puis les mots pour se réfugier dans les choses, traquée partout avait disparu de ce monde. Démocratie capitaliste. Tout cela, je le retrouve chez Barnabooth. Et tout cela est gidien. Pourtant je vois aussi se former chez lui une idée qui n'est nullement chez Gide et que nous avons tous subie profondément : l'idée que les choses ont un *sens*. Et qu'il faut savoir le lire. Cette idée-là, elle vient de Barrès. Seulement chez Barrès elle était fort compréhensible et même rationnelle, puisqu'elle revenait à dire que les objets de la *Kulturwissenschaft*, les productions humaines, étaient chargés de signification et que cette signification pouvait se dévoiler à l'artiste. Certes cette signification dépassait toujours ce que l'artisan y avait *mis* consciemment, mais elle n'en était pas moins fondée sur les intentions conscientes du créateur. Il y avait une signification d'Aigues-Mortes en tant qu'Aigues-Mortes, c'est la nature reprise par les hommes, une signification de la Lorraine, parce que la Lorraine est un pays travaillé, une signification de Tolède parce que Tolède fut le produit de l'application farouche et constante de la noblesse tolédane. Un quartier populaire, fruit des hasards et de la misère, n'avait pas de signification. Gide, tout occupé à conquérir de nouvelles terres à la littérature et trop préoccupé aussi des voluptés sensibles, a négligé ce côté de la question. Je cherche en vain dans son œuvre un effort pour saisir ces sens fugitifs et dénoués qui se posent furtivement sur un toit, dans une flaque. Mais la génération des gidiens a su faire la synthèse. Le travail que Barrès faisait consciencieusement sur quelques produits aristocratiques, elle va le faire sur n'importe quoi. Pour Barrès, Tolède seule a son « secret ». Pour le voyageur de 1925, il n'est rien au monde qui n'ait un secret. Barnabooth cherche « l'air » italien ; Duhamel, débarquant un soir à Cologne, parle à Aron de « l'odeur » de Cologne. Lacretelle cherche les *clés* de Madrid. Pour révéler ces secrets tous les moyens sont bons : les objets les plus vulgaires et les objets les plus nobles sont équivalents. Barnabooth, par exemple, cherche à saisir le sens italien dans « ce que chantent les grands poètes... les principes directeurs du Risorgimento... » Mais il ajoute : « Cela est bien moins important que le rose si désolé dont les docks de Naples sont peints. » Je me reconnais dans Barnabooth : moi aussi, mangeant les menus gâteaux criards et vernis de la pâtisserie Caflish, j'ai cru sentir par la bouche cette odeur italienne que le « rose désolé » des maisons napolitaines ou l'exubérance triste et sèche des jardins de la haute Gênes me donnaient à sentir par les yeux. Pour moi aussi le secret italien était contenu dans toute chose italienne et les pâtes dentifrices de Bologne avaient une affinité secrète avec la prose de D'Annunzio et le fascisme. Ce qui me charme chez Barnabooth c'est que cette tendance « herméneutique » est encore balbutiante. Il écrit en s'excusant : ... « Cette Italie dont je voudrais trouver la formule définitive (au lieu de ces notations tâtonnantes)... J'ai entassé des mots sans avoir pu rendre cet *air* italien que je sens pourtant si bien. » On a fait mieux depuis — mais rien de si gracieux. Il semble en lisant ces pages qu'on se penche sur un naïf pressentiment littéraire, comme lorsqu'on découvre quelques descriptions de la nature dans les lettres de Mme de Sévigné. Larbaud lui-même a fait mieux — mais pas si bien. Pour moi j'ai poussé la furie du secret — contre Barrès — dans *La Nausée* jusqu'à vouloir saisir les sourires secrets des choses vues absolument sans les hommes. Roquentin, devant le jardin public, était comme moi-même devant une ruelle napolitaine : les choses lui faisaient des signes, il fallait déchiffrer. Et quand j'ai décidé d'écrire des nouvelles, mon but était tout différent de celui que j'ai atteint ensuite : j'avais remarqué que les mots purs laissaient échapper le sens des rues, des paysages — comme Barnabooth l'a remarqué. J'avais compris qu'il fallait présenter le sens encore adhérant aux choses, car il ne s'en détache jamais complètement et, pour le manifester, montrer rapidement quelques-uns des objets qui le recèlent et faire sentir leur équivalence, de façon que ces solides se repoussent et s'annulent dans l'esprit du lecteur, comme un clou chasse l'autre, et qu'il ne reste plus, pour finir, à l'horizon de ce chaos bigarré, qu'un sens discret et tenace, très précis mais échappant pour toujours aux mots. Et, pour échapper aux liaisons logiques, comme d'ailleurs au défaut d'une énumération sans lien, le mieux était, croyais-je, d'unir ces choses hétéroclites par une action très brève. En somme j'eusse écrit des nouvelles d'un genre proche de celui de K. Mansfield. J'en fis deux : l'une sur la Norvège, *Le Soleil de minuit,* que je perdis ensuite au milieu des Causses, comme je marchais, ma veste sur le bras ; l'autre qui était tout à fait manquée, sur Naples : *Dépaysement.* Et, pour finir, la logique propre du genre « nouvelle » me conduisit à écrire *Le Mur* et *La Chambre,* qui n'avaient plus aucun rapport avec mes intentions premières. Bref j'ai poussé la tendance au secret jusqu'à déshumaniser complètement le secret des choses. Mais je tiens que l'immense majorité des secrets sont humains. Et je vois l'aboutissement des « tâtonnements » de Barnabooth dans les pages heideggériennes de *Terre des hommes* que je citais dans mon troisième carnet, où St-Exupéry dit à peu près : « Un objet n'a de sens qu'à travers une civilisation, une culture, un métier. » Nous voilà revenus à l'être-dans-le-monde. Et le monde redevient ce complexe de significations « d'où la réalité humaine se fait annoncer ce qu'elle est ». Il me semble donc qu'on a tourné une nouvelle page de l'histoire littéraire du « sentiment de la nature ». Barrès ou les secrets, Gide ou la démocratisation des choses. Larbaud et toute l'après-guerre ou la démocratisation des secrets. Et enfin cet humanisme plus large de 39 : le retour à l'action, et le *métier* conçu comme le meilleur organe pour saisir les secrets. Je dirai volontiers que l'époque Larbaud, où il semblait qu'il y eût une intuition artiste des secrets accessible à n'importe quel homme de bonne volonté, participe à l'abstraction capitaliste dont je parlais hier. Ici l'homme qui capte les secrets est une antenne abstraite, c'est ce fameux « homme abstrait » des démocraties. Au lieu que dans l'affirmation de St-Exupéry que le secret est au bout du geste ouvrier, je pressens je ne sais quelle révolte secrète contre le capitalisme, un désir de retrouver l'homme concret, de le rattacher par quelque nouveau moyen à la glèbe, puisque la maison bourgeoise s'est écroulée. Cette fois-ci, ce sera le métier. N'en doutons pas, il y a là une vague nostalgie des fascismes. Et je reconnais moi-même que dans ma pensée actuelle il y a un soupçon de fascisme (l'historicité, l'être-dans-le-monde, tout ce qui ligote l'homme à son temps, tout ce qui lui pousse des racines dans sa terre, dans sa situation). Mais je hais le fascisme et ne m'en sers ici que comme de cette pincée de sel qu'on met dans la tarte pour la faire paraître plus sucrée.

Cette opposition du travailleur chez St-Exupéry au touriste abstrait est si forte que, pour lui, le voyageur (c'est-à-dire Barnabooth) peut *voir* les fleurs blanches de la mer, mais le pilote seul en *sent* la vénénosité. Et certes l'homme cultivé retrouvera sans surprise chez St-Exupéry ces brusques passages du Sahara à la Terre de Feu, de Paris aux Andes, à quoi les écrivains contemporains nous ont habitués. Seulement, s'il n'y prend pas garde, il manquera la différence essentielle : pour Barnabooth, Norvège, France, Italie sont des terres et des cultures mises bout à bout et qui, par leur inertie propre, tendraient à se séparer. Il y a juxtaposition. Mais pour St-Exupéry, aviateur, il y a d'abord l'unité de *son* monde. Il est-dans-le-monde par l'acte primordial de *voler*. Et c'est sur fond de monde que paraissent villes et pays, comme des *destinations*. En ce sens, c'est la mort de l'exotisme : ces cités aux noms magiques, Buenos-Aires, Carthagène, Marrakech, sont posées à côté de lui pour qu'il puisse *s'en servir*, comme les clous et le rabot sont posés sur l'établi. Tanger, c'est d'abord un repère, un moyen d'orientation, un centre de radio ; c'est ensuite une consigne, une tâche saisie à travers le métier. Enfin, à mesure qu'on s'approche, la fleur s'ouvre et voici la ville jaune et sèche avec ses Espagnols misérables et hautains et ses beaux Kabyles. Mais elle n'est cela, cette douceur, qu'*en dernier lieu.* St-Exupéry est l'anti-Barnabooth.

Donc les choses sont humaines, nous n'y pouvons rien. Elles annoncent l'homme à l'homme. Mais il ne faut pas entendre par là que leur sens humain s'est déposé sur elles par couches successives, au fil des générations, au fil de la vie individuelle. Il suffit d'exister, de se jeter dans le monde une fois, par une trouée de néant, et de jeter à l'horizon de l'existant notre réalité humaine comme un idéal à fonder, pour que chaque chose nous renvoie, nous annonce cette réalité humaine, mais en la réfractant avec son indice propre. Ainsi nous nous apprenons sur les choses. Mais les sens humains qu'elles nous renvoient sont tout alourdis, tout enrichis par leur substance propre et, par là, ce que nous lisons sur les choses ne se borne point à nous révéler à nous-mêmes, cela nous *crée.* Il ne faudrait pas croire par exemple que nous avons d'abord constitué la nature psychologique : « mollesse sournoise et inquiétante, bassesse qui englue par flatterie intéressée et goût de s'humilier, etc. », puis *par après* constitué la *viscosité* comme image physique de ce caractère mental. Ce serait croire que l'image est toujours métaphore, saisie de relations abstraites, que la morale de la fable a été conçue avant la fable. En réalité, du fait que je me jette dans le monde, chaque objet se dresse devant moi avec un regard humain avant même que je sache m'en servir et comprendre ce regard. La viscosité m'inquiète et me taraude avant même que je puisse savoir qu'il existe chez les hommes une bassesse rampante et molle. Il n'y a pas ici d'*Einfühlung*[1], d'animation *par après* de la nature mais, bien au contraire, avant tout sentiment psychologique, avant toute *Einfühlung* empirique, la viscosité se présente comme catégorie existentielle, c'est son empoissement épais et glaiseux qui va nous orienter vers les autres, en tant qu'il se détache sur fond de monde humain. Humaine, la viscosité en tant qu'elle reçoit la catégorie formelle et pragmatique de résistance à l'homme, de

1. Appréhension de l'intérieur, empathie. *(N.d.E.)*

distance entre l'homme et l'homme, de moyen utilisé par la réalité humaine pour se rejoindre. Mais sa nature propre fait le reste et renvoie une « viscosité-humaine ». C'est ce qui explique le dégoût. Le dégoût est toujours dégoût de l'homme pour l'homme. L'enfant qui plonge par mégarde sa main dans une poix visqueuse et la retire en pleurant de dégoût vient de faire une expérience humaine. Non qu'il ait pressenti la bassesse de l'homme *à travers* la viscosité, il n'a expérimenté qu'une *chose.* Mais cette chose est humaine dans sa structure profonde ; elle a une profondeur indifférenciée où sont mélangés mille possibles indistincts et humains, mille possibles propres à l'enfant qui pleure. La viscosité est *hantée.* La chute sera facile de là dans le fétichisme puis dans l'animisme, mais la nature n'est ni fétichiste ni animiste. Les choses sont sorcières mais tout simplement parce qu'elles sont inépuisablement humaines, elles recèlent des sens humains que nous pressentons sans les comprendre. Il n'y a pas de bassesse cachée dans la viscosité mais il y a seulement viscosité-humaine, viscosité-pour-l'homme, mère de toutes les bassesses. Une réalité humaine visqueuse est à l'horizon de cette viscosité et cette réalité humaine que nous ne comprenons même pas, c'est nous-mêmes. Nous-mêmes : engluement possible de nous-mêmes dans la viscosité. Viscosification possible de nous-mêmes — que nous pressentons avec angoisse sans même pouvoir comprendre ce qu'elle serait. C'est pourquoi il y aurait lieu de faire l'inventaire de ces catégories réelles d'où l'homme vient lentement à lui-même : viscosité, élasticité, friabilité, etc., etc. A ce sujet je dirai que je vois plus clairement quelque chose que je devinais depuis longtemps : la présexualité. Les Freudiens ont bien vu que l'action innocente de l'enfant qui joue à creuser des trous n'était pas du tout si innocente. Ni celle qui consiste à glisser son doigt dans le trou d'une porte ou d'une muraille. Ils l'ont rapprochée de ces plaisirs fécaux que les enfants prennent à recevoir ou à donner des lavements. Et ils n'ont pas eu tort. Mais le fond de la question reste indécis : faut-il ramener toutes ces expériences à l'unique expérience du plaisir anal ? Je ferai remarquer que cela suppose une divination mystérieuse de l'instinct, car l'enfant qui retient ses fèces pour jouir du plaisir de l'excrétion ne peut point deviner qu'il a un anus, ni que cet anus offre une ressemblance avec les trous où, tout de suite, il s'essaie à mettre ses doigts. Autrement dit, Freud tiendra que tous les trous, pour l'enfant, sont symboliquement des anus et l'attirent en fonction de cette parenté — et moi je me demande plutôt si l'anus n'est pas, chez l'enfant, objet de concupiscence parce que c'est un trou. Et certes le trou du cul est le plus vivant des trous, un trou lyrique, qui se fronce comme un sourcil, qui se resserre comme une bête blessée se contracte, qui bée enfin, vaincu et près de livrer ses secrets ; c'est le plus douillet, le plus caché des trous, tout ce qu'on voudra, je n'empêche point les Freudiens de composer des hymnes à l'anus, mais il n'en demeure pas moins que le culte du trou est antérieur à celui de l'anus, et qu'il s'applique à un plus grand nombre d'objets. Et j'admets fort bien qu'il se charge peu à peu de sexualité, mais j'imagine qu'il est d'abord présexuel, c'est-à-dire qu'il contient la sexualité à l'état indifférencié et qu'il la déborde. Je pense que le plaisir que prend l'enfant à donner des lavements (nombreux sont ceux qui jouent au médecin pour avoir ce plaisir. Moi-même, c'est un de mes plus vieux souvenirs : ma grand-mère, bras au ciel, parce qu'elle me surprend dans une chambre d'hôtel à Seelisberg, en train de donner un lavement à une petite Suissesse de mon âge) est présexuel : c'est le plaisir de pénétrer dans un trou. Et la situation « pénétration dans un trou » est elle-même présexuelle. Entendons par là qu'elle n'est ni psychologique ni historique, elle ne suppose pas de liaison réalisée au cours de l'expérience humaine entre les orifices et nos désirs. Mais dès qu'un homme surgit dans le monde, les trous, les crevasses, toutes les excavations qui l'entourent deviennent humaines. Le monde est un royaume de trous. Je vois en effet que le trou est lié au refus, à la négation et au Néant. Le trou, c'est d'abord ce qui *n'est pas*. Cette fonction néantisante du trou est révélée par des expressions vulgaires qu'on entend ici telles que : « trou du cul sans fesses », ce qui signifie : néant. Traiter un adversaire de trou du cul sans fesses c'est l'anéantir, en faire un néant de sottise, un zéro. Car naturellement, dans l'imagerie populaire, les fesses forment les bords de l'anus. Je remarque aussi que les esprits sont taquinés par l'idée du *fond* du trou. On parle de « puits de bêtise » et de bêtise sans fond. Ici il y a une ambiguïté séduisante, une sorte de chatoiement du fini et de l'infini : en chaque trou on veut trouver le fond — puisqu'il a des bords — mais d'un autre côté le Néant est un infini puisqu'il ne saurait être borné que par lui-même. Il y a donc une attirance du Néant, attirance ambiguë. De là le jeu de *cachette.* Entrer dans une cachette, c'est primitivement s'ensevelir dans un trou, s'anéantir en s'identifiant au vide qui constitue le trou. Se protéger, dira-t-on. Sans doute, mais se protéger en s'anéantissant, en se retirant dans l'invisible. Ainsi le néant du trou est néant d'homme, c'est à la fois mort et liberté, négation du social. Je voyais un jour une mère freudienne couver d'un œil attendri sa petite fille à quatre pattes sous la table. Elle était persuadée que cette prédilection de l'enfant pour les cachettes obscures était désir de retourner à l'état prénatal ; elle se sentait flattée comme si l'enfant frappait à sa porte et voulait rentrer dans l'intimité de son giron. Je suppose qu'elle était prête, déjà, à écarter les jambes. Mais ce sont des fariboles. Le vertige du trou vient de ce qu'il propose l'anéantissement, il dérobe à la facticité. C'est ce néant qui attire dans ce qu'on nomme proprement *vertige.* L'abîme est trou, il propose l'*engloutissement.* Et l'engloutissement attire toujours comme néantisation qui serait son propre fondement. Naturellement, l'attirance pour le trou s'accompagne de répulsion et d'angoisse. Mais le néant du trou est coloré : c'est un néant *noir,* ce qui fait ici intervenir une autre nature, une autre catégorie cardinale : la Nuit. La nature du trou est nocturne. C'est ce qui lui confère son caractère louche, mystérieux et sacré. Et précisément parce qu'il est nocturne, il recèle. Les trous du jour sont des crevés de nuit. Au fond de la nuit il y a *quelque chose.* Le trou est sacré parce qu'il recèle. Il est par ailleurs l'occasion d'un contact avec ce qu'on ne voit pas. La situation particulière de l'homme qui fouille dans un trou, c'est que ses mains rencontrent des ennemis que ses yeux ne peuvent pas voir. Ses yeux sont encore dans le royaume de la lumière mais toute une part aveugle de lui-même est déjà descendue dans les enfers. J'ai déjà marqué que le trou est souvent résistance. Il faut le forcer pour passer. Par là, il est déjà féminin. Il est résistance du Néant, c'est-à-dire pudeur. C'est évidemment par là qu'il attire la sexualité (volonté de puissance, viol, etc.). Mais en même temps, dans l'acte de pénétrer dans un trou, qui est viol, effraction, négation, nous trouvons l'acte ouvrier de *boucher* le trou. L'enfant qui enfonce le doigt dans un trou du sol éprouve la joie de *combler*. En un sens tous les trous sollicitent obscurément qu'on les comble, ils sont des appels : combler = triomphe du plein sur le vide, de l'existence sur le Néant. Il s'agit là d'un acte d'artisan. L'expression de « boucher les trous » ou de « bouche-trou » indique assez la préoccupation humaine de réaliser la plénitude — en opposition avec le vertige de l'anéantissement qui est magie noire. Boucher un trou c'est transformer le vide en plein et par là, magiquement, créer de la matière possédant tous les caractères de la substance trouée. Si je bouche avec de la terre un trou dans un mur de brique, j'ai fait de la brique avec de la terre. D'où la tendance à boucher les trous avec sa propre substance, ce qui amène identification à la substance trouée et finalement métamorphose. L'enfant qui enfonce son doigt dans un trou du sol ne fait qu'un avec le sol qu'il bouche, il se transforme en terre par le doigt. Au fond de ces sorcelleries je retrouve l'idée artisane d'*emboîtement,* aspect primitif de la nécessité. Deux corps qui s'emboîtent sont faits l'un pour l'autre. L'emboîtement entraînera magiquement la fusion. On voit que la nature du trou, présexuelle, s'accommodera fort bien de polariser presque toute la sexualité, lorsque l'enfant pourra penser qu'il est lui-même le trou qu'on pénètre, ou bien au contraire qu'il peut pénétrer et boucher avec sa propre chair un trou qui vit caché dans un corps vivant. Mais on voit que, loin que la sexualité donne aux trous son attrait pour l'enfant, c'est au contraire la nature catégoriale du trou qui va constituer la couche fondamentale de signification pour les diverses espèces de trous sexuels, vagin, anus, bouche, etc. Et cela ne signifie point que le trou ne soit en lui-même objet de sexualité, mais il faut remarquer 1) que cette sexualité est indifférenciée, fondue dans l'ensemble des tendances humaines et de l'attitude humaine envers le trou ; 2) qu'elle ne s'adresse point au trou par dérivation et à cause de son analogie avec l'anus, mais directement comme constitutive de sa structure même. Le trou, organe femelle et nocturne de la nature, lucarne sur le Néant, symbole des refus pudiques et violés, bouche d'ombre qui engloutit et assimile, renvoie à l'homme l'image humaine de ses propres possibilités, comme la viscosité, comme la friabilité. Il peut y avoir, il y a de la jouissance humaine à combler un trou — qui n'est pas proprement sexuelle, comme il y a une jouissance humaine à gratter une substance friable et à en détacher des fragments. Les Freudiens se sont faits les poètes sexuels du trou mais ils n'ont pas expliqué la nature de son attrait. Pour le faire, il faut voir l'ombre de l'homme projetée sur les crevasses et les cratères de la nature. Le Castor me racontait qu'elle a eu des frayeurs épouvantables en lisant un livre intitulé, je crois, *Le Coureur de la jungle.* On y racontait, entre autres histoires épouvantables, celle qui, pour peu qu'on y réfléchisse, met admirablement en lumière toutes les propriétés du trou : deux prisonniers découvrent l'entrée d'un souterrain étroit et obscur et s'évadent en s'y enfonçant à quatre pattes. A mesure qu'ils avancent, la galerie se rétrécit et finalement celui des deux qui marche en premier, un gros garçon réjoui et sympathique, paraît-il, se trouve coincé entre les parois et ne peut plus avancer ni reculer. Sur ces entrefaites un boa constrictor paraît et l'avale proprement malgré ses hurlements désespérés. C'est l'autre qui raconte l'histoire et il assiste impuissant à l'engloutissement du malheureux. Toute l'horreur de l'histoire, qui empêcha souvent le Castor de dormir, vient évidemment de ce qu'elle se passe dans un trou. Certes il n'est jamais agréable d'être avalé par un boa, mais lorsque l'opération se déroule en plein air, elle appartient à ce genre d'atrocités qui pullulent dans les livres enfantins et que les enfants lisent d'un œil froid en mangeant une tartine de confiture. Seulement, ici, l'historiette vient réveiller l'angoisse pleine d'horreur et de concupiscence devant le trou. A quoi bon aller chercher ici des histoires de cul ? L'épisode parle de lui-même. N'est-ce pas l'essence même de *trou,* cet orifice sombre et qu'on viole, et qui cède d'abord, et qui est néant et nuit, et puis qui se referme lentement comme une bouche, comme un sphincter, et qui contient quelque chose au fond de lui-même, qui recèle — quoi ? un *autre* trou doué d'une puissance dévorante et anéantissante, un boa. Et je ne sais si tout au fond de la terreur du Castor il n'y avait pas une obscure jouissance parce que cet engloutissement, suivi de déglutition, cet homme avalé tout rond par les puissances des ténèbres, cela a quelque chose de satisfaisant pour l'esprit et pour le cœur.

Naturellement, ce que j'ai tenté de faire pour le trou, on pourrait le faire pour dix, pour vingt objets présexuels, pour le doigt, pour la courbe, pour la cémentation, pour les positions (positions des choses les unes par rapport aux autres, juxtaposition, superposition — position des lutteurs, des guerriers, des joueurs et enfin positions réciproques de l'homme et de la femme dans les jeux d'amour). J'ai seulement voulu marquer l'origine humaine du sens des choses, entendant par là non point que l'homme est antérieur au sens des choses, mais que le monde est humain et que c'est dans un monde humain que l'homme apparaît. Notons en effet ici que la viscosité n'est point d'abord viscosité et *ensuite* viscosité-humaine, ni le trou d'abord trou et *ensuite* néant nocturne, puissance engloutissante, etc. C'est d'un même mouvement qu'ils se constituent comme objets naturels et comme objets humains, car sans l'homme et sa puissance néantisante il n'y aurait ni viscosités ni trous, il n'y aurait qu'un épanouissement de plénitude indifférenciée. C'est en projetant son néant dans cette plénitude que l'homme, par la négation, fait qu'il y ait des trous et que ces trous soient des trous-pour-l'homme.

Ce soir le chauffeur du colonel, Klein, nous rend visite. Il a entendu nos éclats de voix (j'expliquais à Pieter qu'il avait un tempérament féminin et il se fâchait) et ça l'attirait : lumière, chaleur. On lui a offert un morceau de tarte et il a raconté des histoires. C'est le premier type que je rencontre et qui ait réellement *vu* l'état où sont les villages évacués. L'autre jour ils se sont arrêtés dans un village-frontière et, pendant que le colonel allait aux batteries, il a demandé à un sergent de lui ouvrir une des maisons et de lui montrer l'état du mobilier. C'est édifiant : glaces des armoires brisées, meubles fendus à coups de baïonnettes, linge pillé — celui qu'on n'a pu emporter est déchiré. Les tuiles des toits sont brisées, l'argenterie a disparu. Dans les caves les types ont bu ce qu'ils pouvaient et puis, quand ils n'ont plus pu, ils sont partis en laissant les robinets des tonneaux ouverts. La cave est inondée de vin. Une machine à coudre est fendue en deux. A coups de hache ? « Pourtant c'était de la fonte », dit Klein avec mélancolie. Il y a peu de temps des évacués sont revenus dans le village et dans les villages voisins avec une permission de 24 heures pour emporter du linge. Quand ils sont sortis de leurs maisons, la plupart pleuraient de désespoir ; ils n'avaient plus rien trouvé. Ils se sont plaints au commandant. Mais qu'y faire ? Les responsables n'appartiennent pas à notre division, ni même probablement à la division qui nous a précédés ici. Ça remonte aux premiers temps de la guerre. Comme a dit justement Pieter, c'était le temps où on croyait que la guerre serait un cataclysme. Les soldats se hâtaient de piller, pensant qu'après un pilonnage d'artillerie, toute trace de pillage serait effacée avec l'existence même des maisons pillées. Et puis voilà, la guerre est devenue un long ennui, une longue attente et les maisons pillées demeurent, scandaleuses et indiscrètes. « Ça n'est pas possible, disait le sergent, ça n'est pas possible qu'on les leur rende comme ça, ça fera des troubles. Il faudra bien leur dire que ce sont les Boches qui ont tout pillé. Mais pour ça il faudrait que les Boches attaquent... » Il paraît que les officiers donnaient l'exemple. A Herrlisheim des wagons qui contenaient soi-disant des munitions avariées se sont déplombés : ils étaient remplis de lingerie, de machines à coudre, d'argenterie. Il est impossible de savoir si les civils qui viennent prendre des effets chauds ne pillent pas, eux aussi. Ils ont un laissez-passer et c'est tout. Impossible de savoir s'ils vont dans leur maison propre ou s'ils n'entrent pas dans celle du riche voisin. Seul le maire pourrait le dire, mais le maire n'est pas là, il est dans le Limousin. On parle de Strasbourg. Il dit que la police, par contre, y est bien faite et sévère. Un vieil original qu'il connaissait, un marchand de parapluies, n'a pas voulu se laisser évacuer, il s'est caché dans sa maison et a laissé partir les autres, puis il a vécu seul, se nourrissant de conserves. A la fin il s'est enhardi, il a allumé les lampes, le soir. Une nuit les agents, en faisant leur ronde, ont vu de la lumière. Ils ont appelé et crié, le vieux n'a pas répondu. Ils ont appelé trois fois et le vieux se taisait toujours, tremblant sans doute qu'on ne l'évacue de force. A la troisième fois, ils ont tiré à travers la fenêtre et la première décharge l'a tué raide.

Vendredi 22

J'ai été faire un « pèlerinage » à Pfaffenhoffen, berceau de ma famille maternelle, si je me rappelle bien. En tout cas j'y passai les vacances de l'été 1913, chez ma tante Caroline Biedermann qui possédait un magasin de lingerie, le plus riche de la ville (à propos, comment mon grand-père, si sourcilleux sur le chapitre de la noblesse intellectuelle, s'accommodait-il de la mésalliance de sa sœur ?). Je me souviens vaguement d'avoir vu, à cette occasion, le miroitement argenté d'un régiment allemand défilant sous nos fenêtres à la musique aigre et pointue du fifre. C'est à Pfaffenhoffen que se situe mon premier souvenir « littéraire ». J'écrivais un roman d'aventures, « Pour un papillon », assis devant un secrétaire et tournant le dos à la fenêtre. Le papier dont je me servais était réglé : c'étaient plutôt des rayures que des traits : tous les deux centimètres, deux lignes parallèles étaient tracées, distantes d'un quart de centimètre et destinées à enserrer par le haut et par le bas mon écriture d'écolier, ça me faisait une désagréable impression d'avarice. J'achetais ces minces cahiers allemands chez Rosenfeld, un papetier misérable dont la boutique, juste en face de l'énorme magasin des Biedermann, me fournissait aussi de plumes et de bonbons. Il s'était fait en moi une étrange liaison de ces bonbons avec ces plumes et ces cahiers et je les mangeais avec l'impression de mâcher du papier. Pour mon cœur c'étaient des bonbons studieux, légèrement ennuyeux et d'autant plus attirants, des bonbons de travail. J'étais tout le temps fourré à la papeterie et ma tante Caroline, qui était une vieille vache, me faisait des réflexions désagréables : « N'ennuie pas M. Rosenfeld pour des achats de quelques pfennigs. » A vrai dire, autant qu'il m'en souvient, M. Rosenfeld, chauve et bienveillant, avec des lunettes, n'était pas homme à négliger quelques pfennigs. Après la guerre, je retournai à Pfaffenhoffen avec mon grand-père, sans doute en 1920 ou 21. La tante Caroline était toujours aussi désagréable. Je me souviens encore du jardin où je faisais jouer son petit-neveu Théo, et de sa belle-fille avec qui je faisais du piano à quatre mains, et de sa fille Anna qui était bossue et qui me faisait dire « Pipele » et « Ripele » pour s'éjouir de mon accent français. D'une promenade aussi, au château de Lichtenberg, en voiture à cheval. On avait dîné en redescendant, dans une guinguette ; la cousine Mathilde et la cousine Anna avaient solidement mangé, à l'Alsacienne, et les vapeurs du repas avaient fortement coloré leurs visages. Cela m'avait frappé ou plutôt j'avais voulu que cela me frappe : j'étais à l'âge où l'on fait volontiers son Alain-Fournier, où l'on se sent raffiné parce qu'on exige des femmes une gracieuse irréalité, ce qui permet, si l'on est joli et déjà recherché, de se montrer profondément tyrannique et capricieux avec elles, pour leur faire payer cher leur terrible péché d'être de chair et d'os, et, si l'on est vilain, de lire du Laforgue avec une amertume méprisante. J'ai tâté un peu de cette délicatesse, mais faiblement. C'était une direction possible. Presque tout de suite, avec Nizan nous prîmes l'autre chemin, le culte du corps. Je me rappelle que nous nous réjouissions — par attitude aussi — au Cluny en voyant une robuste blonde déchirer à belles dents un sandwich à la viande froide. Nous aurions fort bien pu écrire comme Larbaud : « Je trouve qu'il n'y a pas beaucoup de choses plus agréables à voir qu'une jolie femme en robe basse qui mange de bon appétit de belles viandes saignantes. » Et peut-être à l'origine des nombreuses conversations que nous eûmes à ce sujet, y avait-il ce petit texte de Larbaud. Mais surtout c'était en conformité avec notre cartésianisme : un corps est un corps, on aime le corps de la femme, il faut l'accepter entièrement, il n'y a pas de « faiblesses » du corps, etc. Le tout assaisonné d'une pointe de paganisme, bien entendu : c'était l'époque où nous lisions les « hymnes au corps », de Montherlant. Naturellement nous étions assez incertains pour retomber, de temps à autre, dans la délicatesse séraphique, et le souvenir de ces deux femmes dont les joues brûlaient était celui que j'évoquais en pareil cas. Il me servait de garantie-or pour mes verdicts. Car mon grand souci à l'époque, comme je construisais plus vite que je ne pouvais fonder, était de m'assurer en chaque cas un souvenir-garantie. Je fis bien rire Mme Morel, quelques années plus tard, en lui déclarant de ce ton tranchant qui était le mien alors et que Guille appelait le « ton Frédéric[1] » : « J'ai horreur des femmes qui rougissent quand elles mangent. » Tels étaient les seuls souvenirs qui me restaient de Pfaffenhoffen. Je me suis cru cependant obligé d'y pèleriner. Pourquoi ? En somme j'espérais un peu que ce contact soudain avec une ville où j'avais vécu ferait brusquement cristalliser une nuée de souvenirs. Et puis elle me faisait poétique, cette petite cité ensevelie au fond de ma mémoire comme la ville d'Ys au fond de la mer (il y a un grand machin là-dessus chez Renan, je crois). Il s'agissait d'aller chercher un tube d'hydrogène à la compagnie des aérostiers et j'ai prié Paul de m'y faire envoyer. Ce matin, avant de partir, je regrettais presque ma décision, simplement parce qu'il faut toujours que je me force un peu pour remuer. Et puis il fallait emporter le fusil et le casque et ça me désobligeait, ce ne sont pas là les accessoires classiques du pèlerin et puis, il faut bien l'avouer, j'étais furieux de devoir renoncer à l'heure poétique de mon petit déjeuner. Nous sommes partis sur un camion, le gros Grener et moi. J'étais assis à côté du chauffeur, un Alsacien quadragénaire et moustachu et Grener était derrière. Il « faisait

1. Sartre avait écrit, dans sa jeunesse, un roman inspiré des rapports entre Frédéric Nietzsche et Wagner. *(N.d.E.)*

un temps idéal », comme m'avait dit à mon départ ce Joseph Prudhomme de Courcy avec juste le ton qu'il faut pour désarmer les phrases qu'on dit, une sorte de distinction bonhomme et veule, une application négligée qui parent la phrase de guillemets invisibles et donnent à entendre qu'il s'agit de dire ce qui doit être dit, mais nullement de le penser, surtout pas de le penser — fût-ce au sujet du temps ou de la musique de Beethoven. La parole est chez Courcy le meilleur remède contre la pensée. Le sol était dur comme pierre, crevassé et jaune, blanchi par la gelée. Un charmant soleil pâle éclairait des villages qui s'éveillaient, Eberbach, Schweighausen, Niedermodern. Il y avait dans les champs de lourds percherons attelés à des caissons d'artillerie, mais la campagne les reprenait à son compte, en faisait des chevaux de labour et, des soldats, faisait des paysans. Campagne sèche et aiguë de l'hiver. Il faisait −9. Je n'ai rien reconnu. J'ai trouvé dans un café un météo qui partait en permission le soir et qui a tenu à offrir la tournée de schnaps. Sur quoi j'ai offert la mienne, puis Grener, puis le chauffeur. De là j'ai été à la B.N.C., où derrière un guichet siège la compagnie météo du corps d'armée. On a bu du rhum. Je suis sorti, un peu vague et j'ai erré dans ce gros bourg, riche et un peu triste, qui ne me disait rien. Tout ce passé-là est bien enseveli, rien ne peut le ressusciter. J'ai acheté des serviettes-éponges pour le capitaine Orcel, des blocs-correspondance pour le lieutenant Ulrich. Au détour d'une rue, je me suis trouvé devant une grande construction ocre, fort laide, avec toits d'ardoise, tourelles et pignons : c'était le magasin Biedermann. Là encore ma mémoire est restée muette. Je suis entré, en face, chez Rosenfeld, comme autrefois, et j'ai acheté du papier, comme autrefois. La boutique s'est modernisée, elle fait peu de montre, elle a la discrétion austère d'un magasin protestant, mais elle semble pleine de fournitures douillettes, beaux registres, omo-ring books, stylos, etc. Plus de bonbons. En sortant j'ai un peu musé devant le magasin des Biedermann. Caroline est morte, Mathilde aussi. Anna est évacuée sans doute (elle vivait à Strasbourg). Théo doit être mobilisé. Seul doit rester le vieux Georges[1], dont la famille parlait, à l'ordinaire, en se touchant le front du doigt. Je n'ai certes pas eu envie d'entrer mais j'ai vu des formes, une figure de femme qui est apparue soudain et qui est venue se coller contre la vitre ; je ne sais pourquoi ça m'a semblé poignant — pendant une seconde. Sans doute l'envie symbolique d'entrer dans un intérieur, de revoir des civils vaquant à des occupations civiles, de m'enfoncer au cœur sombre et doux de la Paix, de parler à une femme. Bref, envie de foutre le camp d'ici. Je suis retourné dans le café où Grener m'attendait. Les météos m'avaient donné une brassée de journaux, dont la *Lumière* du 15 Décembre, où Emile Bouvier écrit de moi : « Je doute que M. Sartre devienne un grand romancier, car il semble répugner à l'artifice ; et dans l'artifice il y a " art ". Il est à craindre qu'en prenant trop au sérieux sa mission, apercevant que les moyens d'expression dont il dispose doivent nécessairement être truqués, il ne lâche la littérature pour la philosophie, le mysticisme ou la prédication sociale. »

J'en suis demeuré pantois : je n'aurais jamais cru qu'on me renverrait ainsi au mysticisme. Et pour la prédication sociale, M. Bouvier peut se tranquilliser. Et quelle étrange idée se fait-il de moi, s'il croit que je répugne à l'artifice. Parbleu, je sais bien que, dans un roman, il faut mentir pour être vrai. Mais j'aime ces artifices, je suis menteur par goût, sinon je n'écrirais point. Cela m'a été un peu déplaisant, d'autant que par une de ces coïncidences qui sont fréquentes dans ma vie, cela venait au lendemain d'une lettre de L. qui me disait que Lévy m'estime plus « comme philosophe que comme romancier », parce que je manque d'imagination. Un peu plus loin ce même M. Bouvier me reproche d'oublier que le roman est un « divertissement ». C'est lui qui le dit. Que l'objet du roman soit un irréel, c'est d'accord. Mais il faut un utilitarisme un peu gros pour en conclure que le roman lui-même est un divertissement. Le même au chapitre « éloges » déclare que, dans mes livres, « une belle épaisseur de

1. Oncle maternel de Sartre. *(N.d.E.)*

vie s'étale avec une tranquille impudeur ». Phrase qui m'a gêné, plus que le reste : quand on parle d' « épaisseur de vie », je pense à Rabelais, à *Tripes d'or* de Crommelynck, que sais-je ? Mais de la « vie » chez moi, qui suis un pisse-froid, un pisse-vinaigre ? Et mon impudeur n'a rien de tranquille. D'ailleurs ce n'est même pas de l'impudeur. — Là-dessus Grener paie la tournée, je paie la tournée, le chauffeur paie la tournée et nous rentrons un peu gais. La campagne est plus rousse, le soleil plus jaune. C'est midi. Je comprends mal cette réputation de juste qu'on fait à midi sous prétexte qu'il ne donne pas d'ombres aux choses. La vraie justice, l'aigre justice d'esprit c'est celle du petit matin. En rentrant à Morsbronn, un peu barbouillé, étonné vaguement d'avoir une après-midi à passer, je regrettais amèrement ma justice joyeuse du matin ; le chauffeur m'a dit : « J'aime à me faire des amis ; c'est ma nature. Est-ce que je peux descendre chez vous pour passer le soir de Noël ? — Bien entendu. » Mais je compte sur Paul et Keller pour le distraire. C'est pourtant vrai que nous sommes à deux jours de Noël. La plupart des types, ici, y attachent de l'importance, ce sera pour eux le temps des regrets. Noël c'est un des moments de l'année où la famille sent le plus le renfermé, c'est cette odeur-là qu'ils regrettent. L'administration militaire, soucieuse de leur moral, leur ménage une petite surprise pour ce jour-là. Et il y aura un arbre de Noël pour nous au restaurant de la Gare. J'irai peut-être. Je veux voir ce Noël de soldat. Mais ce sera en touriste. Il faudrait y être pris. A propos, Paul m'a fait rapporter de Pfaffenhoffen une bouteille de bon vin parce que c'est demain son anniversaire. Nous le fêterons donc, il y aura sans doute une tarte. A charge de revanche : nous fêterons le mien le 21 Juin. Je trouve ça ridicule et un peu touchant.

Lettre de Paulhan. Aragon « est toujours major dans un régiment de " travailleurs " (quelques suicides). Tient que l'U.R.S.S., tandis que nous " faisons semblant ", presse chaque jour Hitler de plus près ».

Samedi 23

– 10 ce matin. Un froid antiseptique et charmant, le genre de froid des anesthésies locales, des viandes frigorifiées, des gaz liquéfiés. On en sent l'épaisseur quand on marche sur la route poudreuse de gels. Les objets sont plus petits et plus nets mais semblent séparés de moi par un milieu réfringent, j'ai l'impression, en descendant la route gelée pour aller prendre mon petit déjeuner au restaurant de la Gare, de m'enfoncer dans une vitre. A présent les cafés sont consignés aux militaires, le matin, et je déjeune par grande faveur dans la cuisine du restaurant, sur une toile cirée souillée, au milieu de grands bruits d'eau et d'une odeur fade de viande (elle est là, derrière mon dos, la viande, un déchiquetis de chairs rose thé avec des os bleuâtres comme des yeux) sur un bâton, qui repose sur le bord de l'évier et sur l'entablement d'une fenêtre, des saucisses épaisses et noirâtres grouillent comme des vers. Et je fais ma conversation matinale avec les hôtes du lieu : le cuisinier de la popote des officiers, le boucher militaire qui attend sa camionnette pour aller prendre la viande au carrefour des Tziganes, le chasseur en casque, à la longue figure chevaline, qui vient cueillir les permissionnaires qui rentrent, au débarqué du car. Toujours les mêmes phrases — mais toujours « senties », ce qui les ranime un peu et leur donne un reste de fraîcheur. « Ça pique, ce matin. — Dame moins neuf. — On serait mieux chez soi. — Et ma camionnette qui ne vient pas : qu'est-ce qu'il fout mon type ? — Oh ben, en ce moment les radiateurs... — Tiens le grand de la compagnie hippo, le chauffeur, hier il y a fallu faire venir une voiture pour dépanner la sienne. Ils l'ont traînée pendant cinq cents mètres, elle n'a pas plus marché pour ça. » Ils regardent mes livres : « Toujours à lire ? » Et je m'excuse honteusement : « Dame, on n'a que ça à faire. » Et ils m'excusent avec indulgence, ils m'encouragent même avec une supériorité bon enfant : « T'as raison. Du moment que tu peux... » De temps en temps, l'idiot du restaurant, un grand maigre à la figure embroussaillée, passe en ricanant. L'autre jour je m'étais dirigé vers ce qu'ils appellent ici pissoir, à la mode allemande. Une des portes des cabinets était ouverte : une des servantes se soulageait, commodément assise, toutes ses jupes autour d'elle. L'idiot était assis dehors sur un escabeau et lui faisait la conversation en épluchant les patates. A ma vue elle a crié « Pardon » et refermé violemment la porte.

Seconde lettre de Bost : « Ce qui m'étonne — ça m'avait déjà frappé il y a quelques jours, mais on pense peu souvent, par ici — c'est à quel point la vie que je mène me paraît naturelle. On en a eu un léger étonnement la premier jour... mais ça a passé tout de suite — et ça ne revient qu'à de rares occasions. Le marrant c'est que ce soir ça m'a pris quand j'ai eu fini de lire votre lettre. Je l'ai remise dans l'enveloppe en poussant un ricanement stupide et c'est la stupidité qui m'a frappé. C'est ça qui me sidère en ce moment, à quel point ma vie me semble normale. On ne s'étonne plus de la boue, on n'a plus trop froid, on trouve tout naturel de coucher sur de la paille et c'est l'idée de se laver qui paraît anormale. L'état qui correspond au " sérieux " dans la vie civile, c'est ici l'accablement. Ça ne va pas plus loin qu'un " Tu te rends compte ? " et on ne se sent pas vraiment sinistre ni oppressé, on se sent seul et abject. Je dis abject, je ne sais pas pourquoi, parce qu'on ne porte pas de jugement moral bien entendu mais ça me paraît être bien ce qu'on sent. Le reste du temps, on braille, on dit de grosses conneries, on fume et on jure. J'ai peur de donner dans le tragique, ce n'est pas du tout ce que je veux faire. Ça n'est pas du tout tragique, c'est moche, mais ce qu'il y a surtout c'est qu'on n'arrive jamais à s'indigner vraiment. Je vous dis qu'on se *sent* abject mais ça n'est pas exact. On ne sent vraiment rien, on a des savoirs et ça ne vous touche pas. En ce moment je ne suis pas triste, je ne suis *jamais* triste et *jamais* fatigué. Quand j'écris que je suis fatigué, c'est faux, je suis simplement vide et abruti : ça, ça se trouve souvent mais on n'est pas abruti de fatigue — on est abruti simplement. Je crois que ce qui me sauve c'est que ça m'intéresse, ce que je vois en ce moment, j'en suis même sûr, et qu'on se sent un peu gonflé d'importance. Je ne sais pas si je vous ai dit comment étaient

Lavice et Vala, par exemple. Ils pètent d'orgueil — et pas d'une manière salope : parce qu'ils se sentiraient intéressants par exemple et futurs anciens combattants. C'est un orgueil naïf de se voir, eux qui ne sont jamais sortis de leur trou, participer à un événement mondial, de près et activement. Ça les fait jouir et ça leur fait tout supporter avec sérieux et application. Moi, finalement, c'est exactement la même chose et ça me fait rire parce que je m'en suis rendu compte en les voyant. Car en ce moment j'ai l'impression de voir du fameux et du mémorable. Le frère chimiste m'avait écrit qu'il était mécontent de retourner dans ses foyers parce qu'il avait l'impression de manquer quelque chose comme la pointe du Raz dans la tempête, et je m'étais cruellement raillé de lui mais il n'avait pas si tort. Je m'en souviendrai. C'est quelque chose.

« Savez-vous que je suis souvent de bonne humeur ? Depuis que je suis dans le bois c'est ce qui domine, sauf au matin et quand on nous emmerde mais on nous emmerde peu. C'est une bonne humeur bête mais ça ne fait rien...

« Il ne se passe naturellement rien. On se lève vers huit heures, on travaille un peu à des blockhaus et à des arrangements de cabane, on va chercher la soupe (le soir en pleine nuit, c'est une drôle de corvée). Cette après-midi on est allés aux douches, il a fallu faire 4 km en pleine gadoue, c'était un spectacle, je vous jure. Avez-vous lu les *Souvenirs de la maison des morts ?* Eh bien, tout ce qu'il dit de la mentalité des forçats c'est vrai de celle des soldats. Tout ce qu'il dit des rapports des types entre eux, de leurs rapports avec leur travail, avec leurs sous, leur tabac, la manière dont ils s'accommodent de leur inconfort, ça peut s'appliquer à nous sans en changer une virgule, bien qu'il s'agisse de Russes. Ça me sidère même que ce soit tellement semblable. Je pense qu'à partir du moment où on empile des types ensemble, ce sera toujours la même chose. Exactement la même chose. C'est tout comédie et attitudes et étourdissement. »

Tout ce qu'il dit est vrai. Il est vrai d'abord que la guerre, comme dit Giono, joue sur la faiblesse du guerrier, c'est-à-dire sur une certaine inertie des cœurs et une certaine tendance à tout ramener au *naturel.* Quinze jours de vie en guerre changent les coordonnées du monde. Barnabooth écrit, à propos d'une visite qu'il fait à la prison de Florence : « Par les guichets des cellules, j'ai vu cent fois le même Pierrot en costume à rayures vertes et jaunes, accoudé à la même planchette sous un rectangle de jour bleu clair. Le châtiment me semblait inutile, et plus inutile encore l'acte qui avait conduit au châtiment. La vie avait pris ici cette forme et c'était tout. » C'est ça qui domine, chez ces prisonniers que nous sommes, pierrots kaki ou bleu marine : la vie a pris cette forme et c'est tout. Et alors, à ce niveau de vie-là, on se cherche avec la même âpreté qu'autrefois de bons petits plaisirs et des attitudes. Comme Bost, je n'ai vu autour de moi que des attitudes, depuis le début de la guerre. Attitudes et étourdissement, comme il dit si bien et puis, par en dessous, la petite plante rapace fouille âprement la terre dure et s'y accroche. Elle vivra là. Et puis il est vrai qu'à un certain niveau, comme dit Koestler à peu près, la tristesse s'enroule sur elle-même et s'amortit. La tristesse n'est pas susceptible de croissance infinie : comme le monde d'Einstein elle est indéfinie : passé un certain degré on n'en sort pas mais on retombe dans de la tristesse moindre, le monde de la tristesse est illimité et fini. Et puis alors, il est parfaitement vrai que la guerre fournit des justifications. Nous sommes tous justifiés d'être là, de ne rien foutre, de nous ennuyer, de nous accorder mille petites permissions lâches. Nous sommes tous profondément pénétrés, comme il le dit, par le sentiment de participer à un événement mondial. En fait nous avons toujours participé aux événements mondiaux, il ne s'est pas écoulé d'instant que nous ne fussions historiques, mais la guerre fait sentir à chacun son historicité. Alors on dérive sur de menues corvées stupides, imposées par la sottise d'un adjudant, le « sérieux et l'application » qui conviennent à des créatures historiques. Jeu de dupes : c'est *pendant la paix* que nous eussions dû avoir cette application et ce sérieux ; nous eussions peut-être évité la guerre. Mais la paix reviendra, avec la permission pour chacun de nous de se sentir « achronique » ; toutes les paix, jusqu'ici, ne furent que des éparpillements.

Ce qu'il y a de si juste dans la préface de Giono, c'est qu'il explique que l'homme tend à la fois à la grandeur et à la facilité et que la guerre apporte la grandeur par la facilité.

Keller rentre de permission. On entend son pas lourd et lent dans l'escalier et il entre, immuable et tranquille, l'air content. La permission a glissé sur lui sans laisser de trace. Légère excitation joyeuse à le voir parce qu'il vient de Paris mais agacé aussi parce que Paris est derrière lui obstrué, bouché par sa grosse masse opaque. Il y a été, il a *vu,* il a tout vu comme j'aurais pu voir, il a été en contact immédiat avec l'air de Paris, avec les rues, la lumière. Ce contact a été total ; malgré toute mon âpreté je n'aurais pas pu *être-au-milieu* de plus de choses que lui. Tout Paris lui a été donné, simplement il a choisi autrement que je n'aurais fait et cela suffit pour que toute cette immense expérience qui fut son « être-dans » Paris reste derrière lui, inutilisable, perdue. Pourtant elle a été.

Il dit que les permissionnaires qui rentrent de Paris râlent de toutes leurs forces contre « les jeunots embusqués dans les usines ». Tout son compartiment n'était qu'un cri d'indignation. « Celui qui râlait le plus c'est un mec qui a perdu deux doigts de la main gauche à l'autre guerre et qui a reçu deux balles dans le poumon. Il les a encore : 65 % d'invalidité. Ils l'ont pris quand même. Il fumait, je te le jure. Il disait : " J'ai compris, demain je me fais porter pâle. " A côté de ça, un employé de métro, un ancien boxeur qui s'est cassé un doigt de la main droite dans un combat à Londres et qu'on voulait réformer, a refusé la réforme " parce que je perdrai ma place ". »

A Port d'Atelier, au départ, un permissionnaire saoul chahutait. Un lieutenant s'approche, tout jeune : « Mettez-vous dans le rang avec les autres. » Et l'autre : « Dites donc, quand j'ai été là-haut, on ne me faisait pas mettre dans le rang. » Ils parlementent et le lieutenant, sentant qu'il perd pied : « Obéissez, sinon j'appelle la garde et je vous fais retirer votre permission. » Tous les permissionnaires se massent alors autour de leur camarade et on crie au lieutenant : « Elle a qu'à venir, la garde, on aura vite fait de la balancer sur les rails. » Ce que voyant, le lieutenant s'en va sans insister.

A par ça, ce sont des histoires sur le prix de la vie, l'enchérissement de l'huile et du café. Il débite tout d'une voix tranquille et indifférente avec de longs et imprévisibles arrêts entre les phrases.

Le bruit courait hier à Port d'Atelier qu'un train de permissionnaires avait déraillé à Chaumont. Cette indignation des permissionnaires contre les planqués de l'arrière m'écœure. C'est toujours la même chose : leur indignation ne sait pas ou ne veut pas savoir s'élever où il faudrait. Alors elle se rabat sur leurs égaux. Ils ne veulent voir la révoltante ignominie de la guerre qu'à travers les petits privilèges des « gens comme eux ». Pourtant ils en souffrent de la guerre, ils s'y ennuient, ils ont — et c'est à la base de leur rage — le cafard parce qu'ils y reviennent. Mais au lieu de se féliciter parce que quelques-uns ont eu la chance ou la malice d'y échapper, ils voudraient les attirer dans le bain et les y noyer avec eux. En ce sens, souhaitant la guerre pour autrui, ils sont bien dignes de la faire, ils la *méritent.* Plus je vais, plus je vois que les hommes méritent la guerre et qu'ils la méritent davantage à mesure qu'ils la font. C'est comme le péché d'Adam que chaque individu, pour Kierkegaard, reprend à son compte librement. La déclaration de guerre qui fut la faute de certains hommes, nous la reprenons tous à notre compte, avec notre liberté. Cette guerre, nous l'avons tous déclarée, à un moment ou à un autre. Mais alors, au lieu de l'expier, au lieu de dire c'est *ma* guerre et d'essayer de la vivre, ils la fuient tous dans des attitudes, ils la refusent avec mauvaise foi, exactement comme on refuse une faute qu'on vient de commettre. Ils la couvrent sous un voile de *naturel* et de *normal.* Et tous ces salauds, à la paix, tireront profit, tour à tour, de l'auréole d'innocente victime et des lauriers d'ancien combattant.

En somme j'ai rencontré jusqu'ici ces diverses figures d'hommes en guerre : les « attardés et égarés », comme dit Lanson dans son manuel, ceux qui refont à l'abri et au chaud le rêve de la guerre 14-18 — ceux « à qui on ne la fait pas », à l'extrême opposé, persuadés que cette guerre est un bon tour joué par les gouvernements à leurs administrés et qui ne sont pas loin de croire à une entente secrète entre Hitler, Staline, Daladier et Chamberlain — le gros des mécontents, dont la plupart sont partis avec une attitude qu'ils n'ont pas su tenir et qui se sont fait *détaillants* du mécontentement parce qu'ils restent dans l'incertitude touchant les principes généraux d'une révolte, ils ballottent alors d'un grief à l'autre, ils se fuient dans le grief — les fonctionnaires, qui après un temps d'égarement, ont repris paisiblement leurs petites habitudes civiles, parlent de leur future permission dans les mêmes termes que de leurs vacances payées, s'attachent à leurs paperasseries, à de petites habitudes — Courcy fumant la pipe, le soir, dans la véranda de l'hôtel et disant avec un sourire de vanité extasiée et mettant le mot entre guillemets : « En somme nous avons notre "*living-room* " — les terrorisés, ceux [1]...

1. Les cinq carnets suivants manquent. *(N.d.E.)*

CARNET XI

Février 1940

Morsbronn – Paris – Bouxwiller

[Paul][1] s'imaginait [que le] métier nous unirait, il est de ces professeurs, de ces fonctionnaires qui se sentent aussitôt attirés par leurs collègues. Nous eussions pu nous tenir les coudes, débattre des questions professionnelles, affirmer, au milieu de cette guerre, la pérennité de l'esprit. Mais justement je lui reproche d'être professeur, je n'aime pas qu'on m'ait imposé de voir, en pleine guerre, à chaque heure du jour, une caricature de moi-même. Je ne me *sens* pas professeur à sa manière, et chaque fois qu'il essayait de m'attirer vers lui, j'imaginais ce monde dont il fait sa pâture, collègues, femmes de collègues, syndicats, tasses de thé, et [les conversations] avec les dames, l'abandon [universi]taire à la nature, la spiritualité socialiste, la peur et la haine du proviseur. Je le repoussais de toutes mes forces. Lui de son côté, voyant mes résistances, se les est expliquées à sa manière : il est fils d'institutrice, mari d'institutrice, professeur licencié. On connaît l'ignoble supériorité d'élite que les agrégés affectent sur les licenciés. La plupart des licenciés ne valent guère mieux ; dans leur haine, leur jalousie, leurs revendications, il y a malgré eux une reconnaissance de cette supériorité, ils ne se sont jamais élevés jusqu'au mépris. Paul a attribué à une

1. Certaines pages de ce carnet ont été détériorées par l'humidité. Ce qui est entre crochets correspond à des mots que nous avons rétablis, avec plus ou moins de certitude. *(N.d.E.)*

différence [de situation au] sein de l'université [la réserve] dont je faisais montre. Un jour que Pieter parlait de la différence astronomique qui séparait le capitaine Orcel, riche industriel, du lieutenant Munot, infime petit ingénieur, Paul a dit sur un ton ironique et résigné : « En somme la différence qui me sépare de Sartre. » Et l'autre jour encore, comme je remontrais à je ne sais plus qui qu'il était un con, il est intervenu doucereusement : « Ne crois-tu pas, Sartre, que la fréquentation exclusive des Normaliens t'a rendu trop difficile ? » A quoi je lui rétorquai que je ne fréquentais à peu près pas de Normaliens, mais cela révèle assez clairement la façon dont il envisage [ma situation :] la même que la sienne, [en som]me, mais dans une superuniversité, des rapports collégiaux avec le « gratin », Paris au lieu de la province etc. En somme, à son idée, je lui ai fait le coup du mépris. Et voilà la structure réelle de nos rapports au sein du groupe : une répulsion agacée de ma part pour l'universitaire qu'il est si profondément et, de sa part en retour, une dignité résignée et méfiante, qui ne va sans doute pas jusqu'à l'envie mais qui est blessée certainement. Je suis « trop fier », j'insiste trop sur « l'élite » à laquelle j'appartiens et cette fierté excessive fait que je suis [limité à] ma profession. [Cela dit], pourtant, lorsqu'il constate autour de lui un petit phénomène de physique amusant, il ne peut s'empêcher de se tourner vers moi pour m'en faire part, laissant délibérément Pieter et Keller de côté, pour réaliser pendant quelques secondes cette communauté intellectuelle qu'il avait sans doute avec le professeur de géographie de 4e, et qui lui permettait de sentir les droits de l'intelligence. Il tombe mal, je ne comprends rien à la physique et cela ne m'intéresse pas. Il s'en aperçoit et cela le confirme dans l'idée que je le fais au dédain.

Mais la structure essentielle de mes rapports avec Paul, celle qui forme le pivot [de notre relation], est autre. Paul représente l'autorité. En un sens il a honte d'être chef mais d'autre part il cherche à exercer son autorité de mille façons sournoises, non par goût du commandement mais par peur des responsabilités qui lui incombent. Or je résiste, par horreur d'être commandé ; il suffit qu'on me donne un ordre pour que je me hérisse et cette manie d'indépendance fait que je dépiste l'ordre caché ou enveloppé dans les amabilités de Paul. Avec d'autant plus d'irritation qu'il est plus enveloppé. Naturellement je refuse d'y obéir. Mais mon refus n'agace pas seulement Paul [à cause de sa] peur des responsabilités. Il lui objecte toujours qu'en toute liberté il regrette d'être chef et que, par conséquent, il doit être mon complice quand je lui résiste. Attaqué dans sa morale, Paul résiste par la mauvaise foi. Et voilà notre relation essentielle, celle qui traverse notre groupe organique. Il est chef honteux de l'être qui veut pourtant se faire obéir de moi, et je suis soldat indiscipliné qui ne veut pas lui obéir et en appelle en lui au socialiste contre le chef. Autour de ce rapport rigide et chronique (il ne cédera pas et je ne céderai pas) le groupe entier s'ordonne. J'ai imaginé, en effet, puisqu'il est démocrate, de lui résister [en faisant appel] à la majorité. Et je [convoque]contre lui une majorité : Pieter, qui est pacifique par nature et qui râle un peu contre Paul mais comme une femme contre son mari, avec le souci de ne pas « aller trop loin », se laisse tout de même agglomérer par surprise à la majorité. Il faut un peu violer son consentement, le regarder avec de gros yeux et faire vivement état du oui qu'il susurre, avant qu'il ait eu le temps de le reprendre. Keller grogne un oui indistinct pour le plaisir de jouer un tour au caporal. Ainsi une opposition vivement regroupée en chaque circonstance nouvelle tient en [échec l'autorité bénisseuse] de [Paul qui], en chaque cas, est désemparé vu qu'il ne peut rien objecter au principe de la majorité. Il ne s'y trompe pas et me nomme « l'opposition ».

Cependant il s'emploie à constituer sournoisement un regroupement de forces exactement inversé, qui n'a d'ailleurs plus un sens de majorité mais qui vise à m'isoler en face de l'opinion publique. Comme je me suis institué, sans que personne m'en ait prié, leur conscience morale, j'ai dit qu'ils cherchaient à me coincer, à me prendre sur le fait en train de commettre les fautes que je leur reproche. Ils me guettent [constamment] ; c'est Pieter qui mène le [bal] et qui m'aboie assez innocemment aux chausses. Mais Paul attend le bon moment et se met brusquement de son côté, avec un petit fait ou un raisonnement, quand il sent qu'un appoint est nécessaire. Keller reste résolument neutre ou s'en va. Il n'en reste pas moins que les deux autres sont contre moi. Par contre, la structure Paul, Keller et moi contre Pieter ne se produit jamais. Ainsi notre groupe ressemble beaucoup à un plateau mobile qui penche tantôt à droite tantôt à gauche, avec des billes qui roulent d'un côté ou de l'autre selon l'inclinaison [que lui donne le mouve]ment maintenu [par la] tension interne qui va de nous à Paul ou d'eux à moi. Ce qui définit le rôle essentiel de Pieter, « la plaine, le marais », qui renverse totalement la structure selon qu'il se rejette vers moi ou qu'il s'en va vers Paul.

Mais il est d'autres rapports : notamment le rapport Pieter-moi. Quelque chose nous unit et met entre nous la liaison qui, d'après Paul, aurait dû exister entre Paul et moi : notre curiosité commune du *dehors*. Nous sommes en quelque sorte les pseudopodes que notre groupe émet dans le monde, qu'il pousse dans les restaurants, dans les cafés, chez les autres. Ensuite, [malgré tout il y a] Paris, qui nous est commun, [et] puis, il faut l'avouer à ma honte, l'argent. Ce n'est pas que Paul n'en ait autant que moi mais un goût d'épargne peureux le retient, encore qu'il s'attende à une banqueroute après la guerre. De ce fait nous représentons la jeunesse dorée et un peu folle, qui dépense. Nous introduisons de grands pans du dehors quand nous revenons dans le groupe. Cette liaison dans la dépense et les sorties produit chaque jour une autre liaison parallèle : la liaison Keller-Paul, ceux qui restent à la maison, les gardiens du foyer. Ou encore ceux qui mangent [à la cuisine] roulante, à côté [de ceux] qui vont au restaurant. Ou encore les gros mangeurs (car ils mangent de tout indistinctement et énormément) contre les fines bouches délicates. Toutefois le groupe Paul-Keller manque de cohésion : Paul ne nous jalouse nullement, ils nous accompagne même à l'occasion. Keller, avare et peu fortuné, nous envie et nous hait chaque fois que nous partons. En sorte qu'il soude notre tandem en nous donnant malgré nous une conscience coupable de classe.

Nous sentons que nous allons ensemble au restaurant contre lui. Keller représente d'ailleurs le prolétariat dans notre groupe et Pieter le capitaliste. Keller tout au fond, d[ésargenté, en]foncé au plus bas par sa masse, son inertie, nous regarde de bas en haut, en silence, avec méfiance et jalousie. Il ne se sent solidaire d'aucun de nous. Chaque soir l'un d'entre nous paye la tournée, offre des gâteaux, des fruits, n'importe quoi. Keller accepte tout et ne se sent nullement tenu d'honneur à rendre, comme il le serait sûrement, malgré son avarice, dans son milieu. C'est une sorte de reprise individuelle. Vis-à-vis de nous, spécialement de Pieter et de moi, il *sent sa classe.* Vis-à-vis de Paul il est, je le disais tout à l'heure, comme un ouvrier vis-à-vis d'un contremaître. Il [établit une] structure de plus [au sein] de l'organisme : la structure de classe. Ce qui amène une sorte de réciprocité de rapports entre lui et moi, car j'ai mauvaise conscience, il m'en impose par sa brutalité et je le traite avec une espèce de considération qu'il me rend dans la mesure de ses moyens. Nous avons peur l'un de l'autre. Il ne se tient pas en dehors du groupe mais les rapports qu'on peut avoir avec lui, en dehors du rapport caché de classe, sont déstructurés. C'est une sorte d'immanence amorphe : il baigne dans le groupe et s'en pénètre par cémentation.

Pareillement les rapports Paul-Pieter constituent une forme faîble. Sauf quand ils [cherchent à] me coincer. D'ailleurs l'aide qu'ils se prêtent dans ces moments-là n'est pas sans arrière-pensée, car chacun se sent plus solidaire avec moi qu'avec son allié, chacun pense qu'il a raison contre moi à sa façon et sur le terrain qui lui est propre et je n'ai aucune peine en général à les diviser, à dissocier leurs attaques. Pieter considère volontiers Paul comme un petit garçon peu dessalé, un « puceau » ; il lui dit volontiers : « Quand tu viendras à Paris, *nous* (c'est-à-dire Sartre et moi) te ferons connaître des femmes. » Comme un provincial aussi. Dès qu'il a une mesquinerie à reprocher à [Paul, il dit :] « Qu'est-ce que tu veux ? La vie de province ! » Paul reproche à Pieter une sorte d'exubérance sans tact, ils ne font jamais couple. Aussi, quand il s'est agi de donner une structure pratique à notre groupe, il s'est tout naturellement scindé en deux groupes de deux : Pieter et moi — Paul et Keller. Chaque groupe assume à son tour les travaux de sondage pendant que l'autre s'occupe des travaux ménagers. Cette structure technique, tardivement survenue, a une importance considérable ; elle a vraiment compartimenté notre ensemble et adouci les autres structures. Par exemple, la lutte est moins âpre entre Paul et moi parce que nous l'avons vivement délesté [de la responsabi]lité de nos sondages. Par contre le lien Paul-Keller, contremaître-ouvrier, s'est renforcé. Naturellement, toutes ces structures se dissolvent et sont remplacées par une homogénéité provisoire lorsque nous luttons contre l'extérieur pour nos intérêts communs.

La dernière touche pour compléter cet hôtel où nous vivons. Depuis hier les radios qui vivent dans la chambre voisine de la nôtre ont la gale. Deux d'entre eux sont sérieusement atteints, le troisième est en observation. Ils avaient remplacé trois autres radios il y a quinze jours et il paraît qu'un de ceux-là aussi a la [gale. Le médecin] leur a demandé : « Où logez-vous ? — A l'hôtel Bellevue. — Ah ben alors je comprends : c'est là qu'on soignait les galeux en temps de paix. » Les clients de l'hôtel étaient des rhumatisants et malades de la peau. J'avoue que depuis un moment je sens des démangeaisons de nervosité aux mains, à la figure et sur le crâne.

Dans les deux derniers Romains parus depuis la déclaration de guerre, Jallez et Jerphanion vaticinent à plaisir sur la mort de Dieu. Jerphanion prévoit en sombre l'année 1937 (Romains a eu la pudeur de ne pas mettre 1939). Il compare la guerre de 14 à un de ces trop gros orages qui détraquent tout un été. Le mouvement Dada paraît très symptomatique à Jallez. Romains voit l'Europe « livrée aux forces de désintégration interne ». Sans doute son livre, qui se passe en 1919, eût-il rendu un tout autre son si la guerre n'avait pas éclaté. Et pareillement, Drieu, dans *Gilles,* nous montre entre les années 17 et 37 une Europe agonisante : « La guerre a tué la France, elle ne s'en relèvera pas. » Il va être de mode de chercher, à la lumière des événements actuels, tous les signes de la décomposition dans la France de 1920 à 1935. On va y voir une période sinistre d'épuisement, de déracinement, [coupée de rares] petites accalmies [fiévreuses], une époque de démoralisation et de destruction. On insistera tout particulièrement sur le surréalisme, à cause de ses négations, on va vous peindre une époque détraquée, affolée, déséquilibrée. Il ne faut pas laisser faire ça. Ce n'est pas vrai. Certainement la guerre 14-18 a conduit à la guerre de 40. Et pour des foules de raisons, dont on connaît la plupart, dont les historiens mettront au jour les autres. Certainement il y a eu des troubles, des secousses et des convulsions, du déséquilibre. Mais il n'y a pas eu *que* cela. En France du moins, on pouvait connaître — j'ai connu — la « douceur de la vie ». Le bonheur était possible, le [calme aussi]. Entre 25 et 33 j'ai souvent été heureux, j'ai connu autour de moi une foule de gens heureux, et non pas d'un bonheur frénétique et malsain. Vraiment et calmement heureux. Il y avait peut-être des choses plus difficiles à faire qu'autrefois, des moments plus durs. Mais cela ne gênait pas vraiment. Et puis, peut-être, les Drieu, les Montherlant sont-ils restés sonnés par la guerre mais je réponds que ma génération à moi, qui allait prendre la relève quand cette guerre est venue, était parfaitement équilibrée. Je cherche, parmi les gens que j'ai connus, des désaxés et j'en [tro]uve certes mais pas en grand nombre, et la faiblesse de leur caractère laisse supposer qu'ils l'eussent été de tout temps. Mais y a-t-il eu avant la guerre beaucoup de jeunes gens plus *solides* que nous n'étions ? Plus solides que Nizan, que Guille, qu'Aron, que le Castor ? Nous ne cherchions ni à détruire, ni à nous procurer des extases nerveuses et insensées. Nous voulions patiemment et sagement comprendre le monde, le découvrir et nous y faire notre place. Nous désirions acquérir la connaissance et la sagesse. Peut-être cette place que nous voulions prendre dans le monde n'était pas très modeste, peut-être avions-nous un peu plus de hâte que nos prédécesseurs à la conquérir. Mais il n'y avait rien là de bien excessif. Ceux d'entre nous qui voulaient changer le monde et qui furent, par exemple, communistes, le devinrent raisonnablement, après avoir pesé le pour et le contre. Et ce que je me rappelle le mieux, ce que je regretterai toujours, c'est l'atmosphère unique de force et de gaieté intellectuelles qui nous enveloppait. On a dit que nous étions trop intelligents. Pourquoi trop ? Je n'ai jamais reconnu dans aucun de ceux qui m'approchaient, de près ou de loin, l'image de ces garçons cyniques et fanfarons de vice que la littérature d'alors — la mauvaise — s'efforçait de populariser. Nous avions une assez grande liberté sexuelle mais nous nous efforcions de penser honnêtement sur les petites circonstances sentimentales de notre vie. Nous étions plus durs que nos aînés, que les Fournier, que les Rivière ; c'était en partie par affectation et en partie aussi parce que tout de même il y avait eu la guerre et que nous n'envisagions pas la vie comme une partie de plaisir. Mais il ne faut pas à la fois nous reprocher cette affectation de dureté qui avait pour conséquence une réelle discipline de nous et un cynisme sain — et à la fois des pâmoisons désemparées que nous n'avons jamais eues... On m'objectera des exemples tirés des demi-confessions de ce carnet même, ma crise d'orgueil infantile avec Nizan, mon indifférence politique, etc. Je répondrai que la maîtrise de soi et la « santé morale », comme ils disent, n'a rien à voir avec la modestie des violettes et le civisme. Je sais que je suis parfaitement maître de moi, sans égarements et que je peux supporter les coups durs. Je sais aussi que j'ai souci de la moralité. J'ai tenté de détruire bien des vieilles idéologies mais c'était avec le souci de construire. J'ai pu manquer de « racines », mais je n'ai jamais manqué d'équilibre. Pourquoi je crois devoir [écrire] tout cela ? Parce que je vois que notre époque est en train de se construire une représentation d'elle-même pour couper l'herbe sous le pied aux historiens. Elle veut avoir au moins eu la gloire de s'être jugée et elle veut leur transmettre un travail tout fait. Et c'est contre ce tableau poussé au noir que je proteste. J'ai peur qu'il ne subsiste. Je vois avec inquiétude qu'on affecte déjà de considérer comme un pullulement de décomposition l'admirable foisonnement d'idées et d'œuvres de la période 18-28, comme une licence anarchique la véritable liberté dont les gens ont joui alors. Toutes ces vues primaires sont de fausses élégances. Passe pour Drieu qui est un imbécile, mais il y en a beaucoup trop d'autres qui veulent dresser un bilan. Je trouve qu'on doit attendre. L'époque est morte, c'est entendu, mais elle est encore toute chaude. Qu'on ait la pudeur d'attendre que son cadavre ait un peu refroidi.

Le problème de la négation a toujours été voilé comme celui de l'être, parce que le « n'être pas » paraissait le jugement d'un esprit qui faisait comparaître deux objets devant lui pour affirmer leur altérité. Si par exemple je dis que le papier *n'est pas* poreux, [je] ne porte pas cette négation au compte du papier qui, de lui-même, est sans rapport aucun avec le poreux, mais au compte de mon esprit. Encore faut-il s'entendre et la négation n'est-elle pas un mode d'être de mon esprit qui fait en niant un *acte plein* de jugement — et qui est, pour la plupart des philosophes, acte pur, plénitude d'existence, dans le temps même qu'il nie. Ainsi la négation devient-elle un λεκτον [1], un *rien*. Elle n'est *ni* l'esprit, ni *dans* l'esprit, *ni* dans le papier, *ni* dans le poreux, *ni* un rapport existant à la manière d'une force répulsive entre le papier et le poreux. Finalement elle n'est qu'une catégorie qui permet à l'esprit de faire une synthèse du poreux et du papier, à distance, sans les altérer le moins du monde dans leur nature, sans changer leur position réciproque, sans les rapprocher ni les éloigner l'un de l'autre. Ainsi l'effort de la philosophie a été pour amincir la négation jusqu'à en faire une mince pellicule entre l'esprit et les choses, un rien. Et certes, il faut reconnaître que les négations que je repère dans le monde ne sont point des rapports primitifs et substantiels entre les choses. Il faut le concours de ma conscience pour faire naître la négation d'appartenance du poreux au papier. Il n'est pas *dans l'être* du papier de n'être-pas poreux. Mais le problème devient tout autre lorsque par exemple nous disons de la conscience qu'elle *n'est pas* étendue. Sans doute, si nous nous bornons à porter ce jugement sur la

1. Chose abstraite, verbale. *(N.d.E.)*

conscience d'autrui en la considérant comme un donné révélé par l'expérience, nous aurons tendance à le ranger dans la catégorie des jugements précités et à dire que nous nions l'étendue de la conscience comme la porosité du papier. Seulement lorsqu'il s'agit de la conscience que nous *sommes,* il en va tout autrement, car c'est elle-même qui *est* son propre néant d'étendue. C'est-à-dire qu'ici il n'y a pas de troisième homme pour constater que deux substances inertes, la conscience et l'étendue, n'ont pas de rapport d'appartenance. Mais il est dans l'être de la conscience de n'être pas l'étendue. C'est-à-dire que le *ne-pas* est une caractéristique existentielle. On comprendra tout de suite si l'on compare ces deux jugements : l'étendue n'est pas conscience et la conscience n'est pas étendue. Dans le premier cas il s'agit très évidemment d'un rapport établi après coup par une conscience contemplative, car il n'entre dans la nature de l'étendue ni d'être ni de n'être pas conscience mais seulement d'être étendue. Dans le second cas au contraire, tous les spiritualistes seront d'accord pour dire que c'est une caractéristique de la conscience que de n'être pas étendue. On a voulu tourner la question, parce qu'il paraissait contradictoire d'admettre des qualités négatives dans un être quel qu'il fût, en forgeant des concepts positifs qui rendissent compte de cette propriété. Par exemple les concepts d'inétendue, d'immatérialité. Mais il suffit d'un examen verbal pour montrer qu'inétendu est un simple mot qui cache en ses flancs une négation honteuse. Etre inétendue ne signifie pas pour la conscience une vertu positive, c'est tout juste une manière contractée de désigner le fait que la conscience *n'est pas* étendue. Il appartient donc à la structure intime de la conscience de *n'être pas* étendue. Ce n'être-pas n'est ni constaté, ni jugé, mais suivant la formule que nous employions l'autre jour, il *est été.*

Toutefois mes réflexions m'avaient conduit jusqu'ici surtout à envisager le cas où la conscience n'était pas ce qu'elle était, c'est-à-dire où la négation éclatait dans l'homogénéité d'une seule et même existence et où le nié renvoyait de lui-même à ce dont il était nié, puisque c'était un seul et même être. Mais ici le problème se complique sous les apparences du simple principe de non contradiction car la conscience n'est pas ce qu'elle n'est pas. Car si l'on examine cet apparent truisme, on voit qu'une des négations détruit l'autre. Car si la conscience ***n'est pas*** l'étendue, ce qui supposerait, d'après la théorie classique, l'absence totale de tout rapport entre conscience et étendue, et puisque par ailleurs il n'y a pas de troisième homme pour établir entre conscience et étendue la relation toute externe de négativité, on ne voit pas comment cette conscience pourrait par elle-même contenir en soi assez de rapports avec l'étendue pour se faire d'elle-même précisément la négation de l'étendue. Tel est pourtant le cas et nos remarques précédentes doivent nous éclairer sur un point : toute négation suppose un certain mode d'unité synthétique des réalités qu'elle nie. Lorsque la négation est un « λεκτον » comme dans le cas du jugement « le papier n'est pas poreux », la synthèse unitaire est pareillement un « λεκτον », c'est un pur rapprochement catégoriel qui laisse les objets totalement intacts. Lorsque la négation ***est étée*** par au moins un des deux êtres, elle paraît sur fond d'unité synthétique réel de ces deux êtres. En un mot, pour que la conscience puisse réellement d'elle-même et par nature, sans intervention contemplative d'un troisième homme, ***n'être pas l'étendue,*** il faut qu'elle recèle au plus profond de son être une relation unitaire avec cette étendue qu'elle n'est pas. Mais cette relation première ne saurait s'exprimer par les termes de répulsion, de production, de projection, etc., qui supposent tous un monde constitué et le problème de l'être élucidé. Il s'agit de toute évidence d'une relation originelle d'être entre deux êtres. Il faut que la liaison soit aussi intime que possible pour que précisément ce soit ***cela*** que la conscience ne soit pas, il faut que l'étendue soit présente à la conscience de toute part et même la traverse dans toute sa largeur pour que la conscience enfin ne puisse échapper à l'étendue, qui risque de l'engluer de toute part, qu'en ***n'étant pas.*** Non seulement en ***n'étant pas*** l'étendue, mais en ***n'étant rien.*** L'unité de la conscience et de l'étendue est telle que la conscience ***n'est pas*** l'étendue que dans la mesure où elle ***n'est pas elle-même,*** où elle n'est rien. Rien de positif ne vient compenser le ne-pas-être-étendue. C'est parce qu'elle est son propre néant que la conscience n'est pas étendue. Cette relation d'être de l'étendue à la conscience, c'est ce que nous nommerons l'investissement. Mais précisément parce que la conscience se définit comme étant ce qu'elle n'est pas et n'étant pas ce qu'elle est, elle ne peut tout simplement *être* ce qui n'est pas l'étendue. Son mode d'être ce qui n'est pas l'étendue est tout entier transi par le Néant, elle *est* ce qui n'est pas l'étendue sur le mode néantisant du reflet et du reflété, c'est-à-dire que la formule « la conscience n'est pas étendue » doit se corriger en « la conscience n'est pas *l'*étendue », ce qui signifie 1) que cette négation implique l'investissement de la conscience par l'étendue, 2) que cet investissement ne peut être pour la conscience qu'en tant que la conscience est conscience d'elle-même comme inétendue, c'est-à-dire comme investie par l'étendue qu'elle a conscience de n'être pas. En d'autres termes, si la conscience était ce qu'elle est, c'est-à-dire existait sur le mode de l'en-soi, elle serait étendue. Mais c'est dans la mesure où elle s'échappe à elle-même en n'étant pas ce qu'elle est qu'elle n'est pas l'étendue mais conscience *de* l'étendue. Ainsi la conscience est néantisation de l'étendue et cette néantisation ne peut se faire que sous la forme de conscience *de* l'étendue. L'étendue n'est ici qu'un exemple, naturellement. D'une façon tout à fait générale il n'y a d'autre anéantissement possible d'un existant en soi que par l'apparition d'une conscience *de* cet existant.

Jeudi 1er Février

L'apparition du Néant ne peut se faire que sur le fond d'être qu'il *n'est pas*. L'*absence* qu'est une conscience ne peut être absence que *devant une présence.* L'inétendue apparaît sur fond d'étendue et comme négation pour soi de cette étendue. D'une façon tout à fait générale, le *pour-soi* ne peut surgir qu'en liaison avec la totalité de l'en-soi qui l'enserre. Le pour-soi retient devant lui et autour de lui l'en-soi comme ce qu'il n'est pas. Il a besoin de l'être pour ne pas être. Le pour-soi se néantit par rapport à la totalité de l'en-soi. Cette liaison première du pour-soi à la totalité de l'en-soi comme à ce qu'il n'est pas, c'est ce que nous nommons l'être-dans-le-monde. Etre-dans-le-monde c'est se faire absence *du* monde. L'unité de la conscience et du monde préexiste à la conscience et au monde. Etre conscience c'est se faire non-monde en présence du monde, c'est se faire précisément et concrètement ce qui n'est pas *ce monde-là.* Il ne faut pas prendre d'ailleurs cette négation comme une fuite hors du monde. Le mouvement de néantisation du pour-soi n'est pas un recul. Si la néantisation s'accompagnait de recul, elle serait *néantisation de rien* et retomberait dans l'en-soi. C'est peut-être ainsi qu'il faut comprendre la mort. Au contraire la néantisation implique une adhérence immédiate et sans distance du monde au pour-soi. Cette présence du monde à la conscience — qui n'est séparée du monde par *rien* sinon qu'elle-même est un rien — c'est la transcendance. L'en-soi investit la conscience pour être dépassé par elle dans le Néant. Mais non pas, comme le croit Heidegger, dans le Néant qui retient le monde en lui : dans le Néant que la conscience *est* elle-même. La conscience, dans son pour-soi, dépasse le monde vers elle-même. Elle est investie par l'en-soi dans l'exacte mesure où elle est transie par le Néant.

Si nous voulons prendre un exemple simple, nous dirons par exemple que la perception de *cet* arbre est avant tout un phénomène existentiel : percevoir l'arbre, pour la conscience, c'est dépasser l'arbre vers son propre néant d'arbre. Il ne faut pas, naturellement, voir dans le mot de *dépassement* l'indication quelconque d'un *acte.* C'est seulement un mode d'exister. La conscience existe pour-soi par-delà cet arbre comme ce qui *n'est pas* cet arbre ; la liaison néantisante du reflet et du reflété fait qu'elle ne peut être pour elle-même qu'en se reflétant comme étant précisément néant du monde *où* il y a cet arbre. Ce qui signifie qu'elle est conscience non-thétique d'elle-même comme conscience thétique *de* cet arbre ; l'arbre est le thème transcendant de sa néantisation. Ainsi, par exemple, la connaissance intuitive est l'irruption du rien dans l'immanence qui transforme dans la transcendance du pour-soi l'immanence de l'en-soi. Ainsi l'événement pur qui fait que l'Etre est son propre néant fait apparaître le monde comme totalité de l'En-soi dépassée par l'être qui se néantise. Etre dans le monde et être transi par le Néant sont une seule et même chose.

Je voudrais montrer sur une analyse précise la nécessité irréductible où nous sommes de recourir à cette idée de *néant* et je prendrai par exemple l'idée de *contact.* Je veux montrer que cette idée si simple en apparence : la table est en contact avec le mur, renvoie nécessairement à l'être-dans-le-monde et au Néant.

Si je veux saisir en effet *à plein* le sens de cette notion, je constate que je suis ballotté entre deux idées antinomiques : l'idée de la plénitude immanente de l'en-soi et l'idée du recul absolu dans le Néant. Lorsqu'en effet je dis de la table qu'elle *touche* le mur, je ne saurais vouloir entendre qu'elle est *à côté* du mur, même le plus près possible de lui, même séparée par une distance infinitésimale. J'entends par *contact* un rapport intime d'être entre les deux objets. Mais ce rapport d'être va naturellement à l'en-soi, c'est-à-dire à l'immanence. Or cette notion glissante de contact vise à s'arrêter en chemin. Je veux maintenir la séparation totale des deux individualités. Le contact n'est pas fusion. Me voilà donc renvoyé à l'idée d'une distance qui, si petite soit-elle, sépare du moins les deux objets. Mais à ce moment l'idée de contact s'évanouit. C'est qu'en effet si j'essaye de saisir ce qu'elle exige, je vois qu'il faut, pour qu'il y ait contact entre les deux individualités, qu'elles soient l'une pour l'autre sans distance en un point au moins de leur superficie et que pourtant elles soient séparées. Mais séparées *par quoi ?* Par *rien.* Mais ce rien ici est indispensable. En géométrie par exemple, lorsque deux courbes (tangente et cercle par exemple) sont en contact, elles ont des points communs. Il semblerait donc qu'elles ne fissent plus qu'une seule courbe. Pourtant nous maintenons à raison leur indépendance. Au lieu même où elles se touchent elles sont séparées. Pourtant il n'y a pas là *deux* séries de points mais une seule. La séparation a donc lieu à l'intérieur de chaque point. Cette séparation n'est pas fractionnement car le point est insécable, ni dédoublement. Et pourtant elle existe.

J'entends qu'un Köhler dira que chaque forme, la forme « droite » et la forme « cercle » refermée sur soi, attire à elle tous les points qui la composent. Et cela est exact. En ce sens c'est l'individualité de la forme prégnante qui préserve le contact de s'achever en fusion. Mais cela même n'est possible que si une négation discrète vient découper les formes là où il convient. Il faut que les points de contact soient séparés de l'ensemble des points qui constituent l'autre forme, précisément par *rien*. Il faut qu'ils soient *transis* en quelque sorte par le Néant. Tout juste comme une conscience.

Mais précisément ces conditions en elles-mêmes n'auraient point de sens si elles n'étaient posées par une conscience. D'elles-mêmes elles iraient à la séparation absolue ou à la fusion s'il n'y avait des consciences. Pour que des contacts soient donnés dans le monde, en général, il faut que des consciences soient données comme investies par le monde. C'est que la notion de « se toucher », comme Heidegger l'a bien vu, n'appartient que par reflet aux choses. En fait une chaise ne touche pas le mur à moins d'être emportée dans l'unité d'un monde transcendé par la réalité humaine. Originellement, c'est la réalité humaine qui *touche* les objets, qui les *prend*, qui les *repousse* etc. Le contact est par nature contact de la main qui prend avec l'objet pris. Seulement, même ainsi la notion reste obscure si l'on considère la main comme un objet matériel au milieu d'autres objets. La main elle-même ne peut produire le Néant qui la sépare du couteau qu'elle prend. Il faut qu'elle-même et le couteau fassent partie à titre de structures secondaires d'une *totalité première du contact*. Cette totalité ne peut être que le rapport de transcendance de la conscience au monde. La conscience est *en contact* avec le monde. Considérée sur ce plan, la notion de contact devient claire. Par rapport à la conscience en effet, le monde est donné sans distance puisque la conscience est négation de la distance. Il est même plus urgent encore qu'une présence sans distance puisqu'il investit la conscience et *se* rejoint à travers elle. Mais en même temps la conscience lui échappe précisément en tant qu'elle est transie par le Néant, en tant qu'elle n'est rien. En fusion avec le monde en tant qu'elle *est*, la conscience lui échappe et se sépare de lui en tant qu'elle *n'est pas*. Ainsi le rapport du monde à la conscience est-il un rapport de contact. Le monde existe pour la conscience en tant qu'il est concrètement et singulièrement ce qu'elle n'est pas. Elle le touche en ce sens que sa néantisation partielle ne peut établir qu'une extériorité sans distance entre elle et lui. Le monde n'est ni subjectif ni objectif : il est l'en-soi investissant la conscience et en contact avec elle, tel qu'elle le dépasse dans son néant.

Une excellente expression de Julien Green dans *Le Figaro* pour désigner la semaine qui précéda la guerre : « une catastrophe *au ralenti* ».

Comment elles leur remontent le moral : fragment de lettre d'une fiancée éprise et chrétienne, trouvée au cabinet :

« Lorsque vous me dites que voilà trois jours que vous ne vous êtes pas lavé, qu'importe, cela est bien peu de chose, vous serez certainement beaucoup plus joli lorsque vous vous serez nettoyé ; pour ma part j'ai nettoyé mon fourneau à fond ce matin, j'étais sale un vrai ramoneur, je vous aurais fait peur si vous m'aviez surprise ainsi. »

Elle est d'ailleurs un peu inquiète car, un peu plus loin, elle prie Dieu de « conserver un bon moral » à son fiancé. Ledit fiancé, ainsi recommandé à Dieu, n'a pas hésité à se torcher avec cette lettre d'amour.

Si je veux comprendre la part de la liberté et du destin dans ce qu'on appelle « subir une influence », je peux réfléchir sur l'influence que Heidegger a exercée sur moi. Cette influence m'a paru quelquefois, ces derniers temps, providentielle, puisqu'elle est venue m'enseigner l'authenticité et l'historicité juste au moment où la guerre allait me rendre ces notions indispensables. Si j'essaie de me figurer ce que j'eusse fait de ma pensée sans ces outils, je suis pris de peur rétrospective. Que de temps j'ai gagné. J'en serais encore à piétiner devant de grandes idées closes, la

France, l'Histoire, la mort ; peut-être encore à m'indigner contre la guerre, à la refuser de tout mon être. Mais quand je réfléchis plus avant, je vois qu'il y a beaucoup moins de hasard qu'il n'y paraît d'abord dans cette conjoncture. Certes, *si* Corbin n'avait publié sa traduction de *Was ist Metaphysik,* je ne l'aurais pas lue. Et si je ne l'avais lue, je n'eusse entrepris à Pâques dernières de lire *Sein und Zeit.* Et certes il pourrait sembler d'abord que la parution de *Qu'est-ce que la métaphysique ?* ne dépendait absolument pas de moi et constituait vraiment pour moi une rencontre. Mais en fait ce n'est pas ma première rencontre avec Heidegger. J'en avais entendu parler longtemps avant de partir pour Berlin [1] ; on le classait communément parmi les « phénoménologues » et, partant dans le dessein d'étudier les phénoménologues, j'étais décidé à l'étudier aussi. J'ai acheté *Sein und Zeit* à Berlin en Décembre et j'avais résolu d'en commencer la lecture après Pâques, réservant le premier semestre à l'étude de Husserl. Mais lorsque j'abordai Heidegger, vers le mois d'Avril, il se produisit ceci que j'étais saturé de Husserl. Mon erreur avait été de croire qu'on peut *apprendre* successivement deux philosophes de cette importance comme on apprend l'un après l'autre les commerces extérieurs de deux pays européens. Husserl m'avait pris, je voyais tout à travers les perspectives de sa philosophie qui m'était d'ailleurs plus accessible, par son apparence de cartésianisme. J'étais « husserlien » et devais le rester longtemps. En même temps l'effort que j'avais fourni pour *comprendre,* c'est-à-dire pour briser mes préjugés personnels et saisir les idées de Husserl à partir de ses principes propres et non des miens, m'avait philosophiquement épuisé pour cette année-là. Je commençai Heidegger et j'en lus 50 pages mais la difficulté de son vocabulaire me rebuta. En fait cette difficulté n'était pas insurmontable pour moi puisque je l'ai lu sans peine à Pâques dernières — sans peine et sans avoir progressé entre-temps dans ma connaissance de l'allemand. J'ajoute que le printemps a

1. J'avais lu sans comprendre en 1930 *Qu'est-ce que la métaphysique ?* dans la revue *Bifur. (N.d.A.)*

toujours été l'occasion pour moi d'un relâchement total de mes efforts. Je travaille quand les marmottes dorment. Dès qu'elles s'éveillent, je vais me promener, je cherche quelque aventure. Le sort fut assez bienveillant pour m'en donner une cette année-là. Mais l'essentiel était certainement la répugnance que j'avais à m'assimiler cette philosophie barbare et si peu savante après la géniale synthèse *universitaire* de Husserl. Il semblait que, avec Heidegger, la philosophie fût retombée en enfance, je n'y reconnaissais plus les problèmes traditionnels, la conscience, la connaissance, la vérité et l'erreur, la perception, le corps, le réalisme et l'idéalisme, etc. Je ne pouvais *venir* à Heidegger qu'après avoir épuisé Husserl. Et, pour moi, épuiser un philosophe c'est réfléchir dans ses perspectives, me faire des idées personnelles à ses dépens jusqu'à ce que je tombe dans un cul-de-sac. Il me fallut quatre ans pour épuiser Husserl. J'écrivis tout un livre (moins les derniers chapitres) sous son inspiration : *L'Imaginaire.* Contre lui, à vrai dire, mais tout autant qu'un disciple peut écrire contre son maître. J'écrivis aussi un article contre lui : l'Ego transcendantal. A partir de quoi, encouragé, j'essayai de mettre au jour mes idées en commençant un grand livre, *La Psyché,* en automne 1937. J'en écrivis quatre cents pages en trois mois dans l'enthousiasme et puis je m'arrêtai par raison : je voulais terminer mon livre de nouvelles. J'étais encore si pénétré de mes recherches que mon travail littéraire me parut, pendant plus de deux mois, profondément gratuit. Et puis peu à peu, sans trop que je m'en rendisse compte, les difficultés s'accumulaient, un fossé de plus en plus profond me séparait de Husserl : sa philosophie évoluait au fond vers l'idéalisme, ce que je ne pouvais admettre et surtout, comme tout idéalisme ou comme toute doctrine sympathisante, sa philosophie avait sa *matière passive,* sa « Hylé », qu'une forme vient façonner (catégories kantiennes ou intentionnalité). Je songeais à écrire sur cette notion de *passivité* si essentielle dans la philosophie moderne. En même temps, à mesure que je m'éloignais de *La Psyché,* elle cessait de me satisfaire. D'abord à cause du problème de la « Hylé » que j'avais éludé, ensuite à cause de nombreuses faiblesses dont j'étais responsable. Je revins à chercher une solution ***réaliste***. En particulier, bien que j'eusse de nombreuses idées sur la connaissance d'autrui, je ne pouvais en traiter que si je m'étais solidement assuré que deux consciences distinctes percevaient bien *le même* monde. Les ouvrages parus de Husserl ne m'apportaient aucune réponse. Et sa réfutation du solipsisme était peu concluante et pauvre. Certainement c'est pour m'évader de cette impasse husserlienne que je me tournai vers Heidegger. A plusieurs reprises déjà, j'avais rouvert son livre, que j'avais rapporté de Berlin, mais le temps m'avait manqué pour l'achever, comme aussi le ferme propos. On voit que je ne ***pouvais*** pas étudier Heidegger plus tôt que je ne l'ai fait. Le lire, passe encore, avec une curiosité de dilettante, mais non venir à lui avec l'intention d'apprendre. Sur quoi, d'ailleurs, les menaces du printemps 38 puis de l'automne me conduisaient lentement à chercher une philosophie qui ne fût pas seulement une contemplation mais une sagesse, un héroïsme, une sainteté, n'importe quoi qui pût me permettre de tenir le coup. J'étais dans l'exacte situation des Athéniens après la mort d'Alexandre, qui se détournèrent de la science aristotélicienne pour s'incorporer les doctrines plus brutales mais plus « totalitaires » des Stoïciens et des Epicuriens, qui leur apprenaient à *vivre*. Et puis l'*Histoire* était partout présente autour de moi. Philosophiquement d'abord : Aron venait d'écrire son *Introduction à la philosophie de l'histoire* et je le lisais. Ensuite elle m'entourait et m'enserrait comme tous mes contemporains, elle me faisait sentir sa présence. J'étais mal outillé encore pour la comprendre et la saisir, mais pourtant je le voulais fort ; je m'y efforçais avec les moyens du bord. C'est alors que parut le livre de Corbin. Juste quand il le fallait. Suffisamment détaché de Husserl, désirant une philosophie « pathétique », j'étais mûr pour comprendre Heidegger. Soit, dira-t-on. Reste que le livre aurait pu ne pas paraître. D'abord je ne garantis pas que je n'eusse pas malgré tout entrepris la lecture de *Sein und Zeit*. Ensuite et surtout, la publication de *Qu'est-ce que la métaphysique ?* est un événement ***historique*** que j'ai justement contribué pour ma part à produire.

En effet vers le moment où je partais pour Berlin, il se faisait parmi les étudiants un mouvement de curiosité à l'égard de la phénoménologie. J'ai participé à ce mouvement exactement comme j'ai participé au mouvement des Parisiens vers les sports d'hiver. C'est-à-dire que je me suis emparé de mots qui traînaient à droite et à gauche, j'ai lu quelques rares ouvrages français traitant de la question, j'ai rêvé sur des notions que je connaissais mal et j'ai voulu en connaître davantage. Sur quoi je suis parti pour Berlin. Nombreux étaient les étudiants dans mon cas — et les jeunes professeurs. Au retour je savais un peu davantage et j'ai enseigné ce que je savais. J'ai donc augmenté ce public de curieux. Un de mes anciens élèves, Chastaing, publia même un article sur « das Man[1] » heideggérien. Je ne veux certes pas dire que je suis responsable de cet article. Je veux seulement montrer comment je me suis inséré comme membre *actif* et *responsable* dans une communauté de curieux et de chercheurs qui se désignait elle-même comme un public. C'est *pour nous* que Corbin a fait sa traduction. Il fallait cette curiosité première. Et c'est le défaut de cette curiosité qui fit qu'on attendit douze ou quinze ans en France. Elle naquit peu à peu autour de traductions comme celle de *Bifur* (1930), des *Recherches philosophiques* (1933), pour enfin s'organiser vraiment et *réclamer* des renseignements. Plus profondément encore, cet élan de curiosité dont j'étais complice responsable et qui produisit d'abord des livres comme *Vers le concret* de Jean Wahl, avait sa source dans un vieillissement de la philosophie française et un besoin que nous éprouvions tous de la rajeunir. Ainsi, si Corbin a traduit *Qu'est-ce que la métaphysique ?* c'est parce que je me suis (au milieu d'autres) librement constitué comme *public* attendant cette traduction et, en cela, j'assumais ma situation, ma génération et mon époque. Mais pourquoi la traduction première fut-elle celle de Heidegger et non celle de Husserl, demandera-t-on, puisque justement les études sérieuses devaient commencer par Husserl le maître, pour venir ensuite à Heidegger, le disciple dissident.

1. Le « on ». *(N.d.E.)*

Ici je peux répondre car j'ai vu discuter la question à la *N.R.F.* C'est le succès du livre de Corbin qui a fait envisager à Groethuysen de traduire Husserl. Husserl, en effet, n'est pas grand public. Le « pathétique » de Heidegger, bien qu'incompréhensible au plus grand nombre, frappe avec ces mots de Mort, Destin, Néant jetés çà et là. Mais surtout il venait *à point.* J'ai dit que je l'attendais obscurément, je souhaitais qu'on me procurât des outils pour comprendre l'Histoire et mon destin. Mais justement nous étions nombreux à avoir ces désirs. A les avoir *à ce moment-là.* C'est nous qui avons dicté ce choix.

En d'autres termes, c'est mon époque, ma situation et ma liberté qui ont décidé de ma rencontre avec Heidegger. Il n'y a là ni hasard ni déterminisme mais convenance historique. On pourrait croire toutefois que la question : Mais pourquoi y a-t-il eu un Heidegger ? reste en dehors du cycle. Et à vrai dire, en un sens elle y échappe en tant que Heidegger est l'apparition dans le monde d'une conscience libre. Mais par tout un autre côté, cependant, elle ne me paraît pas si « excentrique ». Car la philosophie de Heidegger, c'est une assomption libre de son époque. Et son époque c'était précisément une époque tragique d' « Untergang » et de désespoir pour l'Allemagne. C'était l'après-guerre, l'époque où pour une foule de gens qui avaient trouvé jusque-là tout à fait *naturel* d'être Allemands, la misère et la guerre faisaient apparaître l'Allemagne comme une réalité contingente avec un destin. Comme l'écrivait Rauschning dans un passage que j'ai cité : « C'est là que se révéla... le caractère unique et la solitude de cette nation, sa mission et sa damnation. » Et l'attitude de Heidegger est évidemment un dépassement libre vers la philosophie de ce profil pathétique de l'Histoire. Je ne veux pas prétendre que les circonstances soient les mêmes pour nous en ce moment. Mais il est vrai qu'il y a un rapport de convenance historique entre notre situation et la sienne. Et l'une et l'autre sont le développement de la guerre de 14, elles se tiennent. Ainsi puis-je retrouver cette assomption de son destin d'Allemand dans l'Allemagne misérable d'après-guerre pour m'aider à assumer mon destin de Français dans la France de 40.

Keller nous quitte. Demain ou après-demain sans doute. Il est, vu son âge, affecté aux formations de l'intérieur.

J'ai essayé de montrer comment des notions comme le contact, qui semblent des pleins, enveloppaient en réalité l'idée de Néant. Mais réciproquement il faut montrer comment d'autres notions en apparence purement négatives renvoient à la transcendance de l'en-soi par rapport à la conscience. Si l'on prend par exemple la notion d'***absence,*** sous sa forme la plus courante : nos chers absents, je me suis absenté, quelqu'un est venu chez moi pendant mon absence, les absents ont toujours tort — on remarque tout de suite que l'absence n'est pas pure négation, elle suppose l'unité des absents dans l'***être.*** Il y a un être de l'absence. En effet il ne faut pas confondre l'absence avec le pur et simple éloignement, au sens où l'on dira que deux villes sont éloignées ou distantes l'une de l'autre de 20 kilomètres. L'éloignement appartient à ces synthèses négatives que la conscience établit entre les choses sans les modifier dans leur nature et dont je parlais hier. Sans la conscience la distance de A à B n'existerait pas ; c'est en transcendant le monde que la conscience y fait surgir des distances. Mais l'absence tient au cœur même des choses, c'est une qualité particulière d'un objet que d'être absent. En vain cherchera-t-on à ramener cette qualité à une simple vue de l'esprit en disant par exemple que Pierre n'est pas ***absent*** de chez lui, qu'il ***est*** simplement éloigné de sa maison et qu'on donne le nom courant d'absence à l'ensemble des regrets que cet éloignement inspire à sa femme et à lui-même. C'est mettre la charrue avant les bœufs. En fait ces regrets supposent qu'il existe quelque chose comme l'absence qui est un certain ***mode d'être,*** encore que par ailleurs ce soit une pure négativité. L'absence est, à vrai dire, un mode d'être du pour-autrui. Jamais une chose n'est véritablement absente sauf dans la mesure où elle est pour un moment assimilée à un autrui. Mais l'absence est un certain rapport de mon être avec l'être d'autrui. C'est une certaine façon que j'ai de lui être donné. Cette façon de lui être donné suppose une unité antérieure, l'unité de la *présence.* Dans la présence je *suis* dans ma réalité concrète actuelle en tant que je suis pour autrui et inversement, et en même temps je saisis le monde non point seulement comme monde dans lequel *je* suis, mais comme monde défini par l'être-dans-le-monde d'autrui. Mais la présence nue ne peut être le fondement de l'absence, elle ne suffirait pas, car la *présence* d'un simple passant ne peut fonder son absence s'il s'éloigne. Il faut que cette présence ne soit pas seulement donnée comme présence mais encore comme constituant le mode d'être essentiel et constitutif d'un pour-autrui concret. Il ne peut y avoir *absence* de Pierre que par rapport à sa femme par exemple, parce qu'ici l'existence de Pierre altère en son être le pour-soi de sa femme, et d'une façon essentielle. La présence de Pierre est constitutive de l'*être* de sa femme en tant que pour-soi et réciproquement. C'est seulement sur le fond de cette unité d'être préalable que l'absence peut être donnée entre Pierre et sa femme. Mais elle n'est pas anéantissement pur. Le fût-elle même, elle serait anéantissement *de* ces rapports. Mais en réalité elle ne l'est pas. Elle est un mode de liaison *neuf* de Pierre et de sa femme, qui paraît sur le fond primitif de présence. Ce fond primitif de présence, elle le *lève* et le nie mais c'est lui qui la rend possible. Et elle-même est un type d'unité spéciale entre Pierre et sa femme. Entendons : si elle n'est pas thématisée. Toute thématisation de l'absence nous renvoie à un autre pouvoir librement néantisant de la conscience — qu'elle ne possède qu'en tant qu'elle est elle-même transie par le Néant : l'imagination. Mais l'absence vécue et non thématisée ne peut se comprendre que comme un rapport concret entre deux existants sur fond primitif d'unité de contact. La femme de Pierre est immédiatement donnée à Pierre comme *n'étant pas là.* Ainsi l'absence, qui est une négation, a deux caractéristiques d'être : 1) elle paraît sur le fond d'unité existentielle qu'elle nie, et retient comme l'essence de sa négation cette unité positive. Elle tire son *être* de cette unité positive, elle le lui *emprunte.*

L'absence est étée — 2) Elle établit entre deux êtres une unité synthétique de négation, c'est-à-dire qu'elle les rapproche précisément en niant leur présence. Pierre et sa femme sont donnés l'un à l'autre par cette négation ; ou, si l'on préfère, cette négation est un mode particulier de la liaison unitaire de Pierre et de sa femme. En d'autres termes, à partir du moment où Pierre et sa femme forment un tout, le seul mode de négation unitaire qui *néantisera* ce tout sans le *détruire* (le divorce, l'oubli, etc. sont des destructions), c'est l'absence. Mais ceci, *à la fois,* nous explique concrètement la nature de la néantisation originelle ou apparition des consciences qui est justement une absence par rapport au tout de l'en-soi et qui *néantise* sans le détruire le rapport originel d'immanence de l'en-soi, qui même ne peut néantiser que sur ce fond originel d'immanence — et *à la fois renvoie* pour son explication première à l'absence originelle qui est justement l'absence de la conscience par rapport au monde qui l'investit. Sans cette absence première et métaphysique, toutes les absences que nous venons de décrire ne sauraient exister, il n'y aurait même pas de distance. L'origine de toutes les absences c'est l'absence métaphysique de la conscience comme type de liaison synthétique et unitaire de la conscience et du monde.

Vendredi 2

La division va partir dans trois ou quatre jours. Sans doute pour Bouxwiller, au repos.

Rencontré hier Nippert retour de permission. Je lui demande : « Alors, ça a gazé ? » Et lui, avec conviction — une conviction qui m'a d'autant plus surpris qu'il était parti accablé : « Oh oui ! C'était une belle permission ! » Je ne puis rendre l'accent avec lequel il prononça ces derniers mots. Il y avait là-dedans je ne sais quelle lourdeur édifiante et apologétique, le ton d'un « Naturfreund » louant une violette, quelque chose comme : « Vois mon enfant, Dieu a fait de belles et bonnes choses pour l'homme. » Naturellement c'est l'homme marié, le prêtre domestique qui parle avec cette assurance : il enseigne qu'il est bon de se « retremper » au sein de sa famille. Et la permission rejoint la famille dans la catégorie des choses *naturelles* créées par Dieu pour sa gloire ; depuis la création du monde il y a eu des familles et des permissions. Mais en même temps, sous l'intonation doctrinale perçait un émerveillement sincère et enfantin, presque charmant, qui me rappelait celui de cette jeune fille arabe sur le pont du Théophile Gautier : « Nous avons mangé de jolies choses. » Il ajouta : « Trop courte, hélas ! » et puis, pour éviter d'être soupçonné même un instant de critiquer l'œuvre de Dieu et du haut commandement militaire : « Comme toutes les belles choses. » Comme si la brièveté de la permission ne fût pas tout simplement commandée par les circonstances extérieures et les événements mais qu'elle en fût la qualité la plus intime et la plus exquise, la source même de sa beauté et cette mort secrète qui émouvait Barrès sur de jeunes visages.

Sur-le-champ cela ne m'a fait que rire et puis je me suis rendu compte que je prenais, à ma façon, la permission comme cela. Comme quelque chose de donné, non comme un droit. Et puis comme une beauté. Je l'envisage avec son temps propre de dix jours qui ne m'apparaît pas comme une limitation arbitraire mais comme une qualité personnelle de cette beauté, exactement à la façon du rythme et de la durée d'une mélodie. Le temps plat et amorphe de tous les jours, c'est ici que je le vis, c'est ici qu'il s'accumule ; *là-bas,* il me semble que je vais connaître un autre temps, le temps de la musique et des aventures, où la fin est déjà présente dans le commencement. C'est comme si je m'introduisais moi-même dans une impitoyable petite nouvelle qui ne finit pas très bien mais qui est belle. Et je suis un peu indigné à la pensée que toute cette matière si précieuse qui la remplira, le Castor, Paris, T., le loisir, c'était autrefois du quotidien. Je vivais tout cela avec le temps nonchalant et indéfini, abondant et pâteux, plein de petits effondrements sournois qui est mon temps d'ici. Il me semble que je ne traitais pas tous ces biens exceptionnels avec les égards qu'ils méritaient — que la seule façon dont il fallait les traiter c'était l'absence coupée de rares et fulgurantes présences. Comme si cette *absence* par rapport à tout ce qu'il aime faisait partie de la condition de l'homme. Je voudrais que ces dix jours aient une certaine qualité, dans leur étoffe même, qu'on ne trouve à l'ordinaire que dans les livres, chez K. Mansfield, dans *La Chartreuse de Parme,* dans les meilleures nouvelles de Barrès, qu'ils aient, plutôt qu'une frénésie âpre, une sorte de douceur lointaine et un peu cruelle, une espèce d'aristocratie aussi, que mes jours n'ont jamais connue. J'ai eu bien des moments de bonheur, mais c'était du bonheur à la grosse, abondant, épais comme du gros vin rouge ; il n'avait pas la « qualité ». Et ceci ne tenait pas à la nature de mes chances, qui furent belles (n'est-ce pas une belle chance qu'un réveil au petit matin au pied des gradins du théâtre d'Epidaure avec le Castor à mes côtés, qu'un retour hâtif à la tombée du soir dans les ruelles de Fès, pendant que s'allument les premières lumières et qu'on barre avec des chaînes les petites rues sombres à droite et à gauche sur notre passage, qu'une promenade autour des remparts d'Aigues-Mortes avec T.), mais parce que ma nature personnelle, avec une certaine pauvreté de sang, comporte une certaine défiance cynique envers le précieux, la crainte d'être dupe, de faire de l'Alain-Fournier, du merveilleux — et puis il y a toujours des détails qui choquent et qui, pourtant, font *aussi* partie du moment, et puis c'est malgré tout dans un temps bien quotidien : la promenade dans les rues de Fès s'insère dans l'attente agaçante d'un mandat qui ne vient pas, celle d'Aigues-Mortes entre deux disputes rouges avec T. Pieter me reprochait tout à l'heure de gaspiller l'argent, eh bien, il me semble que je gaspille aussi ma vie. Non par une âpreté à vivre le plus possible qui justement ne serait pas du gaspillage, mais par une certaine nonchalance à laisser couler les moments dans le passé, sûr que je suis qu'aucun n'est irremplaçable, par un manque total de l'envie de dire « Temps, suspends ton vol » comme Faust. Ce sens de l'irremplaçable et du particulier que même ce pauvre Drieu possède ou prétend posséder (il est vrai que c'était la mode quand il débutait) me fait défaut. Peut-être que dans bien des cas il aurait fallu m'accrocher. Mais même alors il me semble que ce n'est pas à faire, qu'on donne un coup de pouce, qu'on manque de bonne foi. A Mycènes, seul avec le Castor, sous un beau ciel orageux, au milieu de ces tombes étranges et de ces rochers, il s'en serait fallu de peu que je n'eusse un moment précieux. Mais il aurait fallu penser à Agamemnon, c'était tout à fait indispensable. Il serait trop long d'expliquer ici pourquoi. Toujours est-il que je m'y refusai. Le palais en ruine réclamait la présence des Atrides et moi je ne voulais pas le peupler de héros légendaires. Il resta en ruine et j'y perdis quelque chose. Il en est toujours ainsi et j'appelle ça suivant mon humeur pauvreté de sang ou honnêteté d'esprit.

C'est dire que je redoute un peu cette honnêteté d'esprit pour ce temps qui va venir. De loin ces dix jours me font tellement précieux ; il me semble que, pour une fois, je pourrais connaître un bonheur noble. Mais j'ai un peu peur de retrouver au sein même de ces dix jours la mousse abondante et lymphatique de mon temps d'ici, j'ai peur d'avoir des accès de générosité nonchalante, j'ai peur d'avoir l'esprit trop honnête. Certes je veux les vivre *authentiques*. Mais dans cette authenticité même il y a place pour quelque chose de plus rare, d'exceptionnel. Bref on me la donne, cette permission, mais il faut que je la prenne. C'est une entreprise. J'ai déjà pensé souvent aux difficultés qui attendent « là-bas » les permissionnaires. J'ai déjà pensé qu'une permission était *difficile*. Ça n'est pas si commode de « retrouver » une femme par exemple. Pour moi ces difficultés-là n'existent pas, mais il y en a d'autres que je viens de mentionner. Je dirai ici si j'ai « réussi » ma permission. J'ai déjà l'impression que Mistler et Nippert ont « gagné » la leur, si étonnant que cela puisse paraître pour ce dernier — que Courcy et l'adjudant l'ont perdue. Pour Pieter, il a passé à travers sans se rendre compte qu'il y avait une partie à jouer (sauf en ce qui concerne ses affaires) mais son affabilité naturelle, sa gentillesse et sa veine, comme aussi l'épaisseur de son cuir l'ont empêché de perdre : coup nul.

Subite désorganisation de notre groupe, il était temps que je le décrive, demain il n'existera plus. Demain Keller part pour Paris et je pars en permission. Dans quatre ou cinq jours c'est la relève, toute la division part pour Bouxwiller. Paul et Pieter seront seuls ensemble, dans une ville nouvelle. Ces brusques ruptures d'équilibre qui désagrègent tout à coup les formes au moment où elles paraissent le mieux organisées sont caractéristiques de l'instabilité militaire.

Samedi 3 Février
Départ en permission.

Dimanche 4
9 h 30. Après avoir passé la nuit dans le train, je débarque avec Keller chargé comme un baudet à Aiguevilliers (Haute-Saône), centre de rassemblement. Drôle d'endroit. Des baraques de bois, semblables aux fameuses baraques Vilgrain, au-dessous du remblai du chemin de fer, au milieu d'un petit bois. La ville et la gare civile sont à vingt bonnes minutes de marche. Une trentaine de baraquements disposés avec un certain souci de symétrie et dont les entrées se font face. La neige semble n'être pas tombée en Haute-Saône; le sol est noir et boueux, une bourbière, l'air doux et juteux. Des arbres maigres et branchus, nombreux et irréguliers comme de la mauvaise herbe. On se sent *d'abord* dans un bois. Et puis soudain, dans ce bois, un rassemblement humain, à forte odeur humaine. Ce rassemblement, malgré les costumes, n'a rien de vraiment militaire. Il y a une sorte de loisir sur les visages et une légère mélancolie égarée qui ne ressemble pas du tout à l'attente vide qu'on y lit lorsque les soldats sont en troupe commandée. Les tenues sont relâchées, les capotes ouvertes, beaucoup s'appuient sur de gros bâtons taillés et sculptés avec soin, d'autres tiennent un chien en laisse, d'autres portent des boîtes sonnantes d'où s'échappent de petits cris. Avec ces bâtons et leur silhouette cloche (les paquets, casque, bidon, masque à gaz l'épaississent autour de la taille et lui donnent une direction d'évasement par le bas) ils ressemblent plutôt aux « soldats » d'Andersen qui revenaient chez eux,

libérés, à moitié brigands. Ils ont l'air « d'en avoir vu », quelque chose de paisible et d'un peu dur qui contraste avec l'air de mouton qu'ils ont dans le service. Quelques types saouls — pas beaucoup. Moins qu'hier. Ils ont cuvé leur vin dans le train de nuit. Mais ce qui donne son caractère très particulier à ce rassemblement dont les membres viennent de n'importe où et s'en vont n'importe où, ce sont les rafales qui soufflent des haut-parleurs situés dans chaque baraque et sur le toit de la plupart d'entre elles. De temps en temps c'est de la musique. Rarement — tout à l'heure *Plaisir d'amour.* Mais la plupart du temps ce sont des renseignements, exhortations, conseils etc. Le tout distribué selon les meilleurs principes des parleurs de la Radio. La voix est distincte et posée, on cherche la formule qui frappe, les slogans, les bons mots, et les mots pour rire ne sont pas exclus. La façon dont on nous traite est plus civile que militaire. A vrai dire intermédiaire entre le « Messieurs les voyageurs » de la S.N.C.F. et le « Soldats ! » du capitaine ou du rapport quotidien. On nous interpelle : « Permissionnaires ! faites bien attention à ceci : pour le train vert seulement, rassemblement derrière la baraque du tri. Pour le train vert seulement. Allô, allô, pour ceux qui ne sont pas du train vert, je les prierai de regagner leur cantonnement pour ne pas encombrer la circulation. Ce n'est pas la peine de se faire mouiller inutilement. » Ce qui frappe, c'est qu'on s'adresse à notre *raison.* Certes une raison infantile encore et qu'il faut frapper, convaincre par la répétition. Mais enfin une raison tout de même. On nous *explique* le pourquoi des ordres. Et de ce fait l'ordre devient seulement conseil. Le titre même de « *permissionnaires* » — et, ici, c'est le seul qu'on nous donne — désigne une réalité intermédiaire entre le civil et le soldat. Quelque chose comme « Voyageurs ! » ou mieux encore « Les titulaires d'une carte pour familles nombreuses » ou encore et surtout : « Possesseurs de billets réduits pour le voyage de week-end aux châteaux de la Loire. » C'est cette synthèse toute neuve d'organisation civile (c'est véritablement très bien organisé), d'uniformes et de commandement avec menaces voilées, d'appels à l'initiative de chacun (mais à une initiative dont on a rigoureusement déterminé la seule direction possible), cet effort vers un confort de masses, rude et moderne (possibilité d'envoyer des télégrammes, casse-croûte au Foyer du Soldat, tasse de café gratuite à la cantine), c'est tout cela qui donne à l'ensemble un caractère de *fête fasciste ;* je reconnais un ton de voix au micro que j'ai déjà entendu, en Allemagne, lors des fêtes de Tempelhof, etc. Impression d'ailleurs fêlée par cet air dur, silencieux, indifférent et intérieur de la plupart des types.

Ce qui frappe en effet, c'est que les soldats n'ont pas l'air de se réjouir. Ils sont calmes et même un peu sombres. Je suis comme eux. Parmi eux pourtant il y en a qui se sont battus quinze jours (j'en suis) pour pouvoir partir aujourd'hui. Mais ils ont l'air réfléchi, comme si c'était à la fois une entreprise et une épreuve. Ils semblent n'être pas sans appréhension. Je comprends très bien cette angoisse et je la partage. Sauf les très jeunes, ils voudraient que « ça soit *bien* » et ils ne sont pas sûrs que ça le sera.

Tout de même une brève petite explosion de joie dans notre baraquement quand le haut-parleur annonce : « Permissionnaires pour le train bleu, rassemblement. » Les types crient un peu et ça s'éteint vite. Peu d'autres manifestations : quelques sifflets lorsque le pick-up parle de la police.

L'aspect très particulier de ce rassemblement vient évidemment de ce qu'il a été organisé par des civils sous le contrôle militaire. Pancartes, services, pick-up etc. sont, j'en suis sûr, l'œuvre de la S.N.C.F. Et c'est pour la S.N.C.F. que nous sommes des « permissionnaires ». C'est-à-dire des « ayants droit » à un parcours gratuit sur des trains définis.

Les baraquements : environ trente mètres de long sur huit de large. Plancher de bois, cloisons de bois blanc, trois fenêtres en verre dépoli et huit impostes sur les deux cloisons les plus longues. Quatre ampoules électriques au plafond, des bancs de bois blanc à dossier serrés les uns contre les autres ; entre ces bancs, d'un bout à l'autre de la baraque, un couloir qui va de l'une à l'autre des portes qui se font face.

Exemple du *ton* du pick-up : « La cantine ne fonctionne à neuf heures que pour les permissionnaires du Train Rose. Tous ceux qui se glisseraient dans l'escorte sans avoir une permission rose... » Un silence. On attend : ... auront quatre crans [1]. Mais non, la voix continue sur un ton paternel : « ne seront pas reçus à la cantine. Et la cantine est loin. Il faut vingt minutes pour y aller, vingt minutes pour en revenir. Ils auront perdu quarante minutes pour rien ».

Vers 10 h 30, le pick-up diffuse *Ta main dans ma main* de Charles Trénet. Je me revois avec Bost et le Castor dans un quartier populaire de Marseille, par une belle nuit d'Août, essayant de me rappeler l'air de cette chanson. Une émotion violente et brusque, sans rapport avec ma morosité réfléchie de l'instant précédent, me mouille les yeux. J'écrase mes larmes en feignant d'essuyer mes lunettes. Il y a certainement là-dedans un assez abject retour d'attendrissement sur moi. Et puis sensiblerie venant d'une nuit assez fatigante. Mais c'est qu'aussi toutes ces choses passées, tous ces biens auxquels je pensais comme à des morts hier encore m'ont paru merveilleusement et illusoirement *accessibles* pendant un instant. On me les *rendait.* J'écris ceci bien installé dans le Train Rose qui part à 11 h 16. Il est onze heures, j'entends encore des lambeaux méconnaissables d'une musique pathétique. Et puis de temps en temps : « Retardataires pour le Train Rose, hâtez-vous », qui vous a un petit air de « Prolétaires de tous les pays, unissez-vous ».

16 Février

Retour de permission. Je n'ai pas touché à ce carnet pendant mon séjour à Paris et j'ai bien fait. Au fond tout ce qui m'y est arrivé ne le concernait pas. C'est un carnet de guerre et il n'a de sens que comme tel. Et puis je voulais me laisser aller à vivre sans penser. Ou plutôt sans cerner aussitôt et fixer mes pensées, sans savoir que je pensais. Je noterai ici pourtant ce qui peut intéresser du point de vue de « l'être-en-guerre », puisque la

1. En argot militaire : jours de punition. *(N.d.E.)*

permission, de toute façon, est un épisode de la guerre. Je dirai tout d'abord que j'ai été comblé. Rien que de l'excellent. Il n'y a pas eu d'heures perdues. Je ne pense pas qu'on puisse faire mieux. J'ai vu le Castor et T., je n'ai pas été seul un instant mais j'avais assez dégusté la solitude à Brumath et à Morsbronn pour gagner la douceur d'être deux. Les gens ne m'ont pas déçu, bien au contraire. Il y a même eu une heureuse surprise — qui fait partie de ma vie privée. Mais après avoir insisté sur la perfection de cette permission, il faut que je dise qu'elle ne fut pas du tout pareille à ce que j'avais imaginé, notamment le Vendredi 2. Elle n'était pas *précieuse.* Et cela tint d'abord à la nature du temps qui fut là-bas comme ici du temps à la grosse. On n'y peut rien. Il n'y a qu'un temps, le temps de l'Existence. Le fait que je sentais dès mon arrivée ces dix jours comme devant avoir un terme, être-dix-jours, n'y changea absolument rien. C'est que Paris, au début surtout, me sembla quotidien. Je n'y sentis pas beaucoup la guerre. Dans les rues, peut-être, le soir. Mais dans les endroits soigneusement choisis où nous allions avec le Castor, la guerre n'avait presque rien dérangé. Toutes mes habitudes m'avaient repris malgré moi et je me sentais installé. Les cinq mois que je venais de passer en Alsace me paraissaient un rêve. Vers le milieu de ma permission, je commençai à remarquer la grande proportion des infirmes et des vieux et je sentis Paris comme une ville exsangue, qu'une hémorragie avait vidée de tous ses hommes. La tristesse des soirs, surtout, agit sur moi. Montmartre était mort et désolé. La place St-Charles dans le mirage de la nuit me parut avoir la grandeur sinistre d'un croisement de grand-routes en banlieue. En descendant la rue Pigalle j'apercevais çà et là, comme des lézardes vitreuses, les lueurs mourantes des dancings à travers les rideaux. Je savais que les Jazz étaient devenus mauvais et ce mot de T. me renseigna mieux encore sur leur agonie : « N'allons pas au Chantilly, il y fait trop froid. » Il y avait d'ailleurs, dans l'air, quelque chose de plus subtil que le Castor me fit très bien sentir : c'était une ville d'hommes sans avenirs. « Une vie de famille », me disait-elle. Par le fait ce qui séparait plaisamment les gens, pendant la Paix, c'est que chaque homme et chaque femme semblaient une porte ouverte sur le dehors, sur des avenirs inconnus. Chacun attendait quelque chose que j'ignorais et qui dépendait en partie d'eux et c'était cet avenir inconnu qui le coupait de moi, non la plate-forme d'autobus ou le bout de trottoir, qui nous réunissait dans le présent, au contraire. Tout cela a disparu : la plupart des gens que j'ai vus, dans les cafés, dans les rues, dans les dancings, ont l'air fort normaux, ne parlent pas de la guerre et même, à l'occasion, s'amusent. Pourtant je sais que leur destin est arrêté comme celui des morts ; ils n'attendent plus rien que la fin de la guerre, qui ne dépend pas d'eux. Ils s'occupent comme ils peuvent en attendant ; ils laissent la guerre couler sur eux, en faisant le gros dos. Oui, Paris m'a fait l'effet d'un caveau de famille et cela ne contribua pas peu non plus à ôter son « précieux » à ma permission. Cette ville que j'avais tant envie de retrouver, ou bien elle était toute quotidienne, je ne jouissais même plus du recul suffisant pour sentir que je l'avais retrouvée — ou bien je la découvrais tout à coup à mes pieds mais elle était pauvre et morte — d'une lugubre pauvreté. Et cette pauvreté était telle que les deux seules impressions fortes que je tirai de Paris furent tout à l'opposé de celles que j'attendais : j'imaginais que je me sentirais perdu dans une ville étrangère, immense et grouillante comme cela m'est arrivé à Berlin, à Londres, à Naples. Ce fut le contraire qui arriva : un des derniers soirs, le Castor était entré dans un café des Champs-Elysées, le Rond-Point, et je l'attendais au-dehors, séduit par cette discrétion nouvelle et feutrée qui donne aux cafés le soir une allure clandestine de bordels, séduit par un ciel qui n'en finissait pas de s'éteindre et par quelques pierres précieuses attachées aux becs de gaz qui brillaient sans éclairer, par toute une nuit bleue et pleine de chuchotements, qui faisait penser à l'été. Et, tout d'un coup, je fus envahi d'une sorte de joie à la pensée que moi vivant j'étais là dans cette ville superbe et morte, que j'étais vivant précisément parce que je ne lui appartenais pas, parce que mon destin se jouait ailleurs et que, dans la mesure où je *faisais* la guerre, j'en étais tout de même l'artisan. A ce moment-là, je me sentais comme un voyageur qui se prête à une ville et que quelque chose attend ailleurs. Et, sans doute, c'était amer, parce que j'allais quitter bientôt ceux que j'aimais le plus et que, précisément ce jour-là, j'aimais plus âprement que jamais. Mais c'était un véritable soulagement d'orgueil, au milieu de cette amertume, de n'être pas pris là-dedans. Je ne puis comparer cette impression qu'à celle que nous eûmes, le Castor et moi, devant des villes grecques ou marocaines splendides et peuplées de morts. A Sparte par exemple, en voyant la jeunesse grecque prendre l'apéritif dans le grand café de la ville, à Fès dans les souks. Nous étions fascinés au point, presque, de nous laisser tomber là-dedans et pourtant soulagés, légers parce que nous étions des gens d'ailleurs.

Une autre fois, avec T., au Jockey, j'eus une impression analogue mais moins pure. J'aimais très fort T. et elle semblait m'aimer. Et il y avait d'autres couples, très jeunes (les types ne devaient pas être mobilisables) qui paraissaient s'aimer beaucoup aussi. Et je sentais que j'échappais malgré moi à cet amour parce que j'allais partir. Ils ne faisaient qu'aimer. Et moi j'aimais plus qu'eux, peut-être, mais j'étais seul, je ne pouvais que me prêter à cet amour parce que je devais repartir. A part ces deux petits moments, je vécus comme autrefois, comblé, certes, heureux, intéressé par chaque instant mais cette rareté que j'espérais ne se montra pas, je ne suis décidément pas fait pour les émotions rares.

Ce que j'ai appris aussi et que je note ici sans le développer, c'est qu'il est beaucoup plus facile de vivre propre et authentique dans la guerre que dans la paix.

17 Février

En somme cette permission faisait un tout, une forme pleine et ronde que j'entrevoyais de loin et pensais, en Janvier, pouvoir m'approprier. Mais cet objet je n'ai pu, en fin de compte, que le viser à vide. Au moment où je me croyais près de le tenir, il m'a échappé. De là à conclure qu'il n'a jamais existé que dans mon imagination, il n'y a qu'un pas que Proust par exemple eût vite franchi. Mais je m'en garderai. Le Castor m'a en effet enseigné quelque chose de neuf : dans son roman [1] on voit Elisabeth se plaindre d'être entourée d'objets dont elle voudrait jouir et qu'elle ne peut pas « réaliser ». Il est regrettable qu'elle ait prêté cette réflexion à Elisabeth, personnage antipathique et tendu qui en diminue la portée. La plupart du temps en effet, Elisabeth ne sent qu'*en apparence.* Mais le Castor voyait plus loin. Elle voulait dire que nous sommes entourés d'*irréalisables.* Il s'agit d'objets existants que nous pouvons penser de loin et décrire mais jamais *voir.* Pourtant ils sont là, à portée de la main ; ils sollicitent notre regard, nous nous tournons vers eux et nous ne trouvons rien. Ce sont en général des objets qui *nous* concernent. L'exemple choisi par Elisabeth est excellent : on ne peut vraiment vivre le rapport de ce qu'on a été avec ce qu'on est. Il m'arrive par exemple de dire : tout ce que je voulais dans ma jeunesse, je l'ai eu mais pas de la manière dont je l'ai voulu. Cela, je le *pense,* par comparaison de ce que je me rappelle avoir voulu à ce que j'ai obtenu. Je le pense mais je ne le *vois* pas. Il semble toujours que nous pourrions redoubler notre joie d'avoir réussi une entreprise en regardant ce succès à travers nos espérances et nos craintes passées : je le désirais tant et voilà que je l'ai. Mais dans la plupart des cas, c'est chose impossible. Nos grandes espérances sont mortes et, loin que nous puissions voir notre succès à travers elles, c'est elles que nous regardons à travers notre succès. Ainsi cet objet émouvant entre tous et que nous pouvons fort bien saisir quand il s'agit d'autrui nous échappe par principe. Pourtant il est *là.* Aron dirait que c'est une illusion, une façon de me réclamer du point de vue de Dieu (c'est-à-dire de l'être pour qui les irréalisables sont des réalités). Mais non, je suis beaucoup plus modeste. Ces objets existent parce qu'on peut les penser *en vérité.* Ma permission existe parce que la société lui a conféré une existence réelle, parce qu'elle est la signification de mon séjour à Paris et parce que, malgré tout, elle donne une nuance particulière à tous les instants, même les plus insignifiants, de ce

1. *L'Invitée. (N.d.E.)*

séjour. Et pourtant elle est hors de ma portée. Pareillement le rapport de mes ambitions de jeunesse à mon âge mûr peut exister pour le Castor par exemple. Mais pour moi non. Du même type, dirai-je, est cette « aventure » qui fuit toujours l'aventurier au milieu des conjonctures les plus extraordinaires et qui est pourtant une catégorie essentielle de l'action humaine. J'ai semblé dire, dans *La Nausée,* qu'elle n'*existait* pas. Mais c'est mal fait. Il vaut mieux dire que c'est un irréalisable. L'aventure est un existant dont la nature est de n'apparaître qu'au passé à travers le récit qu'on en fait. Ce qu'il y a de troublant dans ces irréalisables, c'est que je peux les penser jusqu'au bout et dans les détails et, au moyen des mots, les faire réaliser par d'autres. Par exemple, si j'avais souci d'écrire une nouvelle intitulée « La Permission », je pourrais la composer, cette permission, comme elle aurait dû être, avec sa nature pathétique et précieuse. Je pourrais faire en sorte que le lecteur la réalise comme une mélodie coulant implacablement vers sa fin. Mais ce serait de l'art. L'art est un des moyens que nous avons de faire réaliser vivement et « imaginairement » par d'autres nos irréalisables. Je saisis cette occasion pour noter que les irréalisables ne sont pas du tout de la même nature que les imaginaires. Ils sont réels, ils sont partout, mais hors de portée. D'autres peuvent les saisir sur le mode réalisant ou sur le mode imaginaire. Mais l'authenticité, je pense, tend à leur marquer leur place autour de nous comme irréalisables. Il ne faut pas les nier ni chercher vainement à les réaliser, mais les assumer comme irréalisables. Ce travers que nous avons reconnu souvent, le Castor et moi, chez autrui sous le nom d'*apparence* (« être une apparence », « faire du merveilleux ») consiste essentiellement en un certain genre de mauvaise foi par lequel nous nous donnons comme réalisé ce qui est par principe irréalisable. Au contraire, la pureté de T. repose sur une cécité de principe aux irréalisables. Elle ne songera jamais à penser le séjour que j'ai fait auprès d'elle comme une *permission.* C'est une présence entre deux absences, tout simplement. Elle n'appellera pas ses nombreuses histoires au Bal Nègre des aventures. En chacune elle a été fascinée par l'instant. Mais, malgré tout, ces objets lui manquent, il manque des ressorts à son activité. C'est en chaque cas qu'il convient de déterminer ce qui est l'irréalisable et ce qui peut être réalisé. Par exemple Paris est un existant réel, cela ne fait pas de doute. Mais est-il un existant réalisable pour moi ? Je puis penser que je suis dans Paris. Mais puis-je *être-dans* Paris ? Nous en avons très longuement discuté, le Castor et moi, il y a deux ans à propos d'un article de Caillois sur le mythe de la grand ville. Je crois en ce cas que j'avais raison contre le Castor (nous posions mal la question, d'ailleurs, car nous manquions justement de cette notion d'irréalisable. Nous nous demandions seulement si Paris existait ou n'était qu'un mythe). Je crois qu'on peut être-dans Paris. Il va de soi que je n'appelle pas « *réaliser* un objet » le simple fait de se représenter cet objet avec des sentiments plus ou moins vifs. On réalise un objet lorsque la présence de cet objet nous est donnée comme une modification plus ou moins essentielle de notre être et à travers cette modification. Avoir une aventure ce n'est pas se représenter qu'on a une aventure mais être-dans l'aventure — ce qui, je l'ai montré dans *La Nausée,* est impossible. Les irréalisables peuvent toujours être représentés mais ils ne peuvent être *jouis* et c'est ce qui leur donne leur caractère harcelant et ambigu. Je pense que la moitié des actions des hommes ont pour but de réaliser l'irréalisable. Je pense que la plupart de nos plus subtiles déceptions viennent de ce qu'un irréalisable nous apparaît dans l'avenir puis, après coup, dans le passé comme réalisable et de ce que nous sentons bien alors que nous ne l'avons pas réalisé. Et je sens bien à présent que ces dix jours qui sont derrière moi, contractés, resserrés de telle sorte que leur fin touche à leur commencement, sont en train de devenir, dans ma mémoire, *La* Permission, justement celle que je voulais avoir, quand j'y rêvais le 2 Février.

Je veux raconter mon retour. Avant-hier 15 Février j'ai revêtu vers huit heures et demie mon costume militaire, tout rapproprié par un tailleur civil, j'avais des bandes molletières neuves, des souliers de ski (ceux que j'avais portés jusque-là appartenaient au Castor), j'étais plus propre que je n'ai jamais été depuis le début de la guerre. Je suis arrivé à neuf heures sur le quai de la gare de l'Est et j'ai trouvé un coin sans peine. Beaucoup de femmes accompagnaient les soldats, très peu d'hommes. Elles s'accrochaient à leurs bras et les regardaient avec une sorte d'âpreté. Mais la plupart des soldats, propres et rasés, plus propres eux aussi qu'ils n'ont jamais été, ne les regardaient pas, ils étaient déjà partis, ils regardaient dans le vague ou bien ils regardaient les autres soldats. Je ne généralise pas hâtivement, je me suis promené tout le long du quai et j'ai été frappé partout par ces drôles de groupes, par ce mouvement, cette forme accrochée, plus petite qui essayait de refermer le groupe, d'en faire un tout contre l'extérieur, et la forme plus grande, muette, lourde et presque passive qui s'écartait légèrement de l'autre et se présentait de face quand l'autre était de profil, par ces deux regards dont l'un voulait maintenir et conserver et dont l'autre, perpendiculaire au premier, était en fuite vers l'avenir. De temps en temps une femme pleurait, son type s'en apercevait et lui disait avec gaucherie : « Il ne faut pas pleurer », mais il s'arrêtait, ne sachant qu'ajouter, profondément convaincu au contraire qu'elle avait toutes les raisons de pleurer. Une femme et son type se sont mis à sangloter ensemble mais ça n'a pas été très bien pris par la foule. Un soldat qui passait en courant a crié : « Voilà les grandes eaux » et les gens se sont mis à rire. Drôle d'événement social dans le gris sale et kaki boueux, cette sélection tout à fait primitive entre les hommes qu'on enlevait tous et les femmes mal fardées, enlaidies par l'insomnie de la nuit, hâtivement habillées et qui allaient rester là. Il y avait deux trains en face l'un de l'autre, le mien partait en second. A 9 heures 30 l'autre partit et je vis un défilé de femmes. Les couples, dont les mâles prenaient mon train, s'étaient un peu reculés et regardaient le défilé sans rien dire. Sans doute les femmes qui serraient les bras de leurs hommes pensaient-elles qu'elles seraient comme ça un quart d'heure plus tard. C'était un défilé lent et silencieux, avec une espèce de grâce hésitante. Toutes les femmes pleuraient sauf deux ou trois, c'en était presque comique : des vieilles et des jeunes, des grandes et des boulottes, des brunes et des blondes en désordre, avec les mêmes yeux rouges et cernés. Une ou deux me frappèrent, une surtout, une grande blonde élégante, avec un manteau de fourrure et un visage fané, qui ne pleurait pas, qui marchait à longs pas, la tête tournée de côté et qui regardait notre train avec un air affable et égaré. Celle-là me parut plus sonnée que les autres. Une autre aussi, une petite jeune fille qui avait exactement la contenance et la mine des femmes qui reviennent à leur place après la communion. Il me sembla, à son vague sourire intérieur, à ses yeux baissés qu'elle sentait ses souvenirs en elle comme une hostie. On a crié « En voiture » et nous sommes montés dans nos wagons. Dans mon compartiment les soldats venaient se mettre l'un après l'autre à la portière et chacun, après avoir secoué les mains qui se tendaient vers lui ou haussé jusqu'à lui une femme en la tirant par les épaules, disait courtoisement en se retirant : « Au suivant. » Le train est parti. Les types étaient silencieux et sombres. Dans le couloir un beau type blond ricanait rageusement. Quelqu'un lui dit : « Faut pas te frapper, à quoi ça sert ? » et il répondit avec une ironie sifflante : « Oh ! naturellement. C'est une affaire d'habitude. Dans dix ans ça ne me fera plus rien. » Un soldat parla de la prochaine permission et un autre lui répondit l'air mauvais : « Ah oui ! parlons-en de la prochaine permission. » Et un moustachu conclut, comme pour lui tout seul : « En voilà pour quatre mois. » On fit tomber sur la tête d'un petit Juif à lunettes tout un barda. Quelqu'un s'excusa et le petit Juif dit avec une gaieté résignée : « Oh ! maintenant ou plus tard... Enfin, le plus tard possible tout de même. » Ils parlèrent encore un moment, par propos vagues qui ne s'adressaient à personne et ne comportaient pas de réponses. A ces propos je crus comprendre qu'ils avaient tous la terreur d'une offensive de printemps ; c'est ce qui donnait cet aspect tragique à leur départ. Au bout d'un quart d'heure tout le monde se tut. Il y en avait qui lisaient et d'autres qui dormaient et d'autres qui restaient les yeux fixes. J'ai lu le *Bismarck* de Ludwig. Par moments je posais mon livre et j'allais fumer dans le couloir. Je n'étais pas triste mais très secoué, dans un état qu'on pourrait très précisément nommer le pathétique et qui doit être celui des insectes en train de muer. J'arrivais de temps en temps à m'intéresser à ma lecture et alors je communiquais mon pathétique à Bismarck qui manqua me mouiller les yeux.

Le train s'arrêta. Il était 16 h 30. Nous sommes descendus dans la neige et nous avons tout de suite compris de quoi il retournait : un haut-parleur a commencé à nous engueuler dès que nous eûmes mis le pied sur le quai. Nous n'étions plus des « permissionnaires » mais des « hommes » et il n'était plus question de nous raisonner courtoisement comme à Aiguevilliers mais de nous menacer des pires châtiments : « Il est sévèrement défendu... Tout homme qui contreviendrait à... s'exposerait aux sanctions les plus sévères. » Je ne me sentais pas atteint mais seulement amusé, j'étais raidi. « C'est leur manière de nous dire bonjour », dit mon voisin. Baraquements. C'est Port l'Atelier. J'ai bu une canette de bière au goulot, j'ai choisi ma baraque. Pourquoi choisir entre toutes ces baraques semblables ? Dernier reste de civilité. Je suis entré dans une grande salle sombre aux murs de bois. Des hommes dormaient sur des bancs, d'autres étaient assis la tête pendante, d'autres mangeaient. J'ai écrit à T. et au Castor et puis j'ai lu *Hitler m'a dit.* La nuit est tombée, il commençait à faire froid. Il y avait trois bancs disposés en triangle autour du poêle, dans la pénombre. Je me suis assis. Nous étions une vingtaine de soldats, assis cuisse contre cuisse, l'œil fixe. Je me rappelai un tas de souvenirs et je savais que chacun de mes voisins évoquait pareillement des souvenirs. Un type est entré : « Mais c'est le monde sans femmes, ici. Où qu'elles sont les femmes ? » De temps en temps le haut-parleur nous informait du prochain départ d'un train. Il nous annonça prématurément le départ du nôtre et il y eut un moment de confusion. A sept heures et demie je suis sorti de la baraque : on annonçait une séance de cinéma parlant. J'ai fait la queue avec les autres et puis, quand c'était mon tour d'entrer, je suis parti. Je ne voulais pas me divertir de ce monde sinistre et fort, je ne voulais pas me laisser fasciner par l'imaginaire. Je suis rentré dans ma baraque. A neuf heures vingt nous avons couru à notre train dans la neige, dans la nuit, en désordre, en enjambant des fils de fer, en sautant sur les voies, pendant que des adjudants aboyaient au loin derrière nous. Je n'ai pas bien compris la raison de ce désordre. Pour moi je n'eusse pas demandé mieux que de suivre les voies indiquées. Y eut-il des erreurs de nos chefs, affolement, héroïsme d'impatience ? Ce départ ressemblait à une déroute. Nous nous sommes trouvés à quatre dans un compartiment qui n'était ni éclairé ni chauffé, la vapeur avait gelé dans les tuyaux. Nous nous éclairions de nos lampes de poche pour disposer nos colis dans les filets. J'ai essayé de dormir, mais il faisait très froid et nous étions incommodés par une fade odeur de désinfectant. Mes voisins s'ébrouaient et gémissaient : « Les salauds, ils veulent nous faire crever, bon Dieu ce qu'il fait froid. » Finalement, je leur dis qu'on pourrait peut-être essayer de descendre au prochain arrêt et d'aller en tête du train, que nous aurions plus de chance de trouver des voitures chauffées. Mais ils préféraient gémir. Je suis tout de même descendu, dès que le train s'est arrêté et ils m'ont suivi, nous avons couru dans la neige le long du train, deux types se sont perdus en route et engouffrés n'importe où. Je me suis trouvé seul avec un gros blond dans un compartiment agréablement chaud puis deux chasseurs sont montés et je me suis endormi comme une masse. Nous devions arriver à 4 heures 37 mais quand je me suis réveillé, vers 6 heures, le train roulait encore. Un des chasseurs, tout jeune, au visage agréable et coloré, nous a raconté d'un air objectif que son capitaine était radiesthésiste. Il déterminait de son bureau avec son pendule si ses sections de mitrailleuses étaient bien à la place qu'il leur avait assignée et, si elles n'y étaient pas, il téléphonait pour demander des comptes. Le type parlait lentement et avec scrupule. Quand il eut terminé, il ajouta sur le même ton : « C'est un con. » Partout sur ma route j'ai trouvé la même haine des officiers, une haine modérée et profonde, qui n'a rien de commun avec l'antimilitarisme, qui est toute concrète et empirique au contraire, qui s'accompagne toujours d'un « je ne dis pas qu'il n'y en ait pas de bons, mais je n'en ai pas vu ». Les deux chasseurs avaient été dans la Sarre. Ils parlaient avec de grands yeux de ces premiers jours de Septembre où les mines sautaient sous leurs pieds. Ils avaient vu un lieutenant imprudent sauter en l'air et retomber avec les yeux déchirés ; ils avaient vu un gros camion sauter, son conducteur s'était retrouvé, sans grand mal, accroché à un arbre, avec ses vêtements brûlés. A six heures trente, arrivée à Dettwiller (ma division a quitté Morsbronn pour Bouxwiller). Baraquements. Un type râle près de moi et les autres l'approuvent : il s'agit toujours des officiers. Un capitaine aurait puni quelques hommes en les faisant rester au garde-à-vous le nez contre un mur pendant deux heures. Cette sanction les irrite d'une façon qui me demeure assez incompréhensible. J'aimerais mieux ça que quatre jours de taule, mais ça les atteint dans leur dignité d'homme : « On n'est plus des gosses, bon Dieu ! » Un autre, un gros qui a l'air paisible, dit d'une voix endormie : « Patience ! On ne se laissera pas toujours faire, ça ne durera peut-être pas toujours. » Pourtant ils s'accordent à reconnaître la nécessité de la guerre. Il y en a un qui dit : « La guerre au début c'était pour un idéal mais ça finira par des questions d'intérêt, comme l'autre. » Le même, un peu plus tard, parle de se faire réformer pour le cœur : « Je suis si nerveux, à cause du cœur, que, vous me croirez si vous voulez, quand je retrouve une personne que je n'ai pas revue depuis cinq mois, je reste idiot pendant plusieurs minutes. » Vers huit heures on nous empile dans des cars et, à neuf heures moins vingt, je suis à Bouxwiller.

Hang, qui a été à Saumur en permission, est revenu furieux contre les civils. Il me parle d'un nommé Deck qui lui a dit, à son retour de permission : « Si ce n'avait été ma femme, au bout de deux jours j'aurais demandé à revenir » et d'un autre type qui avait dit : « Les Parisiens mériteraient d'être bombardés deux fois par semaine. » Je ne partage pas du tout son avis : les Parisiens m'ont semblé amorphes et tristes. J'imagine que c'est la lente et fatale transformation du soldat en incompris qui commence.

Dimanche 18 Février

Les deux chasseurs que connaît Pieter sont revenus nous voir. Ils se plaignaient, il y a deux mois, d'un goût de panache assez sot parmi leurs camarades. On leur reprochait de se planquer s'ils ne se présentaient pas comme volontaires pour les missions dangereuses. Aujourd'hui, ils disent que le moral des troupes est très bas. C'est ce que j'ai eu l'occasion de constater partout depuis quelque temps.

Le coup de rasoir des relativistes, c'est l'accusation de recourir secrètement à Dieu. Par exemple tout effort pour saisir un événement historique *comme il fut* (et non tel qu'il apparaît à travers des couches de significations techniques ou culturelles, à travers des préjugés eux-mêmes historiques, à travers des postulats d'une philosophie individuelle) apparaît à Aron comme un recours à Dieu. L'événement en soi c'est l'événement tel qu'il apparaîtrait à Dieu. En ce sens a-t-il pu me dire que son *Introduction à la philosophie de l'Histoire* était un plaidoyer pour l'athéisme philosophique et méthodologique. Je reconnais volontiers que l'argument a une valeur technique (il est vrai que *techniquement* l'historien est historique) et psychologique (il est vrai que la plupart du temps la recherche du fait *tel qu'il fut* équivaut psychologiquement chez le chercheur à un abandon à Dieu). Mais la faiblesse secrète de ce rasoir idéaliste, c'est qu'il contient en lui un postulat énorme qui en fait un cercle vicieux. Ce postulat, c'est l'idéalisme lui-même. Dire que toute recherche de l'en-soi est un recours à Dieu c'est affirmer tout simplement que l'*esse est percipi ;* c'est faire s'évanouir l'être en connaissance, l'en-soi en être-pour. On a frelaté la question par une ruse assez habile. Si je demande ce qu'est absolument un fait on me répond qu'un fait ne peut être absolument que « pour » un être absolu, ainsi suis-je renvoyé à Dieu. Mais précisément je refuse cette dégradation de l'en-soi en être-pour et je crois avoir montré au contraire, au cours de ces carnets, que l'être-pour ne peut paraître que sur fond d'*en-soi,* dont il est la néantisation. Mais il faut aller plus loin et montrer qu'il y a un certain ***en-soi*** non du ***pour-moi*** mais du pour-autrui, par exemple. Si je suppose une de ces présences réciproques de deux pour-soi qui constituent un pour-autrui, j'ai expliqué que cette présence se donne sur fond d'en-soi. Mais nous retomberions dans l'erreur idéaliste du primat de la connaissance si nous admettions que ce pour-autrui n'existe qu'***en tant*** qu'il est une modification d'être pour chacun des pour-soi. Sans doute, il n'y a de ***pour-autrui*** que comme modification existentielle réciproque de deux (ou plus de deux) ***pour-soi.*** Mais si chacun des pour-soi réalise son pour-autrui à travers ***sa*** propre modification existentielle, que dirons-nous justement de la modification existentielle ***réciproque ?*** N'est-elle que la ***somme*** des deux modifications individuelles ? Mais cette somme ne peut se faire que sur fond d'unité préalable. N'existe-t-elle que ***pour*** une tierce personne ? Cela est possible en apparence et nous retomberions dans l'idéalisme et finalement dans le recours à Dieu, puisque finalement la modification existentielle réciproque n'existerait absolument ***en soi*** que pour l'être absolu cause de soi. Ou enfin y a-t-il une existence propre de la modification existentielle réciproque, une existence qui ne se poserait ni en termes de ***pour-soi*** ni en termes de ***pour-autrui*** ?

Voici, par exemple, que Pieter entre, il me voit, il me parle, du coup il m'entame dans mon existence même et moi je me fiche comme un couteau dans la sienne. Nous voilà lancés dans une conversation. Je me demande si cette « ***conversation*** » n'a d'existence que pour moi qui converse ***et*** pour lui qui converse. Ou bien si elle existe en outre, non pas certes indépendamment de lui et de moi, mais indépendamment de l'être-pour-soi de chacun de nous. Cela n'est pas simple car le pour-soi n'existe que comme néantisation de l'en-soi. Ainsi, où que nous nous tournions, nous ne trouvons que de ***l'en-soi néanti.*** Mais précisément l'en-soi ressaisit ce qui lui échappe dans la néantisation en donnant à cette néantisation même la valeur d'un ***fait*** apparu au sein de l'en-soi. Par la ***facticité*** la conscience, dans sa néantisation de l'en-soi, est ressaisie par-derrière par l'en-soi qu'elle néantise, c'est ce qu'il faut entendre lorsque je dis que l'en-soi est son propre néant. Non qu'il soit lui-même fondement pour le Néant mais pour que le Néant néantise l'en-soi il faut qu'il sorte de l'en-soi même, il faut qu'il *soit-été.* Et cette mince pellicule d'existence par quoi l'en-soi recouvre sa propre néantisation, c'est précisément la facticité ou limite à la transparence de la conscience. Non pas qu'il y ait rien *derrière* cette transparence mais simplement le *fait* d'être-comme-pour-soi est la limite opaque de cette translucidité. Autrement dit, *c'est* un fait *en soi,* échappant à toute néantisation, qu'il existe en ce moment un *pour-soi* qui est néantisation de l'en-soi. La réflexion pourra surmonter cette facticité en néantisant l'existence de fait de la conscience réfléchie mais ce sera pour tomber sous le coup de la facticité réflexive, la facticité n'aura été que déplacée. Ce fait n'existe-pour personne. Si la conscience se retourne vers lui pour l'interroger, elle ne le *voit* pas, elle ne voit que la liberté infinie et néantisante de ses propres motivations. Il *est,* tout simplement. Non pas aux yeux de Dieu : en soi. Ceci nous amène aux abords de la question du temps, que je tâcherai ces jours-ci d'examiner. C'est cette même pellicule de facticité qui confère une existence *en soi* à ma conversation avec Pieter.

Le propre du Néant n'est pas seulement de néantiser l'être mais de se néantir soi-même vers l'en-soi. C'est pourquoi la transcendance de la conscience consiste à dépasser le monde vers une ipséité qu'elle veut comme un *en-soi.* Mais cet en-soi qu'elle projette par-delà le monde retient en lui-même les caractères essentiels de la conscience. C'est un en-soi qui est à soi-même son propre fondement, comme la conscience est à elle-même sa propre motivation, un en-soi qui enveloppe, dépasse et retient en ses flancs la facticité. Un en-soi qui est à lui-même un pour-soi. Cette projection hybride de l'en-soi et du pour-soi est la seule manière dont la conscience puisse se donner à elle-même comme fin l'en-soi. C'est exactement ce qu'on nomme le « cause de soi ». Un en-soi qui serait pour-soi est cause-de-soi. La transcendance, c'est l'être de la conscience en tant qu'elle est-pour-être-cause-de-soi.

On déjeune avec cinq chasseurs, les deux de Pieter et trois autres. Toujours cette amertume rude envers les officiers. Ils en ont tous bavé et se rappellent sans jactance, avec une espèce de dureté cynique qui me plaît, les endroits les plus durs, par-dessus nos têtes. Ils parlent volontiers de descendre leurs officiers. Aucun ne le fera, bien entendu, mais ce qui est frappant c'est que ça ne se dit pas avec révolte et les poings serrés mais sur un ton de conversation aisée et comme une chose qui va de soi. Ils ne prétendent même pas les descendre eux-mêmes mais constatent objectivement comme un fait que, si le colonel Deligne vient visiter de nuit les avant-postes, il « se fera descendre ». Certains de leurs officiers ont couché avec eux sur la dure, mais ils ne sont plus au stade où l'on s'en émeut ; ils disent simplement : « C'est habile. » Plus que de la colère ils ont du mépris pour eux. L'un d'eux, d'Epinal, que je vois pour la première fois — tête dure, moustache blonde — raconte très bien : « Le capitaine, il se monte en parlant, il finit par se mettre en colère tout seul, il nous dit : ceux qui fumeront je leur collerai une balle dans la tête, je tiens à ma peau. » Petits haussements d'épaules apitoyés. Description par un autre, qui est professeur de musique, de son capitaine : « C'est un instituteur, il ne sait pas commander, je ne le lui reproche pas mais qu'est-ce qu'il vient faire là-dedans ? Il a peur, toujours peur. Quand il nous punit, il larmoie : “ Je ne vous en veux pas, je ne vous en veux pas, mais je suis bien obligé. Quinze jours de taule, vous allez trouver que c'est dur, mais que voulez-vous, je ne suis pas seul. ” Avant de partir en ligne, il nous réunit : “ Garde-à-vous, repos. Jusqu'ici nous n'étions que des mobilisés, à présent nous allons être des combattants. Je serai peut-être le premier à tomber. Je suis sûr que quatre-vingt-dix pour cent d'entre vous... ” Nous avons verdi, on croyait qu'il voulait dire : quatre-vingt-dix pour cent d'entre vous y resteront. Mais non : “ Je suis sûr que quatre-vingt-dix pour cent d'entre vous iront me chercher dans les lignes ennemies si j'y tombe. Je ne demande qu'une chose, c'est de ne pas fermer les yeux en terre allemande. Vive la France ! ” Le colonel Deligne était furieux contre lui, il lui a dit : " Considérez-vous comme puni moralement. " Huit jours après, comme quelque chose clochait, il s'est mis en boule, il a juré : " Nom de Dieu, je ne veux pas être puni deux fois, j'ai déjà été puni moralement, ça suffit comme ça ! " »

J'imagine si bien Paul, officier égaré entre sa peur et sa conscience de socialiste. A propos de Paul, il paraît qu'il a sangloté deux fois après mon départ. Le soir de mon départ il a reçu une lettre de sa femme lui annonçant que son fils était un peu fatigué. Premiers sanglots. Le lendemain il reçoit un télégramme, il verdit et le tourne entre ses doigts dix minutes sans se décider à l'ouvrir. Pieter agacé lui dit : « Ouvre-le. » Il finit par le déchirer à moitié et lit quelques mots sans importance : sa femme est nommée à Châteauroux, je crois, dans le secondaire. Il avait craint le pire. Il s'écroule et sanglote « comme une femme », dit Pieter avec indignation.

Pour en revenir à mes chasseurs, on leur demande s'ils ont été attaqués : « On l'a cru. Une fois il y a eu une formidable fusillade, on s'est jetés sur nos armes, on nous a crié des ordres et puis après on nous a dit que c'était dans un autre secteur. Mais la vérité, on l'a apprise le lendemain d'un homme de garde qui a entendu le capitaine dire à un adjudant : " Les lascars ! On a dépensé quinze cents cartouches pour les mettre dans l'ambiance. " »

Je ne dis pas que ce soit vrai. Ce qui est vrai, c'est qu'ils le pensent tous. Même impression hier soir en dînant avec d'autres chasseurs. Ils ne croient pas trop à une offensive de printemps mais ils en ont marre. La plupart nous disent : « Ça s'écroulera par l'intérieur. Ici et là-bas. »

L'adjudant a changé de refrain. Il s'imagine qu'on va envoyer un corps expéditionnaire en Finlande et qu'il en sera. « J'irai, dit-il, couper les moustaches au petit père Staline. »

Ma remarque d'hier sur les irréalisables prête à confusion. Ce qui est irréalisable n'est jamais un *objet*. C'est une *situation*. Ce n'est pas Paris mais l'être-dans-Paris à propos de quoi se pose la question de l'irréalisable.

Un adjudant qui recherche notre compagnie parce qu'il a un goût malheureux pour l'intelligence raconte à Pieter qu'il avait un « joli intérieur » dans une région d'Alsace aujourd'hui évacuée. « J'avais acheté de beaux meubles, je m'étais fait un joli boudoir, avec des divans et douze poupées. Ah mon pauvre ami ! quand j'y suis retourné, ces jours-ci, j'en ai pleuré. Ils avaient tout saccagé ; si j'avais trouvé un soldat, je l'aurais pendu. Et mes jolies poupées, ils les avaient assises en rond et ils avaient chié au milieu ! »

Hang a perdu son moral, sa permission l'a mis à plat. Il veut se faire porter malade et dit en hochant la tête : « Si ça continue comme ça sans coup dur, nous aurons la révolution et ça commencera par l'Armée. »

Délire violent et sombre à propos d'une lettre qui n'était pas ce qu'elle aurait dû être. Je me promène pour me calmer. Je traverse le village et j'arrive en haut d'une large rue sinueuse en pente raide. Des soldats, des filles, des enfants la descendent à toute vitesse sur des luges. Souvent quatre ou cinq luges sont associées et ça fait un petit bobsleigh. La moitié de ces équipages chavirent en riant en cours de route. Des deux côtés de la rue des militaires sont massés, comme le public à Chamonix pour les épreuves de saut en ski. Quand les luges passent ils leur jettent des boules de neige en riant. Regret du ski. Je rentre tout à fait calmé. Je signale ici ces délires noirs qui reviennent assez souvent chez moi pour constituer un trait de caractère.

J'ai une espèce de vergogne à aborder l'examen de la temporalité. Le temps m'a toujours paru un casse-tête philosophique et j'ai fait sans y prendre garde une philosophie de l'instant (ce que Koyré me reprocha un soir de Juin 39) faute de comprendre la durée. Dans *La Nausée* j'affirme que le passé n'est pas et, plus tôt, j'essayai de réduire la mémoire à une fiction vraie. Dans mes cours j'exagérais la part de la reconstruction dans le souvenir, parce que la reconstruction s'opère *dans le présent.* Cette incompréhension s'appariait fort bien avec mon manque de solidarité avec moi-même qui me faisait juger insolemment mon passé mort du haut de mon présent. Les difficultés d'une théorie de la mémoire comme aussi l'influence de Husserl me décidèrent à conférer au passé une certaine sorte d'existence, très exactement l'existence au *passé.* Et j'acceptai d'autant plus aisément cette idée nouvelle que j'étais fort embarrassé et vexé de me voir jeté, seul instantanéiste, au milieu des philosophies contemporaines qui sont toutes des philosophies du temps. J'essayai dans *La Psyché* de tirer dialectiquement le temps de la liberté. Pour moi c'était une audace. Mais tout cela n'était pas encore mûr. Et voici qu'à présent j'entrevois une théorie du temps. Je me sens intimidé avant de l'exposer, je me sens un gamin.

Je constate d'abord que le temps n'est pas originellement de la nature de l'en-soi. Il n'est donc ni un milieu, ni un cadre, ni une forme a priori de la sensiblité, ni une loi de développement. En effet il est tout entier transi par le Néant. Si je le considère d'un point de vue, il *est* et si je le considère d'un autre point de vue, il n'est pas : le futur *n'est* pas encore, le passé *n'est plus,* le présent s'évanouit en point infinitésimal, le temps n'est plus qu'un songe.

Je vois bien aussi que le temps n'est pas de la nature du pour-soi, comme les théories contemporaines voudraient le faire croire. Je ne suis pas *dans* le temps, cela est certain, mais je ne suis pas mon propre temps non plus, à la façon dont l'entend Heidegger, sinon il y aurait une translucidité temporelle coïncidant avec la translucidité de la conscience ; la conscience serait temps en tant qu'elle serait conscience du temps. Mais il n'en est pas du temps comme du plaisir, qui ne peut exister pour la conscience que s'il est conscience. Je n'ai pas besoin de me faire temps pour être temporel. Le temps est la limite opaque de la conscience. C'est d'ailleurs une opacité insaisissable dans une translucidité totale. Tous nos actes supposent une compréhension préontologique du temps et, par ailleurs, on peut thématiser le temps, en faire l'objet d'une théorie. Mais le temps n'est ni

devant nous comme un objet du monde, ni ***nous-mêmes*** en tant que nous sommes comme ***pour-soi.*** Il ne peut être l'objet d'une intuition comme le veut Bergson mais il ne peut être non plus une situation au sens où la situation n'existe que pour être dépassée. Pourtant nous *sommes* temps mais nous ne nous ***temporalisons*** pas. En fait le temps ne nous apparaît que grâce au ***passé*** ou à l'***avenir,*** il ne nous est pas donné de le vivre dans son écoulement continu. Ainsi dans la mesure où nous *sommes* temps, nous *sommes* quelque chose sur un mode autre que celui du pour-soi. Et pourtant ce quelque chose n'est *rien ;* si nous nous retournons vers lui pour le saisir, il se pulvérise en présent punctiforme, en ce qui n'est plus, en ce qui n'est pas encore. Il apparaît d'abord comme le rien qui sépare la conscience de ses mobiles et de son essence. Il ne semble pas distinct du processus de néantisation de l'en-soi en pour-soi. J'échappe en effet ***dans le temps*** à mes propres mobiles, ***dans le temps*** à mon essence puisqu'elle est ***ce qui a été :*** « Wesen ist was gewesen ist. » Pourtant ce n'est évidemment pas la même chose, puisque je suis mon propre néant et que je ne suis pas mon propre temps. Si l'on préfère, il n'y a aucune différence entre la néantisation et la temporalisation si ce n'est que le pour-soi ***se*** néantise et ***est*** temporalisé. Et pourtant néantisation et temporalisation sont données dans un seul et même mouvement quoique existentiellement distinctes. Le temps est la facticité de la néantisation. Notre temporalité et notre facticité sont une seule et même chose.

Je continuerai demain.

Opinion de civil. Madame X dit à ma mère : « On ne devrait pas leur donner de permissions, au fond, parce qu'ils s'en retournent avec un plus mauvais moral. »

19 Janvier[1]

Mistler n'est plus ici. Il était de la classe 22 et on l'a rappelé

1. Erreur sur la date : il s'agit du 19 Février. *(N.d.E.)*

peu après Keller comme secrétaire à l'Etat-Major de la 5ᵉ Armée à Wangenbourg.

Je lis pêle-mêle (ayant tout commencé à la fois) :

Plutarque a menti : Pierrefeu

Le Siège de Paris : Duveau

Bismarck : Ludwig

La Guerre de 70 : Chuquet

J'ai aussi commencé en allemand *Dichtung und Wahrheit* de Goethe, trouvé dans la bibliothèque de nos hôtes. En réserve un « Marat » de je ne sais qui, pris dans la chambre du Castor, et des extraits de Saint-Simon sur la Régence.

Je reviens au temps. L'irruption du pour-soi dans l'Etre comme néantisation de l'en-soi se caractérise comme un mode existentiel irréductible à l'en-soi. Le pour-soi est l'être qui, dans son être, n'est pas ce qu'il est et est ce qu'il n'est pas. En vain chercherait-on par des expressions comme « état de conscience », à *réduire* le mode d'être du pour-soi : il échappe de toute part à l'en-soi, il est l'en-soi néantisé. Et, quoique paraissant sur fond d'en-soi, quoique lié synthétiquement à l'en-soi par la négation même qu'il en réalise, il lui échappe précisément parce qu'il le néantit. Par exemple le pour-soi ne saurait se saisir sans l'étendue dont il est négation. Il est dépendant de l'en-soi par le fait même qu'il existe comme lui échappant. Mais cette dépendance est pourtant totale indépendance d'un autre point de vue puisque le pour-soi se constitue par rapport à l'étendue comme ce qui n'est pas l'étendue. Il *se fait* inétendue, il est sa propre inextension. Tout cela, nous l'avons exposé déjà. Mais l'en-soi ressaisit le pour-soi par contrecoup, du fait que *c'est* d'un certain en-soi que le pour-soi est néantisation. En un mot le pour-soi, qui est néantisation de l'en-soi et qui n'est que cette néantisation, en tant qu'il est pour-soi apparaît dans l'unité de l'en-soi comme un certain existant appartenant à la totalité par un phénomène de liaison synthétique. Le *dehors* du pour-soi c'est d'*être,* comme négation de l'en-soi, à la manière de l'en-soi. C'est ce que nous nommions la facticité. Mais cette facticité même, qui n'est qu'un reflet nécessaire de l'en-soi sur le pour-soi, ne saurait avoir la consistance de l'en-soi sous peine d'*empâter* le pour-soi. Elle se joue à la surface du pour-soi et elle est quelque chose comme un fantôme inconsistant d'en-soi. En un mot : pour se faire néantisation de l'en-soi, au-dedans de lui-même et au-dehors, il ne suffit pas que le pour-soi ait avec l'en-soi le seul rapport synthétique de la négation ; il faut qu'il soit ressaisi par cet en-soi sous la forme d'une unité synthétique *venant cette fois de l'en-soi.* Ces conditions sont réalisées puisque la néantisation se produit au sein de l'en-soi, et le pour-soi ne peut être considéré comme se constituant d'un bond *hors* de l'en-soi mais au contraire *à l'intérieur* de l'en-soi comme un ver rongeur. Je comparerai cet « en-soi » qui vient teinter le pour-soi et lui constituer un dehors à ces reflets qu'on peut voir sur une vitre lorsqu'on la considère de biais et qui masquent soudain sa transparence pour s'évanouir aussitôt qu'on change de position par rapport à la vitre. C'est par cette description, me semble-t-il, qu'on peut rendre compte du fait qu'il m'est toujours permis d'affirmer que la conscience de Pieter *existe* et qu'elle est liée par un certain rapport de co-existence avec ces tables, ces verres et ma conscience, bien qu'elle n'ait pas du tout le même mode d'existence que les tables, les verres et les murs. Seulement, ce reflet évanescent, irisé et mobile de l'en-soi, qui se joue à la surface du pour-soi et que je nomme facticité, ce reflet totalement *inconsistant,* ne peut être considéré à la façon de l'existence opaque et compacte des *choses.* L'être-en-soi du pour-soi dans son insaisissable réalité, c'est ce que nous nommerons l'*événement.* L'événement n'est pas un accident ni quelque chose qui se produit dans les cadres de la temporalité. L'événement est la caractéristique existentielle de la conscience en tant qu'elle est ressaisie par l'en-soi. Par exemple ce plaisir que je ressens, il n'existe qu'en tant que j'en ai conscience et son existence profonde est celle du jeu de glaces reflet-reflété. Mais *que* ce plaisir, qui est tel qu'il s'agit de son être dans son être, soit sur le mode du pour-soi, voilà ce qu'on appellera l'événement. Et la liaison d'être qui dans l'unité de l'en-soi réunit du dehors *ce* pour-soi à l'intimité de l'en-soi, c'est la ***simultanéité.*** La simultanéité n'est, pas plus que l'événement, quelque chose qui se produirait à l'intérieur du temps constitué, par exemple le fait contingent pour plusieurs objets de se trouver dans le même présent. C'est au contraire une caractéristique existentielle qui sera constitutive du temps : la nécessité pour un pour-soi de coexister, en tant qu'il est coloré d'en-soi, avec la totalité d'en-soi dont il se fait la négation. L'en-soi de la néantisation de l'en-soi, c'est l'événement ; l'unité de l'en-soi néantisé avec l'en-soi de la néantisation de *cet* en-soi, c'est la simultanéité.

Cependant le pour-soi ne saurait être par rapport à l'en-soi qu'il est que sous forme de néantisation. C'est dire que la facticité du pour-soi est aussitôt néantisée, ou plutôt que le pour-soi ne peut être pour-soi sans se donner à lui-même comme séparé de cette facticité par *rien.* La facticité n'est jamais *donnée* au pour-soi en tant qu'elle forme le dehors qu'il *est,* elle ne lui est présente qu'en tant qu'il la nie déjà de façon très spéciale comme ce qu'il n'est *plus.* Le pour-soi ne peut être qu'en échappant à l'être qu'il est et cette fuite du néant devant l'en-soi constitue la temporalité. Il faut bien concevoir en effet que cet en-soi qui ne peut jamais se former sans que le pour-soi lui échappe, le pour-soi ne peut jamais lui échapper sans être repris par l'en-soi de l'événement et de la simultanéité. Le pour-soi ne peut échapper à l'en-soi que dans l'en-soi. Ainsi, ce qu'on nomme le présent, c'est-à-dire l'événement en simultanéité, n'a jamais de consistance, il est pour s'évanouir, son être coïncide avec son évanescence, sinon l'en-soi engluerait le pour-soi tout entier. En ce sens, tout présent se donne comme *passé nié,* mon présent c'est la négation de ce que *je suis,* tout présent se définit comme séparé par *rien* d'un « a été », le « a été » étant aussi proche du présent qu'on voudra. Mais de ce fait le pour-soi rejeté, posé comme ayant-été, est d'un même bloc ressaisi et totalement englué par l'en-soi. Le passé est un en-soi qui fut pour-soi. C'est ici que nous pouvons comprendre le sens de « qui *fut* ». La différence entre la négation de l'étendue par le pour-soi et la négation du pour-soi par lui-même est tout entière donnée par ce fait que dans le premier cas la conscience n'est pas ce qu'elle n'est pas, tandis que dans le second cas elle n'est pas ce qu'elle est. Toutefois il faut encore distinguer : l'être *présent* du pour-soi est caractérisé dans son actualité existentielle comme n'étant pas ce qu'il est. C'est au sein du pour-soi que la néantisation *est étée.* Le cas du passé est différent, il est intermédiaire entre la néantisation qui échappe à l'étendue par exemple et la néantisation interstructurale du pour-soi. Dire du pour-soi qu'il fut c'est dire qu'il n'est pas ce qu'il est à la manière dont il n'est pas ce qu'il n'est pas. C'est-à-dire qu'il *se fait* dans la totalité de son pour-soi autre que ce qu'il est en totalité. En ce cas le pour-soi premier est entièrement conservé, il existe toujours ; il donne même son sens au pour-soi présent comme ce qui est nié, ce qui est dépassé, cela et non point autre chose, et le pour-soi présent n'échappe précisément au pour-soi premier qu'en *n'étant rien.* Seulement cette négation maintient l'unité profonde du pour-soi, je ne puis échapper au passé qu'en n'étant pas ce que *je* suis. Et concurremment, le pour-soi premier subit une modification essentielle. Il ne s'anéantit pas, bien au contraire : seule une conscience peut se néantir et cette néantisation définit justement son présent. Il ne s'anéantit pas mais il est repris par l'en-soi. Non point pour quelque raison mystique mais parce que, *avant* l'événement pur ou néantisation, comme *après,* il n'y a partout que de l'en-soi. Le passé a donc sur la conscience toute la supériorité de consistance et de solidité, d'opacité aussi, que lui confère l'en-soi. C'est au passé seulement que la conscience peut exister sur le mode de l'en-soi et le passé n'est autre chose que l'existence du pour-soi sur le mode de l'en-soi. Toutefois l'existence de l'en-soi ci-devant pour-soi et du pour-soi présent n'est pas *co*existence, précisément parce que le pour-soi présent, dans sa totalité, exclut l'autre. Ainsi le mode d'investissement du pour-soi par le pour-soi qu'il fut n'est pas la « *présence* », au sens où nous l'avions définie pour le monde. C'est précisément le *passé.* Et ce passé immédiat étant négation d'un passé plus lointain et ainsi de suite, c'est par cette néantisation du bloc total de passé qu'il *a été* que se définit le pour-soi présent dans sa présence. Ainsi la question ne peut-elle se poser de savoir pourquoi la liberté ne peut échapper à ce passé ou nous en donner un autre, car précisément nous sommes libres *par rapport* à ce passé. Si elle n'était liberté par rapport à quelque chose, la liberté ne signifierait plus rien.

Ainsi une première description montre que le pour-soi ne saurait faire irruption dans le monde sans coexistence dans le présent avec la totalité de l'en-soi et sans une liaison précise avec un ayant-été qu'il *est* et *n'est pas* à la fois. Qu'en est-il de l'avenir à présent ? Le pour-soi ne peut être investi par l'en-soi qu'en le dépassant vers le « causa sui » qu'il est-pour-être. Le pour-soi fuit l'en-soi à travers l'en-soi vers l'en-soi. Le « causa sui » est donné dès l'irruption du pour-soi dans l'en-soi non comme un *objet,* ni comme une *représentation,* ni comme une *valeur* thématisée, mais comme ce vers quoi le pour-soi fuit sa facticité. Synthèse impossible d'en-soi et de pour-soi, de totale opacité et de totale liberté, le « causa sui » est à la fois ce vers quoi se fait la fuite par où le pour-soi s'arrache à lui-même et ce vers quoi s'effectue le dépassement de l'en-soi constitué en ce monde. Le « causa sui » est le *sens du monde ;* le monde l'annonce et se fait monde en l'annonçant ; c'est par lui que, dès l'irruption du pour-soi dans l'en-soi, l'en-soi est *humanisé* et *mondifié,* ce qui revient au même. Toutefois le « causa sui » ne nous appartient pas comme faisant corps avec notre pro-jet. Il est l'unité transcendante du projet par quoi le pour-soi s'échappe-à-soi-même vers... Mais il doit par essence rester hors de portée. Je l'ai déjà dit, la néantisation de l'en-soi en pour-soi n'est pas un *recul* en face de l'en-soi : c'est plutôt un effondrement, une décompression. Le pour-soi est inétendu dans la mesure où il n'est *rien.* Mais ce rien même il ne l'*est* pas, on ne lui trouvera même pas cette consistance d'être *rien.* Le rien est fuite du rien vers le « causa sui », néantisation du rien vers l'en-soi. L'avenir c'est le monde en tant qu'il est humain, c'est le monde en tant que *l'ens causa sui* est son sens comme ce vers quoi se fuit le pour-soi. Il ne faut pas confondre le monde avec l'en-soi. Le monde c'est l'en-soi *pour* le pour-soi. Pareillement l'avenir n'est pas l'en-soi. L'avenir c'est le monde. Un pour-soi quel qu'il soit ne saisit un aspect du monde que comme une occasion d'anéantir dans l'en-soi ce manque qu'il est lui-même. Quel que soit l'objet considéré, il est sollicitation au pour-soi de se projeter par-delà lui comme *causa sui.* Fût-ce un fauteuil qui « nous tend les bras », projeter de s'y asseoir c'est se projeter dans ce fauteuil comme l'existant qui s'est déterminé lui-même à exister comme assis dans un fauteuil et qui existera comme assis avec la plénitude de l'en-soi. Le pour-soi peut tout projeter en avant de lui sauf ceci qu'il sera encore — où qu'il aille et quoi qu'il fasse — un pour-soi.

Ainsi l'irruption du pour-soi dans l'en-soi fait apparaître d'un seul coup la temporalité avec sa triple dimension de présent, de passé et d'avenir. La temporalité n'est ni en-soi ni pour-soi, elle est la manière dont l'en-soi se ressaisit du pour-soi ou, si l'on préfère, l'existence en soi du pour-soi. C'est en tant que, fuyant vers l'avenir la facticité qui l'a ressaisi, le pour-soi en fuite est tout de même facticité, que le pour-soi, sans être sa propre temporalité, *est* tout de même temporalité. Il est en-soi néantisé entre un en-soi qu'il n'est plus (il ne faut pas dire que le passé n'est plus mais que *nous* ne sommes plus le passé sur le mode du pour-soi) et un en-soi qu'il n'est pas encore (même remarque pour l'avenir). Et sa nature est d'être présent néantisant s'échappant sans cesse à lui-même vers l'avenir, sans cesse ressaisi par l'en-soi.

Reste à déterminer le mode d'être exact du passé et de l'avenir. En tout cas nous pouvons dire que la temporalité fait irruption dans le monde avec le pour-soi. Si la conscience est, comme dit Valéry, une absence, la temporalité est l'adhérence au monde de cette absence en tant que telle.

CARNET XII

Février 1940

Bouxwiller

Mardi 20 Février

Je crois un peu que j'étais authentique avant ma permission. Sans doute parce que j'étais seul. A Paris je ne l'ai pas été. A présent je ne suis plus rien. Cela m'amène à préciser quelques points touchant l'authenticité. Tout d'abord celui-ci : l'authenticité s'obtient d'un bloc, on est ou on n'est pas authentique. Mais cela ne veut point dire qu'on acquiert l'authenticité une fois pour toutes. J'ai déjà dit que le présent ne peut rien sur l'avenir, ni le passé sur le présent. En morale pas plus que dans le roman, selon Gide, on ne « profite de l'élan acquis ». Et l'authenticité de l'élan précédent ne vous protège aucunement contre une chute, à l'instant suivant, dans l'inauthentique. Tout au plus peut-on dire qu'il est moins difficile de conserver l'authenticité que de l'acquérir. Mais, au fait, peut-on même parler de « conserver » ? L'instant qui vient est neuf, la situation est neuve ; il faut inventer une authenticité nouvelle. Reste, dira-t-on, que le souvenir de l'authentique doit nous protéger un peu de l'inauthenticité. Mais le souvenir de l'authentique, dans l'inauthenticité, est lui-même inauthentique.

Ceci m'amène à préciser aussi ce que j'ai dit du désir d'authenticité. Dans l'inauthentique, nous pouvons avoir un certain désir d'authenticité. Il est de coutume de considérer que ce désir d'authenticité est « tout de même quelque chose. Plus que rien ». Ainsi ramène-t-on tout doucement et par des voies détournées la continuité qu'on avait d'abord écartée. On distinguera alors les inauthentiques vautrés dans leur inauthenticité — puis ceux qu'un désir déjà méritoire tourmente dans leur bauge et enfin ceux qui jouissent de l'authentique. Mais nous reviendrions par ce détour à la morale des vertus. Il faut le dire ; de deux choses l'une : ou bien le désir de l'authentique nous tourmente au sein de l'inauthenticité — et alors il est lui-même inauthentique — ou bien il est déjà l'authenticité tout entière mais qui s'ignore, qui ne s'est pas encore recensée. Il n'y a pas de place pour un tiers état. Je vois par exemple combien le désir d'authenticité de L. est empoisonné par l'inauthenticité. Elle voudrait être authentique par affection pour nous, par confiance en nous, pour nous rejoindre — et aussi par idée de mérite. Elle souffre de voir poser une valeur suprême qui lui est étrangère, elle voudrait être authentique comme elle peut vouloir devenir une bonne skieuse ou une habile philosophe. Il lui paraît aussi que si elle acquérait cette authenticité elle *mériterait* davantage de la vie et des hommes. Et sans doute elle a clairement compris que l'homme authentique repousse a priori toute idée de mérite, mais elle ne peut se défendre de l'idée qu'il est d'autant plus méritant dans sa manière même de refuser le mérite. Je ne vois là qu'un désir totalement empoisonné et qui, sur quelque plan de réflexion qu'on le considère, demeure empoisonné de part en part. Et je ne dis même pas que, les circonstances y aidant, ce désir ne puisse être l'occasion d'une transformation totale qui confère précisément l'authenticité. Je dis seulement qu'il ne peut conduire de lui-même à l'authentique. Il faut qu'il soit repris et transformé au sein d'une conscience déjà authentique.

Au contraire je conçois fort bien que l'authenticité acquise par un bouleversement libre se manifeste d'abord sous la forme d'un désir d'authenticité. Celui-ci ne fait alors qu'exprimer que la cause est gagnée. En effet, quoique l'authenticité soit un bloc, il ne suffit pas de l'avoir une fois acquise à propos d'une circonstance particulière et concrète pour qu'elle s'étende d'elle-même à toutes les situations où nous sommes plongés. J'imagine par exemple un mobilisé qui fut un bourgeois fort inauthentique, qui vivait inauthentiquement dans les nombreuses situations sociales où il était jeté, famille, métier etc. J'admets que le choc de la guerre l'ait soudain déterminé à une conversion vers l'authentique, ce qui l'amène à être authentiquement *en situation* vis-à-vis de la guerre. Mais cette authenticité demande à conquérir de nouveaux terrains, si elle est *vraie.* Elle se présente d'abord sous la forme d'un désir de réviser les situations anciennes à la lumière de ce changement. Elle se donne d'abord comme inquiétude et désir critique. Ici cette manière *d'étendre* l'authenticité ne doit aucunement se confondre avec un gain en authenticité. L'authenticité *est déjà là.* Seulement il faut la consolider et l'étendre. Cela ne se présenterait pas ainsi si les situations antérieurement vécues étaient présentes. Mais elles ont reculé. Le mobilisé n'est plus « en famille », il n'exerce plus son métier etc. Il est amené à *penser* sur ces situations, à prendre des résolutions pour l'avenir, à établir des fils conducteurs pour *garder* l'authenticité en passant à d'autres événements. Le désir d'acquérir l'authenticité n'est au fond qu'un désir d'y voir plus clair et de ne pas la perdre. Et la résistance vient non pas de résidus d'inauthenticité qui demeureraient çà et là dans une conscience mal époussetée mais simplement de ce que les situations antérieures résistent au changement comme *choses.* Il les a vécues jusque-là d'une certaine façon et en les vivant il les a *constituées.* Elles sont devenues des *institutions,* elles ont en dehors de lui leur permanence propre et même elles évoluent malgré lui. Il faut *remettre* en question. Le désir de remettre en question, s'il est sincère, ne peut paraître que sur un fond d'authenticité. Et il ne suffit pas de remettre en question, il faut changer. Mais ces changements révolutionnaires qui se traduisent par une lutte contre la cohérence des institutions ne sont pas différents par nature des changements qu'un politique veut apporter aux institutions sociales et rencontrent les mêmes résistances. Aussi ne suffit-il point d'être authentique, il faut adapter sa vie à son authenticité. De là ce désir profond et cette crainte et cette angoisse au fond de toute authenticité, qui sont appréhensions *devant la vie.* Toutefois il faut bien entendre que l'authenticité ne se partage pas. Cette crainte vient de ce que les situations envisagées sont à l'horizon, hors de portée, de ce qu'on les retrouvera plus tard sans y être plongé présentement. Et quel qu'on soit il y a toujours un grand nombre de situations lointaines à l'horizon pour lesquelles on se « soucie » dans l'authentique. Mais si l'on admet qu'une de ces situations se reforme autour de moi à l'improviste et si je suis authentique, je me montrerai authentique sans m'interroger dans cette situation ressuscitée, sans avoir besoin de préparer un passage, simplement parce que je le *suis.* Si par exemple la femme de ce mobilisé vient le rejoindre en secteur, il sera *autre* avec elle, sans effort, sans méditation, sans préparation thématique, simplement parce qu'il *est* autre. Mais, dira-t-on, elle va lui présenter très rapidement l'image de son inauthenticité première. Oui et ce sera la pierre de touche, non de son authenticité même mais de la volonté avec laquelle il s'y cramponne. Il cédera peut-être mais il ne peut revenir à ses anciennes erreurs vis-à-vis de cette femme sans dégringoler d'un seul coup la tête la première dans l'inauthenticité, et il n'est pas jusqu'à son être-en-guerre qui n'en soit affecté. Il faut penser en effet qu'un être qui attend de nous de l'inauthentique nous glace d'inauthenticité jusqu'au cœur, en ressuscitant notre vieil amour. C'est une inauthenticité subie contre laquelle il est facile mais douloureux de se défendre.

Si la guerre ne dure pas trop longtemps, j'ai bien peur, depuis ma permission, de me retrouver tel que j'étais l'an dernier au rendez-vous que je m'étais assigné pour l'après-guerre.

Pierrefeu, d'accord avec Gide, écrit dans *Plutarque a menti :* « Je mets en fait que tout homme d'intelligence moyenne, sans qu'il possède un don spécial de la nature, par le simple exercice de ses facultés intellectuelles, entre de plain-pied dans tout problème militaire. Aussi bien qu'un spécialiste, mieux peut-être, il verra le vrai et le faux d'une situation tactique ou stratégique, pourvu qu'on ne soulève point les questions de techniques particulières lesquelles, d'ailleurs, ne font qu'égarer l'esprit sur des points de détail et cachent la vue de l'ensemble et des grandes lignes » (p. 66).

Et il montre fort bien comment l'état-major de 14 se défendait contre le droit cartésien et ruineux de libre examen en recourant à l'intuition bergsonienne. Faute de pouvoir asseoir sa supériorité sur le savoir du technicien, il cherchait à la fonder sur l'infaillibilité du prêtre. De quelque façon que ce soit, l'état-major devait être un collège d'initiés. La guerre de 14 lui a fait perdre son infaillibilité. Les hommes d'aujourd'hui n'ont plus cette confiance religieuse en leurs chefs. Au vrai ils n'ont aucune espèce de confiance. Ils sont persuadés qu'on gagne une guerre totale pour des raisons économiques et politiques et, quant aux victoires militaires, ils pensent que seule en décide la supériorité de l'armement. Je n'ai jamais entendu parler de Gamelin, ici. Jamais, fût-ce pour en dire du mal. Il n'existe pas du tout. Ce n'est pas qu'on ait défiance envers les chefs. On les prend démocratiquement comme des fonctionnaires élus. Il faut qu'il y en ait. Ceux-là ou d'autres... Et les bien-pensants d'aujourd'hui ne se doutent peut-être pas du coup qu'ils portent au sacerdoce militaire lorsqu'ils écrivent que, dans la guerre moderne, l'organisation l'emporte infiniment sur la stratégie. Car un homme d'intelligence moyenne, persévérant et travailleur, bien secondé par des subalternes de même espèce peut toujours organiser. Comme, par ailleurs, l'organisation du détail est toujours scandaleuse, à l'armée, la conclusion est vite tirée.

On admire que dans la ***Revue de Paris*** du 15 Février 1920 un adepte anonyme de la doctrine (un officier supérieur évidemment) ait encore osé écrire : « Les progrès de l'armement eux-mêmes favorisent l'offensive aux dépens de la défensive. »

Ce passage excellent p. 119. Les généraux allemands battent en retraite après la bataille de la Marne : « La convention du jeu guerrier exige, en effet, que toute armée menacée sur ses flancs se considère comme en état d'infériorité. Ils obéirent sans tarder à la règle du jeu, ce qui assura notre victoire complète et le salut de leur armée. Nous verrons dans la suite toute convention s'abolir et la lutte durer pendant des années sans souci d'aucune règle. Le principe néfaste de l'usure des forces se substituera à l'idée de manœuvre, marquant la plus étonnante régression de l'art militaire qu'on ait jamais vue. »

Eh oui, l'art militaire est mort et la guerre se meurt. C'est une guerre plus qu'à moitié impossible que celle de 1940. Hitler l'a senti mais il n'y voyait que la mort d'une *certaine forme* de guerre, puisqu'en effet la guerre est à ses yeux la forme éternelle des rapports humains. Et tout aussitôt son esprit d'inventeur autodidacte s'est tourné vers l'invention : inventer une forme nouvelle de guerre. J'avoue que ce qu'il dit de « sa » guerre à Rauschning ne m'a pas beaucoup frappé. Ce ne sont là que puérilités et moyens rebattus. La guerre de propagande était déjà intense en 14-18, intense aussi l'espionnage. Quant à attaquer l'ennemi par l'intérieur, l'état-major allemand y songeait aussi quand il fit entrer Lénine en Russie.

Par ailleurs il signale que l'offensive à outrance était voulue pour des raisons de politique intérieure. L'auteur de l'article du 15 Février 1920 écrit : « Ne convenait-il pas d'éviter une dépression à l'élan populaire, un affaiblissement de la confiance générale par une attitude timide, hésitante, prise au début de la campagne qu'on sentait devoir être décisive ? » Or je lis dans Duveau et Chuquet qu'en 70 des considérations analogues avaient empêché l'armée de Mac Mahon de se replier sur Paris où elle eût pu attendre paisiblement le choc de l'ennemi. Marcher sur Metz était une folie mais le pays n'eût pas toléré un repli et une attente interminable devant les murs de Paris. Le même souci, se répétant à un demi-siècle de distance et provoquant dans l'un et l'autre cas des désastres, permet de mesurer le changement de l'esprit public en ces dernières années. Certes tout le monde est persuadé aujourd'hui que la défensive est plus facile à tenir que l'offensive, et cette pensée un peu abstraite est illustrée dans l'esprit du plus simple par l'existence de deux lignes, Maginot et Siegfried. Mais tout de même, la vieille sagesse civile des militaires — qui les précipitait dans des folies militaires — leur apprenait qu'on court des risques énormes à retenir dans l'attente et la défensive sans gloire une nation qu'on a déchaînée pour la guerre. Il faut que le sang coule, pour mettre au plus tôt un irréparable derrière les soldats pour leur barrer la route. Il faut précipiter les hommes malgré eux, en profitant de leur premier élan, dans l'ivresse de la victoire ou la complicité de la défaite. On sait maintenant que ces coups de main onéreux et vains de tranchée à tranchée, qui irritaient tant les soldats de 15 à 18, avaient surtout pour but de maintenir le moral, c'est-à-dire la hargne. Alain a assez montré que l'ennemi est indispensable au bon fonctionnement de la machine militaire. Il est le but de la fuite en avant. Sa pression, en équilibrant la pression que l'arrière exerce sur le soldat, détermine en lui la *tension* qui est précisément l'esprit militaire. Tant que le sang n'a pas coulé, l'arrière ne prend pas la guerre au sérieux.

Or voici que depuis six mois notre armée est sur le pied de guerre. Les hommes sont retenus loin de leurs foyers, de leurs métiers, soumis à la discipline militaire. Une dictature s'exerce sur la presse, sur les propos, sur la pensée. Toute notre vie a les dehors de la guerre. Mais la machine guerrière fonctionne à vide, l'ennemi est insaisissable, invisible et les hommes attendent l'arme au pied. Toute l'armée attend, dans cette attitude « hésitante et timide » que l'état-major voulait éviter comme la peste. Bien mieux, cette attitude n'est même pas défensive, car pour être sur la défensive il faut que l'ennemi attaque ou songe à attaquer. Mais depuis six mois les Allemands se reposent ; songeant à utiliser au mieux la situation, ils ont partout fait voir des pancartes qui protestaient de leur désir de paix. Au reste ils ne nous ont pas déclaré la guerre, ils nous déclaraient la paix au contraire pendant qu'ils envahissaient la Pologne, et nous sommes les agresseurs. Nous avons bel et bien envoyé un ultimatum et, sur une fin de non-recevoir, nous sommes entrés en guerre. Que dire d'une guerre où l'agresseur n'attaque pas ? Bien pis, les quelques kilomètres carrés que nous occupions dans la Sarre, nous nous sommes hâtés de les restituer dès que l'ennemi a montré les dents — très exactement, dès qu'il en a eu fini avec la Pologne. Attente, timidité, hésitations, reculs, l'état-major a délibérément tout accepté. Il n'en aurait pas fallu le dixième pour hâter la révolution de 70, pour déchaîner des fureurs patriotiques ou socialistes en 1914.

Et, à vrai dire, cette attente qui n'est même pas attente de quelque chose puisque beaucoup pensent que les Allemands n'attaqueront pas, n'a pas manqué de produire son effet : l'arrière se désintéresse de nous, nous-mêmes nous ne songeons guère aux Allemands avec des intentions offensives. Beaucoup espèrent un « arrangement ». Un sergent hier encore me disait, avec une lueur d'espoir niais dans les yeux : « Pour moi, ça va s'arranger, l'Angleterre mettra de l'eau dans son vin. » La plupart sont assez sensibles aux propagandes hitlériennes. On s'ennuie, le « moral » baisse. Et pourtant imaginez la stupeur des soldats de 14 s'ils s'étaient, deux ou trois jours après leur bruyant départ, trouvés plongés dans une attente interminable et sans gloire. Nous, nous acceptons ça, personne ne proteste. Au contraire, ce n'est jamais là-dessus que nous protestons. La plupart d'entre nous envisagent avec résignation de passer trois ou quatre ans de cette façon, après quoi si je leur dis, pour les éprouver : « Ça vaut encore mieux qu'un massacre », ils disent tous : « Oh ! naturellement. » Rien ne montre mieux que la mentalité guerrière est en train de disparaître en France. Il n'en faudrait pas conclure, comme certains imbéciles, que nous dégénérons. Les hommes en ont vu de très dures depuis le premier jour et ils ont tout supporté sans se plaindre, sans même croire qu'ils avaient le droit d'être plaints. Ils n'étaient soutenus par aucun idéal patriotique ou idéologique. Ils n'aimaient pas l'hitlérisme mais ils ne raffolaient pas non plus de la démocratie, ils se foutaient éperdument de la Pologne. Ils avaient la vague impression d'être dupés, par-dessus le marché. Pourtant ils ont tout enduré avec une sorte de dignité sans fracas, simplement parce que c'était là. Ils n'avaient nulle impatience de victoire, simplement un profond désir que « ça finisse ». A cette situation nouvelle, à cette guerre introuvable qui peut les surprendre dans leur *pensée,* ils sont profondément *adaptés* dans leur *être.* C'est bien *leur* guerre, cette guerre de patience, sans art militaire, sans sacré, sans tueries (jusqu'ici s'entend), où ils ont l'impression de n'être même pas l'élément principal, de faire simplement l'appoint, d'être dépourvus de l'importance glorieuse du guerrier.

A propos du passage cité plus haut de Pierrefeu (*Plutarque*, p. 119), c'est lui, j'imagine, qui a inspiré plusieurs remarques de Romains que j'ai dû noter dans mes carnets et qui opposent le *jeu* conventionnel de la guerre, du temps de l'art militaire, à la guerre totale conçue comme un effort sans conventions — sans aucune convention — et sans art.

Tout bonheur se paie et il n'y a pas d'histoire qui ne finisse mal. Je n'écris pas cela dans le pathétique mais simplement et à sec, parce que je l'ai toujours pensé et qu'il fallait bien que je le dise ici. Cela ne m'a pas empêché de me jeter dans des histoires mais j'avais toujours la conviction qu'elles auraient une fin sordide et jamais bonheur ne m'est arrivé sans que je pense aussitôt à ce qui adviendrait *après*.

Pierrefeu 200 et sqq. : « Au vrai, il n'y a pas d'art militaire sans un minimum de conventions qui doivent être acceptées des deux côtés. Mais dès qu'une guerre cesse d'être un jeu de professionnels, c'est-à-dire dès qu'elle devient nationale, les conventions ne sont plus respectées et l'art militaire n'existe plus. Avec le front continu, tout l'édifice des expériences anciennes s'écroule, n'est plus qu'un fatras inutile et sans objet. A quoi sert maintenant de manœuvrer ? Il n'y a plus d'ailes. A quoi sert de deviner le plan de l'adversaire ? Il n'y a plus de plan. A quoi riment les travaux laborieux sur le combat d'approche, les règlements qui président au mouvement et à l'emploi des arrière-gardes, des avant-gardes, des gros ? Des troupes établies face à face sur des milliers de kilomètres et se fusillant à bout portant, voilà à quoi se réduit la réalité guerrière... De toute évidence la guerre moderne n'a pas trouvé la forme qui lui convient et qui la rendra moins meurtrière et moins longue... Nous en sommes au début d'un art militaire nouveau, à un recommencement. La grande guerre apparaîtra aux yeux de l'avenir comme une ébauche informe, une première épreuve grossière de la guerre industrialisée que les progrès de la science et de l'industrie ont imposée aux nations. »

Sans doute, mais il y a une contradiction dans ces lignes. Un art militaire comme tout art, Pierrefeu nous le dit, repose sur des conventions. Mais une guerre *nationale* repousse par principe toute convention. Il en résulte beaucoup plus la fin sans résurrection possible de l'art militaire que son éventuelle transformation. Il vaudrait mieux dire : l'ère des guerres nationales a rendu l'art militaire impossible.

Et qu'en est-il pour nous, dans cette guerre-ci ? Eh bien, nous commençons avec un front continu, exactement comme en 1915. Simplement, il est mieux aménagé, plus habitable. Seulement nous avons reconnu de part et d'autre qu'il était tout à fait inutile de *se battre* sur le front continu puisqu'il n'y avait pas d'ailes à déborder ni de percée à opérer. Aussi ne faisons-nous plus rien du tout.

Deux patrouilleurs et deux fantassins qui ne se connaissent pas déjeunent à côté de Pieter. Ils commencent par railler avec aigreur la 35e division qui a remplacé la nôtre à Wissembourg : « Sacrés Bordelais, nous avons tenu le secteur deux mois et eux, tous ce qu'ils ont su faire c'est de perdre deux kilomètres (?) dès leur arrivée. » Curieux orgueil de corps et de région. Sur quoi ils se prennent à partie, les patrouilleurs disant aux fantassins « C'est nous qui en faisons le plus ! » et les fantassins répondant « C'est nous qu'on est le plus en danger ! » Ils manquent d'en venir aux mains mais Pieter leur dit soudain : « Vous n'êtes pas fous, on est tous dans le bain, voyons ! » Alors ils se calment subitement et lui offrent un verre.

La femme de Klein, infirmière à l'hôpital de Strasbourg, qui s'est transporté quelques kilomètres en arrière, est prise d'une violente crise d'appendicite. Mais il n'y a qu'un chirurgien dans cet hôpital mixte, où l'on soigne civils et militaires. Et sa situation est assez curieuse. Infirme et réformé, il n'est pas mobilisé, quoique fort jeune, il est réquisitionné, ce qui le rend d'ailleurs fort mélancolique : s'il était major, il toucherait sa solde. Civil, il opère au compte de l'armée tout le jour et pour rien. Pour toute opération il doit demander une autorisation au commandement militaire. Il examine Mme Klein et décide d'opérer à chaud et d'urgence. Mais l'autorisation se fait attendre 48 heures et Mme Klein meurt sur la table d'opération.

Le passé ne saurait exister que comme passé d'un pour-soi. Il n'y a que les pour-soi pour avoir un passé et le mode d'être de ce passé est très particulier. Sans doute c'est avant tout un en-soi ; l'en-soi, ici, a entièrement repris le pour-soi au point de le supprimer mais malgré tout il a été pour-soi fuyant l'en-soi vers le monde et vers l'avenir. Il a donc le double caractère d'être un pour-soi immobilisé, figé, un pour-soi devenu chose, c'est-à-dire un événement pétrifié et un « ayant-eu-un-avenir », que cet avenir ait été ou non réalisé. Sous cette forme *réelle*, l'existence du passé devient non thématique. Et nous portons tout notre passé derrière nous comme ce que nous ne sommes plus. Si nous thématisons ce passé, il devient imaginaire.

Mercredi 21 Février

Que cette guerre-ci ressemble plus à celle de 14 qu'il n'y paraît d'abord. Pierrefeu 204 : « L'usure de l'Allemagne ! Voilà sur quoi l'on table ! C'est à ce moment que l'on crée la formule : " Le temps travaille pour nous. " La supériorité des nations de l'Entente en ressources est si évidente que le succès final paraît évident. Et les calculs de perte établis par les deuxièmes bureaux indiquent qu'on essayait de donner, même au prix de quelques erreurs, une base solide à cette croyance. L'usure de l'ennemi, c'était la seule issue que l'Etat-Major entrevoyait à cette guerre interminable... Mais voilà bien une conception destructrice de l'art militaire, et qui le nie totalement. »

Mais quel est notre espoir en 1940 ? Le même, précisément :

nous souhaitons que l'ennemi s'use. Précisément je lis un article de Pierre Cot dans *L'Œuvre* d'aujourd'hui, où il écrit :

« La France et l'Angleterre, rattachées par la mer aux Etats-Unis, sont mieux placées pour la guerre d'usure que l'Allemagne, rattachée à l'Union Soviétique par la Baltique et un mauvais réseau de voies ferrées... Je suis convaincu que nous gagnerons la guerre longue... Préparer une guerre d'usure longue, c'est le meilleur moyen de rendre cette guerre d'usure aussi courte que possible... »

Le terme même est emprunté à l'autre guerre, et la chose. Simplement l'usure n'est plus l'usure en hommes et en matériel, mais seulement, jusqu'ici, usure en matériel. En même temps on se préoccupe davantage (et c'est le sens de l'article de Pierre Cot) d'organiser la résistance à l'usure à l'intérieur des pays belligérants : « On voit combien il est nécessaire d'avoir une politique économique orientée vers l'exportation. La politique qui consisterait à dire : " Tout — crédits et spécialistes — pour l'industrie de guerre, rien pour l'industrie d'exportation " serait une folie. » Mais le principe essentiel reste le même. Et il ne saurait en être autrement puisque, dans la guerre nationale, il n'y a plus de règles du jeu. Chaque pays peut tenir — jusqu'à l'anéantissement. C'est donc bien cet anéantissement lent qu'on cherche à opérer.

La lecture de l'excellent livre de Pierrefeu me confirme dans une idée que j'avais eue en Octobre : il montre que dans la guerre de 14 l'art militaire a perdu ses conventions. Or j'avais pensé moi, en considérant les débuts de celle-ci, que nous faisions une guerre à la manière des mathématiques non euclidiennes dans lesquelles on reconnaît d'abord le caractère arbitraire de tout postulat. En somme la guerre de 14 a démontré par l'absurde l'existence d'un certain nombre de postulats à la base de l'art militaire, postulats qui pouvaient sans inconvénient être remplacés par d'autres à la condition que l'adversaire adoptât les autres en même temps. La guerre de 15-18 s'est faite sans postulat mais aussi ne pouvait-elle plus se *penser*. Pierrefeu dit très heureusement : « Des abstractions, le commandement en a cru beaucoup pendant la guerre par désir d'intellectualiser l'informe matière qu'il avait à brasser, mais chacune d'elles se révélait à son tour tissée de nuées. » A vingt-cinq ans de distance, le haut commandement repense cette guerre, comprend l'arbitraire des postulats et assouplit les concepts, soit en essayant de les construire sans postulats, soit en utilisant les postulats les plus *commodes* sans se duper sur leur valeur simplement arbitraire. De là cette expression de guerre savante, que j'employais alors, guerre savante qui peut d'ailleurs, lors du choc des armes, s'il a lieu, dégénérer en lutte barbare de masses.

Depuis que j'ai revu Paris, il me semble que je l'ai enterré. Mes souvenirs les plus récents et les plus tendres, ils me viennent à présent de ce Paris moribond. L'autre, celui de ma vie passée, je crois vraiment que mes dernières attaches avec lui sont rompues. C'est la première fois depuis le début de la guerre que je suis sec avec mon passé. Je ne tiens plus qu'aux personnes et, quand je pense à les revoir, c'est dans le Paris de guerre que je place nos rencontres. Ma permission a consommé la rupture avec mon passé. J'y gagne du recul et je pourrai dire un jour — demain peut-être — ce que Paris fut pour moi. Je me rends compte que, si je ne fus pas patriote, du moins je fus communard et régionaliste. Paris c'était mon village, comme dit la chanson. Citoyen de Paris, j'eusse été chauvin.

T., lisant mes carnets, me dit : « Ça me surprend. Je suis tellement habituée aux imbéciles qui veulent prouver, que je suis décontenancée devant le gratuit. » Ça me charme et c'est vrai. Entière gratuité de ce carnet, comme de la pensée en général. J'écrirai demain sur Paris. Mais pourquoi ? Sans raison, parce que ça m'amuse. Et rien ici n'a de raison ; tout est jeu. Surtout, je ne force jamais ma pensée. Si j'écrivais un livre composé, j'irais plus loin, à la manière des soldats en guerre que l'on contraint toujours de tenir un peu plus qu'ils ne peuvent. Au lieu qu'ici je tourne court dès que je suis prêt de me forcer.

Jeudi 22 Février

Sur la nature de l'avenir. L'avenir est un existant transcendant qui tire sa source du pour-soi. L'en-soi n'a pas d'avenir parce qu'il est en totalité ***tout ce qu'il est,*** il n'y a donc rien en dehors de lui qu'il puisse être. Le principe d'identité comme loi existentielle de l'en-soi repousse toute possibilité d'avenir. L'avenir ne saurait exister que comme complément d'un manque dans le présent. Il est la signification même de ce manque. Mais encore faut-il définir cette notion de manque. Il est tout à fait surprenant qu'on ait pu décrire longuement la volonté, le désir, la passion dans toutes les philosophies et dans toutes les psychologies sans être amené à voir ce fait essentiel qu'aucun de ces phénomènes ne peut même être conçu si l'être qui veut, qui souffre, qui désire n'est saisi dans son être comme affligé d'un manque existentiel. C'est peut-être le christianisme qui s'est approché le plus de cette constatation nécessaire, en montrant l'âme humaine comme « animée » par le manque de Dieu et les écrits des mystiques abondent en descriptions frappantes de ce néant intime qu'il y a au cœur de l'homme. Toutefois il faut remarquer que la plupart des penseurs chrétiens, égarés par leur conception moniste de l'être comme un ***en-soi,*** ont confondu — comme d'ailleurs Heidegger — le néant existentiel de la conscience humaine avec sa finitude. Or la finitude, étant une limite extérieure de l'être, ne peut être à l'origine du manque, qui se trouve au cœur même de la conscience. Si celle-ci est à elle-même sa propre finitude c'est une question que je n'ai pas à envisager ici, mais ce qui apparaît clairement c'est que le désir ne s'expliquera jamais sans qu'on fasse recours à un manque existentiel. Si je reprends par exemple ces descriptions psychophysiologiques de la faim ou de la soif qui sont devenues classiques, je vois qu'il faut être bien naïf ou bien entêté pour s'en satisfaire. Que nous montre-t-on en effet ? Un appauvrissement du sang, par exemple, comme dans l'étouffement — l'irritation du bulbe par le sang veineux qui provoque des contractions spasmodiques du diaphragme — dans le cas de la faim des contractions du tunicier, la salivation, un éréthisme nerveux qui provoque des mâchonnements etc. Tout cela est bel et bon mais nous n'avançons pas, car nous nous obstinons à décrire des *états* existant sous forme d'en-soi, qui peuvent bien se commander les uns les autres, mais qui ne sauraient absolument pas par eux-mêmes se donner comme *désirs,* qui ne ressemblent pas plus au désir qu'une vibration de l'éther ne ressemble à la couleur rouge. Et ce n'est pas fournir une réponse satisfaisante que de dire que la conscience *transforme* cet état corporel en désir, appréhende cet état sous forme de désir, car à moins de lui conférer un pouvoir magique, il faut encore expliquer pourquoi elle n'appréhende pas ces modifications corporelles sous forme d'*état.* Car il faut être aveugle pour ne pas voir que la différence essentielle entre le désir et l'*état* physiologique qu'on veut mettre à sa base est d'ordre existentiel. Il ne s'agit pas de dire que le désir est *pensé,* est représentation, est spirituel, inétendu, que sais-je ? Si vous en faites un *état,* vous ne comprenez plus rien. Or le parallélisme est fondé sur l'idée absurde qu'à un *état* du corps correspond un *état* psychique. Mais l'état ainsi conçu ne sortira jamais de lui-même pour « avoir besoin » d'un objet transcendant quel qu'il soit. Si nous concevons un organisme comme un certain type d'enchaînement physiologique, je vois bien que s'il est privé d'eau il passe par certains états pour aboutir à l'état terminal ou mort. Mais je ne vois pas ce que le désir vient faire là-dedans. Je pense d'ailleurs qu'il y a une erreur profonde dans cette conception de l'organisme mais ce n'est pas le lieu d'en discuter. Pour qu'il y ait désir il faut que l'objet désiré soit présent concrètement — lui et pas un autre — dans l'intimité profonde du pour-soi, mais présent comme un néant qui l'affecte ou, plus précisément, comme un manque. Et cela n'est possible que si le pour-soi dans son existence même est susceptible d'être défini par ces manques. C'est-à-dire qu'aucun manque ne peut venir du dehors au pour-soi. De même que, dans le cas de la mauvaise foi, le mensonge à soi n'est possible que si la conscience est par nature ce qu'elle n'est pas, de même le désir n'est possible que si le pour-soi est *par nature* désir, c'est-à-dire s'il est *manque* par nature. L'absurdité de la « volonté de puissance » schopenhauerienne ou nietzschéenne c'est que, à la concevoir comme une force, on ne pourra jamais comprendre qu'elle s'exprime par des *désirs* ou des *volontés.* Elle restera force et sera équilibrée par des forces antagonistes, simplement. A rien ne servira de dire qu'il s'agit de forces « spirituelles », à moins qu'on ait précisément défini l'esprit comme l'en-soi transi par le Néant. Si donc à l'origine de tous les désirs et de la volonté il faut bien poser le manque existentiel comme caractéristique de la conscience, nous devons alors nous poser les deux questions primordiales : qu'est-ce qu'un manque — qu'est-ce qui manque ?

Le manque appartient évidemment à la catégorie du « n'être pas », au sens où le « n'être pas » est un lien concret et pour ainsi dire positif entre le pour-soi et quelque autre existant. Mais il est un cas particulier du « n'être pas ». Lorsque nous disons que la conscience n'est pas étendue, nous ne voulons pas dire que l'étendue lui *manque.* Constatons d'abord qu'il ne faut pas envisager le manque à la façon dont nous pouvons le constater du dehors, comme par exemple lorsque nous disons que la chaise « manque » d'un pied ou qu'un pied manque à la chaise. Ce manque, hypothétique en quelque sorte, laisse la chaise totalement intacte avec ses trois pieds. C'est seulement dans l'hypothèse que nous voudrions nous asseoir que la chaise « manquera » d'un pied ou plutôt, finalement, c'est à nous que le pied manquera. Cette façon d'envisager le manque a l'inconvénient de le présenter comme un dehors et pour tout dire comme un aspect de la finitude de la chaise. Nous sommes hésitants entre la conception pratique de la chaise comme un outil auquel il manque une partie essentielle et la conception théorique et contemplative de cette chaise « en soi », objet qui est comme il est, à trois pieds, et auquel il ne manque rien. C'est à partir de là qu'à l'ordinaire nous concevons nos états psychiques. Nous les voyons à plein comme des en-soi et de ce point de vue il ne leur manque rien, mais si on les replace dans un processus complet, on constatera du dehors qu'il leur manque quelque chose (par exemple quelqu'un ou quelque chose manque à l'absent) ; c'est-à-dire que l'on pense : pour atteindre l'état idéal auquel ils devraient atteindre (bonheur, ataraxie etc), il leur manque quelque chose. Mais pris comme ils se présentent, ils sont complets. Ainsi le manque est hypothétique et, en quelque sorte, ad libitum. Ils manquent de quelque chose pour un tiers qui en ferait objectivement la constatation. Mais c'est oublier que le pour-soi est un être tel qu'il *s'agit* de son être en son être. Rien ne lui vient du dehors et un manque pour la conscience est conscience de manque. Par le jeu du reflet et du reflété, le pour-soi ne peut qu'*être pour lui-même son propre manque.* Ainsi est-il existentiellement défini comme manque. Etre pour-soi c'est manquer de... Et manquer de... se définit : se déterminer soi-même comme *n'étant pas* ce dont l'existence serait nécessaire et suffisante pour vous donner une existence plénière. Le pour-soi *n'est pas* étendu mais il ne manque pas de l'étendue, parce que, encore que l'étendue appartienne à l'en-soi, il n'est pas tel que l'existence en lui de l'étendue puisse lui conférer l'existence plénière de l'en-soi. Mais par contre le pour-soi manque du *monde* (en tant que le monde comprend *aussi* l'étendue) parce que le monde est pour le pour-soi la totalité concrète de l'en-soi qu'il *n'est pas.* Entendons que le pour-soi, qui n'est pas le monde en tant qu'il se néantit lui-même, se détermine lui-même par néantisation comme manque de l'en-soi et détermine par là même l'en-soi comme monde. Le monde c'est la totalité de ce qui manque au pour-soi pour devenir en-soi. Et l'irruption du pour-soi dans le monde équivaut à une auto-détermination existentielle et constitutive du pour-soi comme ce qui *manque* d'en-soi en face de l'en-soi. Ainsi, être conscience de... (au sens où Husserl dit : toute conscience est conscience *de* quelque chose) c'est se déterminer soi-même pour soi par le jeu du reflet-reflété comme *manquant de...* quelque chose. Et comme je l'ai déjà dit dans mon carnet 3, je crois, toute conscience est conscience du monde, *d'abord.* Quant au monde, il est l'en-soi présent comme pouvant par absorption transformer le pour-soi en *ens causa sui.* L'unité et le sens du monde, c'est l'*ens causa sui* en tant que synthèse idéale dans l'en-soi du pour-soi et du monde. Il convient en effet de noter que l'idée de *cause* est tirée de soi par le pour-soi ; le lien causal est primitivement la liaison existentielle entre le reflet et le reflétant. Mais entendons bien que le *manque* ne doit pas être compris au sens idéaliste. Ce dont le pour-soi manque est *là,* devant lui ; c'est de cela précisément qu'il manque, à savoir de l'en-soi en tant qu'il est présent au pour-soi, en tant que pour-soi et en-soi ne sont séparés par *rien.* Le manque n'est pas créateur mais le pour-soi se constitue en face de l'en-soi comme ce qui par nature *manque* de l'en-soi. Toutefois, précisément par là, l'en-soi devient présent au pour-soi, ce qui ne le touche en rien en lui-même et dans son existence d'en-soi mais ce qui constitue le pour-soi comme ce devant quoi le monde est présent en tant que ce qui lui manque pour devenir *ens causa sui.* C'est à partir de là que nous pouvons définir le futur.

Dans la mesure où il se néantise, le pour-soi est manque. Mais *ce qui* se néantise dans le pour-soi c'est l'en-soi. Le manque, comme toute forme du Néant, *est été.* Sous sa forme négative, en tant qu'il est néant néantisé, le manque est intentionnalité, *conscience de* au sens husserlien. En tant qu'il est néantisation d'*en-soi,* c'est-à-dire en tant que c'est l'*en-soi* qui *est* son propre manque, le manque sous son aspect positif est *désir.* Ou, si l'on préfère, volonté. Ainsi la fuite perpétuelle du pour-soi devant l'en-soi qui le glace pourrait se comparer à la mobilité d'une rivière rapide qui, par les grands froids, peut échapper, grâce à la rapidité de son cours, au gel. Qu'elle s'arrête, elle se prend. Mais la rivière est orientée, elle court vers quelque chose. Pareillement le pour-soi fuit l'en-soi dans le monde vers l'*ens causa sui* qu'il veut être. Nous tenons ici cette totalité ouverte qu'est le pour-soi. Le pour-soi est à lui-même son propre néant, en tant qu'en-soi qui se néantise sous forme de pour-soi. Et ce que le pour-soi est à lui-même, c'est un manque, précisément le manque de la totalité dont il est négation, ou monde. L'en-soi est présent en face de lui comme ce qu'il n'est pas et, précisément, le pour-soi *n'est rien,* il n'est rien en lui-même qu'une translucidité totale qui est encore dégradation de l'en-soi. Mais ce rien justement est saisi dans la translucidité totale du pour-soi comme *manque de* quelque chose.

Le pour-soi ressaisi par l'en-soi sous forme d'événement s'échappe constamment de lui-même au moment où il va se prendre et cette fuite se fait vers ce dont il manque, c'est-à-dire vers le monde. Ainsi le passé est-il le pour-soi ressaisi par l'en-soi, et l'avenir est le monde en tant qu'il manque au pour-soi comme ce dont l'absorption le transformerait en *causa sui.* L'en-soi en tant qu'il apparaît au pour-soi est déjà futur. Ce verre, en tant qu'il se donne comme devant être pris, cette chaise, en tant qu'elle se donne comme ce sur quoi je m'assiérai, etc., etc., tout est *dans l'avenir.* Le pour-soi est contemporain de l'en-soi en tant qu'il en est investi, mais le monde est pour lui dans l'avenir en tant qu'il lui *manque.* C'est-à-dire que si le pour-soi pouvait se déterminer à l'existence pure et simple, il serait contemporain de l'en-soi. Mais en tant qu'il est manque, le monde lui apparaît comme futur sur base d'investissement présent. Ce que je veux dire c'est que c'est un tour de passe-passe de prétendre que ce stylo que je vais prendre est tout entier dans l'avenir. Certes en tant que stylo, il est dans l'avenir. Mais en tant qu'en-soi investissant mon pour-soi, il est présent, il est *une* présence. Toute chose est une présence immédiate que nous ne pouvons atteindre que dans le futur. Tel est le sens de la transcendance ou dépassement de l'investissant présent vers la « chose-à-venir » du monde.

Confidences de Pieter : « Mon vieux, ce que j'ai pu rigoler avant mon mariage. Avec mes deux copains on a eu de ces aventures ! Quelquefois, à la fin, on se réunissait et puis on se les racontait les unes après les autres, pour le plaisir de se les rappeler. Tous les Samedis on prenait l'auto et on faisait la chasse. Et même à un moment j'ai eu trois amies attitrées à la fois, eh bien, ça ne fait rien je chassais tout de même, le soir à minuit, en rentrant de chez elles, pour le plaisir d'en ajouter une à la collection. Oh on ne les avait pas au boniment, on leur proposait de passer la soirée au dancing et puis si elles étaient affranchies, eh bien elles passaient la nuit avec nous et le lendemain on les emmenait en auto au Touquet et on leur offrait un bon repas. Et puis le soir on se quittait comme ça et si elles avaient été bonnes copines, elles pouvaient toujours s'amener dîner avec nous ensuite. On n'était pas jaloux, on s'arrangeait. Il n'y a qu'une fois, il y en a un qui a voulu en garder une pour lui, il n'avait pas le béguin mais il se figurait qu'il avait eu la touche, il disait sérieusement : " Celle-là, c'est pas comme les autres. " Et avec ça c'était une fameuse pimbêche, on a voulu lui jouer un tour. Un soir il nous dit : " Allez voir Hélène à ma place, je suis retenu, j'en ai pour une heure. " Bon, on s'amène au café et au lieu de lui dire qu'il va venir dans une heure, on lui raconte, est-ce que je sais moi, qu'il est parti avec une autre femme. Eh bien, mon vieux, cette femme-là, par jalousie, pour se venger, elle a voulu coucher avec moi tout de suite. Je monte dans sa chambre, je couche avec elle et puis elle m'exaspérait, je ne faisais ça que pour l'emmerder, je ne sais pas tout ce que je lui ai sorti, finalement je lui dis : " Tu es une salope comme les autres, tu as trompé Jules " et je lui raconte le coup. Tu ne devinerais jamais ce qu'elle m'a répondu. Elle m'a dit : " D'abord Jules, je l'ai pas trompé, j'ai pas joui. " Mais tu sais, à part ça on partageait, on les prenait comme ça se trouvait. Une fois on est resté quarante-huit heures dans une chambre avec des gamines qui venaient là pour la rigolade, on les a sautées chacun à notre tour ; on n'était pas partisans des partouzes, tu sais, non, c'était pour rigoler ; on les a fait coucher ensemble devant nous, on se faisait monter des plats. Il n'y a que quand on voyait qu'elles voulaient du pèze, ah alors là on était terribles. C'est là qu'on s'amusait le plus, tu comprends, on ne promettait pas exactement mais on laissait entendre, tu comprends le coup, elles marchaient et notre grande joie c'était de les laisser tomber sans un sou. Une fois on emmène une grande blonde élégante en auto, au bois. Je conduisais, mon copain est derrière ; il lui fait voir un billet de cinq cents francs à la lumière d'un bec de gaz et puis il la saute et après il lui donne un papier blanc qu'il avait préparé exprès. Elle le met dans sa jarretière sans se douter de rien. Là-dessus, je passe le volant à mon copain, je me mets dans le fond avec la femme et c'est mon tour. Après elle voulait encore de l'argent mais j'ai dit non. Alors elle s'est mise en colère, elle s'est fait reconduire devant chez elle et elle m'a dit en descendant : " Votre ami est un gentleman, mais vous, vous êtes un goujat. " Tu parles si on rigolait ensuite. On se disait : " Elle va avoir une déception. " De ce temps-là, je sortais souvent avec un fourreur de Lyon, on le connaissait moins mais il venait, il payait sa part et on partageait les femmes. Mon vieux, un type, du point de vue pratique, zéro ! Mais un chasseur de première. C'était un psychologue ; il disait que neuf femmes sur dix avaient leur point faible du côté de l'argent. Alors il se débrouillait, il promettait, il les avait toutes. Tu sortais avec lui, il te disait : " Tu veux une femme ? " Hop, en moins de ça, ça y était. Seulement, tu sais, trop culotté plutôt. Comme il ne leur donnait jamais rien, en fin de compte, il avait des histoires avec toutes les bonnes femmes. Il y en avait une, le matin, elle l'a suivi en hurlant dans la rue — tu te rends compte, une femme qui avait l'air convenable, il faut qu'elles aient la putasserie dans la peau. Il ne se démonte pas, il avise un sergent de ville, il lui dit : " Je ne connais pas madame, emballez-moi ça. " Une autre fois, une femme furieuse lui déchire sa chemise pour l'empêcher de partir sans payer. Il ne fait ni une ni deux, il prend les bottines de la femme, il les flanque par la fenêtre. Il m'a fait arriver de ces histoires ! A mettre dans ton roman ! C'est pour ça, je n'aimais pas trop chasser avec lui, il attigeait. Tiens, une fois, il était mal avec son copain, finalement c'est avec moi qu'il sort. Il me dit : " On chasse ? " Bon, je dis, on chasse. On s'en va au Quartier Latin dans sa Rosengart, on va au dancing, en bas au Soufflet, l'ancien, tu sais. Au dancing, le truc c'était de retenir la bonne femme jusqu'à lui faire perdre son dernier métro. Après ça on lui proposait de la raccompagner en auto, on s'arrangeait, comprends-tu ? On rencontre deux gamines, elles se font tirer l'oreille. Mon copain se met à leur promettre que, si elles viennent avec nous, on les emmènera le lendemain à Fontainebleau, on leur payera des bas, des chapeaux, au moins pour cinq cents francs d'affaires dont on n'avait pas le premier sou, bien entendu. Elles résistent, on insiste ; on sort du dancing avec elles, elles ne voulaient toujours pas ; finalement elles ont tant refusé qu'à quatre heures du matin, tu m'entends, on était encore devant la porte d'un hôtel à Montmartre à discuter le coup. A la fin elles se laissent tenter, mon ami range sa voiture dans un garage à côté et nous entrons tous quatre dans l'hôtel. Là, encore toute une histoire. Elles voulaient une chambre pour elles, une chambre pour nous. On dit oui. On monte ; une fois là-haut, on leur dit : “ Vous ne voulez pas nous laisser coucher près de vous ? On sera sages. — Alors oui, mais tout habillés ! ” Tu te rends compte du turbin. Finalement je couche dans une chambre avec l'une, mon ami dans l'autre chambre avec l'autre. Je baise la mienne et je m'endors. La garce ! elle me réveille à sept heures du matin. Je me frotte les yeux : “ Qu'est-ce qu'il y a ? — Eh bien, il faut partir ! il faut partir ! — Quoi ? Quoi ? — Eh bien à Fontainebleau. — Ah bon ! ” que je fais. J'étais embêté, tu penses bien qu'il n'avait jamais été question d'y aller, à Fontainebleau, d'autant plus qu'on leur avait promis des tas d'affaires et qu'on n'avait pas de quoi les payer. “ Bon, je dis, lève-toi et viens avec moi chez le copain. ” On y va, on les réveille. Voilà que mon copain s'aperçoit en se réveillant qu'il avait baisé la moins bien et que j'avais eu la plus jolie. Ça le fout en rogne. Tu penses ! Ce salaud-là, il aurait pu se contenter comme ça. Ben non ! Il me dit : “ Tu vas aller faire les commissions avec Renée ” (Renée, c'était celle avec qui il avait couché). Comme ça il s'arrangeait pour rester avec la mienne et j'ai su ensuite qu'il l'avait baisée sans difficulté. Moi je descends avec l'autre, je pouvais pas dire non mais je râlais. Je me dis : Comment faire ? J'achète un journal dans un kiosque et je fais semblant de parcourir les titres pour me donner le temps de réfléchir. Alors, je me souviens d'un café pas loin de là qui avait deux entrées. Je dis à la femme : “ On va aller prendre un petit déjeuner. Pas besoin de se presser, ils attendront bien. ” On y va, je commande deux petits déjeuners et je paye tout de suite. On bavarde, et puis tout d'un coup, je lui dis : “ Excusez-moi, un petit besoin. ” Et je fous le camp par l'autre entrée, en faisant semblant que je vais aux cabinets. Ah mon vieux ! J'ai su la suite le lendemain. Au bout d'une demi-heure d'attente, la bonne femme flaire le coup, elle retourne à l'hôtel et voilà mon type avec les deux femmes sur les bras. Il s'est déchargé sur moi comme il a pu, il a dit que j'étais un mufle, qu'il me connaissait à peine. Mais elles étaient devenues méfiantes ; jusqu'à quatre heures de l'après-midi il a pas pu s'en décoller. Il disait : " Je vais au garage, prendre la voiture. — Bon, on va avec toi. " Finalement, il a été obligé d'avoir la panne en plein Bois. Il leur a dit de descendre pour chercher les outils à l'arrière et puis, quand elles étaient baissées, hop, il a démarré. Eh bien tu sais, quand on a vécu ça, à mon âge, les histoires ça ne dit plus rien. J'ai trop rigolé, tu comprends... le coup ? Les types qui ont des histoires à mon âge, c'est des types comme Paul qui n'auront rien eu jusque-là. Mais moi, non. Ça ne me dit rien, je suis fidèle à ma femme. »

Je dois ajouter, pour compléter le portrait, que Pieter a toujours eu par ailleurs une horreur morale pour le maquerellage. Il n'a pas de mots assez insultants pour les maquereaux. Ainsi met-il une morale stricte, d'un côté du moins, dans les relations sexuelles. Mais il vient précisément aujourd'hui, par une coïncidence comique, d'en renouveler la preuve. C'est à propos de Hantziger, ce long Pierrot triste, romantique et cafard et gourmand qui depuis le début de la guerre est entre deux femmes. Il est directeur ou sous-directeur de la succursale française d'une firme de cinéma américain. La guerre venue, il a perdu ses ressources. Or, deux mois avant l'agression de la Pologne, il avait abandonné sa femme, pieuse et sans charme, qu'il avait épousée trop jeune, et projetait de se marier avec sa maîtresse, une jeune Anglaise dactylo, je crois. La guerre l'a plongé dans un rêve éveillé. Fort peu sensible aux événements militaires, inconscient même, semblait-il, de sa situation aux Armées, il passait son temps à se demander : « Laquelle ? » Divorcerait-il pour épouser l'Anglaise ? Reviendrait-il à sa femme ? Il restait des journées à manger des sucreries, fourrageait dans sa chevelure d'albinos, d'un blanc fade, fixant le vide de ses gros yeux rouges de lapin et, le soir, pour se remonter le moral, il allait jouer au piano de petites valses légères qu'il écrasait sur les touches. On le considérait comme un ahuri mais on pensait aussi volontiers que son ahurissement devait lui être profitable ; il semblait avoir un sens discret et affectueux de ses intérêts. Il allait de l'un à l'autre, demandant à chacun : « Laquelle dois-je prendre ? Tiens, lis cette lettre. » Tout l'état-major était au courant. Les bien-pensants lui conseillaient de reprendre sa femme, les autres d'aller plutôt avec la jeune. Il restait en communication avec sa femme parce qu'il fallait bien qu'il réglât cette affaire de divorce. Elle lui envoyait des lettres pleurardes et dignes et son argumentation, d'ailleurs fort habile, c'était : « Demande le divorce si tu veux et j'y consentirai pour l'amour de toi. Mais ne me demande pas de faire moi-même des démarches contre ma religion et contre mon amour. » Ce qui équivalait à lui compliquer singulièrement les choses puisqu'il était au front. Mais elle s'avisa de moyens plus habiles encore, elle lui expédia des gâteries, des pots de miel, des cakes, qu'il dévorait avec une gourmandise maladive, et pour finir un billet de cinquante francs. Du coup il vint me trouver : « Sartre, toi qui es philosophe, penses-tu que je doive accepter, penses-tu que ça cache un piège ? » Je lui répondis que je ne connaissais pas le caractère de sa femme (il me montra des lettres fort élevées qui puaient la sournoiserie), que je n'avais pas au surplus à décider s'il devait divorcer ou se raccommoder avec elle, mais que, dans le cas où il serait décidé à rompre, il devait se hâter de renvoyer l'argent. Il hocha la tête, me dit que j'avais bien raison et je n'entendis plus jamais parler des cinquante francs. Je suis persuadé aujourd'hui qu'il les a gardés. Aux approches de sa permission, il devint de plus en plus anxieux : où la passer ? La jeune Anglaise le tenait par les sens. « Mais, nous expliquait-il, chez ma femme je retrouverai un mobilier que je venais d'acheter quand nous nous sommes séparés, de grandes pièces spacieuses et agréables et un piano. » Je ne sais ce qu'il avait finalement décidé quand il partit, car j'étais moi-même à Paris. Toujours est-il qu'il est revenu hier, réconcilié avec sa femme, qui gagne sa vie, et plein aux as. Il a tout un colis de cakes, miel, confitures, saucissons, figues sèches, etc. ; il a mille francs, lui qui n'avait jamais le sou, et son premier soin a été de se faire envoyer hier à Saverne avec un ordre de mission. Il a acheté là-bas une culotte de 140 francs à la coopérative militaire, et des bottes de 300 francs. Il a hésité à prendre aussi une veste mais dit qu'il verra plus tard. Ce qui me charme, plus encore que son air de modestie triomphante et angélique, c'est l'indignation que témoigne le bon Pieter. « Mais c'est un maquereau ! me jetait-il tout à l'heure en entrant. Ah ! Non ! Tout de même. Moi, si j'avais pensé à divorcer et que je me sois réconcilié avec ma femme, j'aurais peut-être été habiter chez elle pendant ma permission mais j'aurais eu à cœur de ne pas accepter un sou d'elle, au moins au début. » Il réfléchit un instant et ajoute, par probité : « Ou alors cent francs. »

Il ne faut jamais tenter d'expliquer le Néant par la finitude, car la finitude prise en elle seule semble un caractère extérieur à l'individu considéré. Que si au contraire, comme il le semble parfois chez les philosophes chrétiens, on considère la finitude comme une caractéristique intime de la réalité-humaine, alors il faut bien se résoudre, à l'inverse de la méthode accoutumée, à la fonder sur le Néant. Un être qui *est* son propre néant est par le fait même fini. Si l'on s'étonne que l'en-soi, dès qu'il est néantisé, se dégrade en individualité finie, la réponse est simple : une conscience qui serait coextensive à la totalité infinie de l'en-soi ne peut exister par principe. La négation condense. C'est précisément parce que le pour-soi *n'est pas* l'en-soi, n'est pas l'étendue, n'est pas la résistance, la force, etc., qu'il est un individu. Chaque négation nouvelle le resserre sur soi, et finalement c'est bien *par rapport* à la totalité de l'en-soi que le pour-soi se constitue comme individu fini ; c'est bien du sein de l'en-soi total que surgit la conscience, et il serait absurde de n'y voir qu'un petit bout d'en-soi néantisé. Seulement la néantisation de l'en-soi dans sa totalité ne peut s'opérer que sous la forme de l'irruption dans le monde d'une conscience particulière. Seul l'*être* peut être infini ou indéfini. La négation est par nature finie.

Vendredi 23 Février

Un chasseur qui revient de Paris : « J'avais l'impression là-bas qu'on nous prenait pour des chômeurs. »

Comment le manque — ou rapport premier de la conscience au monde — peut-il aboutir à des désirs particuliers ? Notons d'abord que tout désir particulier est une spécification du désir du monde. Ou, si l'on préfère, l'objet désiré paraît à la pointe du monde désiré et symbolise le monde désiré. Désirer un objet c'est désirer le monde en la personne de cet objet. A présent, que désire-t-on de l'objet ? On désire se l'*approprier.* Qu'est-ce donc que l'appropriation ? Il est curieux que tant de controverses sociales aient eu pour sujet la propriété et qu'on n'ait jamais songé à décrire phénoménologiquement l'acte d'appropriation et la situation de propriété. On remarquera d'abord que l'appropriation ne peut être conçue comme un rapport externe entre deux substances. Une théorie « réaliste » de l'appropriation rencontre les mêmes difficultés qu'une théorie dogmatiste et réaliste de la connaissance : comment entre deux substances pleines existant en soi, peut-il y avoir une relation intime comme celle de la connaissance, comme celle de la propriété ? Cela n'est évidemment pas possible. L'idéalisme résout le problème en mettant l'*Unselbstäntdigkeit*[1] du côté du monde ; pour moi, je mets une *Unselbständigkeit* d'un type nouveau du côté de la conscience. Donc une substance ne peut s'approprier une autre substance. L'appropriation a un tout autre sens que le sens physique. Que veut dire posséder un objet ? Je vois bien que, dans nos sociétés actuelles, c'est un droit négatif, le droit que personne autre que moi ne se l'approprie. Mais écartons cette vue négative et revenons-en au positif. Je vois aussi que s'approprier un objet c'est pouvoir en *user.* Pourtant je ne suis pas satisfait : je vois que j'use ici de la table et des verres et pourtant ils ne sont pas à moi. Dirons-nous que c'est lorsque j'ai le droit de détruire qu'un objet

1. La dépendance. *(N.d.E.)*

m'appartient ? Mais d'abord ce serait bien abstrait et je n'y pense guère. Ensuite un patron peut posséder son usine et n'avoir pas le droit de la fermer. Je n'admettrai pas non plus que la propriété soit une simple fonction sociale car, encore que le social puisse conférer un caractère de droit, un caractère sacré à la propriété, il y a *ce qui* est susceptible de devenir sacré, ce qui est au-dessous du lien social, le lien premier de l'homme à la chose qui s'appelle possession. Naturellement, toute explication par l'achat ou la vente n'a qu'un sens juridique et ne règle pas du tout la question. Si j'écarte donc comme secondaires toutes ces définitions de la propriété, le problème reste entier : qu'est-ce que posséder ? Or je remarque que dans cette question comme en tant d'autres, la magie peut nous guider. Je constate qu'on dit d'un homme que c'est un possédé lorsque les démons sont en son corps. Mais je vois aussi qu'en ce cas les démons ne sont pas seulement en lui, ils *sont lui ;* ils s'achèvent en lui ; finalement c'est une certaine qualité de l'homme possédé que d'être possédé, il est en lui-même donné comme *appartenant à...* Et je vois aussi que dans les enterrements primitifs on enterre avec le mort les objets qui lui appartiennent. L'explication rationnelle « pour qu'il puisse s'en servir » est évidemment inventée après coup. Il semble plutôt qu'il n'y ait pas de question : le mort et ses objets forment un tout. Il n'est pas plus question d'enterrer le mort sans ses objets usuels que de l'enterrer sans une de ses jambes par exemple. Par-delà l'existence discontinue de tous ces objets, vit un grand organisme qu'on enterre tout entier. Le cadavre, la coupe dans laquelle il buvait, le couteau dont il se servait etc. font *un seul mort.* C'est pourquoi la coutume de brûler les veuves malabaraises, bien que barbare en ses résultats, s'entend fort bien dans son principe. La femme a été *possédée.* Elle fait donc partie du mort, elle est morte en droit, il n'y a plus qu'à l'aider à mourir. Ceux des objets qui ne sont pas susceptibles d'être ensevelis sont hantés. Il est vrai que les spectres qui hantent les manoirs sont des dieux lares dégradés. Mais les dieux lares eux-mêmes, que sont-ils sinon des spectres ? Le spectre n'est rien que ce qui reste de l'homme dans la maison qu'il a possédée. Dire qu'une maison est hantée c'est dire que ni l'argent ni la peine de son second propriétaire n'effacera ce fait métaphysique et absolu de la *possession* de la maison par le premier acquéreur. Ainsi les superstitions et les religions mêmes nous présentent la propriété comme un prolongement de l'être du propriétaire. L'homme est lié métaphysiquement à sa propriété par un rapport d'être. Il serait vain d'objecter que les superstitions n'ont pas de fondement. Elles ont au contraire leur fondement dans la réalité-humaine. Toute superstition, toute croyance magique, si elle est interrogée comme il faut, révèle une vérité sur la réalité-humaine car l'homme est par essence un sorcier. Tout ceci a été dit déjà mais ce qui nous intéresse, nous qui avons déjà distingué l'en-soi du pour-soi, c'est que la propriété est le prolongement du pour-soi dans l'en-soi. *S'approprier quelque chose c'est exister dans cette chose sur le mode de l'en-soi.* (Le cas de la possession d'une personne aimée est plus compliqué mais nous le laisserons volontairement de côté, car il n'est pas premier.) Reste à expliquer cette dernière formule. Elle n'a pas d'autre sens que ceci : la volonté du pour-soi n'est pas autre chose que de tenir de soi-même un en-soi qui soit symboliquement le pour-soi lui-même. Ceci nous amène à l'origine du symbole, dont je parlerai demain. Mais pour l'instant nous sommes en présence du fait même de la transsubstantiation. La propriété est transsubstantiation. Etre propriétaire d'un objet c'est être en cet objet le pour-soi lui-même comme en-soi. En ce sens un objet possédé est un objet qui reflète dans le monde les vicissitudes du pour-soi qui le possède. Un objet possédé est le représentant du pour-soi dans l'en-soi. Et, en même temps, la possession, l'objet possédé représente pour le pour-soi le monde tout entier. Ainsi l'objet possédé, symbole en-soi du pour-soi, est pour le pour-soi, symboliquement, le monde. Celui, par exemple, qui reste chez soi et cultive son jardin, pour celui-là le jardin est le monde. Il est l'extrême pointe du monde et en même temps, le monde tout entier est en lui. Ainsi le rapport primitif de possession est du pour-soi au monde. Mais sur le fond du monde paraît un objet particulier qui est possédé *à titre de* monde. Il *rassure* la réalité-humaine car elle se voit en lui exister comme permanence, comme en-soi. Ce que je possède c'est moi, comme opaque, comme *en soi*. Et comme il faut que je *me procure* ce que je possède, l'en-soi se présente ici comme motivé par le pour-soi, autrement dit chaque possession réfléchit comme *en-soi* l'image du pour-soi comme cause de soi. Reste que moi, personnellement, je n'ai pas le sens de la propriété. C'est ce que j'essaierai de décrire et d'expliquer demain.

Ce que reflète mal ce carnet-ci (à partir du 20 Février) c'est l'état d'énervement et d'angoisse où je suis à propos de quelque chose qui va très mal là-bas, à Paris. Pourtant ma cause est juste. Ce soir (après quelques libations il faut le dire) j'ai été saisi d'une espèce d'enthousiasme à l'idée de défendre une si juste cause. Ce qui m'a séduit, ici, c'est l'idée d'action. Tant de fois, pris en flagrant délit par de vagues personnes, par bonté, par veulerie, j'ai dépensé le flot de mes éloquences et de mes raisons. Je persuadais toujours. Aujourd'hui la cause est difficile mais je ne suis pas coupable. Et puis je tiens à T. comme à la prunelle de mes yeux. Dans ce cas désespéré, de loin, combattu par des amis perfides, il faut que je me montre bouche d'or comme en tant de cas où je l'ai fait négligemment. Ça m'excite et m'exaspère. Je suis presque joyeux d'avoir à entreprendre cette action et, pour un peu, je me dirais, comme l'Empereur pendant la Campagne de France : « Bonaparte, sauve Napoléon ! »

T. me voit en ce moment comme un bouc obscène. Ça me fait le même effet de scandale que quand je voyais moi, sur les nombreux récits de ceux qui le connaissaient, Jules Romains comme un ladre. J'ai devant moi, comme devant lui, cette même impression d'un défaut injustifiable mais qui est dépassé de toute part par la liberté. Je me fais un peu horreur, quoique je sache que ce reproche n'est pas bien juste, et je veux changer.

Samedi 24

Depuis trois jours, le dégel. Boue, neige fondue ; les rues ont une drôle d'odeur femelle ce matin. Ce temps mou, doux, gris vous tourne sur le cœur. J'étais un peu ivre hier soir quand j'ai écrit les deux dernières remarques. Non que je me sois saoulé volontairement mais Pieter, qui partait en permission, a payé le coup, après quoi j'avais soif et j'ai bu une chopine, bref j'étais si énervé que l'alcool m'est monté à la tête. Juste de quoi me donner une représentation de moi-même. Finalement c'est ça, chez moi, l'ivresse : quand je suis saoul j'ai une représentation de moi. Ce matin je suis sec et morne avec quelque chose au fond de moi que je sens tout prêt à se déchaîner, qui se déchaînera sûrement vers une heure de l'après-midi.

Il y a une sorte de constance et de nécessité dans les canards et les « bruits » de guerre. J'ai noté dans mon premier carnet ce slogan de 14 : « L'armée allemande aspirée par la France. » Or je trouve le même slogan en 1870. Je lis dans le Journal d'un officier d'ordonnance (Hérisson p. 38) : « On entendait des hommes graves, bien posés, riches, intelligents déclarer que nos défaites sur le Rhin étaient en quelque sorte providentielles, en ce qu'elles attiraient chez nous toutes les armées prussiennes qui trouveraient en France leur tombeau. »

L'origine de ce slogan me semble être la retraite de Russie et peut-être aussi les difficultés rencontrées par Napoléon en Espagne.

J'ai essayé de montrer hier que le sens de l'appropriation était une structure essentielle de l'homme. Ceci d'ailleurs sans égard à aucune théorie politique, car on peut aussi bien, ensuite, être socialiste ou communiste. Mais si cela était vrai, comment expliquer que moi qui écris ces lignes, je n'ai pas le sens de la propriété ? Et d'abord est-ce que je ne l'ai pas ?

Le plus facile à constater c'est que je n'ai pas le sens de la propriété chez les autres. Ces pillards que je cite dans les carnets précédents, je serais bien un d'entre eux s'il n'y avait dans *l'action* de piller quelque chose de profondément vil, tout à fait en dehors du caractère sacré de la propriété. J'ai marqué ailleurs que je n'avais aucun scrupule à ouvrir une lettre qui ne m'était pas destinée. Combien de fois ai-je feuilleté des papiers intimes qu'on avait soigneusement cachés et que je venais de découvrir. Et puis, j'ai souvent volé quand j'étais jeune. Je volerais encore au besoin. Il y a trois ans, gare du Nord, je n'avais plus d'argent pour m'acheter un roman policier et j'en ai volé un sans scrupule dans un kiosque à journaux. J'emprunte très volontiers et si je rends — je rends toujours et ponctuellement — c'est à cause de la *conscience* d'autrui, non point de son droit de propriété, je ne voudrais pas qu'on *pense* que je suis un tapeur malhonnête. Mais il me serait indifférent de l'*être.* Si quelqu'un que j'aime attache du prix à un objet, j'en aurai soin. Mais c'est seulement parce que je me représente avec force l'âme navrée de mon ami s'il retrouvait l'objet brisé. Là encore, c'est la conscience que je vise, non la propriété.

En ce qui me concerne, il est vrai que je n'ai jamais eu envie de beaucoup d'argent. Il me faudrait juste un peu plus que je n'ai. Ceci, tout simplement parce que je gaspille l'argent que je gagne. Je ne sais pas m'arranger pour répartir mon avoir sur tout le mois. Vers le 20, quels que soient mes besoins, quelle que soit la somme dont j'ai disposé, je tire la langue et j'emprunte. Si cet état commençait, avant la guerre, à me dégoûter, c'était plutôt par la nécessité où je me trouvais de courir anxieusement chez tous mes amis pour quêter mon déjeuner du lendemain que par l'impossibilité où je me trouvais d'avoir « mon argent à moi ». Des billets, des pièces dans ma poche me donnent une espèce de confiance, me *posent* mais, à vrai dire, ce plaisir ne dure guère, l'argent file et puis s'il demeure, je m'en dégoûte. J'ai besoin de dépenser. Non pas pour *acheter* quelque chose mais pour faire exploser cette énergie monétaire, pour m'en débarrasser en quelque sorte et l'envoyer loin de moi comme une grenade à main. Il y a une certaine sorte de périssabilité de l'argent que j'aime : j'aime le voir couler hors de mes doigts et s'évanouir. Mais il ne faut pas qu'il soit remplacé par quelque objet solide et confortable, dont la permanence serait plus compacte encore que celle de l'argent. Il faut qu'il file en feux d'artifices insaisissables. Par exemple en une *soirée.* Aller en quelque dancing, y dépenser gros, circuler en taxi, etc., etc., bref qu'il ne reste rien à la place de l'argent qu'un souvenir — quelquefois *moins* qu'un souvenir. Ordinairement, le soir même où je touche mon traitement, j'en ai déjà dépensé le tiers. Je ne compte jamais d'ailleurs, du moins les premiers jours. Il faut que l'argent ne soit rien que le prolongement de mes gestes, que je dépense comme je respire, qu'il représente seulement l'efficacité de mes gestes. Puis, au bout de quelques jours, je suis atterré parce qu'il ne reste presque plus rien et qu'il faut de nouveau et laborieusement compter. Quand j'étais jeune, Guille avait fait achat d'un petit carnet où il consignait studieusement ses dépenses de chaque jour et il m'exhortait vivement à acheter le pareil. Mais je n'ai jamais pu m'y résoudre. J'admirais Guille de faire ainsi ses comptes mais il m'eût semblé désagréable et vil de m'y soumettre. Partout où je passe je soulève le scandale par ma façon de dépenser — et cela chez les personnes les plus généreuses. Guille était tout le contraire d'un avare, pourtant il haussait les épaules en me voyant faire ; le petit Bost m'a dit cent fois avec un blâme hilare : « Vous vous défendez mal. »

Ce qui frappe surtout, c'est que cet argent que je dépense, je le dépense *à rien.* J'ai connu des maniaques comme Albert Morel qui convertissaient leurs monnaies en mille brimborions clinquants, boussoles, tire-bouchons perfectionnés, petites mécaniques ingénieuses. Ceux-là veulent posséder ; ils trouvent l'argent trop abstrait, ils s'appuient de toutes leurs forces sur ces mille petites babioles, elles les protègent et les entourent d'un cercle familier. D'autres, comme Nizan, se font des cadeaux. Il part avec mystère s'acheter une belle paire de souliers et cet achat est comme une cérémonie sacrée et faste de ses rapports avec lui-même. Le rapport de Nizan à *ses* objets est absolument charmant ; il les palpe avec malice et tendresse, ce sont à la fois de petits animaux domestiques et de bons tours joués aux autres gens. Il a autant d'affection pour un parapluie payé dûment que s'il l'avait dérobé. Je sais aussi quelle entreprise rare, laborieuse et sacrée c'est pour certains, comme Keller par exemple, de faire une emplette. On y pense longtemps à l'avance, on rêve, on se renseigne, on entre dans plusieurs magasins sans acheter. Puis, l'objet une fois acquis, on le considère avec une gravité un peu renfrognée, avec une légère appréhension même, comme un compagnon imprévu et inconnu dont on ignore encore les défauts et les vertus. Combien de fois ai-je vu Keller considérer avec blâme les pierres à briquet qu'il venait de prendre chez le marchand de tabac et déclarer sévèrement, avant même d'en avoir usé : « Elles ne sont pas si bonnes qu'à Paris. » Pour ceux-là, l'achat et l'appropriation sont les moments d'un pacte incertain et plein de dangers qu'il faut bien finir par conclure avec un certain objet sans trop savoir où il vous mènera. Keller ayant cassé sa pipe dut envisager d'en acheter une autre et fut à Pfaffenhofen avec moi dans cette intention. Mais à peine eut-il mis le pied dans la ville que le cœur lui manqua ; il erra de tabac en tabac comme une âme en peine. De là nous partîmes pour Haguenau et ce fut pareil. Finalement il préféra enrouler du fil de fer autour du fourneau de sa pipe cassée et dit : « J'en ai une autre chez moi, je me la ferai envoyer. » Et je sais bien qu'il y a là beaucoup de ladrerie. Mais qu'est-ce justement que la ladrerie ? Plus que la peur d'avoir moins d'argent après l'achat, je discernais chez Keller une sorte de terreur en face du nouveau. Il y avait là une « relève » angoissante des objets et il ne se sentait pas le courage d'y assister. D'autres encore, comme les deux Z., s'entourent d'un monde minuscule et vivant, qui oscille entre un surréalisme gracieux et un simple univers de jouet. Mille fées, elfes, korrigans, lutins apprivoisés les entourent et les protègent, filtrent le vrai monde pour elles, sont *à elles*. Toulouse poussait la chose jusqu'à tenir des conversations à ses objets, les gourmandant, les enseignant ou se faisant enseigner. Mais ni le monde des korrigans que possèdent les sœurs Z., ni ces quelques objets moyenâgeux qui conversent avec Toulouse ne sont achetés. Le prix en vient du don. Et peut-être est-ce là la forme la plus primitive et la plus sacrée de la propriété : tous ces objets sont possessions *données,* il y a eu cérémonie de transfert et rapports de conscience à conscience. Les deux Z. d'ailleurs ne sont pas à proprement parler gaspilleuses, elles ignorent totalement l'existence de l'argent, ce qui ne les empêche pas d'être farouchement propriétaires.

Je vois la naissance du luxe dans toutes ces manières de posséder, car le luxe ne réside point tant dans le nombre ni dans la qualité des objets possédés, mais dans un rapport aussi profond, aussi sourd et intime que possible entre le possédant et l'objet possédé : il ne faut pas seulement que la chose soit des plus rares, il faut qu'elle soit née chez celui qui la possède et venue à l'existence tout spécialement pour lui. L'argent ne donnera jamais le luxe. Mais pour ma part je suis tout juste le contraire du luxueux, car je n'ai nulle envie de posséder les objets, je ne saurais qu'en faire. En cela, très certainement, je « suis de » mon époque, je sens l'argent comme une puissance abstraite et fugitive, j'aime le voir s'évanouir en fumée et je suis dépaysé devant les objets qu'il procure. Jamais je n'ai rien eu à moi, dans la vie civile, ni meubles, ni livres, ni bibelots. Je serais très gêné dans un appartement, il se transformerait vite, d'ailleurs, en écurie. Je n'ai jamais eu à moi depuis dix ans que ma pipe et mon stylo. Encore suis-je gaspilleur même de ces objets-là : je perds les stylos et les pipes, je ne m'y attache point, ils sont en exil chez moi et vivent dans une atmosphère à peine plus intime que la froide lumière qui les baignait quand ils étaient rangés à côté de leurs frères dans la vitrine du marchand. Je ne les aime pas, une pipe neuve peut m'amuser deux jours, après quoi je m'en sers sans y prendre garde. Quand on me fait un cadeau, je suis toujours confus et très gêné parce que je sens obscurément que je ne le prends pas comme je le devrais. Certes je suis peut-être plus remué qu'un autre par l'attention (d'autant qu'on ne me fait presque jamais de cadeau. Les gens doivent sentir qu'ils se tromperaient d'adresse. Ils peuvent tenir à moi autant que possible, ils ne me donnent rien. Pareillement il est rare qu'on me photographie. Cela va ensemble). Mais c'est l'attention immédiate, telle qu'elle se peint sur le visage tendre de celui ou de celle qui donne, c'est cette attention-là qui m'émeut. Je remercie trop, parce que j'ai mauvaise conscience, je sais que je ne devrais pas tant sentir la grâce qu'on me fait sur le visage et davantage dans l'objet. C'est un plaisir de donner à T., qui ne remercie jamais, parce que le don s'inscrit dans l'objet donné. Elle songe à peine à la personne, mais l'objet lui devient du coup très précieux. Pour mon compte je ne vois rien qu'un objet utile ou plaisant qui va, comme les autres, mener chez moi une vie languissante, et que je finirai par perdre ou casser. Non tant par maladresse ou par distraction que par l'absence de ce lien concret qui fait, comme je le disais hier, qu'on enterrait les pharaons morts avec la coupe où ils buvaient, et qui est la propriété. Pas plus qu'on ne songe à me faire des cadeaux, on ne s'aviserait, je crois, si je mourais de m'enterrer avec mes biens. Mes héritiers, si j'en avais, les disperseraient aux quatre vents, rebutés par je ne sais quel aspect glacial de ces objets, qui serait le seul souvenir de leur commerce avec moi. Quelque temps j'ai aimé les belles chemises, le linge de soie, les costumes élégants — amour assez malheureux d'ailleurs puisque je n'avais pas de quoi m'en acheter. Mais ce n'était pas pour les posséder. C'était seulement pour être à mon mieux et pour plaire. Depuis quelque temps cela même a disparu. Je m'accommode fort bien de chemises très ordinaires et de porter longtemps mes costumes. Ces derniers temps je n'en avais qu'un par an, que je portais en toute occasion. Je mettais ma coquetterie — si tant est que j'en avais — à être négligé. Les belles chemises, le petit homme tiré à quatre épingles, c'était surtout du temps de « l'adjudant corse ». Quand intervint le « grand Norvégien blond » je m'orientai plutôt vers la vieille harde, la guenille qui conserve une trace d'élégance. Simplement, je me refusai toujours à acheter deux costumes de confection pour l'année, ce qui m'eût permis d'être toujours propre. J'aimais mieux, pour le prix, m'en faire faire un seul, vite décati, dans une bonne maison. Peut-être faut-il voir là un vague rudiment du goût de propriété et comme un risible et imperceptible appel vers le luxe.

Pourtant, si je ne possède rien par moi-même, si je ne respecte pas le bien des autres, j'ai pourtant un lien indirect et fort avec la propriété : j'ai le goût de faire posséder aux autres. Je donne souvent mes propres affaires, parfois avec une espèce d'emportement ; lorsque je vois de beaux objets dans une montre, il arrive que je les regarde avec cupidité, comme si je voulais les prendre pour moi. Mais en réalité, c'est une cupidité *pour autrui.* Je me dis, en les considérant : Qu'ils sont beaux ! Si seulement j'avais de l'argent, je les donnerais à X. ou à Y. Et certes il s'agit bien là d'abord d'un certain goût impérialiste d'agir sur autrui, de tracasser la conscience des gens, de les forcer de façon ou d'autre à se souvenir de moi, de m'insérer indiscrètement dans leur intimité comme une écharde. Ceci m'amènerait à envisager mes rapports avec les gens et je crois que je le ferai bientôt car — en ce moment surtout — c'est une plaie vive. Mais il y a autre chose de plus profond : j'ai comme un regret profond de ne pas savoir posséder, et en donnant, en rêvant de donner, je délègue mes pouvoirs aux autres, je possède de la seule manière qui soit à ma portée : par procuration. Je suis, en donnant quelque chose à T., en voyant les soins dont elle entoure mon cadeau — soins qui ne s'adressent pas du tout à l'objet parce qu'il vient de moi mais parce qu'il est beau — un peu comme ce gangster impuissant de *Sanctuaire* qui forçait un autre homme à coucher avec celle qu'il désirait. J'ai un peu de cette joie morose et solitaire du voyeur. Je me réjouis parce que c'est *par moi* qu'elle possède l'objet ; c'est moi qui ai créé ce rapport de propriété. Je m'arrête au bord du culte d'appropriation mais je le vois de loin, j'en jouis par les yeux et je m'en sais l'auteur. C'est bien un rapport que j'ai avec l'objet. Pareillement je ne saurais m'accommoder d'un « intérieur » mais j'aime l'intérieur d'autrui. Il y a deux appartements qui ont à mes yeux le charme le plus poétique du monde et où j'aime à demeurer longtemps : l'appartement de Mme Morel, rue Vavin et l'appartement de Toulouse à Montmartre. J'en jouis parce que je les sens *possédés,* et c'est cette atmosphère de possession que j'aime, c'est en elle que j'aime vivre. J'aime que tous les objets soient à quelqu'un qui par ailleurs est mon ami et qui m'en laisse user dans une certaine mesure. A vrai dire je m'en lasse vite et ce que je préfère — ou du moins ce qui ne me lasse jamais — c'est de m'asseoir sur des chaises qui ne sont à personne — ou à tout le monde, si l'on veut — devant des tables qui ne sont à personne. C'est pour cela que je vais travailler dans les cafés, j'atteins à une sorte de solitude et d'abstraction. Mais, de temps à autre, il me plaît de m'enfoncer dans cette chaleur lumineuse qui n'est pas à moi mais qui, un moment, est pour moi. Il ne fait aucun doute, cependant, que personne ne s'accommoderait mieux que moi d'une collectivisation de la propriété, car je n'y perdrais que le plaisir de donner — et encore pourrais-je donner de mille autres façons.

A l'expliquer par l'histoire et la formation, cette absence totale du goût de la propriété me paraît surtout provenir de ce que je suis issu d'un milieu de fonctionnaires. L'argent qui coulait dans la maison chaque mois, avec la monotonie réglée du flux menstruel, semblait à mon grand-père sans rapports directs avec le travail qu'il fournissait. Et de fait une amélioration de la qualité de ce travail ne lui eût pas été payée. Il mettait si bien son honneur, d'ailleurs, à enseigner par mission sacerdotale, qu'il oubliait tout à fait le rapport de ce travail à ses émoluments. Aussi étonné et naïf devant ces billets de banque qu'il touchait mensuellement que les primitifs des îles de Corail devant la grossesse de leurs femmes qu'ils attribuent à toute cause sauf à leurs œuvres propres. Mon grand-père devint avare sur ses vieux jours, par démence sénile, mais longtemps il se promenait avec des pièces d'or pêle-mêle dans ses poches, sans même soupçonner la quantité d'or qu'il transportait. Ma grand-mère allait lui en voler la nuit, dans son veston, et il ne s'en aperçut jamais. Universitaire comme lui, je n'ai jamais eu l'impression de *gagner* de l'argent. Mon métier me paraît une obligation sociale gratuite, parfois amusante, souvent ennuyeuse mais sans rapport avec l'argent qu'on me donne à la fin du mois. Cet argent a toujours pour moi une espèce de gratuité. Je n'ai pas l'impression qu'il me soit dû. Aussi m'est-il léger, je le sème à tous vents avec insouciance, assuré que je suis que le miracle se reproduira à la fin du mois. Je ne connais ni affres ni grande jouissance dans ce domaine. Ça ne compte pas. C'est comme l'air que je respire ou l'eau que je bois. Là encore je n'ai pas de *racines.* Rien n'enracine davantage qu'une âpre et dure *situation* pécuniaire. Je n'ai jamais vu personne dans mon enfance peiner dur et dans les affres pour gagner quelques sous : l'argent tombait du ciel comme des fruits mûrs. C'était une modique pluie d'or. Je me rappelle le stagiaire Delarue, qui était aussi élève comédien chez Dullin, engueulant mes élèves et leur disant — il se montait en parlant, sans les regarder, par timidité, et finit par se fâcher tout rouge : « Vous vous moquez des sauvages parce qu'ils croient qu'en jouant du tam-tam ils feront tomber la pluie. Mais qu'est-ce que vous êtes, vous ? Vous tournez le commutateur, c'est un geste impérieux et magique dont vous ignorez le sens — et vous attendez comme un sauvage que la lumière jaillisse. Qui de vous a jamais pensé au travail humain qu'il a fallu pour amener le courant électrique dans les fils ? » Eh bien, pour ce qui est de l'argent, certainement je suis pareil au sauvage. Le geste par lequel je pose un billet sur la table me paraît un geste rituel et magique, une cérémonie, je ne pense presque jamais à ce que ce billet *représente*. Certainement Keller, quand il achète, doit avoir l'impression de troquer son travail contre un objet. Pas moi : je fais la série de gestes nécessaires pour que l'objet naisse. C'est tout. J'ajoute que je suis d'une famille qui n'a point de biens immeubles ; j'ai bien fait, vers vingt ans, un petit héritage que j'ai dilapidé en quelques années. Mais, à part cette circonstance unique, personne ne possédait rien, chez nous, ni terre ni biens. Un appartement loué et c'est tout. De l'appartement loué par mon beau-père, par mon grand-père, à la chambre d'hôtel où je vis il y a moins loin que d'une maison à la campagne, dûment possédée, patrimoine, à un appartement loué. Au fond, bien que mon beau-père me reproche chroniquement de vivre à l'hôtel, je vais dans le sens de toute ma famille : pas de biens, je n'attends pas d'héritage et je n'en laisserai pas, je ne possède pas la chambre où j'habite. La grande transformation s'est faite avant moi, lorsque les paysans alsaciens qui furent les grands-parents de mon grand-père passèrent des champs à la ville, quand le père de mon grand-père est devenu instituteur. Pour moi, je ne fais qu'accentuer le mouvement. Je ne suis pas, d'ailleurs, en cela un

« bohème » — je l'eusse été en 1848 peut-être. Mais je ne fais que me rapprocher de toute cette petite bourgeoisie américaine par exemple, dont l'habitat est intermédiaire entre notre appartement et notre chambre d'hôtel. En ce sens, arrière-petit-fils de paysans, petit-fils de fonctionnaires, je suis, fonctionnaire moi-même, collectivisé à un degré plus avancé. J'entends en ce qui concerne la propriété car cette collectivisation matérielle a pour effet de renforcer chez moi l'individualisme et le goût de la liberté.

Car cette explication ne saurait suffire et il ne manque pas de fonctionnaires, fils de fonctionnaires, qui ont le goût du « chez soi », le goût de la possession. C'est même la règle. Au moins aimeront-ils posséder des livres. Et certes on peut expliquer un peu plus avant en disant que j'ai été formé par un rationalisme impersonnel qui m'a donné le sens de l'impersonnalité pour les idées. C'est parce qu'une idée de Pascal, dès que je la sais, m'apparaît à moi autant qu'à Pascal ou qu'à mon voisin, ou plutôt c'est parce qu'elle me semble propriété collective, c'est pour cela que je n'ai nul besoin de posséder un Pascal en chagrin dans ma bibliothèque. Il doit y avoir chez d'autres gens des relations plus intimes avec les livres. Ils doivent leur sembler encore habités, ils les caressent, ils pensent qu'ils ont un inépuisable secret et qu'il faut les posséder chez soi, de peur que ce secret n'échappe, papier, reliure, caractères et idées forment un tout. Mais pour moi un livre lu est un cadavre. Il n'y a plus qu'à le jeter. Et si je veux me rappeler certains passages, je ne déteste pas d'aller les relire dans une bibliothèque publique. Au Havre je réalisais le maximum de collectivisation, couchant à l'hôtel, partageant mes jours entre le café Guillaume Tell et la Bibliothèque municipale. J'ai même du goût pour les bibliothèques, et vraiment je trouve totalement indifférent que le livre ne soit pas à moi, qu'il ait été feuilleté, qu'il doive l'être encore par des milliers de mains. Au contraire, il me semble que c'est là sa véritable nature.

Mais pour trouver la véritable explication il faut malgré tout en venir à cet être-dans-le-monde qui chez moi comme chez tout homme dépasse vers la solitude sa situation historique.

Je ne désire point posséder, tout d'abord, par orgueil métaphysique. Je me suffis, dans la solitude néantisante du pour-soi. Je ne trouverais aucun réconfort dans ces substituts substantifiés de moi-même. Je ne suis à l'aise que dans la liberté, échappant aux objets, échappant à moi-même ; je ne suis à l'aise que dans le Néant, je suis un vrai néant ivre d'orgueil et translucide. Toutefois cela ne résout pas la question métaphysique car, orgueilleux ou non, je suis un *manque* et je manque précisément *du monde*. Aussi est-ce le monde que je veux posséder. Mais sans substitut symbolique. Cela est affaire d'orgueil également : je n'accepterais point de posséder le monde *en la personne* de tel ou tel objet. Je suis, moi individu, en face de la totalité du monde et c'est cette totalité que je veux posséder. Mais cette possession est d'un type spécial : je veux le posséder en tant que *connaissance*. Mon ambition est de connaître à moi tout seul le monde, non dans ses détails (science) mais comme totalité (métaphysique). Et pour moi la connaissance a un sens magique d'appropriation. Connaître c'est s'approprier, tout exactement comme, pour le primitif, connaître le nom secret d'un homme c'est s'approprier cet homme et le réduire en esclavage. Cette possession consiste essentiellement à capter le sens du monde par des phrases. Mais à cela la métaphysique ne suffit pas ; il faut aussi l'art, car la phrase qui capte ne me satisfait que si elle est elle-même objet, c'est-à-dire si le sens du monde y paraît non pas dans sa nudité conceptuelle mais à travers une matière. Il faut capter le sens au moyen d'une chose captante qui est la phrase esthétique, objet créé par moi et existant par soi seul. En outre mon désir de possession des choses est masqué et freiné par un désir plus complexe et qui vaudrait d'être décrit pour lui seul, mon désir de possession d'*autrui*. Et certes la possession est ici d'un tout autre type, mais il me paraît certain qu'on ne peut avoir à la fois les deux désirs, celui de posséder les choses et celui de posséder les gens. Ainsi le monde m'apparaît plus un et plus uniforme qu'à beaucoup. Il n'a pas ces creux d'ombres tièdes, ces havres de grâce que sont les objets possédés. En un certain sens, je suis plus délaissé en face de lui et plus seul. Et en un autre, plus orgueilleusement conquérant. Ainsi la métaphysique est désir d'appropriation.

Dimanche 25 Février

Le fameux « Pas un arpent » de Daladier, qui connut son heure de célébrité en 39, rappelle fâcheusement une non moins fameuse déclaration de Jules Favre dans une circulaire de 1870 : « Pas un pouce de notre territoire, pas une pierre de nos forteresses. »

J'ai noté la fortune subite de Hantziger. Il en est devenu benoît. Il disait en baissant les yeux, hier, à quelqu'un qui lui parlait « de faire des touches » : « Oh non, mon vieux, le mariage, il n'y a que ça. » Mais je dois dire, par souci de vérité, qu'il prétend que son argent lui vient de son directeur qui lui aurait donné un mois de traitement lors de son passage à Paris. C'est possible mais je n'y crois guère. Pourquoi lui donner subitement cet argent au bout de six mois de guerre ? Toujours est-il qu'il est tout confit. Il va être nommé caporal et il voudrait en profiter pour éviter les petites corvées : balayer, chercher la soupe. Mais Klein le traite dur ; il lui a dit hier : « Tant que tu n'iras pas chercher la soupe, tu ne mangeras pas avec nous. » Hantziger a tenu bon hier. A midi il est venu déjeuner au restaurant et le soir il a dîné de conserves. Mais Klein est têtu et l'aura par la famine. Klein est un fort. Il a perdu sa femme il y a trois semaines et rien ne le trahit dans son attitude. Ou il s'en fout ou il est rudement maître de lui. Mais moi je crois qu'il ne s'en fout pas.

J'ai reçu aujourd'hui les poèmes d'un jeune homme nommé Alain Borne, je les ai lus et je dois reconnaître que je n'y connais rien. Par agacement et pour me rendre compte et aussi parce que je traîne tous ces jours-ci un état déplaisant mais poétique, j'ai essayé de faire un poème. Je le donne ici pour ce qu'il vaut, par mortification.

Fondus les crissements de lumière sous les arbres morts
En eau les mille lumières d'eau qui cachaient leur nom
Fondu le sel pur de l'hiver, mes mains sèchent.
J'égoutte entre les maisons la douce étoupe grasse de l'air et
Le ciel est un jardin botanique qui sent la plante revenue.
Aux fenêtres des grandes halles désertes
Des fantômes poudrés voient couler dans les rues la lente colle noire.
Fondues les aiguilles de joie blanche en mon cœur
Mon cœur sent le poisson.

Printemps vénéneux qui commence
Ne me fais pas de mal
Mon cœur était si dur à la peine
Et voici qu'il s'écœure de printemps

Printemps qui commence en mon cœur
Puisses-tu brûler comme une torche
Et que la pierre torride de l'été touche
Et sèche les herbes souples.

Souffle embrasé j'ai glissé sur la pierre
Et les germes brûlaient, incendiés par le vent
Souffle glacé sur la neige
J'ai glissé, dur et transparent
Et le monde était de marbre et j'étais le vent
Mais voici revenu l'exil du printemps.

Tous ces jours-ci, je travaillais matin et soir à l'hôtel du Soleil, un grand café froid qui me faisait penser, je ne sais trop pourquoi, au XVIIIe siècle jésuite. Mais les ordres se sont faits plus sévères depuis que le général est revenu de permission et, ce matin, un gendarme m'a proprement chassé. Je suis monté au premier étage dans une grande salle qui servait de cinéma en temps de paix et que l'Armée du Salut a aménagée en Foyer du

Soldat. Le mur du fond est encore recouvert d'un écran. La longue salle, assez sombre, contient une quinzaine de tables, des foules de chaises, un jeu de ping-pong, un billard russe, et elle est parée avec une coquetterie pieuse. Il y a des nappes à carreaux sur les tables et des fleurs dans des vases. Cinquante soldats silencieux, aux heures d'affluence, jouent, lisent, écrivent là ; ils portent sur leur visage la résignation éteinte des mâles qui vont à la messe. Une petite vieille aux joues de backfisch, à l'air dur, trottine entre les tables. Ça sent le club anglais, l'hospice de vieillards et la bibliothèque municipale. Un appareil de radio diffuse discrètement de la grande musique. J'étais presque heureux d'être là. En tout cas content d'avoir vu ça. J'y retournerai tous les jours à présent, matin et soir, car je n'ai pas d'autre asile.

Je relis mon poème de tout à l'heure et je suis plein de honte, non seulement parce qu'il est mauvais mais parce que c'est un poème, c'est-à-dire, pour moi, une obscénité. Dire que j'ai tutoyé le printemps, c'était de mauvaise grâce mais enfin je l'ai fait. Il me semble que pour rendre le poème supportable il faudrait presque tout supprimer et l'écrire ainsi :

Fondus les crissements de lumière sous les arbres morts
En eau les mille lumières d'eau qui cachaient leur nom
Fondu le sel pur de l'hiver, mes mains sèchent
Je tords entre mes mains l'étoupe grasse du ciel
Fondues les aiguilles de joie blanche en mon cœur.

C'est tout. Le reste est à mettre au panier.

Lundi 26 Février

Relu avec une admiration profonde les soixante premières pages de *La Chartreuse de Parme.* Le naturel, le charme, la vivacité d'imagination de Stendhal ne peuvent être égalés. Ce sentiment de l'admiration, si rare chez moi, je l'ai eu pleinement. Et quel art du roman, quelle unité dans le mouvement.

Mardi 27 Février

Retour de Paul, absolument hilare, je me demande pourquoi. J'aurais plutôt cru qu'il rentrerait de permission dans un état voisin de l'abattement. Mais il est guilleret, il a aux lèvres un perpétuel sourire qu'il essaie en vain de refréner. Au point que je me demande s'il n'a pas bu ce matin à Dettwiller. Il me dit qu'il a lu et fait lire à deux de ses collègues *L'Enfance d'un chef*. « Ils m'ont dit : mais votre camarade est antisémite. Et je dois dire que si je ne te connaissais pas... »

La vie ici est toujours la même. Sans aucun charme, sans rien de fort. On traîne. Ce qui m'arrive me vient de là-bas, de Paris et je ne puis en parler ici. Mais depuis hier je sens le présent se reformer comme une croûte autour de moi. J'ai fait mon trou, comme dit Mistler. Cela signifie que les objets prennent plus de relief ; il y a en moi de petites attentes limitées aux heures qui suivent immédiatement, ma vie d'ici m'entoure comme une brume épaisse et m'empêche de me tendre vainement vers des absences inquiétantes ou des futurs lointains. Il renaît en moi une morne douceur de vivre, je prends garde au goût du tabac, à la saveur d'un café, à l'atmosphère du Foyer. Tout le problème des sentiments (chagrin, gaieté, indifférence) dépend des différents degrés de *densité* du présent. Dans la plupart des cas d'affliction le présent est devenu si mince et si transparent que le regard perce au travers, il n'est plus que la paroi de verre qui sépare de l'avenir et qu'on ne peut rompre ; il est éclairé d'une lumière théorique, d'une lumière d'atelier, sans ombre, on s'y sent mal à l'aise comme dans une grande salle déserte.

Il y a dans tout impérialisme de sentiment, comme le mien, je ne sais quelle inauthenticité. C'est une tentative pour échapper à la solitude. Mais il faut comprendre ce que cela veut dire. Je suis frappé ce matin de cette exigence universelle : vouloir « être aimé ». Il n'est pas si évident à première vue qu'on doive vouloir être aimé quand on aime. Surtout avec les principes de psychologie couramment adoptés. Si l'on accepte ceux-ci, et si l'homme est un plein existentiel, il devrait vouloir posséder l'objet qu'il aime, en avoir l'entière disposition jour et nuit, lire sa totale dépendance dans ses regards serviles et ses sourires. Mais qu'a-t-il besoin d'aller plus loin ? Or le cas se présente plus fréquemment qu'on ne croit d'une semblable dépendance et l'on sait assez qu'elle est bien loin de satisfaire ; elle ne fait qu'accroître l'âpreté de cette quête qui va, par-delà la soumission absolue, vers ce qui échappe à la servitude même, vers cette conscience libre dont on veut l'amour. J'entends bien que, pour le propriétaire, l'amour de l'être vivant qui est sa propriété simplifie beaucoup les choses. Pourtant je vois aussi que celui qui veut la puissance absolue se moque de l'amour : il se contente de la peur. Les monarques absolus et les dictateurs n'ont jamais recherché l'amour de leurs sujets que par politique — et s'ils trouvaient un moyen plus économique de les asservir, ils en usaient aussitôt. Mais au contraire il arrive qu'un asservissement total de l'être aimé tue l'amour chez celui qui aime. Il est toujours rassurant et fâcheux d'être aimé plus qu'on n'aime. Ces vérités de sens commun montrent assez que l'amant ne rêve point l'asservissement total de l'aimé. Il ne tient pas à devenir l'objet d'une passion débordante et mécanique. Ce qu'il veut c'est une pointe d'aiguille, un équilibre instable entre la passion et la liberté. Il veut avant tout que la liberté se détermine elle-même à devenir amour et cela, non point seulement au commencement de l'aventure, mais à chaque instant. Rien n'est plus précieux à l'amant que ce que j'appellerai l'autonomie de l'amour chez l'être aimé. Pour moi, j'ai toujours lu avec un déplaisir secret cette histoire de philtre chez Wagner ou Bédier. Si Tristan et Iseult étaient affolés par un philtre, ils ne m'intéressent plus le moins du monde ; leur amour n'est qu'une maladie, un empoisonnement du sang. Et je me souviens que je lisais froidement les plus touchants épisodes de cette histoire, parce que je ne pouvais perdre de vue l'origine de cet amour. En ce qui me concerne, si l'on me proposait de passionner pour moi la plus belle femme du monde par un sortilège, autant vaudrait m'offrir de coucher avec une poupée de dimensions humaines. Rien ne m'est plus cher que la liberté de ceux que j'aime. Voilà un drôle d'impérialisme, dira-t-on. Oui, mais c'est que cette liberté m'est chère à la condition de ne pas du tout la respecter. Il ne s'agit pas de la supprimer, mais bel et bien de la violer. Mais une liberté qu'on viole peut-elle demeurer liberté ? Une femme « séduite » reste-t-elle libre ? Voilà toute la question. Mais justement il me semble qu'il y a dans l'amour une connaissance sûre et comme métaphysique de la réponse : la liberté ne peut en aucun cas cesser d'être libre. Je sais qu'un accessoire un peu périmé de l'amour est la servitude, symbolisée par les chaînes, les fers et tout cet attirail. Mais je ne prends pas trop au sérieux les gens qui se plaignent d'être captifs. Mais, va-t-on dire, il faut choisir : si la liberté doit par essence rester libre, si rien ne peut l'enchaîner, comment voulez-vous qu'on la viole ? Il y a là une contradiction, comment vouloir enchaîner ce qu'on veut qui reste libre ? Voilà pourtant sans aucun doute ce que signifie le désir d'être aimé : atteindre autrui dans sa liberté absolue. Telle est la racine du sadisme, par exemple, dont l'idéal est de faire gémir. Le sadique pousse les tortures jusqu'au point où la victime ne peut se tenir de crier grâce, et il jouit de porter ce cri au compte de la liberté du supplicié ; il *pouvait* ne pas crier, il pouvait choisir de périr sous les coups sans desserrer les dents. Aussi voit-on souvent que le sadique propose à l'avance un choix : ou bien tu te livreras de bonne grâce à telle besogne qui te répugne — que tu condamnes — ou bien tu souffriras dans ta chair. Le choix est ainsi proposé pour provoquer chez la victime un vertige de liberté et pour conserver le débat tout entier sur le terrain de l'autonomie. La victime domptée qui cède, le Juif roué de coups qui crie « A bas les Juifs » n'en fait pas moins un choix réel. L'instant de l'orgasme pour le sadique est précisément cet instant ambigu où la contrainte déclenche la liberté, où la liberté reprend à son compte la contrainte que le sadisme inflige. Et le sadique sait qu'il y aura toujours un moment où le choix sera fait et qu'il n'a qu'à attendre en resserrant d'instant en instant sa contrainte et que pourtant la victime restera libre au moment même où elle cédera. Cette certitude qu'on ne détruit pas la liberté pourrait décourager le sadique — ou plutôt elle découragerait tout autre que lui — mais le sadique est ainsi fait que c'est cette contradiction qui l'excite, c'est cette impossibilité même, cette alliance de mots qui jurent : une liberté esclave, c'est là ce qui l'attire. Il y a toujours un vide essentiel au cœur du vice et le plaisir du vicieux est amer. Et je ne dis pas que l'amour soit un sadisme, mais le sadisme puise sa source dans l'amour. Celui qui veut être aimé n'exerce pas de contrainte sur le choix libre. Mais les gestes et les phrases qui l'émeuvent le plus sont ceux qui « échappent » à l'être aimé. C'est-à-dire ceux qui montrent la volonté de discrétion, de retenue, de refus, soudain vaincue par une toute neuve liberté, la liberté qui cède, qui choisit l'acceptation, qui décide de se laisser aller. Cette liberté-là est captivée *par elle-même,* elle se retourne sur elle-même, comme dans la folie, comme dans le rêve, pour vouloir sa captivité. Une liberté qui se crée à elle-même son besoin de voir, de toucher, de caresser l'être aimé, voilà ce que nous exigeons de ceux que nous aimons. Et pour que cette liberté reste liberté, même dans cet égarement, nous voulons craindre qu'elle ne se dégage et s'évade, qu'elle ne se reprenne et ne se pose l'instant d'après comme liberté *contre* ce qu'elle était. Or c'est précisément la nature même de la liberté. Toute pensée d'amour, tout aveu d'amour nous ramènent à l'instant, nous pressent contre le présent, parce qu'ils sont l'effet d'une liberté qui est absolument libre dans l'avenir. Ils ont beau engager l'avenir, celui qui aime ne cessera de trembler en face de ces serments, car une sourde connaissance de la liberté est donnée dans l'amour. La preuve en est que nous ne nous contenterions pas chez l'être aimé d'un amour qui serait pure fidélité au serment de fidélité que nous venons de lui arracher. Celle qui nous répondrait : « Je vous aime parce que je vous ai donné ma foi un jour et que je ne veux pas me dédire, par fidélité à moi-même », serait assurée de nous voir sauter en l'air. Nous voulons qu'elle nous aime, aujourd'hui comme hier, dans une liberté qui met sa liberté à s'échapper à elle-même. Ce qui ne nous empêchera pas d'exiger à l'instant un nouveau serment d'amour. Ainsi, ce que nous voulons d'autrui c'est cette liberté toujours chancelante et toujours renouvelée, qui se dirige sur nous et nous prend indéfiniment pour son mobile principal. Ce que nous exigeons de l'être aimé c'est que sa liberté *joue* pour nous le déterminisme passionnel.

Reste à comprendre *pourquoi* nous le voulons. Car cette forme d'amour, qui est la plus courante et la plus forte, l'amour qui réclame la liberté-esclave, l'amour qui ne veut la liberté chez autrui que pour pouvoir la violer, cette forme d'amour est tout à fait inauthentique. Il est d'autres manières d'aimer. Mais cette inauthenticité même peut servir de guide, car on peut mettre en fait que toute forme d'existence inauthentique est voulue pour son inauthenticité. On sait que l'inauthenticité consiste à se chercher un fondement pour « lever » l'irrationalité absurde de la facticité. Le désir d'être aimé me paraît avoir pour but de poser autrui comme fondement de notre propre existence. Celui qui nous aimera — à condition que nous l'aimions — lèvera notre facticité.

C'est ce que je voudrais expliquer maintenant.

Il faut voir que l'amour ne crée pas les rapports avec autrui ; il paraît sur le fond existentiel du *pour-autrui*, qui nous attaque dans notre existence même. J'ai dit qu'il est dans la nature du pour-soi d'exister *pour autrui*, c'est-à-dire d'exister comme un dehors sans défense projeté sur l'infinie liberté d'autrui. Cela, il est dans ma nature de l'être pour-moi au sein du pour-soi. Ma seule manière de *n'être-pas* autrui *c'est d'être-pour* autrui. Et dans la mesure où je suis à moi-même mon propre « n'être-pas-autrui », je suis à moi-même mon propre « être-pour autrui ». Par nature je « prête le flanc » à autrui, je suis à moi-même « en danger » devant l'infinie liberté d'autrui. Il m'est impossible de ne pas m'en soucier en prétendant qu'autrui a une « représentation » de moi qui ne m'atteint pas. Cela n'est point vrai : en fait je suis *engagé* en autrui par mon existence même, engagé dans sa liberté sur quoi je ne puis par principe absolument pas agir. Ceci vise à représenter les rapports ordinaires entre les consciences, basés sur le fait que les consciences existent au pluriel dans l'unification du pour-autrui. L'inauthenticité consiste ici à se masquer l'unité existentielle du pour-autrui en prétendant qu'autrui « se fait une image de moi ». Mais la compréhension préontologique donnée dans l'irruption même du pour-soi dans le monde rend ces essais pour se masquer la vérité inopérants, sinon toujours du moins par à-coups ; il se fait alors un dévoilement. La timidité est un de ces dévoilements. Vouloir être aimé d'autrui c'est vouloir « récupérer » son être-pour-autrui en agissant de telle sorte que la liberté d'autrui se captive elle-même en face de la nudité sans défense que nous sommes *pour* elle. Toutefois il faut éviter de confondre cette volonté d'être aimé avec par exemple la volonté d'être estimé. Dans le cas de la volonté d'être estimé, on se propose à autrui comme un existant sur qui autrui, en vertu de ses propres principes, doit porter des jugements déterminés. Mais autrui reste absolument libre, il peut user de mauvaise foi par exemple. Dans le cas de l'amour au contraire, nous attendons qu'autrui s'envoûte lui-même dans sa propre liberté, qu'il mette sa liberté à nier sa liberté en face de nous. Dans cette mesure seulement nous cessons de prêter le flanc à sa liberté. Si la liberté s'enchaîne en face de nous, nous cessons d'être sans défense en face d'elle et, autant qu'il est possible, le *dehors* que nous sommes en face d'elle cesse d'être un *dehors.* Avec ce que nous sommes *pour elle* nous entretenons des rapports qui ressemblent à ceux du pour-soi avec lui-même. Au lieu que le pour-autrui soit arraché au pour-soi, il semble qu'il en soit le prolongement naturel. Au sein de la liberté de qui nous aime et pour tout le temps qu'on nous aimera nous sommes *en sécurité.* Ainsi, se faire aimer de quelqu'un ce n'est pas tenter de lui donner de soi-même une image flatteuse, c'est *exister en sécurité au sein de sa liberté.*

Mais ce n'est pas tout : j'ai montré l'autre jour que tout désir est *désir de s'approprier.* Et que toute appropriation est appropriation du monde à travers un objet particulier. Le désir est ainsi fait que l'objet désiré nous paraît toujours la condition sine qua non qui rend notre être-dans-le-monde possible. Je l'ai bien vu il y a cinq ou six ans quand j'ai pris la résolution de ne plus fumer. Ce qui m'empêchait jusque-là de m'y résoudre, ce n'était pas la considération des mille petites privations particulières qui viendraient me tourmenter au cours de la journée. Mais il me semblait que le « monde sans tabac » serait entièrement décoloré et comme mort, je ne voyais plus le plaisir que j'aurais au cinéma, si je ne pouvais regarder le film en fumant ma pipe. Je n'augurais plus grand-chose de bon d'un verre d'alcool, si je ne pouvais tirer une bouffée entre deux gorgées — ni même d'une conversation avec des amis si je n'avais la pipe à la main. Renoncer à quoi que ce soit des choses qu'on aime c'est changer de monde. Et lorsqu'on voit l'objet d'un désir s'échapper, il semble que le monde fuie entre les doigts. C'est pourquoi sans doute un mode de guérison approprié consiste à réduire l'objet à lui-même. Mais aussi à partir de cette réduction on n'y tient plus. Quand je me fus avisé de réduire le tabac à n'être plus que ce qu'il était, un certain divertissement parmi d'autres *dans* le monde, je cessai de fumer sans difficulté. Donc le désir est désir *du* monde et l'appropriation signifie fusion de l'en-soi et du pour-soi dans l'unité idéale du « cause de soi ». Or, si quelqu'un m'aime et me désire, non seulement je suis rassuré sur sa liberté mais ce « pour-autrui » que je suis pour qui m'aime c'est *le monde.* Me voilà existant réel (sur le mode du pour-autrui) comme la condition sine qua non qui rend possible l'être-dans-le-monde d'autrui. Et ce monde que je suis, c'est précisément celui qui est l'objet premier de mes désirs, ces arbres, ces rues, ce ciel, cette mer (c'est le sens profond de la cristallisation de Stendhal : l'être aimé métamorphosé en monde) parce que nous n'avons, autrui et moi, qu'un seul et même monde. Ainsi le pour-soi néantisant et néantisé, qui est en sa structure première désir du monde, existe en tant que pour-autrui précisément comme le monde désiré. C'est dire que l'unification du pour-soi et du monde se resserre d'un degré, puisqu'elle a à présent le type même de l'unité du pour-soi et du pour-autrui pour une même réalité-humaine. C'est exactement ça qui s'appelle vouloir se faire aimer : *réaliser l'unification du pour-soi et du monde sur le type d'unité du pour-soi et du pour-autrui, en existant en sécurité au sein d'une liberté qui se captive pour vous désirer comme monde.*

On va dire que j'exprime de façon bien compliquée des choses bien simples et qu'il y a beau temps qu'on sait que l'amant veut « être tout au monde » pour l'aimé. Je le sais fort bien et je ne prétends pas faire la psychologie de l'amour. Je veux marquer seulement que si le rapport des réalités-humaines entre elles n'est pas sur le mode du *pour-autrui,* il est tout à fait vain d'essayer de comprendre pourquoi quelqu'un se mettrait dans la tête un beau matin d'être « tout au monde » pour une femme. Parce qu'il tient à elle ? Mais s'il peut la voir toute la journée, coucher avec elle tant qu'il veut, cela n'est pas nécessaire. Parce qu'il veut qu'elle tienne à lui de la même façon qu'il tient à elle ? Mais pourquoi le voudrait-il ? Par volonté de puissance ? Mais la volonté de puissance elle-même, je l'ai montré l'autre jour, requiert une explication existentielle. L'erreur de la psychologie a été jusqu'ici analogue à celle que ferait un physicien qui renverserait sur une cuve à mercure un tube plein d'air pour montrer comment la pression fait monter le mercure dans le tube. Le mercure ne monterait pas *parce qu'il faut que le tube soit vide.* Et si nous ne sommes pas nous-même un vide existentiel, nous ne comprendrons jamais cette étrange vanité qui fait que, selon Pascal, nous sommes capables des pires folies pour donner de nous aux gens des « images » avantageuses.

Mais poursuivons, car c'est ici que se dissimule l'inauthenticité. Nous désirons que l'être aimé nous aime pour pouvoir le combler par notre existence. Mais cette générosité est intéressée : cette existence que désormais nous sentons *appelée* perd à nos yeux sa facticité, nous prétendons nous amener nous-même et librement à l'existence pour satisfaire au désir d'une conscience libre. Ces veines aimées sur nos mains, c'est par bonté qu'elles existent. Que nous sommes bons d'avoir des yeux, des cheveux, des sourcils et de les prodiguer inlassablement dans un débordement de générosité à ce désir inlassable d'autrui. Au lieu que, avant d'être aimés, nous étions inquiets de cette protubérance injustifiée qu'était notre existence, qui s'épanouissait dans toutes les directions, voilà à présent que cette existence même est reprise et voulue dans ses détails infinis par une liberté analogue à la nôtre — une liberté que nous voulons nous-mêmes avec la nôtre. C'est là le fond de la joie d'amour : se sentir justifié d'exister. En fait nous ne le sommes absolument point, simplement nous avons perdu notre solitude, l'être qui nous aime nous absorbe en lui et nous nous cachons la tête dans son sein comme l'autruche fait de la sienne sous les cailloux. Car notre solitude n'existe pas sans que nous ayons fait assomption de notre facticité injustifiable. Aucun amour ne peut nous justifier d'exister. A vrai dire j'ai surtout à reprocher cette inauthenticité aux gens qui se mêlent d'être aimés sans aimer. Mais précisément j'ai été bien souvent de ceux-là. Ce qui m'attirait le plus souvent dans une histoire, c'était le besoin d'apparaître à une conscience comme « nécessaire » à la manière d'une œuvre d'art. Comme une manne qui se serait produite elle-même pour la combler. Mais je dois dire que dès qu'on aime à son tour, quel que soit l'amour que l'être aimé vous porte, on émerge dans la solitude. Mais il serait trop long d'en parler ici car il faudrait dire alors ce que c'est que l'amour. J'ai bien mes idées là-dessus mais il y aurait besoin sans nul doute d'un volume. D'autant que l'amour par nature est *sexuel.* Je voulais seulement saisir au vif cette drôle d'inauthenticité qui nous fait *dépendre* d'une personne, précisément parce que nous sommes tout pour elle. Ça n'en a pas l'air, mais je me suis peint en pied dans cette description métaphysique. J'essaierai demain de me décrire plus simplement dans mes rapports avec autrui. Il faut noter aussi que je suis en train de reconquérir péniblement l'espèce d'authenticité que j'avais perdue lors de mon voyage à Paris. C'est-à-dire, au fond, que de nouveau je me sens seul. Non pas seul *à côté* de ceux et de ce que j'aime (c'est le vieil et absurde anarchisme monadique) mais seul *par-delà* tous ceux à qui je tiens et qui peuvent tenir à moi. Je retrouve « ma » guerre et mon destin. D'autant que ça ne va pas fort en ce moment et que le temps, comme dit je ne sais quel journal italien, ne paraît pas du tout travailler contre l'Allemagne. Les pays scandinaves terrorisés laissent étrangler la Finlande et promettent d'être bien gentils. L'Italie semble opérer un rapprochement avec le Reich et nous, nous ne semblons toujours pas savoir par quel bout prendre l'ennemi. Perspectives assez sombres qui suffisent à me détourner de mes petites histoires personnelles.

Aujourd'hui 10 h 15, première vaccination contre la typhoïde. Il est à présent 19 h 45 et je n'ai eu qu'un peu de fièvre et une légère douleur sous le bras. Passé la journée au Foyer. A présent je m'y plais assez. Lettre de Mistler muté à l'Etat-Major d'armée, 3e bureau à Wanenburg : « Je reste encore rêveur, après dix jours, de certaines exigences bureaucratiques qui font qu'elle a une drôle de gueule ici, la guerre. Dommage que je ne puisse alimenter les carnets. Comment faire ?... Ici je suis " le type qui revient du front ". Marrant ! Mais quel prestige auprès des types qui vivent ici depuis six mois d'une vie de caserne d'autant mieux conservée qu'en Septembre ils en sortaient pour la plupart. »

Le rythme ultra-rapide du deuxième tour de permission rend les soldats extrêmement défiants. Ils demandent : « C'est-y donc qu'on craint la grande casse pour le printemps ? » Et ils ajoutent en soupirant : « Enfin, ça sera toujours ça de pris. » Les plus optimistes font remarquer que si le deuxième tour est fini le 30 Avril, ça fera deux permissions en huit mois, juste le nécessaire, et que peut-être l'autorité militaire ne précipite-t-elle les départs que pour être d'accord avec ses propres décisions. On dit aussi en ricanant : « Ils font ça pour le moral. » Et tous, l'air malin : « Y a quéque chose là-dessous, pas'qu'ils n'ont pas l'habitude de rien faire pour rien. » Il y en a qui refusent de partir, chez nous, parce qu'ils reviennent justement de leur première permission, et d'autres avec une ironie un peu amère : « On va trouver qu'on nous voit tout le temps, à l'arrière. »

Mercredi 28

Bonne nuit mais un peu fiévreuse. J'ai la bouche amère. J'apprends que parmi les vaccinés d'hier, deux forts gaillards sont « tombés dans les pommes » au cours de la journée. Je me rappelle alors qu'il y avait en moi, hier, une pernicieuse douceur, à quoi je n'ai guère prêté d'attention. Il eût suffi de m'appliquer pour qu'elle m'envahît tout entier, et je serais certainement tombé dans les pommes moi aussi. Je pense une fois de plus avec une espèce de satisfaction combien évanouissement, crise de nerfs, mal de mer etc. sont affaire de consentement. Je dirai une fois ici comment on peut classer les gens d'après la nature de leur consentement à soi. Comment le Castor, quand nous faisons de la marche, consent à sa fatigue et s'y baigne, en sorte que cela devient un état agréable et désiré, comment au contraire la même fatigue m'est désagréable, jusqu'à ce que je me sente définitivement « par-delà », parce que je n'y consens pas. Il y a une manière d'adhérer à soi que j'ignore, ce qui a ses avantages et ses inconvénients.

Mais pour aujourd'hui je voudrais reprendre, d'un point de vue purement descriptif et historique, cette question de mon impérialisme et de mes rapports avec autrui.

Je l'ai dit et cela peut surprendre, dans mon enfance j'ai été joli. Joli et choyé, c'est-à-dire bénisseur. J'avais des « fiancées » dans toutes les villes où je passais et les familles attendries patronnaient ces fiançailles (j'avais six ou sept ans). Je préférais nettement la compagnie des filles à celle des garçons. Je n'avais d'ailleurs ni père ni frère pour m'enseigner la rudesse et je trônais en petit roi dans un monde de femmes. Dès cette époque d'ailleurs j'étais cabotin. Je me souciais de plaire par des inventions de visées nettement esthétiques, invention de jeux, de fictions poétiques, discours, etc. Vers ma neuvième année ma mère m'avait acheté un guignol et, dès que j'avais un peu d'argent, je faisais emplette d'un acteur nouveau pour mon théâtre. J'avais : le Juif, le Gendarme, la Vieille, Guignol lui-même, etc. et un personnage qui me remplissait de stupeur admirative encore que je ne susse pas très bien m'en servir, Bu-Ba-Bo, qu'on vendait au Casino de Vichy et qui avait cette particularité qu'on pouvait lui changer de robe, la tête étant amovible. Ces personnages me décevaient tous un peu parce que leurs têtes étaient de carton-pâte ou (dans le cas de Bi-Ba-Bo) de celluloïd. J'eusse préféré les lourdes et somptueuses têtes de bois du guignol lyonnais. Mais n'importe : j'étais sensible, comme beaucoup d'enfants, à ce qu'il y a d'épuré, d'inhumain, d'artificiel et de nécessaire dans une pièce pour marionnettes. J'ai été longtemps avant de comprendre qu'on retrouve tous les caractères dans le vrai théâtre, si l'on ne se laisse pas détourner par un réalisme stupide. Je lisais alors un très vieux livre d'enfants intitulé *Monsieur le Vent et Madame la Pluie*, qui me semblait fort respectable parce qu'il sentait le moisi, qu'il était déchiré et taché ; il avait dû charmer l'enfance de ma mère. Ce livre me transportait. Aujourd'hui encore je me dis souvent que j'aimerais le retrouver. Dans ce livre un des héros possédait un théâtre de marionnettes magique, on frappait trois coups de baguette et les marionnettes se mouvaient toutes seules. Je me rappelle encore vaguement des gravures, qui me remplissaient d'extase religieuse et qui montraient des soldats dont les petits bras de bois étaient roidement relevés par de gros fils. Bref je conçus et jouai moi-même de nombreuses pièces. D'abord dans le cabinet de toilette de notre appartement (j'habitais alors avec mes grands-parents au sixième étage dans la rue Le Goff qui donne sur la rue Soufflot). Puis peu à peu je m'enhardis : j'emportais mes marionnettes au Luxembourg avec une serviette, je choisissais une chaise dans une des allées des « Jardins anglais », je m'accroupissais derrière cette chaise en masquant les pieds de la chaise avec ma serviette et je faisais paraître les guignols enfilés à mes mains levées, entre les montants du dossier. La chaise était ainsi transformée en une petite scène fort acceptable. Je jouais et je parlais haut, comme pour moi tout seul. Mais je savais bien ce que j'attendais et qui ne manqua pas de se produire, dès la première fois, au bout d'un quart d'heure : les enfants interrompirent leurs jeux, s'assirent sagement sur des chaises et contemplèrent avec attention ce spectacle gratuit. Je me fis des amies par ce moyen, particulièrement une certaine Nicole, qui devait être de mon âge et dont le visage était parsemé de taches de rousseur. Ce fut ma « fiancée » du moment, et elle m'était particulièrement chère parce que j'avais obtenu son affection par le moyen de mes inventions. Dès cette époque je liais — et ce fut peut-être ce qu'il y avait de plus profond dans mon désir d'écrire

— l'art et l'amour de telle sorte qu'il me semblait impossible d'obtenir l'affection de ces petites filles autrement que par mes talents de comédien et de conteur. Non seulement impossible, mais bas. J'eusse détesté qu'on m'aimât pour ma figure ou mon charme physique, il fallait qu'on fût séduit par le charme de mes inventions, de mes comédies, de mes discours, de mes poèmes et qu'on vînt à m'aimer à partir de là. C'est pourquoi *Les Bouffons* de Zamacoïs me charmaient à l'époque au-delà de toute mesure, parce qu'on y voyait une princesse séduite par un personnage bien disant nommé Jacasse, malgré son énorme bosse (elle était d'ailleurs postiche mais la princesse ne le savait pas). On dira que ce sont là des espérances d'homme laid : se rattraper par le bien-dire. Mais j'insiste sur le fait que je n'étais pas encore laid. J'avais de beaux cheveux blonds, les joues pleines, ma biglerie n'était pas encore très visible. Disons plutôt que, si je n'étais pas laid, avec un instinct sûr je me préparais à l'être. Si *Les Bouffons* me charmaient, Cyrano me scandalisait et me désolait. Comment Roxane pouvait-elle aimer le stupide Christian, comment n'avait-elle pas, du premier jour, distingué Cyrano ? Cyrano représentait pour moi, à cette époque, le type du parfait amant. Au fond de tout cela il y avait, plus qu'un pressentiment de ma future laideur, une certaine conception de la grandeur humaine qui, bien qu'elle ait perdu cette forme naïve, ne m'a pas quitté depuis. Je m'en suis expliqué dans le carnet 2. La grandeur, pour moi, s'élevait sur l'abjection. L'esprit reprenait à son compte les misères du corps, les dominait, les supprimait en quelque sorte et, se manifestant à travers le corps disgracié, ne brillait que davantage. J'aimais le conte de *La Belle et la Bête,* parce que la Bête intéresse et attendrit la Belle, d'abord sous sa forme de Bête. J'écrivis même plus tard, vers seize ans, un conte sur ce sujet. J'ai retrouvé, dans une émotion qui passa comme un éclair, beaucoup plus tard, à l'Ecole Normale, quelque chose de ce sentiment primitif. Je lisais un livre d'André Bellessort sur Balzac ; on y rapportait la première entrevue de Balzac et de Mme Hanska. Ils ne se connaissaient pas, devaient se rencontrer, je crois, sur la Promenade et avaient convenu de je ne sais quel signe de ralliement. Mme Hanska vit avec effroi s'avancer vers elle, porteur du signe convenu, un gros homme vêtu avec une élégance criarde. Elle eut peur et fut près de s'enfuir. « Mais, disait Bellessort, elle vit ses yeux et elle resta. » Il n'en fallut pas plus pour me troubler profondément pendant quelques instants. Il est vrai que j'avais, à l'époque, découvert ma laideur et que j'en souffrais. Les lectures que je faisais vers ma dixième année des auteurs romantiques ont certainement contribué à développer cette idée de grandeur : Triboulet, tant d'autres, âmes sublimes dans des corps disgraciés. Mais ce n'était pas vraiment la sublimité de l'âme qui me faisait envie, c'était bien plutôt ce pouvoir d'aligner les vers en merveilleuses tirades, qui devaient, me semblait-il, laisser une femme bras et jambes coupés, à la merci du récitant. Il va de soi que les amours que j'imaginais étaient chastes : le récitant la prenait dans ses bras et la cajolait tendrement. L'histoire s'arrêtait là. Non seulement je n'envisageais nullement les plaisirs physiques qui devaient résulter de cette récitation poétique, mais encore je ne me souciais pas d'imaginer la suite de l'aventure. Eh bien sans doute s'aimaient-ils tendrement et étaient-ils fort heureux ensemble. Mais cette perspective m'ennuyait plutôt. Ce qui me charmait avant tout c'était l'entreprise de séduction. Une fois la femme séduite, je l'abandonnais à son sort. Et déjà j'envisageais pour le héros des entreprises de séduction nouvelles. Certainement j'ai puisé cette idée du pouvoir séducteur des *paroles* dans l'atmosphère universitaire où je vivais. C'était encore une manière de reconnaître la supériorité des valeurs spirituelles que de rêver ainsi d'être un Don Juan lettré, tombant les femmes par le pouvoir de sa bouche d'or. Et il y avait aussi, certainement, au fond de tout cela, l'ignorance spiritualiste de ce qu'était un corps, comme l'impossibilité de concevoir nettement ce que pouvait être le trouble physique. Impossibilité fort normale chez un enfant de huit ans, mais qui paraîtra plus monstrueuse quand on saura que je la gardai jusque vers la fin de ma jeunesse. Non qu'à vingt-cinq ans j'ignorasse la chose, mais elle me paraissait un scandale déraisonnable. Un public admiratif par bonne volonté m'entourait dans mon enfance et encourageait mes mots. Je pris de plus en plus de confiance et je devins tout à fait insupportable, encore que je fusse assez malin pour ne pas trop le montrer. Pourtant je n'étais pas vraiment orgueilleux — l'orgueil vint plus tard —, je me jouais à moi-même la comédie de l'orgueil. A dix ans, à Vic-sur-Cère, où je passais mes vacances avec mes grands-parents, nous allions souvent nous promener en compagnie d'un ancien censeur, que la communauté des professions avait rapproché de mon grand-père, de la femme de ce censeur et d'une jeune femme nommée, je crois, Mme Lebrun, dont le mari était mobilisé. Cet assemblage de personnes, qui avaient la bienveillance de me considérer comme un enfant prodige (c'était la règle du jeu), représente assez bien le genre de société dans lequel, à l'époque, je déployais mes grâces : vieux universitaires retraités, vieillards et vieillardes qui s'attendrissaient sur moi et puis, de temps à autre, une jeune femme à la remorque. Cette jeune femme, Mme Lebrun, je la désirais autant qu'un enfant de dix ans peut désirer une femme, c'est-à-dire que j'aurais voulu voir sa gorge et toucher ses épaules. Je faisais du charme avec elle et, un jour, emporté par mon lyrisme au point d'oublier mon âge, je lui confiai qu'une fille m'avait fait souffrir et que j'avais décidé, par esprit de vengeance, de faire souffrir toutes les femmes que je rencontrerais. Naturellement, ce fut une invention-minute, mais je ressentis sur-le-champ avec violence et pathétique l'outrage imaginaire que l'infidèle m'avait fait. Je ne puis penser aujourd'hui à ce petit épisode sans grincer des dents et j'en conclus que j'étais alors tout à fait pourri. Peu après Mme Lebrun déclara avec sérieux : « Je voudrais connaître le petit à vingt ans. Je suis sûre que toutes les femmes seront folles de lui. » J'acceptai cette prédiction sans broncher. Par le fait elle me semblait tout à fait naturelle. J'étais un infâme petit enfant-roi. La seule chose que je puis dire pour me défendre c'est que je voulais, au fond, aimer comme dans les livres. L'amour me paraissait une aventure courtoise, un jeu avec ses règles, fort voisin au fond de ceux qu'on menait dans les cours d'amour. Il s'y mêlait aussi je ne sais quelle idée de chevalerie, mais en sourdine. Je me voyais assez sauvant quelque belle fille. Il me plaisait aussi, parfois, de m'imaginer méconnu, accusé par erreur, abandonné de tous et même de celle que j'aimais et puis réhabilité dix ans plus tard. A vrai dire, sur le rôle de l'aimée, j'hésitais : pour que mon malheur fût complet et mon triomphe final sans mélange, il fallait qu'elle me méconnût d'abord. Mais je lisais partout et m'étais facilement laissé persuader que l'amour comporte une sorte d'instinct divinatoire. Si donc cette femme m'aimait vraiment, elle ne devait concevoir aucun doute sur mon innocence. Je m'en tirais en jetant toutes sortes de traverses au milieu de notre amour. Ce que je vois au fond de ces aventures sinistres et touchantes, c'est l'impossibilité où j'étais de concevoir un amour heureux *après* la séduction. Lorsque la femme était conquise, je ne savais plus que faire d'elle et si pourtant je voulais continuer l'histoire, il fallait bien inventer des malentendus et des traverses de façon que chaque réconciliation fût une séduction nouvelle. A vrai dire, longtemps — peut-être aujourd'hui encore — je ne vois rien de plus émouvant que le moment où l'aveu d'amour est enfin arraché. Et je pense aujourd'hui que ce qui me séduisait dès mon enfance en cet aveu, c'était la liberté envoûtée dont il émane.

Pour l'enfant choyé que je fus, l'amour était à vil prix, il naissait sous les pas. Parmi les vieilles dames je ne trouvais pas de cruelles, c'était toujours ça. Aussi tombai-je de mon haut quand, à La Rochelle, je me retrouvai laid et déserté, quand je constatai qu'il était difficile de gagner l'amour d'une femme et que d'autres y parvenaient mieux que moi. Je tombai dans une mélancolie profonde et je connus les tourments de l'amour non partagé. Non pour une fille, à vrai dire, mais pour deux de mes camarades, Pelletier et Boutillier. Il ne s'agissait point de tendresse invertie mais d'une admiration et d'une affection sans borne qui fut assitôt utilisée à leur profit par les deux gaillards. Ils me tenaient la dragée haute et je me fis leur valet. Je volai pour eux ma mère, je me battis pour eux cent fois, et ils me trahirent honteusement. En même temps, je devenais, pour mon grand malheur du moment, pour mon grand bonheur futur, le souffre-douleur de tous les gamins du lycée. Est-ce vers cette époque que naquit en moi le rêve d'une société choisie où je serais roi ? Je le suppose. D'autant que l'origine de ce rêve est liée pour moi, je ne sais pour quelle raison, à une pièce de Verlaine, *Les Uns et les autres,* que je lus vers cette époque. J'imagine que c'était une rêverie de compensation. J'imaginais donc tout un petit phalanstère de beaux jeunes gens, élégants, intelligents et forts, de filles charmantes. Et j'étais là et je régnais par la force de l'esprit, par le charme. Certainement cette fiction, sociale chez moi qui l'étais si peu, je la caressais par revanche, car il y avait en effet un groupe en face de moi, mais je n'en étais pas roi, j'en étais le souffre-douleur, il était tout entier formé contre moi. Cependant je n'avais ni amie ni « poule », pour employer le terme affreux dont ils se servaient alors et je passais mon temps à m'en désespérer. Dès ce moment la grande affaire pour moi fut d'aimer et d'être aimé. Surtout d'être aimé. Je ne comprenais pas comment ce sentiment, qui me semblait à si vil prix dans mon enfance, était devenu si rare et si précieux. Je me répétais avec mélancolie la prophétie de Mme Lebrun : « A vingt ans toutes les femmes seront folles de lui. » J'espérais un peu qu'à vingt ans les choses changeraient. Mais, en attendant, le temps passait et je me pénétrais de plus en plus profondément du sentiment de ma laideur. En même temps, le rêve de discours séducteurs, dont on ne me donnait d'ailleurs pas l'occasion, se précisait et s'approfondissait. Il se serait agi de « présenter » le monde à une femme, de décortiquer pour elle les sens les plus enveloppés des paysages ou des instants, de lui donner une besogne toute mâchée, de me substituer partout à elle et toujours, à sa pensée, à sa perception et de lui présenter des objets déjà élaborés, déjà perçus, bref de faire l'enchanteur, d'être toujours celui dont la présence fait que les arbres seront plus arbres, les maisons davantage maisons, que le monde existera soudain davantage. J'en étais alors bien incapable. Mais je note ce désir parce que c'était une fois de plus réaliser l'accord de l'art et de l'amour. Ecrire, c'était saisir le sens des choses et le rendre au mieux. Et séduire, c'était la même chose, tout uniment. Et puis, je vois avec stupeur la profondeur d'impérialisme qu'il y avait là-dedans. Car enfin, qu'on y songe, il ne s'agissait rien moins que de percevoir à la place d'une femme, de penser à sa place, de lui voler ses pensées pour y substituer les miennes. Ainsi mes pensées, subies par une conscience enchantée, fussent devenues des enchantements à mes propres yeux, eussent acquis tout juste le relief et le recul nécessaires pour que je puisse m'en charmer. En attendant, la femme à séduire ne se montrait toujours pas. Ce qui ne m'empêcha pas vers cette époque de décider que je préférais la compagnie des femmes à celle des hommes. J'y reviendrai. C'est à ce moment que mon beau-père eut un mot qui me marqua au fer rouge : « Il est comme moi, dit-il en me désignant, il ne saura jamais parler aux femmes. » Je vois si bien l'histoire de ce mot. J'imagine si bien comme il fut dit, en l'air, distraitement, et sans méchanceté aucune par mon beau-père qui devait plutôt y mettre de l'estime pour le garçon travailleur, solide et sans brillant qu'il me supposait être. Mais il y a toujours dans la vie d'un enfant de ces mots lancés distraitement qui sont comme l'allumette du fumeur distrait dans une forêt de l'Estérel et qui l'embrasent tout entier. Je ne suis pas sûr que ce mot ne soit pas une des grandes causes de toutes ces conversations que j'ai sottement perdues à débiter des mignardises, plus tard, pour me prouver en somme que je savais parler aux femmes. Et, sûrement, il y a des années que mon beau-père l'a oublié. D'autant que plus tard il me dit sévèrement (c'était un blâme dans sa pensée, ce fut un baume pour mon cœur, qui effaça tout) : « Bah ! tu es un homme à femmes. » Il entendait par là, je crois, un homme susceptible de faire des folies pour les femmes. Je me plus à comprendre : un homme couvert de femmes. Mais certainement ces deux mots eurent sur moi une influence extrême. Je n'eus donc point de succès féminins à La Rochelle. Quand je vins à Paris je n'en eus guère davantage, et Jules Laforgue devint mon auteur préféré : il se vantait avec orgueil d'avoir en son cœur mille palais que la sottise des femmes les empêchait de visiter. J'y trouvais mon compte. Je pleurai sur ses vers. Notamment une nuit où j'avais été voir avec mes parents une opérette nommée *Madame*, où j'avais vu une charmante laide nommée Davia chanter « Elle n'est pas du tout si mal que ça. » Elle avait pris mon cœur. En rentrant je relus des poèmes de Laforgue et je sanglotai ou quasiment. Nizan donnait dans ces mélancolies, encore qu'il eût plus de succès que moi. Mais ce qui avait profondément changé depuis mon arrivée à Paris, c'est que j'avais trouvé des camarades et un ami. L'amitié était le fait principal. C'est quelque chose qui est apparu dans ma vie avec ma seizième année et Nizan et qui, sous des formes diverses, ne l'a plus quittée depuis. J'ai eu trois « amis intimes » et chacun a correspondu à une période déterminée de ma vie : Nizan — Guille — le Castor (car le Castor a été *aussi* mon ami et l'est encore). Ce que m'apportait l'amitié c'était, bien plus que de l'affection (quelle qu'ait pu être celle-ci), un monde fédératif où nous mettions en commun mon ami et moi toutes nos valeurs, toutes nos pensées et tous nos goûts. Et ce monde était renouvelé par une invention incessante. En même temps chacun de nous étayait l'autre et il en résultait un *couple* d'une force considérable. Ceci est peut-être moins vrai de mon amitié avec Guille car nous n'avons jamais réussi à mettre nos mondes en commun. Bien que nous ayons eu l'un pour l'autre l'attirance la plus forte et la plus grande estime, trop de choses nous séparaient. Et puis notre groupe n'était pas formé : il y avait Maheu, il y avait surtout Mme Morel que Guille me préférait nettement et que j'ai fini par lui préférer. Mais dans les deux autres cas, ce qui compta surtout c'est ce couple puissant que nous formions. On a dit longtemps à l'Ecole Normale : « Sartre et Nizan » et la représentation était si forte qu'il arrivait de nous prendre l'un pour l'autre. Longtemps après on m'attribuait *Antoine Bloyé* et l'on croyait Nizan professeur au Havre. L'an dernier encore, Brunschvicg, rencontré à la *N.R.F.*, m'a dit : « Je tiens à vous dire, malgré les attaques que vous avez publiées contre moi, que j'aime beaucoup vos livres. » J'en demeurai pantois pendant qu'il s'éloignait sans me laisser le temps de répondre. Car les attaques contre Brunschvicg, c'était Nizan qui les avait faites dans *Les Chiens de garde*. Et quels livres « aimait-il » ? C'était difficile à décider. *La Conspiration ? Les Chiens de garde ? La Nausée ?* Ce qui importe en tout cas, c'est que nous constituions une *force* enviée et respectée. J'ai, en somme, depuis ma dix-septième année, toujours vécu en couple et je n'entends pas du tout par là en couple amoureux. Je veux dire que j'étais engagé dans une forme d'existence rayonnante et un peu torride, sans vie intérieure et sans secrets, où je sentais constamment sur moi la pression totale d'une autre présence et où je me durcissais pour supporter cette présence. La vie en couple me rendait dur et transparent comme un diamant, autrement je ne l'eusse pas supporté. C'est une des grandes raisons, sans doute, de la « publicité » de ma vie. J'ai dit que mes moindres sentiments, mes moindres pensées étaient dès leur naissance publiques. T. s'étonnait que je puisse envisager de publier des carnets d'une sincérité totale. Mais cela m'est devenu naturel et je suis tenté de croire que cela vient de mes amitiés. J'avais l'impression à chaque instant que mes amis me lisaient jusqu'au cœur, qu'ils voyaient mes pensées se former, lors même qu'elles n'étaient que des bulles pâteuses et que ce qui devenait clair pour moi l'était déjà pour eux. Je sentais leur regard jusqu'au fond de moi-même, cela m'obligeait à m'éclairer au plus vite, à pourchasser la pénombre en moi et, dès qu'une pensée m'appartenait en toute transparence, du même coup elle leur appartenait aussi. Dès cette époque il régna dans mon esprit une clarté impitoyable, c'était une salle d'opération, hygiénique, sans ombres, sans recoins, sans microbes, sous une lumière froide. Et pourtant, comme l'intimité ne se laisse jamais complètement expulser, il y avait tout de même au-delà de cette sincérité de confession publique ou plutôt en deçà, une espèce de mauvaise foi qui était bien à moi, qui était moi, non pas tant dans le fait de garder des secrets que plutôt dans une certaine manière de m'évader de cette sincérité même et de ne pas m'y donner. Si l'on veut, en un sens j'étais tout à fait dans le coup et en un autre sens je m'en échappais en me *voyant* être dans le coup et en me désolidarisant de cette partie publique de moi-même par le seul fait de la considérer. J'ai déjà dit que la forme essentielle de mon orgueil consiste à être sans solidarité avec moi-même. S'est-elle constituée comme une défense contre la translucidité étouffante de l'amitié ou au contraire est-ce elle qui m'a permis de supporter cette vie publique éclatante ? Je ne saurais le dire mais la relation est évidente. Seule la conscience ferme d'être toujours par-delà ce que j'étais m'a permis de me livrer des années durant sans un voile dans une nudité totale à mes amis. Seul mon orgueil m'a permis cette totale sincérité. Sincérité qui d'ailleurs n'était totale que *dans les faits* énoncés mais qui laissait intacte mon *attitude envers ma sincérité.* Tout ce que je disais de moi se détachait de moi quand je le disais, devenait bien commun, trésor fédératif ; c'était *nous* bien plus que moi-même. Mais qu'étais-je alors moi-même ? Un simple regard, ni triste ni gai, contemplatif et réservé sur ce que je disais, ce qui me venait à l'esprit ou au cœur. Je vivais dissocié de moi-même, comme M. Teste ; je n'avais pas cette chaude et intime promiscuité avec moi-même qui sert de consolation et de berceuse à tant de gens. Tout ce que je sentais, aussitôt je le saisissais avec des gants, je l'exprimais en mots avant même de l'avoir laissé atteindre à son complet développement, je le forçais un peu et je le servais bien chaud à l'ami. Celui-ci aussitôt me donnait son opinion sur la chose et, par là même, m'aidait à la construire complètement. A peine né, le mouvement d'humeur ou de tendresse, de générosité ou d'égoïsme recevait son étiquette, était classé parmi d'autres mouvements analogues et même était rattaché à une valeur ; nous décidions ensemble qu'il était blâmable ou louable au nom de la morale que nous acceptions tous deux. Il y avait, de ce fait, quelque chose qui manquait en moi. Ce qui manquait est inexprimable, au point que j'ai longtemps vécu sans m'en apercevoir, ça n'était rien du tout, sauf une certaine manière de se reposer en soi, de faire corps avec soi. T., seule à Laigle et ne pouvant compter que sur soi, arrivait au contraire à une intimité avec soi qui n'excluait pas, je le veux bien, une certaine mauvaise foi, mais qui était douce comme une caresse. Les sentiments en elle, innommés, innommables, se développaient avec une sorte de nonchalance jusqu'au point où ils avaient envie d'aller, pas plus loin, sans risquer d'être aussitôt tirés par les cheveux, mis en pleine lumière, tout gigotants, tués d'un bon coup de poing sur la nuque et puis catalogués, embaumés ou empaillés. C'est ce que le Castor exprimait en disant : « Vous n'êtes pas psychologique », ce qui ne veut pas tant dire que je n'aie pas les mêmes réactions psychologiques que les autres, mais plutôt qu'elles apparaissent tout de suite en moi comme des plantes séchées dans un herbier. Cette translucidité totale, je dois le dire, était plutôt mon fait que celui de mes amis, d'où je conclus à la réflexion que c'était plutôt moi qui mettais l'amitié sur ce terrain. Même le Castor a toujours su garder des zones d'ombre ou de pudeur qui étaient un foyer de « psychologique », où se développaient mille virus tendres ou amers. Nizan et Guille bien entendu gardaient leur quant-à-soi avec scrupule. Mais pourtant je les entraînais un peu dans ce rayonnement de lumière froide. Le résultat de cette fédération, lorsqu'elle fut, avec le Castor, portée à son plus haut achèvement, fut un bonheur écrasant et semblable à l'été. Le Castor s'en est doucement plainte dans son roman. Son héroïne, Françoise [1], est parfois tout interdite devant ce bonheur qui ne lui laisse même pas la possibilité de désirer autre chose que lui et qui pourtant, quelquefois, devant les grâces obscures de doux visages qui s'ignorent, peut paraître d'une intolérable dureté. C'est une chose, je crois, que je n'ai pas assez marquée dans ces carnets et qui pourtant m'expliquent : jusqu'à cette guerre j'ai *vécu public.* Et ces carnets, au fond, sont une manière de vivre public encore. Souvent, je force mes impressions. Que l'on m'entende : je les force dans le bon sens, mais une erreur fraîche et sombre serait peut-être préférable à leur aveuglante vérité. Car cette vérité n'a plus rien d'historique, elle ne concerne plus l'homme que je fus en ce jour, à cette heure. C'est une vérité d'*essence :* par essence un homme d'une certaine sorte devait éprouver telle impression en telle circonstance. Circonstance, caractère, impression sont définis avec scrupule : mais tout cela n'est déjà plus moi. Au vrai je traite mes sentiments comme des idées : une idée, on la pousse jusqu'à ce qu'elle craque ou qu'elle devienne enfin « ce qu'elle

1. Cf. *L'Invitée. (N.d.E.)*

était ». Mais si le psychologue a le droit de procéder ainsi vis-à-vis des sentiments, *l'homme* crie grâce, il voudrait avoir quelquefois des réactions qu'il puisse ne pas nommer. Mais je ne suis pas « psychologique », précisément parce que je me comporte en psychologue vis-à-vis de moi-même. Et certainement, mes amitiés ont contribué à me donner cette attitude. Cependant, pendant que je m'y donnais pleinement, pendant que j'envahissais Maheu au point de le fatiguer, pendant que je construisais avec le Castor d'inlassables projecteurs, je rêvais d'un autre homme, qui eût été beau, hésitant, obscur, lent et probe dans ses pensées, qui n'eût pas eu de grâce acquise mais une grâce sourde et spontanée ; je ne sais pourquoi je le voyais ouvrier et vagabond dans l'Est américain. Comme j'eusse aimé sentir se former en moi, lentement, patiemment, des idées incertaines, comme j'eusse aimé bouillir de grandes colères obscures, défaillir de grandes tendresses sans cause. Tout cela mon ouvrier américain (il ressemblait à Gary Cooper) pouvait le faire et le sentir. Je le voyais assis sur un talus du chemin de fer, las et poussiéreux ; il attendait le wagon à bestiaux où il sauterait sans se faire voir, et j'aurais aimé être *lui*. J'inventai même avec le Castor un personnage charmant (à mes yeux), le petit Crâne, qui pensait peu, parlait peu et faisait toujours ce qu'il fallait. Comme par une fatalité singulière, tout ce que j'imagine finit toujours par m'arriver, je rencontrai pour terminer le petit Crâne : c'était le petit Bost. Mais j'y reviendrai. Ce qui est sûr, c'est que du sein de l'amitié, j'ai toujours envisagé l'amour comme une occasion de perdre la tête et d'agir enfin sans savoir ce que je faisais.

Je l'ai dit, la contrepartie de cette transparence accablante était la force, la sécurité olympienne et le bonheur. Ces divers couples dont j'étais un membre ont toujours paru écrasants de puissance aux gens qui nous entouraient. Et ils l'étaient. Surtout le dernier, celui que j'ai formé avec le Castor. Nos liens étaient à ce point solides et fascinants pour autrui que personne ne pouvait aimer l'un de nous deux sans être saisi d'une jalousie féroce et qui finissait par se changer en irrésistible attirance pour l'autre, avant même de l'avoir vu, sur de simples récits. Si bien que l'amitié a toujours été pour moi, non pas une vague liaison affective, mais un milieu, un monde et une force.

Pourtant, je ne suis pas fait pour l'amitié. J'ai déçu tous mes amis, non par traîtrise, oubli ou manque d'égards mais par un manque profond de chaleur. Pour les égards, je les ai toujours eus vis-à-vis de chacun, je ne manquais pas un rendez-vous, je n'avais aucune négligence. Mais il y avait là quelque chose d'appliqué qui devait se trahir malgré moi. Guille me reprochait de toujours chercher à me montrer « parfait » ; il prétendait que je devais, en sortant de chez Mme Morel, me frotter les mains et dire au Castor : « Eh bien, mon bon Castor, vous avez vu, j'ai encore été parfait. » Par le fait, dans notre amitié, Guille était le plus négligent, le plus capricieux et pendant de longues périodes le plus indifférent. Mais il avait le plus souvent une chaleur communicative, une tendresse presque féminine, un exclusivisme jaloux que j'étais bien loin d'avoir moi-même. Je ne me fâchai jamais. Pourtant il arrivait qu'il me soumît à rude épreuve : j'arrivais chez Mme Morel pour le retrouver — il m'avait donné rendez-vous — et je trouvais un mot sur une table du salon : « Nous sommes partis à St-Germain en auto, attends-nous. » J'attendais deux heures, trois heures en lisant des contes galants du XVIIe siècle, que je trouvais dans la bibliothèque du salon. Puis ils rentraient et Guille disait : « Cette dame était insupportable, elle disait toujours : Pauvre Sartre, il nous attend, et elle voulait retourner. Mais il faisait si beau... » Cependant mon train pour Le Havre partait à vingt heures et j'avais juste le temps de leur faire un quart d'heure de conversation. Je ne me fâchais pas. Je ne me fâchais jamais, mais je ne suis pas sûr que mon égalité d'humeur ne me fût imputée à charge ; elle prenait figure d'indifférence et en un sens, c'en était en effet. Je ne me souviens pas d'avoir eu, lorsque le train de Paris m'emportait vers Guille, le mouvement de joie qu'il avait certainement quand il était de bonne humeur et allait m'attendre à la gare. Je ne pensais même pas que j'allais le voir. S'il me laissait seul deux heures dans le salon de Mme Morel, je ne m'ennuyais pas, tout occupé à lire, à jouir d'être là (j'ai dit que j'aimais les intérieurs des autres et principalement celui-là), je trouvais ma solitude poétique. Lorsque Guille me témoignait une certaine tendresse — toujours très discrète et charmante —, j'étais aussi gêné que si un inverti m'eût fait une déclaration. Dès que les rapports avec un homme ne sont plus superficiels et cordiaux, cela me gêne. Je n'aime ni me livrer ni qu'il se livre. Non que je sois discret. Au contraire, et il m'arrive de parler sur ma vie en donnant de tels détails qu'on pourrait les prendre pour des confidences. Mais à mes yeux ce n'en sont pas : je ne dis rien que je ne sois prêt à dire à tout le monde. Ce que j'appelle confidence se définit plus par la forme que par le contenu, par un certain laisser-aller, un certain abandon humide, un désir d'être compris et soutenu. Si un homme m'en fait, je me glace. Certes pour Pelletier et Boutillier, pour Nizan j'ai eu des passions. Mais c'était au temps où ma sexualité n'était pas encore très bien définie et certainement il entrait de l'amour platonique dans mes sentiments. La nudité morale ou physique d'un homme me choque au plus haut point. Guille ne voyait pas de mal à se mettre nu devant moi mais moi j'étais scandalisé au plus haut point et je ne savais où fourrer mes regards. J'ai écrit dans ces carnets que c'était peut-être de la pédérastie refoulée, et le Castor en lisant cette remarque a pensé mourir de rire. J'imagine en effet que ce n'en est pas. Mais qu'est-ce alors ? Je ne sais ; peut-être une certaine rudesse dans la coupe du corps masculin m'invite moi-même à la rudesse et puis il y a toute une partie de moi qui est rudesse et grossièreté et qui peut-être saisit là l'occasion de se manifester. Ou peut-être la tendresse est-elle si nettement sexuelle chez moi, comme aussi l'intimité, que je ne puis envisager d'être tendre avec un homme sans que je sente aussitôt comme une brève poussée de sexualité qui ne trouve pas à s'employer et me rebute et me gêne aussitôt. Je ne veux pas parler de *désir*, mais je vois bien par exemple comme ma tendresse tout amicale pour Mme Morel trouve à s'alimenter dans la délicatesse de ses traits, de sa peau, de ses gestes. Il y a là comme une parenté de nature. D'ailleurs j'ai souvent remarqué dans la tendresse une drôle d'indistinction qui s'établit entre le visage d'autrui et le mien. Le phénomène, lorsqu'il est exagéré, porte un nom en psychiatrie ; on a vu des malades qui portaient leur verre à leur bouche et disaient à leur voisin : « Tiens, vous buvez ? » ou, réciproquement, voyant leur voisin avaler une gorgée, s'imaginaient boire. C'est pourtant ce qui m'arrive quand ma tendresse est partagée : c'est mon propre jeu de physionomie que je lis sur le visage de l'autre, il me semble que c'est tout justement cet air-là que j'ai. Et sans doute cela vient-il de ce que ma mine propre, comme il arrive dans les amours partagées, émeut l'autre et fait naître aussitôt le sourire doux que je vois sur ses lèvres. Aussi ai-je l'impression que c'est mon sourire qui naît là-bas sur ces belles lèvres. Mais le fait est là, j'ai toujours l'impression d'être tendre au moyen du corps de l'autre. Pourtant je me sens encore, je règle mes mimiques mais je les perçois là-bas sur cette autre figure. Si bien que pour moi la tendresse n'est pas seulement un sentiment mais plutôt une situation à deux. Et, bien évidemment, si l'autre est un homme, la rudesse de son physique est un obstacle invincible à l'établissement de cette situation. C'est pourquoi j'ai toujours compris mieux qu'un autre les résistances que doit vaincre une jeune fille avant de désirer un homme pour de bon, ce que nous appelions, le Castor et moi, d'après un mot de Charles Du Bos dans une mauvaise préface à un mauvais roman de Hope Mirrlees[1], le « caractère de nymphe » de toute jeune fille. Le corps d'un homme m'a toujours semblé trop pimenté, trop riche, de trop haut goût pour pouvoir être désiré tout de suite. Il y faut certainement un apprentissage. O. m'en avait donné confirmation un jour qu'elle disait, au café Victor de Rouen, que le charme d'une femme ou d'un jeune garçon se découvre tout de suite, tandis qu'il faut une longue habitude et une attention particulière pour que celui d'un homme se révèle. J'ai toujours pensé, quand je me charmais de baiser une bouche fraîche et tendre, à la singulière impression que devait faire la mienne, rude et

1. Il s'agit sans doute du roman intitulé ***The counterplot,*** paru en français en 1929 sous le titre *Le choc en retour. (N.d.E.)*

empestant le tabac. On dira que la femme désire l'homme parce qu'elle est femme mais pour moi cela ne signifie rien. Je pense au contraire que, pour la femme aussi bien que pour l'homme, c'est la femme qui est l'objet absolu du désir. Pour que l'homme devienne à son tour désirable, il faut qu'un « report » s'effectue. Mais ce n'est pas ici le lieu d'en traiter. Je voulais seulement noter que je ne conçois pas, pour ma part, la tendresse dans mes rapports avec les hommes. Encore n'ai-je eu d'amitiés qu'avec ce que j'appellerai des hommes-femmes, une espèce fort rare, tranchant sur les autres par leur charme physique et parfois leur beauté et par mille richesses intimes que le commun des hommes ignorent. Guille, en son beau temps, pouvait perdre des heures à parler avec moi d'un visage, d'une nuance fugitive de la lumière ou de son humeur, d'une scène insignifiante qui venait de se dérouler devant nous. Ainsi suis-je moi-même, je crois, malgré ma laideur, homme-femme, au moins dans mes principales préoccupations. Mais les autres hommes sont tout en dehors, je l'ai dit ailleurs ; ils s'oublient totalement, ce sont des calculateurs. Ceux-là m'ennuient et m'irritent ; je les fuis et longtemps — tant que j'ai été jeune — je me flattais d'être le complice des femmes contre eux. Je me souviens qu'il y a deux ans encore la petite Lucile, une actrice vicieuse et menteuse de l'Atelier, une frôleuse, remplie de grossiers artifices féminins, mais femme tout de même, m'avait fait inviter à déjeuner par son « type », un superbe Egyptien aux yeux ardents, sombrement jaloux, qui me parut représenter le type parfait du mâle, l'homme à s'évanouir de volupté sur le sein d'une bonne femme, à la protéger d'une main ferme quand elle n'en a pas besoin, à crouler à ses genoux après de grands éclats orageux, à la combler d'attentions maladroites sans rien comprendre à son caractère, à être fou d'angoisse quand elle l'aime et paisible quand elle pense à un autre, à pleurer parfois avec de grands sanglots et à se faire mener par le bout du nez. Elle l'aimait, c'est sûr, et précisément pour tout cela, elle se sentait seule auprès de ce grand corps dont la chaleur sensuelle la pénétrait ; elle l'aimait parce qu'elle pouvait le tromper. Elle avait essayé de me frôler mais je ne m'étais pas laissé faire, sachant qu'elle avait fait, sans se laisser toucher elle-même, les caresses les plus précises à tous les acteurs de l'Atelier, qu'ils aient quinze ou soixante ans. Nous avions jouté de sournoiserie bête un jour ou deux et je l'avais emporté, je ne sais pas trop quel drôle de plaisir je prenais à ce jeu. Toujours est-il que pendant tout le déjeuner elle me fit du pied et du genou sous la table. Il n'était nullement question de me montrer par là qu'elle était prête à me dispenser ses bontés puisque je savais à quoi m'en tenir et que la question était réglée entre nous. J'imaginai qu'elle avait un plaisir sournois à tromper son type, j'imagine même qu'en faisant ce geste qui était sans conséquence réelle pour elle ni pour moi, puisqu'il ne pouvait plus engager ni l'un ni l'autre, elle pensait à lui et non à moi. Le ridiculiser ainsi sans danger, en sa présence et pendant qu'il me parlait avec une grande courtoisie de son agrégation de droit, c'était sa manière de l'aimer ; elle devait être toute moite d'une sensualité qui ne s'adressait nullement à moi mais à lui. Seulement, ce qui m'amusait c'est qu'elle m'eût choisi pour complice *contre ce mâle* qu'elle aimait. Elle ne pouvait pas espérer me troubler, je m'étais mis au net là-dessus avec elle, elle savait bien que je prenais son jeu pour ce qu'il valait mais justement pour cela, elle m'attirait dans ce jeu avec la même absence de pudeur vis-à-vis de moi que si j'avais été un eunuque ou une femme. Elle savait en quelque sorte que j'étais de son bord et suffisamment féminin pour qu'on pût se moquer *avec moi* d'un homme (si j'avais été susceptible de me laisser troubler par ces pressions, elle se fût moquée de son mâle toute seule et contre moi, mais le jeu eût été plus dangereux). Ce fut ma dernière et fugitive complication de cette espèce. Dans l'histoire d'O.Z. je me suis senti mâle à mon tour, hélas.

Et puis l'amitié a quelque chose d'austère qui m'ennuie et me pèse. Précisément parce que je ne sens pas grand-chose en moi, elle se présente surtout à mes yeux comme un devoir. J'ai essayé de garder des rapports amicaux avec des femmes à qui j'avais été uni par de tout autres liens. Mais dès que je n'aime plus, je m'ennuie. Je crois que je n'ai pas *besoin* d'ami parce qu'au fond je n'ai besoin de personne, je n'ai pas besoin d'aide, de ce secours austère et constant qu'offre l'amitié. Je n'ai jamais eu envie, par exemple, depuis que me voilà parti en guerre, de rencontrer quelqu'un qui eût mon genre d'intelligence et qui eût pris aux choses les mêmes intérêts que moi. J'aime mieux tirer tout de moi-même. En contrepartie je sais mal utiliser les autres ; le Castor m'a souvent dit que je n'écoute pas les histoires qu'on me raconte. C'est un peu injuste mais enfin j'écoute assez mal et fréquemment je m'agite sur ma chaise en attendant que le récit soit terminé. Il en est des amis comme des philosophies des autres, que j'ai tant de peine à m'assimiler. Comme, par ailleurs, je n'ai pas envie de leur parler de moi, je m'ennuie vite. Il me manque certainement un humanisme individuel. Je suis touché par les foules, par les gens qui passent, mais je n'ai pas pour les individus cette sympathie de prime abord sur quoi une bonne amitié se pourrait fonder. Mon premier mouvement est la défiance au contraire et le soupçon. J'écris ceci au Foyer du Soldat ; il y a cent types dans la salle. Pris en masse ils m'émeuvent un peu mais, si je les considère un à un, il y en a peu qui ne me choquent par leur attitude ou leur parler. Il n'y en a pas un dont je souhaiterais faire la connaissance. Je n'aime pas les hommes, je veux dire les mâles de l'espèce.

Pourtant à l'Ecole Normale, avec Nizan, je découvrais la camaraderie et ça, c'était pour moi un bon usage à faire des hommes. Vivre en bande, voilà ce qui me charma soudain. Je pense qu'il y a un plaisir tout particulier à se sentir se détacher sur le fond formé par une troupe, à sentir autour de soi une sorte de solidarité à laquelle on échappe dans le moment même où on s'y plie. Je crois que ce qui me charmait surtout c'était la simultanéité sentie. Normalement pendant que j'écris, mon voisin feuillette une revue, non loin de moi deux types jouent aux échecs, ceci aussi est une simultanéité. Mais en un sens elle est abstraite, elle s'éparpille en mille petits actes locaux et isolés. Je la pense seulement et ne la sens guère. Au lieu que, à cause de la solidarité qui nous unissait, chacun de mes gestes dans l'unité de notre troupe se donnait comme simultané avec tel autre de tel de mes camarades : ça lui conférait une espèce de nécessité. J'ai vu avec horreur, à Berlin, combien les Allemands jouissaient de cette simultanéité-là. A la Neue Welt, immense hangar où des milliers d'Allemands viennent boire de la bière, on présentait sur la scène des équipes de Bavarois qui ne savaient rien faire d'autre que marquer vivement cette simultanéité ; l'un lançait son chapeau en l'air, pendant que l'autre dansait et que le troisième soufflait dans un cor de chasse, etc. Le charme du spectacle était très évidemment le « *pendant que* », qui n'a rien de commun avec la multiplicité dans l'unité d'un corps de ballet, car il est diversité réelle dans une unité simplement affective. Donc c'est une chose que nous sentions assez fort et qui me réjouissait. Et puis je voulais être chef, « animateur » du moins. Certainement c'était pour prendre ma revanche des humiliations subies à La Rochelle et qui, je l'ai dit, m'avaient profondément marqué. Ai-je été ce chef ? Animateur peut-être — mais quoique l'on pût me redouter et m'admirer parfois, quoique j'amusasse certainement (je me dépensais sans compter, faisant des parodies, poussant la chansonnette, organisant mille singeries avec Nizan) j'ai toujours vu autour de moi une sorte de défiance républicaine quand il s'agissait de me choisir officiellement pour chef d'une entreprise. On ne me refuserait sans doute ni l'esprit d'initiative ni l'opiniâtreté, mais j'inquiète parce que je manque de dignité, il y a du bouffon en moi certainement et, dans les groupements sociaux, ma bouffonnerie l'emporte. Les gens me considèrent avec un mélange d'amusement et de scandale, ils se défient. Au reste presque tout de suite après j'ai compris l'ignominie d'être un chef. Mais mon désir de régner se transforma seulement. Je n'avais pas perdu ce rêve de régner par l'amour sur une communauté gracieuse et oisive. Peu à peu le rêve se transforma encore (je dois dire que j'ai eu à plusieurs reprises, là encore, ce que je désirais) et devint désir d'autorité spirituelle. J'eusse voulu être le sage que l'on consulte, plus précisément un stariets comme ceux de Dostoïevski. Je ne suis pas sûr qu'en me sondant bien profondément je ne retrouverais pas des parcelles de ce vieux désir. J'ai été fort dépaysé et sombre lorsque j'ai quitté cette vie de groupe en sortant de l'Ecole Normale. Aucune amitié, aucun amour ne pouvait remplacer, d'abord, cette densité de vie particulière et facile. A présent elle me serait insupportable. A des années de distance, chaque fois que je me suis retrouvé dans une communauté d'hommes, je m'y suis montré censeur hargneux et solitaire. L'étonnant après cela, c'est que j'éveillais pourtant des sympathies : Brunschwick et Copeau à Berlin, Pieter ici. Je jure bien qu'elles n'étaient pas méritées. Si, par aventure, par curiosité, je me suis laissé approcher par quelque congénère, je n'ai plus qu'un désir : le laisser tomber dès que les circonstances le permettront. Les relations masculines qu'on noue à mon âge et qui ne sont ni de la camaraderie de bande ni de l'amitié me sont insupportables. Voilà des années que je n'ai *demandé* à voir un homme, ni cherché le moins du monde à en rencontrer. Ils me recherchent et je les subis. Je vis entouré de femmes qui toutes donneraient beaucoup pour connaître un Faulkner ou un Caldwell. Pour moi, tout en admirant profondément l'un et en me sentant plein de sympathie pour l'autre, je n'ai aucune envie de les voir. Ni Hemingway, dont chacun dit qu'il est si plaisant. S'il fallait traverser la rue et monter à un troisième étage pour les voir, je le ferais sans doute mais je n'irais pas beaucoup plus loin. Ou plutôt, je donnerais gros pour les voir vivre, invisible moi-même, pour hanter leur maison, inaperçu. Mais ce qui m'écœure à l'avance, c'est que le rapport soit réciproque, c'est d'être vu par eux pendant que je les vois, c'est qu'il puisse y avoir un lien affectif entre nous, fût-il de simple cordialité ou même de courtoisie.

Bref, ai-je jamais à proprement parler aimé un homme de mon âge — à part Nizan autrefois ? Je ne le crois pas. Ni jamais désiré qu'on m'aimât. Les consciences, dans l'amitié, restent d'une solidité, d'une liberté qui me paraissaient fort austères, je n'avais pas besoin de me livrer à ces consciences-là (non que je craignisse la lucidité de leur jugement, mais c'étaient plutôt de belles femmes de marbre qui n'éveillaient pas mon désir). Je n'étais attiré que par les pâmoisons troubles et l'esclavage volontaire des consciences amoureuses. Bref, pour moi il y a une moitié de l'humanité qui existe à peine. L'autre — eh bien il faut le dire, l'autre est mon unique, mon constant souci. Je n'ai de plaisir qu'à la compagnie des femmes, je n'ai d'estime, de tendresse, d'amitié que pour des femmes. Je ne mettrais pas un pied devant l'autre pour voir Faulkner, mais je ferais un long voyage pour faire la connaissance de Rosamond Lehmann. Pour parler comme Bost : « Sur les genoux, que j'irais ! » Je rougis d'écrire tout cela parce que ça vous a un petit air de *J'aime les femmes à la folie* que chante Tino Rossi, mais enfin le fait est là. On aurait pu croire au début que cette passion qui ne choisissait pas — ou à peine — venait chez un très jeune homme d'un romantisme de puberté. Mais j'ai tantôt trente-cinq ans, voilà des années que je suis entouré de femmes et je veux toujours en connaître de nouvelles, ou du moins je le voulais encore il y a peu de temps, à présent c'est fini. Moi qui m'ennuie crasseusement dans la compagnie des hommes, il est extrêmement rare que la compagnie des femmes ne me divertisse. Je préfère parler avec une femme des plus petites choses que de philosophie avec Aron. C'est que ce sont ces petites choses qui existent pour moi et n'importe quelle femme, même la plus bête, en parle comme j'aime à en parler moi-même ; je *m'entends* avec les femmes. J'aime leur façon de parler, de dire les choses et de les voir, j'aime leur façon de penser, j'aime les sujets sur quoi elles pensent. Très longtemps j'ai cru exprimer au mieux l'estime où je les tenais en les déclarant les égales des hommes et en réclamant pour elles l'égalité des droits. En même temps je me refusais à admettre qu'il y eût aucune différence radicale entre les sexes et j'attribuais les différences secondaires à l'éducation et à la société. Mais c'était mal servir leur cause. Qu'elles doivent avoir les mêmes droits que nous, cela ne fait pas de doute. Mais c'est leur faire un beau compliment, assurément, que de les dire les « égales » des hommes et de les assurer que sans l'humilité de leur situation sociale, elles arriveraient certainement à penser aussi bien que nous. La sottise, commise avec éclat par Auguste Comte, fut de leur attribuer généreusement en partage la sensibilité. Comme si cela voulait dire quelque chose. Comme s'il pouvait y avoir une faculté humaine qui s'appelât la sensibilité et dont certains représentants de l'espèce seraient pourvus en plus grande quantité que les autres. Comme si chaque réalité-humaine n'existait pas en totalité dans chacune de ses démarches. Toute la question est à reprendre. Mais ce n'est certainement pas en affirmant l'égalité des sexes, comme un bon rationaliste kantien, qu'on résoudra le problème ; cette notion d'égalité ne signifie rien et je me trompais complètement.

29 Février

Je ne sais si, un temps, je n'ai recherché la compagnie des femmes pour me décharger du poids de ma laideur. En les regardant, en leur parlant, en m'appliquant à faire naître sur leurs visages un air animé et heureux, je me perdais en elles et m'oubliais. Il doit y avoir de cela car à la même époque (de 20 à 25 ans environ), dès que je me trouvais en couple avec une femme laide ou disgracieuse, je sentais très vivement et avec cynisme le couple que nous formions. Je ne la sauvais pas, au contraire, et l'ensemble était aussi laid que les parties. Je nous haïssais alors sans merci. Au contraire il me semblait — bien à tort — qu'un entourage de belles personnes me sauvait, qu'en cette combinaison que nous formions alors, l'élément dominant était la beauté. Si je veux exprimer ce que je ressentais alors, je dirai, je crois, que je n'eusse pas voulu le moins du monde changer de visage, mais j'eusse souhaité que la beauté, comme une grâce efficace, s'étendît précisément sur ce visage-là. J'avais certainement un appétit de beauté qui n'était pas vraiment sensuel mais plutôt magique. J'eusse voulu manger la beauté et me l'incorporer, j'imagine qu'en une certaine façon je souffrais par rapport à toutes les jolies personnes d'un complexe d'identification, et c'est ce qui explique que j'ai toujours choisi pour amis des hommes beaux ou que je jugeais tels. Maheu dit un jour au Castor, assez perfidement : « Ce qui fait la grandeur et le tragique de Sartre, c'est qu'il a en toute chose un amour tout à fait malheureux pour la beauté. » Il entendait par là non point seulement que je regrettais d'être laid, que j'aimais les belles femmes, mais aussi que je tentais d'attraper dans mes essais littéraires une beauté pour laquelle je n'étais point fait. Il était fort imbu de Barrès et de Gide et ne concevait la beauté des écrits que sous une certaine forme fort étroite. Par ailleurs il est certain qu'à l'époque j'essayais de traduire dans le style d'Anatole France des pensées anguleuses et rêches et qu'il en résultait en effet des ouvrages manqués, vains efforts pour capter la beauté. Mais il me paraît aujourd'hui que la pensée de Maheu était beaucoup plus juste qu'il ne le pensait lui-même. Je ne suis qu'un désir de beauté et en dehors de cela du vide, rien. Et je n'entends pas seulement par beauté l'agrément sensuel des instants mais plutôt l'unité et la nécessité dans le cours du temps. Les rythmes, les retours de périodes ou de refrains me tirent des larmes, les formes les plus élémentaires de périodicité m'émeuvent. Je note que ces déroulements réglés doivent être essentiellement temporels, car la symétrie spatiale me laisse indifférent. Un bon exemple en est ce désir que j'eus en Février que ma permission fût *précieuse,* c'est-à-dire que je la sentisse jusqu'au bout comme un écoulement réglé vers sa fin. Il va de soi que la musique est de ce fait la forme la plus émouvante pour moi et la plus directement accessible du beau. Au fond ce que j'ai toujours désiré passionnément, ce que je désire encore, quoique ce soit aujourd'hui sans aucun espoir, c'est d'être au centre d'un *événement* beau. Un événement, c'est-à-dire un écoulement temporel qui *m'arrive,* qui ne soit pas *en face* de moi comme un tableau ou un air de musique, mais qui soit fait autour de ma vie et dans ma vie, avec mon temps. Un événement dont je sois l'acteur principal, qui roule avec lui mes volontés et mes désirs, mais qui soit orienté par mes volontés et mes désirs, dont je sois l'auteur, comme le peintre est l'auteur de son tableau. Et que cet événement fût beau, c'est-à-dire qu'il ait la nécessité splendide et amère d'une tragédie, d'une mélodie, d'un rythme, de toutes ces formes temporelles qui s'avancent majestueusement, à travers des retours réglés, vers une fin qu'elles portent en leur flanc. J'ai déjà expliqué tout cela dans *La Nausée,* on verra tout à l'heure pourquoi j'y reviens. Ce que je voudrais noter à présent c'est que j'attribuais ce désir âpre et vain de la beauté temporelle à *l'homme.* Au lieu que je le tiens à présent pour ma particularité. Je vois que le Castor est émue surtout par la présentation en dehors d'elle d'une nécessité esthétique tout inhumaine — mettons par une fugue de Bach, par un tableau de Braque ; elle ne souhaite pas que sa vie fasse la matière de cette nécessité. O. Z. au contraire était émue par le contenu sensuel d'une belle forme. Je la revois encore nous disant avec une sorte d'agressivité, dans la chambre de Zuorro : « La composition et la mélodie m'importent peu ; ce qui m'émeut ce sont les notes. » Je ne suis pas loin de croire qu'une magnificence sensuelle et instantanée suffirait à la combler. A vrai dire la chose est plus compliquée puisque l'instant ne suffit jamais, mais du moins est-ce pour elle une valeur idéale et, après tout, ce rêve irréalisable n'est pas plus contradictoire que le mien, il l'est tout autant. Je parlais d'irréalisable, la semaine dernière. Disons que j'ai mon irréalisable propre : la beauté de l'événement. Quand je dis que j'ai mon irréalisable propre, je ne veux pas dire que c'est un rêve vague que je caresse parfois. Non : je suis jeté dans cette situation, mon être-dans-le-monde, c'est un être-en-situation-irréalisable, je suis tout entier dans cet événement dont la beauté m'attire et me fuit : c'est ma vie. C'est ce qui explique ces comédies que je joue constamment sans en être profondément dupe, qui sont comme des pantomimes pour capter l'irréalisable, des danses magiques, c'est ce qui explique aussi ces retours brusques de grossièreté et de cynisme qui ont souvent dérouté ou choqué les gens qui m'entourent. Bref c'est ma passion, et ma passion c'est moi.

Si j'insiste sur ce fait, c'est que j'y vois la raison majeure de mes amours. J'ai eu longtemps — presque jusqu'à présent — l'illusion que l'événement amoureux pouvait et devait être cet événement nécessaire et pour tout dire beau que je cherchais. Certainement cela venait de ce que je considérais l'amour comme un jeu courtois de séduction. Envisagé de la sorte, il portait en lui sa fin. La fin c'était l'aveu — plus tard ce fut l'acte d'amour, que Leiris considère comme la mise à mort dans la corrida. Il s'agissait bien d'une progression réglée vers un but connu — mais connu à la façon du dénouement des tragédies grecques, prévu et pourtant redouté et désiré par les Athéniens — connu à la façon des résolutions de mélodie, prévu et tout imprévisible. Et cet événement terminal, je devais le faire arriver par mes paroles et par mes gestes. On voit combien j'étais loin de comprendre le trouble simplement sensuel. Je ne l'ignorais point mais je ne le ressentais pas. Et je ne tenais point tellement à ce que ma partenaire le ressentît d'abord, pas plus que le torero ne peut souhaiter que le taureau s'affaisse, frappé d'un coup de sang, après la pose des banderilles. Il fallait qu'il fût *mérité*, c'est-à-dire qu'il se produisît, en fin de comédie, à l'instant même où le rideau tombe, amené par la dernière réplique. Certainement une forte passion sensuelle, si quelque femme en eut éprouvé pour moi, m'eût totalement déconcerté et choqué. Je concevais la femme — certainement d'après mes lectures — comme un être qui dit non d'abord et se laisse peu à peu circonvenir en résistant toujours et à chaque fois un peu moins. Ainsi chacun de nous avait-il son rôle fixé d'avance. La femme se refusait et j'insistais doucement, patiemment, gagnant chaque jour un peu de terrain. Mais je n'envisageais pas la séduction comme un jeu machiavélique d'artifices, à la manière du jeune Stendhal. Il m'eût fort déplu d'obtenir une femme par la ruse et cela même prouve assez que je tenais moins à la femme qu'à la comédie dont elle me donnait l'occasion, puisque je n'eusse pas accepté de l'obtenir par n'importe quel moyen. Encore une fois sa possession comptait moins que les promesses de possession. Pour séduire je comptais uniquement sur ma parole. Je me rappelle encore mon embarras à Berlin : j'étais parti bien décidé à connaître l'amour des Allemandes mais je compris au bout de peu de temps que je ne savais pas assez d'allemand pour converser. Ainsi démuni de mon arme, je demeurai tout stupide et n'osai rien tenter ; je dus me rabattre sur une Française. Et combien j'eus de sympathie alors pour cette remarque naïve que fit au Castor un Hongrois dépité : « Si vous saviez comme je suis spirituel en hongrois. »

Pourtant il ne s'agissait pas pour moi d'être spirituel, encore moins de briller. Je l'ai dit, il s'agissait de capter le monde en paroles, de le capter *pour* ma compagne, de le faire exister plus fort et plus beau, de l'aider, comme dit Gide dans *Narcisse,* à « manifester ». Il ne fallait pas d'ailleurs seulement parler. Il fallait ménager habilement les silences et choisir les points de vue. Au fond c'était tout un travail littéraire. Et mon but n'était point de me rendre indispensable comme drogman, comme truchement entre le monde et elle mais plutôt de me fondre à ses yeux indissolublement à la beauté du monde. En somme il s'agissait de provoquer artificiellement la cristallisation. Outre que ce petit travail d'art était à sa place dans le déroulement réglé de la séduction, il me plaisait par lui-même, comme un développement du thème peut plaire au milieu de la mélodie et sans que pour cela on le coupe de l'ensemble. C'était même ce à quoi je tenais le plus. Au fait, comme la plupart de mes compagnes étaient intelligentes et difficiles, je devais m'employer et j'emportais avec moi le soir le souvenir satisfait d'avoir « fait de la belle ouvrage ». Aujourd'hui que je peux parler froidement de cette époque révolue, je pense que ce que je disais, même avec les meilleures femmes du monde, mes égales, était assez misérable. Il fallait que ce fût soutenu, pour passer, par le lieu, l'ambiance, l'heure et cette certitude sournoise où nous étions tous deux d'engager des rapports amoureux. Finalement tout cela était facile, beaucoup trop facile et, comme dit le Castor plus tard, « c'était soufflé ». Nous employâmes aussi, vers la même époque, pour caractériser la chose, l'expression de « faire du merveilleux ». Aujourd'hui j'ai ces discours, ces silences et ces grâces en horreur, mais au fond, ne les avais-je pas déjà en horreur à l'époque, dans le temps même que j'en jouissais ? Je revenais des rendez-vous la bouche sèche, les muscles du visage fatigués d'avoir trop souri, la voix encore empoissée de miel, tout imprégné d'un écœurement auquel je ne voulais pas prendre garde et que masquait la satisfaction d'avoir « avancé mes affaires », d'avoir surpris certaines lueurs dans un regard, certains mouvements involontaires. Ce qui est plaisant, c'est que — assez conscient de jouer la comédie moi-même — je n'imaginais pas une seconde que la femme pût jouer la comédie de son côté et que ces aveux retenus, ces confidences échappées fussent aussi scrupuleusement réglés que mes discours. C'était pourtant, j'en suis sûr, ce qui se produisait la plupart du temps — il s'agit bien sûr de ces comédies semi-conscientes et sans trop de cynisme qu'on trouve dans la plupart des rapports amoureux — et cela, non seulement à cause du caractère de la femme mais parce que, me semble-t-il, j'appelais ces comédies par mes manières. L'eussé-je su que j'en eusse été outré. Il ne s'agissait pas pour moi d'un sketch à deux où chacun avait son rôle à tenir, je vois bien à présent qu'il me fallait, du côté de la femme, une naïveté totale. Dans cette œuvre d'art périssable que je tentais de construire, la femme représentait la matière brute que je devais informer.

CARNET XIV

Mars 1940

Bouxwiller – Brumath

6 Mars 40

Dessin, dans *Le Petit Parisien* d'aujourd'hui. Un mauvais garçon herculéen a empoigné une jeune personne qui se débat énergiquement mais en vain. Aplati contre le mur, terrorisé, un minuscule soldat entre deux âges regarde la scène sans bouger. Et la jeune personne indignée lui crie : « Eh dis donc, permissionnaire, c'était pas la peine de me dire que tu étais un as pour les coups de main. » Ce dessin après mille autres, après la chanson de Chevalier que j'ai commentée dans un de mes carnets [1], me paraît significatif. C'est la destruction de l'idée militaire. L'idée militaire, née du temps des armées de métier, confère a fortiori au militaire le courage civil. Et, en effet, le soldat, plus ou moins mercenaire, est toujours un peu « tête brûlée », comme les matelots américains rendus célèbres par la série de films qui débuta avec « Une femme dans chaque port ». Ses qualités de bagarreur l'ont souvent fait choisir par le racoleur et d'ailleurs elles lui servent à la guerre, on se bat au sabre, au couteau et pour finir au coup de poing. Mais la « Nation armée » a changé tout cela, du fait que ce n'est plus le costaud du village qui devient soldat mais l'épicier, le boulanger, le secrétaire de Mairie, tous ces hommes malingres et pacifiques que les

1. Il s'agit certainement de la chanson créée par Maurice Chevalier en 1939, *D'excellents Français,* d'un patriotisme bon enfant. *(N.d.E.)*

journaux du temps de paix raillaient amicalement de leurs menus défauts : ladrerie, couardise, minutie tatillonne, etc. Restait que le fait d'être nation armée et de prendre conscience de soi comme nation armée, ça fait deux. Exactement comme ça fait deux d'*être* classe ouvrière et de prendre conscience de soi comme prolétariat. Il me semble que la première réaction de la nation armée à elle-même fut mythologique. Il y eut en 1914 un livre doré de l'épicier, du boulanger, etc. Les dessins que je me rappelle donnaient le coup de pouce idéalisant. On retrouvait bien ces corps malingres, ces gestes gauches, ces têtes civiles mais par un effet de l'art ces visages maigrelets respiraient une énergie indomptable, ils avaient une maigreur ascétique, la colère sacrée était peinte dans leurs yeux ; et dans leurs gauches attitudes il y avait un dynamisme guerrier. Abel Faivre était spécialiste de cette légende dorée. Ils sont revenus chez eux, ils ont retrouvé leur métier et leurs habitudes, et voici la seconde guerre nationale. Il me semble que cette fois la nation armée a pris conscience d'elle-même. Cette longue attente du début de la guerre lui en a laissé le loisir. Et cette fois on sait que ces soldats qui attendent l'ennemi sur la ligne Maginot *ce sont les mêmes* que les petits commerçants radicaux, les petits fonctionnaires du temps de paix. On pense, certes, — car on pense toujours bien — qu'ils seront convenables et même suffisants pour la besogne militaire. Mais il se fait une disjonction nette entre les différentes formes du courage et de l'action. Ce soldat qui tremble devant un caïd, il est un as pour les coups de main. C'est que le coup de main a sa règle du jeu — surprise, encerclement, coups de fusil et non corps à corps. Bien encadré, l'épicier peut réussir dans un coup de main. Mais cela ne le rend pas capable de se battre comme il faut à coups de poing. Il n'est pas devenu sacré, on ne cherche pas à discerner dans ses yeux une lueur indomptable. Et si l'on pense qu'il accomplit là-bas son « métier d'homme », on pense qu'il en puise la force dans une sorte d'humanisme bonhomme ; précisément cet humanisme qui l'aidait à supporter, en courbant la nuque, les coups durs de la paix. C'est ce que j'appelle l'anti-héroïsme. Et une nation armée démocratique qui prend conscience de soi comme telle, je prétends qu'elle est aux antipodes de l'héroïsme. Car l'héroïsme a toujours été et doit être l'affaire de spécialistes. Il doit rester nimbé de mystère et impénétrable. Mais si l'on découvre, comme dit Faulkner, que « chacun peut choir dans l'héroïsme », il n'y a plus de héros. La « nation armée » est destructrice du privilège sacré de la guerre car elle va à assimiler la fonction de guerrier à un service civil, à une corvée qui incombe à tous. Il y a, par là même, civilisation de la guerre. Tout au début, on se tenait encore à distance respectueuse des mobilisés. Et mes élèves Chauffard et Kanapa m'écrivaient encore : « Il est difficile à un " non-mobilisé " d'écrire à un mobilisé. » Mais à présent on leur mange la soupe sur la tête et c'est fort bien. Qu'est-ce que tout cela deviendra si nous en arrivons au casse-pipe, je ne sais. Ce que je sais, c'est que tous les soldats se plaignent doucement de la familiarité ironique et protectrice des civils à leur égard. Et c'est fatal, car le civil *travaille,* il exerce encore un métier dont il est fier, auquel il donne le meilleur de lui-même. Or si le soldat a cessé d'être un héros, ce n'est plus qu'un paresseux malgré lui, qui n'est plus contenu et sauvé par les exigences d'une profession technique, qu'on nourrit à ne rien faire. Bref, comme disait cet autre si justement, un chômeur. Et il faut s'en réjouir, malgré ces rancunes qui s'amassent dans le cœur des soldats, parce que ça aussi, ça contribue à tuer la guerre.

Quand je me réjouis de cette dissolution de l'esprit militaire, je dis ce que je vois, sans plus. Je n'ignore pas qu'en Allemagne l'esprit est tout autre. Si je n'en parle pas, c'est que je ne le connais pas. Mais je sais que ce changement que l'esprit français annonce est subordonné à la victoire des démocraties. Si nous étions vaincus au contraire, un historien futur, à la dure pensée, y verrait une preuve de notre décadence et la raison profonde de notre défaite. Ainsi le sens profond de cet état de l'esprit public est ambigu. Seulement, si j'ai l'espoir d'une victoire finale des ploutodémocraties, je ne compte pas sur leur héroïsme mais sur leurs richesses. J'escompte une guerre sans « grandeur », économique surtout. En ce cas la « décadence » peut rester inoffensive et devenir au contraire un facteur favorable. Tout le problème tourne autour de cette question : y a-t-il une loi d'airain en histoire qui veut que les peuples « trop » civilisés et « trop » pacifiques par l'effet de cette civilisation soient finalement dévorés ? Ou bien cette loi ne vaut-elle que pour l'ère « guerrière », c'est-à-dire pour l'époque révolue où les problèmes militaires et les problèmes économiques étaient relativement séparés ? Si la loi d'airain existe encore, on est devant ce non-sens qu'une certaine dose de brutalité absurde, comportant le mythe du héros et de l'infaillibilité du chef militaire, est indispensable à la santé d'une nation, fût-elle condamnée par la raison et à ceci même que toute condamnation raisonnable, en affaiblissant le pouvoir de cette brutalité, affaiblit la nation elle-même et par là la paix. Alors la « santé » d'une nation devient une sorte d'équilibre entre une certaine dose d'agressivité primaire et la raison. Mais si le cynique matérialisme économique vient couper les ailes au guerrier, si le pétrole est plus indispensable à la guerre que le courage, alors ce qui pouvait paraître lâcheté pernicieuse et douceâtre de gens *trop* civilisés peut devenir esprit nouveau. Et l'étranglement sans grandeur du guerrier par les lâches devient à son tour la nouvelle loi d'airain. Alors l'historien qui juge l'idéologie d'après son succès est obligé de voir dans cette prétendue idéologie décadente l'expression des contradictions du capitalisme contemporain qui conduit à la guerre et *ne peut pas* la faire. Et par là même, si la victoire est donnée au plus riche et non au plus brave, cette idéologie peut devenir un facteur de progrès. Ainsi demeure-t-il vrai, pour cette raison parmi tant d'autres, que nous sommes à un tournant, car la victoire seule décidera de la valeur de *notre* idéologie ou de l'idéologie nazie.

1888 — discours de Bismarck à la tribune du Reichstag. Il y exprime pour la dernière fois la conception da la Nation Armée vue *à travers* la conception périmée de l'Armée de métier.

« Si nous voulons en Allemagne faire une guerre et obtenir tout ce qu'on peut attendre de la force de notre nation, il faut que ce soit une guerre populaire. Une guerre à laquelle nous ne serons pas contraints par la volonté du peuple, on la fera, si pour finir les autorités compétentes la croient et la déclarent indispensable, mais dès le début, l'enthousiasme, l'élan manqueront... Naturellement tout soldat croit être supérieur à l'adversaire, il cesserait presque d'être un soldat utilisable s'il ne désirait pas la guerre et ne croyait pas à la victoire. »

Avec quelle surprise n'aurait-il pas vu cette guerre-ci : nous ne croyons pas être supérieurs aux soldats allemands, nous ne désirions pas cette guerre, au contraire nous la repoussions de toutes nos forces. Enfin nous *espérons* la victoire et nous avons tous l'impression qu'elle dépend de conjonctures tout à fait extérieures à notre valeur militaire : de conjonctures économiques. Et pourtant nous faisons tout de même des soldats utilisables.

Je suis certainement le produit monstrueux du capitalisme, du parlementarisme, de la centralisation et du fonctionnarisme. Ou, si l'on veut, ce sont là les situations premières par-delà quoi je me suis projeté. Au capitalisme je dois d'être coupé des classes travailleuses sans accéder par ailleurs aux milieux qui dirigent la politique et l'économie. Au parlementarisme je dois l'idée des libertés civiques, qui est à l'origine de ma passion maniaque pour la liberté. A la centralisation je dois de n'avoir jamais connu les travaux agricoles, de haïr la province, de n'avoir aucune attache régionale, d'être sensible plus qu'un autre au mythe de « Paris-grand-ville », comme dit Caillois. Au fonctionnarisme je dois cette incompétence totale en matière d'argent, qui est certainement le dernier avatar de l' « intégrité » et du « désintéressement » d'une famille de fonctionnaires ; je lui dois aussi l'idée de l'universalité de la Raison, car le fonctionnaire est, en France, la vestale du rationalisme. A toutes ces abstractions prises ensemble je dois d'être un abstrait et un déraciné. J'eusse peut-être été sauvé si la nature m'eût doué de sensualité, mais je suis froid. Me voilà « en l'air », sans aucune attache, n'ayant connu ni l'union avec la terre par les travaux des champs, ni l'union avec une classe par la solidarité des intérêts, ni l'union avec les corps par le plaisir. La mort de mon père, le remariage de ma mère et mes dissentiments avec mon beau-père m'ont soustrait de très bonne heure à l'influence familiale, l'hostilité de mes camarades rochelais m'a appris à me replier sur moi-même. Mon corps sain, vigoureux, docile et discret ne fait jamais parler de lui, sauf parfois à se révolter bruyamment dans une crise de coliques néphrétiques. Je ne suis solidaire de rien, pas même de moi-même ; je n'ai besoin de personne ni de rien. Tel est le personnage que je me suis fait, au cours de trente-quatre ans de ma vie. Vraiment ce que les Nazis appellent « l'homme abstrait des ploutodémocraties ». Je n'ai aucune sympathie pour ce personnage et je veux changer. Ce que j'ai compris c'est que la liberté n'est pas du tout le détachement stoïque des amours et des biens. Elle suppose au contraire un enracinement profond dans le monde et on est libre *par-delà* cet enracinement, c'est par-delà la foule, la nation, la classe, les amis qu'on est seul. Au lieu que j'affirmais ma solitude et ma liberté *contre* la foule, la nation etc. Le Castor m'écrit justement que la véritable authenticité ne consiste pas à déborder sa vie de tous côtés ou à prendre du recul pour la juger, ou à se libérer d'elle à chaque instant, mais à y plonger au contraire et à faire corps avec elle. Mais cela est plus facile à dire qu'à faire, lorsqu'on a trente-quatre ans et qu'on est coupé de tout, qu'on est une plante aérienne. Tout ce que je puis faire c'est, pour l'instant, de critiquer cette liberté en l'air que je me suis patiemment donnée et de maintenir ferme ce principe qu'il faut s'enraciner. Je ne veux pas dire par là qu'il faille *tenir* à certaines choses, car je tiens de toutes mes forces à bon nombre de choses. Mais j'entends que la personnalité doit avoir un *contenu.* Il faut être fait d'argile et je le suis de vent.

N'ayant pas de grande passion sociale, vivant en dehors de ma classe et de mon temps, je ressemble au lapin de Claude Bernard, isolé aux fins d'expériences, à jeun et qui se digérait lui-même.

« La liberté, comme la raison, n'existe et ne se manifeste que par le dédain incessant de ses propres œuvres ; elle périt dès qu'elle s'adore. C'est pourquoi l'ironie fut de tout temps le caractère du génie philosophique et libéral, le sceau de l'esprit humain, l'instrument irrésistible du progrès ». (Proudhon : *Confessions d'un révolutionnaire.*)

7 *Mars*

Je lis avec beaucoup d'intérêt le *Guillaume II* de Ludwig. J'essaie à travers lui de reprendre et de retourner un problème qui me tracasse depuis quelque temps — exactement depuis Septembre 38. Nous en avons souvent discuté, le Castor et moi : je reconnais avec Aron que dans l'explication comme dans la compréhension de l'événement historique on peut trouver diverses couches de signification. Et ces couches de signification permettent de décrire de façon satisfaisante l'évocation du processus historique, chacune à son niveau propre. Mais ces significations sont parallèles, et il n'est pas possible de passer de l'une à l'autre. C'est ainsi qu'on peut expliquer la guerre de 14 par la rivalité des impérialismes allemand et anglais. Nous sommes sur le terrain de l'explication marxiste et strictement économique. Nous rejoignons le livre de Lénine sur Impérialisme et Capitalisme. Mais on peut *aussi* expliquer la guerre en se plaçant sur un terrain de signification plus purement historique, montrer le pangermanisme comme l'expression de la tendance de l'Allemagne à achever son unification commencée par Bismarck. On peut, sur le même plan et en s'en tenant aux seules responsabilités allemandes, indiquer que l'hégémonie de la Prusse équivaut à la domination d'une noblesse de Junkers militarisés. A un niveau de signification « diplomatique », on peut montrer comment la rupture des alliances de Bismarck avec la Russie et l'Autriche — alliances qui avaient pour but de freiner ces deux puissances, toujours prêtes à s'attaquer à propos des Balkans — a eu pour effet de jeter la Russie dans l'alliance française et de libérer l'antagonisme austro-russe. Enfin on peut en arriver à la cour de l'Empereur Guillaume, à son gouvernement, à ses conseillers, à sa personnalité. Sur chaque plan la description du processus est satisfaisante, et même nous pouvons trouver des causes si, selon la formule de Weber reprise par Aron, la cause est décelée si l'on peut établir qu'en l'absence du phénomène envisagé, la plus grande probabilité est pour que le phénomène n'ait pas eu lieu. Seulement ces descriptions et ces explications ne se rejoignent *jamais*. L'erreur fréquente des historiens c'est de mettre ces explications sur le même plan et de les rejoindre par un « et » comme si, de leur juxtaposition devait surgir une totalité organisée, à structures hiérarchisées, qui serait le phénomène lui-même enveloppant ses causes et ses différents processus. En fait les significations demeurent séparées. Dans un autre ordre d'idées, vous pouvez établir un lien de compréhension entre l'origine genevoise de Rousseau et le *Contrat social* — c'est-à-dire « produire » le *Contrat social* à partir des courants idéologiques de Genève. Vous pouvez aussi dériver le *Contrat social* de la personnalité de Rousseau, c'est-à-dire partir de la personnalité de Rousseau pour montrer que *s'il* écrivait un *Contrat social* il devait l'écrire *tel*. Ainsi suivrons-nous un trait de caractère de Rousseau jusqu'à sa projection dans le *Contrat social*. Nous pourrons ainsi expliquer le livre par les ouvrages antérieurs de Rousseau et par lui-même, c'est-à-dire *amener* l'ouvrage à partir des idées antérieures de Rousseau ou expliquer tel chapitre de l'ouvrage par la cohésion interne du livre et la nécessité de la logique. Mais en aucun cas ces explications ne peuvent être simultanées. Elles concernent en effet des régions d'existence autonomes et dans chacune d'entre elles l'ouvrage est pris sous un aspect différent. Il est évident par exemple que lorsqu'on explique le *Contrat social* par Genève, la personnalité de Rousseau s'efface, il devient seulement la conscience abstraite, le milieu signifiant où la liaison s'opère entre l'idéologie genevoise et le *Contrat social* considéré comme *un* ouvrage juridique, synthèse parmi d'autres de ces courants idéologiques. Mais si j'envisage au contraire le *Contrat* à partir de Rousseau, il devient un simple prolongement de sa personnalité, une objectivation de ses tendances personnelles, bref un objet strictement individuel et incomparable. En ce cas la détermination des liens compréhensifs qui unissent Rousseau à son livre devient affaire de stricte psychologie. Enfin si l'on envisage le livre dans l'œuvre de Rousseau et en lui-même, nous nous trouvons en face d'idées qui se développent selon leur logique concrète et de façon presque autonome. Et certes le livre est bien tout cela mais il n'est pas tout cela *à la fois*. D'où cette espèce de scepticisme historique d'Aron.

De tout cela j'étais bien persuadé en Septembre 38. Je me souviens de la difficulté que nous rencontrions, le Castor et moi, lorsque nous voulions saisir les causes de la guerre menaçante. Non qu'elles manquassent, bien au contraire. Mais selon quels principes les coordonner et les hiérarchiser ? Comment passer de la rivalité des peuples prolétaires avec les ploutodémocraties à la personnalité même de Hitler ? C'était d'autant plus troublant peut-être que Hitler et ses conseillers ont vraiment eu à plusieurs reprises le libre choix entre la guerre et la paix. Et cela est plus vrai encore peut-être en Septembre 39 où vraiment il eût suffi d'un geste pour sauvegarder la paix. Et je vois aujourd'hui que la discussion sur les buts de la guerre provient de ce que les particuliers se placent chacun « suivant sa philosophie propre », dirait Aron, à un certain niveau de signification pour envisager les responsabilités de la guerre. Car si l'on veut l'empêcher désormais il faut la frapper dans sa cause. Celui qui se contenterait de voir l'effondrement du national-socialisme se place au niveau de signification individuel : les responsables, ce sont Hitler et ses lieutenants. Supprimez Hitler et la Paix reviendra. Celui au contraire qui veut un démembrement de l'Allemagne et l'annexion de la rive gauche du Rhin, déclarant que « les peuples sont responsables de leur gouvernement », se place au niveau de la collectivité historique. Il peut le faire avec plus ou moins de bonheur, soit qu'il réédite la fable du « méchant Boche » et qu'il croie à un principe inné du mal viciant radicalement l'âme de chaque Allemand, soit qu'il s'appuie sur des considérations réellement historiques : origines de l'unité allemande, perpétuelle menace que constitue un Empire central, situation géographique de l'Allemagne, l'exposant à être perpétuellement en danger et dangereuse etc. Enfin lorsque Valois affirme que la Paix ne peut être obtenue que par une véritable révolution économique et un type nouveau d'organisation de la production et de la consommation, il considère la guerre comme une des conséquences de la grande crise économique du XXe siècle et de la lutte des nations, neuves et prolétaires, contre l'énorme empire anglo-français. Nous retrouvons ici l'explication « matérialiste ». Et sans doute pourra-t-on dire qu'il faudra, si nous avons la victoire, *à la fois* renverser Hitler, prendre des précautions contre la nation allemande et réaliser une meilleure répartition des richesses. Mais il n'en demeure pas moins que logiquement ces idées sont indépendantes. Par exemple ce n'est pas du tout la même chose de considérer Hitler comme un usurpateur qui s'est emparé du pouvoir par suite du désarroi d'une population vaincue, et qui maintient ce pouvoir par la terreur — ou comme une émanation de la nation allemande, expression parfaite et adéquate des désirs et des besoins germaniques, « incarnation » de ce peuple — ou comme un instrument, qui eût été remplaçable, d'une grande évolution économique. Si l'on faisait la paix en tenant compte des trois exigences que je viens de mentionner, ce serait par suite de l'incertitude où seraient les dirigeants touchant le facteur essentiel de la guerre.

Or, bien que tout cela me paraisse fort exact, il me semble pourtant que cela n'est pas tout à fait satisfaisant. Car enfin on aurait tort d'oublier que ces différentes couches de significations sont *humaines* et, comme telles, produites par une réalité humaine qui s'historialise. Par exemple, Marx écrit dans *Misère de la philosphie* que « la misère peut être une force révolutionnaire ». Et Albert Ollivier *(La Commune)* lui répond avec raison que l'action de la misère, à elle seule, ne peut guère être que paralysante. A vrai dire, pour que la misère devienne force révolutionnaire, il faut qu'elle soit reprise et assumée par le miséreux comme *sa* misère. Et non seulement cela, mais il faut qu'elle soit reprise comme situation qui *doit changer,* c'est-à-dire qu'elle soit replacée par le miséreux au sein d'un monde humain où elle sera proprement intolérable. Mais la misère à elle seule n'est jamais intolérable : elle n'est proprement *rien.* Les ouvriers de 1835 avaient un niveau de vie infiniment inférieur à celui que les moins favorisés d'aujourd'hui jugeraient inacceptable. Et pourtant, ils l'enduraient, faute de l'avoir saisi comme situation contingente et non inhérente à leur essence. Pareillement, celui qui montre les forces économiques en lutte ou en équilibre ne doit pas oublier que ces forces sont humaines. Lorsqu'on parle de rivalités de marchés, ou même de la situation géographique d'un pays, lorsqu'on montre par exemple que la situation géographique de l'Allemagne est déterminante de son histoire, il ne faut pas oublier que ces rivalités sont humaines et qu'il n'y a de « situation », géographique ou autre, que pour une réalité humaine qui se pro-jette à travers cette situation vers elle-même. Aucune situation n'est jamais *subie.* Si l'homme était un être « au milieu du monde », il n'y aurait jamais de situation, il n'y aurait que des positions. Et non seulement la réalité-humaine « fait éclore » la situation en faisant irruption dans le monde, mais encore elle décide seule et dans son pro-jet primitif du sens de cette situation. Ainsi n'est-il aucune force mécanique qui puisse décider de l'Histoire et nous pouvons reprendre, en un autre sens, la fameuse formule de Marx selon laquelle « les hommes sont les auteurs et les acteurs de leur propre drame ». Mais cela rend plus irritant encore le parallélisme des significations historiques, car si nous retrouvons l'homme partout comme l'auteur et l'acteur de son drame, si toutes les significations sont humaines et si l'homme est une totalité unitaire, comment rendre compte de cette séparation tranchée et irrémédiable entre les couches signifiantes ?

Le problème est d'autant plus complexe que l'homme existe sous la loi du *Mit-sein*[1], ce qui signifie que, chaque fois que l'on veut trouver en un individu la clé d'un événement social, on est rejeté de lui à d'autres individus. Napoléon a perdu la bataille de

1. Etre-avec. *(N.d.E.)*

Waterloo parce qu'il l'avait engagée prématurément. Oui. Mais si Grouchy..., etc., Napoléon, bien qu'ayant mal engagé la bataille, l'eût peut-être gagnée. Et dirait-on alors qu'il l'avait engagée prématurément ? Et puis, comme dit Pierrefeu, si Wellington n'avait été si bête, il se serait aperçu très tôt qu'il était battu et se serait retiré conformément aux règles du jeu, au lieu de s'obstiner stupidement sur le terrain, ce qui finalement lui donna la victoire. Ainsi est-on renvoyé de consience en conscience sans jamais trouver la conscience suffisante, la conscience efficace, sans non plus qu'une addition des consciences puisse constituer un tout organique. Il y a une seconde difficulté ; le relativisme historique à la Simmel s'accommoderait assez de faire s'évanouir l'événement en *représentations,* ce qui donnerait en somme une base théorique au scepticisme dont nous parlions tout à l'heure, tout en lui permettant de rester dans des limites humaines. Mais il est évident que, quoique l'événement soit *humain,* c'est-à-dire senti et vécu sur le mode du pour-soi, il *est* cependant, c'est-à-dire qu'il est ressaisi par-derrière par l'en-soi. C'est-à-dire qu'il ne peut se réduire à des vues de consciences les unes sur les autres, il échappe — et transcende les consciences en ce qu'il est soudain existence réciproque de ces consciences. J'en ai traité dans le carnet 12. A ce moment-là, quoique l'événement ait l'homme pour « auteur et acteur », il lui échappe et le domine soudain. Pour poursuivre la comparaison de Marx, j'imagine un auteur-acteur comme Shakespeare ou Molière, metteur en scène par-dessus le marché, écrivant, montant et jouant une certaine pièce. Tout est de son cru. Si je veux le déposséder de quelque chose, je retomberai aussitôt sur les consciences des autres acteurs et enfin sur celles des spectateurs. Pourtant quelque chose est au-delà de tout ça. Je ne dirai pas tant que c'est *la* pièce de théâtre. Certes, l'auteur-acteur n'est pas « dedans », ni les autres comédiens, ni le public. Elle est devant eux ; si l'on veut elle est entre la scène et la rampe. Seulement, quoique *objet,* elle est objet *pour* des consciences. Elle est l'unité transcendante des consciences qui convergent *vers* elle, elle n'existe que par rapport à des consciences. Mais ce qui est beaucoup moins humain et rationnel, ce qui ressaisit auteur, spectateurs et comédiens dans l'indistinction d'une existence *en soi,* c'est le *fait* que toutes ces consciences ont convergé vers une même pièce, le 6 Mai 1680 à l'Hôtel de Bourgogne. Et l'Hôtel de Bourgogne comme le 6 Mai, fussent-ils allégés de leur être substantiel par la remarque qu'il ne saurait y avoir un hôtel ou une date que pour des consciences, il n'en demeure pas moins que dans un écoulement non daté une certaine unité synthétique de consciences a existé sur le mode de l'*en-soi.* Et cette unité-là est opaque et inépuisable ; c'est un véritable absolu. J'ajoute que son contenu est tout entier humain mais que l'unité elle-même en tant qu'existence *en soi* est radicalement inhumaine. C'est la facticité du pour-autrui. L'homme en effet ne peut exister qu'en tant qu'il est pour-soi ou pour-autrui. Mais il s'échappe à lui-même par sa facticité qui recouvre ce pour-soi d'une certaine densité d'en-soi. Il en va de même pour les rapports réciproques du pour-autrui. C'est ça l'*événement.* Or c'est cet événement dans son existence absolue que vise l'historien. Il n'est que de voir la façon dont il parle. Voyez Ludwig, parlant des brouilles qui survenaient constamment entre Holstein et Eulenburg : « C'est entre de pareils tiraillements de deux neurasthéniques que la politique extérieure de l'Empire Allemand fut entraînée tantôt à droite, tantôt à gauche. » Il est évident que, pour parler de la sorte, il faut qu'il vise ce qu'aucune de ces deux consciences ne peut saisir, qu'il s'appuie sur une vérité qui n'est pas garantie par l'évidence du pour-soi. De même, s'il écrit : « Sa mère ne fit rien pour l'en détourner », certes il a pour garant ici une conscience qui se disait à elle-même « je ne ferai rien pour l'en détourner ». Mais on voit qu'il monte au-dessus de cette conscience au niveau où c'est devenu un *fait* dont l'impératrice Victoria — en tant qu'il est fait — n'est plus responsable. L'historien est toujours au niveau de la facticité. Seulement, l'ambiguïté profonde de la recherche historique, c'est qu'elle va *dater* cet événement absolu, c'est-à-dire le replacer dans des perspectives humaines, alors qu'il est l'en-soi inhumain de la réalité humaine, sa facticité même ou fait que la réalité humaine n'est pas son propre fondement. Et s'il procède ainsi, c'est que ce fait inhumain, d'abord, a un contenu humain et, ensuite, sera repris, assumé, transcendé par d'autres consciences, qui se pro-jettent par-delà la facticité de l'événement et qui le transforment en *situation.* Finalement c'est *cela* l'inhumain dans l'histoire — un inhumain métaphysique — et non l'existence géographique de puits de pétrole en Roumanie ou au Mexique. Car le puits de pétrole est « déjà-dans-le-monde » quand l'irruption d'une réalité humaine le « fait éclore à lui-même ». Au lieu que l'événement historique est par-delà ce qui fait qu'il y ait un monde.

De sorte que finalement l'homme réagit de la même façon au fait « Pierre n'est pas allé chez Thérèse, hier » qu'au fait « il y a un fossé sur la gauche ». Dans les deux cas il se considère comme en présence de l'en-soi. Il le prouve par ses actes. Seulement, de ce fait, l'en-soi inhumain est humanisé, replacé dans le monde, assumé et transcendé : « Pierre n'est pas allé chez Thérèse ? — Bon, j'ai encore le temps d'envoyer un coup de téléphone, etc. » Ainsi l'*événement* est ambigu : inhumain en tant qu'il enserre et dépasse toute réalité humaine, en tant que l'en-soi ressaisit le pour-soi qui lui échappe en se néantisant — humain en ce que, dès qu'il apparaît, il devient « du monde » pour d'autres réalités humaines qui le font « éclore à soi », qui le transcendent et pour qui il devient *situation.* Vécu dans l'unité néantisante du pour-soi, ressaisi dans la glu inhumaine de l'en-soi, repris et dépassé — comme la totalité de l'en-soi d'ailleurs — par une autre conscience, l'événement est proprement indescriptible. Et l'historien lui-même se meut sur trois plans : celui du pour-soi où il essaie de montrer comment la décision s'apparaît à elle-même chez le personnage historique — celui de l'en-soi où cette décision est fait absolu, temporel mais non daté — celui enfin du pour-autrui, où l'événement pur est ressaisi, daté et dépassé comme étant « du monde » par d'autres consciences. C'est ce qui est clair lorsque, par exemple, un historien s'efforce de démêler ce que *fut* en soi la prise de la Bastille de ce qu'on en *fit.* Sinon le débat ne serait même pas institué ; si l'historien était relativiste à la façon de Simmel, l'événement ne se distinguerait pas de ce qu'on en a fait.

Mais cette ambiguïté essentielle étant mise à part, n'est-il pas possible d'opérer une conversion analogue à celle que faisait A. Comte quand il montrait que la sociologie, dernière des sciences en date et dépendant de toutes les autres, se retournait sur les sciences pour les embrasser toutes et les fonder dans leur concrétion individuelle ? Ne pourrait-on essayer de montrer *non pas* la situation agissant sur l'homme, ce qui conduit à la disjonction des couches signifiantes, mais l'homme se jetant à travers les situations et les vivant dans l'unité de la réalité humaine ? N'arriverait-on pas ainsi à réaliser une unité inattendue et imprévisible des couches signifiantes ? Les couches signifiantes ne demeurent-elles pas parallèles, exactement comme les sciences le sont d'abord chez Comte, parce qu'on les considère d'abord et isolées ? Mais si on les considère à partir du projet de la réalité humaine ? Par exemple, pour l'historien classique, la politique de Guillaume II vis-à-vis de l'Angleterre d'une part, et l'atrophie de son bras gauche d'autre part, représentent deux types de motivations psychologiques bien distinctes. Mais c'est parce qu'on commence par poser l'atrophie du bras gauche comme un *fait* et l'existence de rapports anglo-allemands comme un autre fait. Supposons que nous partions de Guillaume II comme réalité humaine se projetant à travers une série de situations. Qui sait si nous n'allons pas trouver un rapport interne de compréhension entre cette politique anglaise et ce bras atrophié ? Ludwig permet justement de s'en assurer. Seulement il ne faut pas prendre le point de vue de la psychanalyse, qui est encore un déterminisme et qui, comme tel — bien que se vantant d'avoir introduit l'explication par l'histoire dans la vie de l'individu — est antihistorique. En effet l'Histoire ne se comprend que par *la reprise et l'assomption des monuments.* Il n'y a histoire que lorsqu'il y a assomption du passé et non pure action causale de celui-ci. Je voudrais essayer ici de faire d'après les interprétations de Ludwig le portrait de Guillaume II comme réalité humaine assumant et transcendant les situations, pour voir si les différentes couches signifiantes (y compris la couche géographique et sociale) ne se trouvent pas unifiées au sein d'un même projet et déterminer dans quelle mesure Guillaume II est une *cause* de la guerre 14. J'esquisserai donc un autre type de description historique, qui renverse l'explication et va de l'homme à la situation et non de la situation à l'homme. Il importe peu que les interprétations de Ludwig soient *toutes* exactes. Il suffit de les tenir pour vraies, par hypothèse de travail, car il s'agit de donner un exemple de méthode et non de découvrir une vérité historique de fait. A vrai dire il s'agit même moins d'établir des procédés qui profiteraient à l'histoire que d'instituer une sorte de métaphysique de l'historialité et de montrer comment l'homme historique s'historialise librement dans le cadre de certaines situations. Je tenterai la chose demain, sans doute.

Un jeune homme à lunettes, maigrelet, l'air d'un sot qui a l'habitude de l'intelligence, voit que je lis *La Commune* d'Ollivier et m'entreprend avec prudence, puis me révèle qu'il est socialiste et « s'occupe activement du mouvement ouvrier ». Il me décrit longuement le désarroi des partis ouvriers, leur pessimisme. « On en a tellement marre de la guerre que, si Daladier nous apportait la paix à présent, ce serait un Dieu, il pourrait faire ce qu'il voudrait, le prolétariat se laisserait museler. » Je lui dis, pour le tâter : « Alors, heureusement qu'il en est bien incapable. » Mais il ne va pas jusqu'au bout de ses idées. Il revient de permission et il a vu pas mal d'affectés spéciaux qui travaillent dans les usines de la région parisienne. « C'est la terreur dans les usines, me dit-il, dès qu'un ouvrier se plaint en public, hop, il est bouclé et envoyé sans jugement dans un camp de concentration. Les ouvriers sont abattus et effarés. » Le renseignement me paraît précieux, mais la personnalité du type en diminue la portée ; il me dit en effet d'un air de conspirateur : « Et... on te laisse lire ces livres-là, ici... tes officiers... ? Tu ne te... caches pas un peu... par prudence ? » J'imagine donc que si ce type n'était pas soumis à un régime de terreur, il s'inventerait sa petite terreur à son usage. Il termine par une note optimiste : « Le mouvement ouvrier est vicié jusqu'aux moelles par le communisme, mais la Russie s'effondrera la première et je crois que le mouvement ouvrier reprendra alors sa pureté. » Fort défiant quand il s'agit de mesures gouvernementales et constatant avec bon sens l'échec partiel du blocus, il redevient naïf dès qu'il s'agit du prolétariat et compte encore sur une révolution populaire en Allemagne.

Vendredi 8 Mars

Jacques Chardonne dans *Chronique privée* cite un historien dont il ne dit pas le nom : « Tout s'est très mal passé, toujours. »

Ce que l'historien classique serait tenté de voir d'abord, s'il voulait faire l'histoire de Guillaume II, c'est le *fait* ou plutôt l'ensemble des faits qui paraissent préexister à son individualité et influer sur le développement de sa personne. Ces faits sont suffisamment rigides pour qu'on puisse énumérer les plus importants et ils apparaissent tout de suite comme appartenant à des couches de signification irréductibles. Je dirai que le premier, c'est le fait d'Empire, c'est-à-dire ce pouvoir sacré qui l'attend dans l'avenir sans qu'il ait à le mériter d'une façon particulière ni à le conquérir. Mais il ne s'agit pas ici de n'importe quel empire. Cet empire concret est tout neuf, il s'est définitivement scellé en 1870. Et le « héros impérial » est aussi chef d'un Etat militaire, il est Roi de Prusse. En tant que tel il sera chef de l'Armée et Kriegsherr comme son grand-père. Il faudrait ici définir très exactement les pouvoirs que la Constitution allemande lui confère afin d'avoir une idée nette de cette fonction impériale que Bismarck a forgée pour lui et qui l'attend.

Le second fait concerne sa *famille*. Il faudrait le montrer d'abord petit-fils de Guillaume Ier d'une part — et par la mère, d'autre part, de la reine Victoria. Neveu d'Edouard VII. Fils d'un Prussien faible et sot et d'une Anglaise anglomane qui l'avait converti au libéralisme. Il faudrait insister sur le caractère très particulier du père, éternel Kronprinz qui s'étiole à l'ombre du trône. En sorte que Guillaume II n'est pas *fils de roi* mais petit-fils de roi. L'héritage saute une génération. Lorsque son père enfin arrivera au trône, chacun saura déjà qu'il est moribond.

Le troisième fait, tenant d'ailleurs à cette carence d'une génération de transition, c'est que le *personnel* dirigeant n'est pas en rapport avec l'âge du futur souverain. Il s'agit, pour la plupart des cas, de vieillards, souvent d'octogénaires, comme au temps de la cour du roi Louis XIV, en 1713. Un jeune empereur ne peut de toute évidence gouverner avec un si vieux personnel. C'est un fait futur mais un fait parfaitement prévisible qu'il lui faudra le renouveler. Mais comme le maître tout-puissant de l'Allemagne est Bismarck, le renouvellement devra prendre l'aspect d'une révolution de palais, car Bismarck, chef du personnel, ne se laissera chasser que par une révolution.

Le quatrième fait, c'est que tout l'appareil de gouvernement a été forgé *par* Bismarck et *pour* Bismarck. La faiblesse de cette institution c'est qu'elle n'a de sens que si Bismarck lui-même la contrôle et la dirige. Guillaume trouvera le Reichstag tel que la terreur bismarckienne le lui a fait. Bismarck déchu le reconnaît et le déplore : « Pendant des années j'ai combattu sans merci le Reichstag. Et je m'aperçois que cette institution s'est affaiblie dans sa lutte avec l'empereur Guillaume Ier et avec moi… Nous avons besoin de l'air frais de la discussion publique. » Ainsi ce qui attend Guillaume II ce n'est pas un vieux costume royal, assoupli pour avoir été porté par de nombreux prédécesseurs, c'est un costume tout neuf et taillé pour un autre.

Les faits suivants se trouvent décrits partout : situation géographique, économique, sociale, culturelle de l'Allemagne à l'époque : essor de l'industrie, problème de la natalité, progrès de la social-démocratie.

Enfin dernier fait à la fois intime et extérieur à la *personne* de l'empereur : l'atrophie congénitale de son bras gauche.

Tels quels, ces faits énumérés sans ordre (un historien débuterait par la peinture de l'état de l'Allemagne, il passerait de là au trône, à l'œuvre de Bismarck, au personnel dirigeant, à la famille et enfin à la tare physique — sur quoi il donnerait quelques appréciations générales sur le caractère de l'empereur) appartiennent à des couches signifiantes fort diverses. L'historien, frappé par ceci qu'ils sont tous *indépendants* de l'action de l'empereur Guillaume II, les présenterait comme *motivant* son action. Il ne donnerait pas exactement le caractère de l'empereur comme une cire vierge, mais sa description psychologique serait assez vague pour qu'il puisse présenter ce caractère comme informé par l'action de ces diverses forces.

Voyons ce qu'il en est. Je constate d'abord que la personnalité d'un prince héréditaire se définit avant tout par la future couronne et qu'il est vain de distinguer son caractère de sa nature de Dauphin, comme on a coutume de faire. Il n'y a point là *un* homme, faible et hésitant, qui *par ailleurs,* fait contingent, se trouve en face d'une dignité et d'un pouvoir qui le revêtira un jour. Mais toute faiblesse et toute hésitation paraît sur le fond primitif du rapport essentiel et « a priori » de l'homme à la couronne. Ce qui trompe ici, c'est que nous tous qui avons opté à un certain âge pour un métier, nous ne sommes pas tellement liés à cette fonction sociale. Nous en avons peut-être exercé d'autres et nous pouvons assez bien nous concevoir en quelque autre situation. Mais il faut avouer que les rois sont une autre espèce humaine. Le Dauphin a un avenir barré et fini dès qu'il surgit dans le monde. Son être est un « être-pour-régner », comme l'être de l'homme est un « être-pour-mourir ». Dès qu'il est conscient de lui-même, il trouve en face de lui cet avenir où *régner* est sa possibilité la plus essentielle et la plus individuelle. Et s'il est même des Dauphins qui refusent de régner, encore se décident-ils face à leur destin essentiel, ils ne peuvent éluder leur « être-pour-régner », ils ne peuvent faire qu'ils n'aient été Dauphins au plus profond de leur nature, ils ne peuvent faire que l'être-pour-régner ne soit pour eux une caractéristique *quasi-existentielle.* Leur avenir n'a pas ce caractère contingent qu'a le nôtre — le nôtre qui doit être gagné et qui, même gagné, nous échappe, qui est « entre les mains de Dieu ». Le leur, s'il est contingent, s'il peut être mérité, c'est par-delà le fait premier existentiel qui est que la royauté *les attend.* On a souvent dit que les rois sont seuls. Et c'est vrai, mais on n'en a pas donné la vraie raison. Seuls parce que toujours ramenés à la plénitude de leur individualité, échappant par nature au « On » de la banalité quotidienne, seuls comme un homme qui médite sa mort. Le seul devenir qu'ils puissent mériter, c'est celui de *grand* roi, titre qu'ils acquerront après le couronnement et qui reviendra en arrière sur ce couronnement même, pour le justifier. Titre qui leur donnera enfin une société — car on est grand roi *parmi* les rois — mais sans les tirer de leur isolement. Toutefois cette situation première n'est pas subie, elle n'est pas une qualité passivement reçue. Au contraire elle est la tension première, le pro-jet originel et libre vers un avenir fini qu'on dépasse vers soi-même. La royauté est — comme Heidegger le dit du monde — ce par quoi le futur souverain se fait annoncer ce qu'il est. Il m'apparaît donc que la liberté première de Guillaume II s'appelle royauté. D'ailleurs la liberté intervient encore dans la *manière* d'être-pour-régner. Je vois que Guillaume, d'abord, veut être « grand » roi. Mais cela même demande une description. On peut vouloir être grand roi pour s'excuser d'être roi, on peut vouloir *user* de la royauté pour être grand. Mais Guillaume considère seulement la grandeur comme l'individualisation de la royauté. Il veut être grand pour être *ce* roi-*ci*, pour être plus profondément, plus individuellement roi, pour s'approprier plus étroitement le titre de roi. Il est absolument normal, dans ces conditions, qu'un roi saisisse librement cette situation originelle sous forme de droit divin. Ce qui est le cas pour Guillaume II. Il ne fait que donner une expression mythique à ce fait que, seul parmi les hommes, son être est un être-pour-régner. Il *est* le règne. Et ceci il le constate *dans son être,* sa compréhension préontologique de soi coïncide avec le pro-jet de soi-même vers le couronnement. Enfin, dans la constitution même de son être comme être-pour-régner, le Dauphin reste libre d'assumer sa facticité (je suis pour régner mais mon existence même est sans justification) ou de se la masquer (le fondement de mon existence est le règne — non seulement je suis-pour-régner mais *j'existe* pour régner). Ici le droit divin boucle sa boucle, et le futur souverain s'enferme dans une solitude inauthentique. Le voilà entièrement et profondément responsable ***dans son être*** de ce que l'historien nous donnait d'abord comme un fait extérieur et contingent. Le règne n'est pas un ***dehors*** pour Guillaume II. Ce n'est pas non plus une représentation intérieure et privilégiée. Le règne, ***c'est*** lui.

Mais notons ici que l'homme qui va régner est un infirme. Il a un bras atrophié. Je voudrais attirer l'attention sur ce que cette infirmité n'est en aucune façon comparable à d'autres infirmités physiologiquement analogues qui peuvent se produire chez des ***sujets*** ou des ***citoyens libres.*** Pour le futur citoyen libre, l'infirmité est saisie comme un empêchement indéterminé qui supprime une catégorie mal recensée de possibilités. Mais, en même temps qu'il les supprime, il oriente, en tant qu'il est saisi et transcendé, vers d'autres possibilités. Ma manière ***d'être mon bras atrophié,*** c'est à la fois de me détourner de la carrière militaire, de renoncer aux sports, peut-être même de mépriser les sports et de m'élancer par-delà cette infirmité vers l'étude, les professions libérales, l'art, etc. Ma manière à moi d'être mon œil mort c'est certainement ma façon de vouloir être aimé par séduction d'esprit, de refuser un abandon qui ne me siérait pas, comme aussi bien de refuser avec regret d'assister aux séances d'anaglyphes et de regarder dans les stéréoscopes. Je ne ***suis*** cet homme à l'œil éteint que lorsque je le suis librement. Et je le suis dans la mesure où je me choisis par-delà cet œil éteint. Mais qu'en est-il pour un futur roi qui est ***déjà roi*** lorsqu'il s'assume comme infirme ? Il importe peu ici que chronologiquement l'une des découvertes précède l'autre. L'essentiel est la hiérarchie. Le roi est pour-régner mais il n'est pas pour-être-infirme. L'infirmité se découvre sur le fond de droit divin. Constatons que l'être-pour-régner est ici très particulier. La dignité de roi de Prusse donne à ce règne un caractère militaire. Le roi est roi-soldat. Ainsi l'infirmité ne peut apparaître comme précisant les contours d'une vie en rayant certaines catégories de possibilités. Elle ne doit pas plus empêcher de régner qu'elle n'empêchera de mourir. Elle est donc saisie par un être qui revient, ***déjà roi,*** sur elle ; elle est saisie à partir de la royauté. Elle est l'empêchement constant qui doit être constamment surmonté et *jamais accepté.* Car l'acceptation équivaudrait à l'abandon de certaines possibilités que Guillaume a librement constituées comme appartenant à son être propre. L'attitude librement prise ici est celle du refus, car l'infirmité est la fêlure secrète de la royauté. Elle représente le *scandale* et, très exactement, la facticité que l'on veut nier. Guillaume ne peut donc accepter que de la *masquer* et de la *compenser.* Il ne s'agit là évidemment que de procédés magiques. Mais si nous employons ici le mot de complexe d'infériorité, qu'il soit bien entendu que c'est en un sens spécial. Un complexe d'infériorité ne saurait être du même type pour un roi que pour un citoyen, car il paraît, chez le roi, sur le fond de l'être-pour-régner qui a déjà isolé le roi et qui le porte au-dessus des hommes. Il s'agit d'une infériorité absolue en quelque sorte, qui n'est infériorité devant personne puisque toute comparaison est interdite (ce qui n'exclut pas naturellement certains regrets mélancoliques devant la paire de bras solides et agiles d'un officier d'état-major). De là la tendance à vouloir conserver toutes ses possibilités essentielles *malgré* l'infériorité physique. De là la pèlerine spéciale masquant le bras gauche, de là un goût d'autant plus marqué pour les exercices militaires et sportifs et pour la chasse. De là mille ruses : « Il apprit avec beaucoup d'habileté à appuyer sa main gauche sur son ceinturon et à la mettre dans sa poche, à passer la bride de la main droite dans la main gauche, à se libérer à l'aide de son domestique pour une foule de choses et cela rendit le bras droit si énorme et si lourd que souvent le pauvre garçon glissait à droite lorsqu'il était à cheval. » De là aussi de profonds mensonges. Notamment celui de la chasse. L'empereur ne pouvait pas vraiment chasser : « Son garde du corps est obligé d'étendre le bras droit appuyé sur un long bâton pour servir de support au fusil du prince. » Et pourtant il veut être le premier chasseur du royaume. Aussi transforme-t-il toute chasse en battue : « Une armée de gardes-chasse était en activité à bicyclette, en voiture, à pied, de sorte que chaque point de la chasse était en perpétuelle observation... Les chasses étaient épouvantables. Le pauvre gibier est traqué dans un espace entouré de haies au milieu duquel sont postés les tireurs de marque. Ils n'ont qu'à viser les malheureuses bêtes hors d'haleine qui immanquablement s'élancent le long de la haie. Ils tirent jusqu'à ce que toutes soient tuées. » Il ne se peut pas que Guillaume ne sente pas la *complicité* de son entourage en ce cas comme en tant d'autres. Pourtant à quarante-trois ans il pouvait faire graver en lettres d'or sur un bloc de granit : « Ici S. M. l'Empereur Guillaume a tué sa 50 000e pièce de gibier, un faisan blanc. » S'il y a mensonge à soi, c'est un mensonge qui se fait avec la totalité de la réalité humaine, un mensonge royal. C'est qu'en effet le droit divin, en séparant son bénéficiaire des autres hommes, lui confère un droit à une complicité sacrée. Le mensonge rituel fait partie des cérémonies par lesquelles les sujets communiquent avec l'objet tabou. C'est un hommage que le souverain *attend* des autres hommes. Et le degré de foi qu'il lui attache, sans empêcher totalement la clairvoyance, l'obscurcit. C'est une foi cérémonieuse. D'autant plus cérémonieuse que le souverain a des rapports cérémonieux avec lui-même. La tonalité même de ses rapports intraconscientiels, au niveau où la conscience est conscience de soi, est le sacré. Le sujet se doit de mentir et le souverain se doit de croire au mensonge. Car les seuls rapports humains qui excluent le mensonge sont ceux d'égalité et le souverain est celui qui ne peut vouloir l'égalité.

Cependant cette façon de masquer son infirmité n'est pas seulement une fuite, c'est un effort libre et énergique pour la dépasser. Et Ludwig a raison d'écrire : « Les quelques personnes qui purent mesurer l'importance de cette victoire morale sur la faiblesse physique se sentirent autorisées depuis ce moment à fonder les plus brillants espoirs sur cette personnalité. A la vérité cette victoire morale que le prince remporta sur son infirmité devait causer sa perte. Son désir orgueilleux de faire une profonde impression sur ses parents lorsqu'il galoperait en brillant uniforme à la tête de son régiment, cet orgueil n'était que le prélude d'innombrables parades, défilés, discours tapageurs, poings menaçants à l'aide desquels pendant de longues années il essaya de se justifier vis-à-vis de lui-même. »

Et cet autre texte permet de comprendre ce qu'est la « faiblesse » de Guillaume II : « Seuls ceux qui ont été témoins pendant sa jeunesse de cette lutte incessante contre cette infirmité congénitale comprendront plus tard que l'empereur puisse perdre le contrôle de ses nerfs trop tendus. Cet effort constant contre un mal trop visible à chacun, qu'il ferait mieux de montrer naturellement, cette lutte de chaque heure, de toute la vie pour cacher une infirmité innée mais non repoussante a une influence considérable sur la formation entière de son caractère. Se sentant faible, il cherche à exagérer sa force, mais au lieu de la puiser dans le domaine de l'esprit, où son intelligence mobile l'aurait aidé à réussir, la tradition et l'ambition l'incitent à en faire montre par une attitude héroïque, c'est-à-dire celle d'un officier. »

Ludwig a tort de traiter ici Guillaume comme un citoyen quelconque, sinon il ne s'étonnerait pas qu'il essaie de cacher « un mal visible à chacun ». La complicité sacrée qu'il se reconnaît en droit d'exiger de chacun permet à Guillaume de poser en principe que toute *cérémonie* ayant pour but de masquer un mal par ailleurs visible doit obtenir magiquement que les yeux de chacun se couvrent d'un brouillard. La mauvaise foi sacrée de Guillaume est une prétention — fondée sur le droit divin — sur la mauvaise foi de ses sujets. En outre il a tort de dire, en termes de causalité vulgaire, que la tradition et l'ambition « l'incitent » à compenser son infirmité par l'attitude héroïque d'un officier. C'est que Ludwig considère l'infirmité de l'empereur isolément. Il ne va pas à elle *à partir* de l'être-pour-régner de l'empereur. Etre-pour-régner en Prusse, comme roi-soldat. Le choix libre ne se fait pas au niveau de l'attitude envers l'infirmité. Il est beaucoup plus total, puisqu'il se fait à l'égard de l'être-pour-le-trône. Guillaume, cherchant à réussir dans le « domaine de l'esprit », ce ne serait pas seulement un autre homme, ce serait un autre *roi*, choisissant un autre règne et une autre Prusse — s'efforçant de changer la Prusse — et ce changement eût été si important que Ludwig voit bien lui-même que tout le cours ultérieur de l'histoire en eût été modifié. C'était au niveau du projet libre de son être-dans-le-monde que le choix eût été possible et dès lors Guillaume, se pro-jetant *autre* par-delà son infirmité, eût souffert d'une *autre* infirmité. Reste que le choix, qui engageait la totalité de la personne, eût été possible. Ce qui nous permet de comprendre que Guillaume a *choisi* sa faiblesse. Il ne faut pas dire, comme Ludwig : « Se *sentant* faible, il cherche à exagérer sa force », puisqu'il eût pu, en se rendant maître dans le domaine intellectuel et en dévoilant cyniquement son infirmité, *être réellement* fort. Mais plutôt, en se comprenant lui-même comme empereur-soldat de droit-divin, qui devait dépasser et nier son infirmité comme un scandale par un effort constant, il *choisissait* que sa force fût faiblesse. Il *choisissait* la fêlure secrète. Il « *s'est fait* » faible. C'est-à-dire qu'il s'est choisi d'être avec une faille. Mais le texte de Ludwig que nous venons de citer a l'avantage considérable de nous montrer que l'infirmité de Guillaume ne saurait être tout simplement un mal physique et visible, une certaine atrophie d'un bras. Considérée ainsi, comme elle le serait par un historien classique, elle est sans aucun rapport avec la politique de Guillaume vis-à-vis de l'Angleterre, par exemple. Or il apparaît déjà qu'elle ne peut exister pour lui que comme situation signifiante. Déjà Ludwig nous découvre, à travers elle, les « discours, poings menaçants, défilés, parades ». Entendons qu'elle n'est pas *cause* ni même *mobile* de ces manifestations. Mais ces manifestations, au contraire, représentent la *manière* d'appréhender l'infirmité comme situation. De ce point de vue nous saisirons, par exemple, la dépêche de Guillaume à Kruger comme une manière *d'être-sa-propre-infirmité.*

Mais cela ne saurait suffire, et nous allons voir à partir de là des couches de signification en apparence inassimilables se lier subitement à cette infirmité congénitale. Il est certain en effet que, pour Guillaume, infirmité = Angleterre, et vaincre l'Angleterre = supprimer son infirmité. Je continuerai demain.

C'est la bourgeoisie qui a empêché la guerre en 38 et décidé la capitulation de Munich, plus encore par peur de la victoire que de la défaite. Elle redoutait que la guerre ne profitât au communisme. En Septembre 39, au contraire, la guerre est bien accueillie par la bourgeoisie parce que le traité germano-russe a déconsidéré le communisme et qu'on sait à présent que cette guerre, qui se fait, directement ou indirectement, contre les Soviets, s'accompagnera nécessairement d'une opération de police intérieure. Le parti communiste sera dissous. Ce que n'avaient pu faire dix ans de politique, la guerre le fera en un mois. Telle est, me semble-t-il, la raison principale de l'adhésion bourgeoise à la guerre. Sous ses allures de guerre nationale, c'est en grande partie une guerre civile. Pendant que beaucoup d'entre nous luttent contre l'idéologie hitlérienne, on liquide en sous-main tout ce qui reste de l'idéologie communiste. La guerre en 38 pouvait être l'occasion d'une révolution. En 40 elle est l'occasion d'une contre-révolution. La guerre de 38 eût été une guerre « de gauche » — celle de 39 est une guerre « de droite ». La maladresse d'Hitler a été de ne pas voir qu'en 38 les démocraties capitalistes se défendaient sur deux fronts : menacées dans leur impérialisme par les ambitions nazies, elles étaient menacées dans leur constitution intime par l'action communiste. Elles ne voulaient pas la guerre pour n'avoir pas à se défendre sur deux fronts à la fois. En faisant front unique avec Staline, Hitler les soulage en leur permettant d'expulser le communisme considéré désormais comme un danger *extérieur*. Et, sans doute, il espérait bien maintenir les deux fronts, il comptait sur la désagrégation du « Front moral ». Mais comment n'a-t-il pas tenu compte de la rapide répression que les gouvernements bourgeois devaient *être trop heureux* d'opérer ?

Je lis le *Livre jaune français* [1] et je note qu'il n'y est nullement question du fameux « coup du 2 Juillet », tentative prétendue de putsch à Dantzig, qui aurait été suivie de reculade allemande. Pourtant le bruit en avait fortement couru à l'époque et

1. Publié par le Quai d'Orsay en 1939. *(N.d.E.)*

naturellement Tabouis[1] s'en était fait l'écho. A une réunion de la *N.R.F.* à laquelle j'assistais, le 1er Juillet, je crois, il en avait été fortement question et Nizan m'avait dit : « Nous risquons la guerre pour demain. » A l'origine de ce bruit il y a eu, ce me semble, un rapport de M. Coulondre[2] en date du 27 Juin signalant la possibilité d'une annexion de Dantzig menée par l'intérieur et une note de Georges Bonnet[3] à l'ambassadeur de France à Londres l'invitant à prier Lord Halifax[4] de déjouer la manœuvre à l'occasion de son discours du 29 Juin — un incident de frontière caché par la presse allemande et la presse polonaise (un groupe de Hitler Junge franchissant la frontière en Poméranie), et l'entretien de Bonnet avec l'ambassadeur d'Allemagne à Paris.

Samedi 9 Mars

Je reviens à Guillaume. Je veux montrer qu'il n'est pas de faits extérieurs ayant *agi* sur sa personnalité, mais qu'il *est* lui-même une totalité en situation, que les situations n'existent que par sa manière de se pro-jeter comme totalité à travers elles. Je veux montrer comment son infirmité n'est pas seulement un défaut physiologique mais une situation signifiante. J'ai montré qu'elle *signifiait* cavalcades et défilés et poings tendus. Je veux montrer son rapport signifiant avec la politique anglaise de Guillaume. Il faut passer d'abord par la *famille.* Ici encore le souverain est radicalement différent de ses sujets. Guillaume est petit-fils de la reine Victoria, et lorsque celle-ci le gourmande à propos de son attitude vis-à-vis de Lord Salisbury, elle écrit : « Jamais un monarque ne peut parler sur ce ton à un autre monarque, encore bien moins à sa grand-mère. » Les relations d'Etat sont pour le souverain des relations de famille. Toutefois il ne faut pas non

1. Geneviève Tabouis, journaliste. Ses commentaires radiophoniques de politique étrangère étaient très écoutés. *(N.d.E.)*
2. Ambassadeur de France à Berlin. *(N.d.E.)*
3. Ministre des Affaires étrangères français. *(N.d.E.)*
4. Secrétaire du Foreign Office. *(N.d.E.)*

plus prendre le concept de famille au sens où on le prend quand il s'agit de citoyens. Là, inversement, on pourrait dire que les relations de famille sont des relations d'Etat. La lettre de Victoria est significative. Ce qu'elle reproche d'abord à Guillaume c'est d'avoir manqué aux cérémonies qui sont de mise entre monarques. Et le fait qu'une de ces personnalités régnantes est la grand-mère de l'autre est présenté comme circonstance *aggravante*. Je ne saurais comparer la chose qu'au respect qu'exigent de nous nos officiers : je dois respecter mon colonel *parce qu'il* est colonel. Et s'il est, par-dessus le marché, un vieillard de soixante-cinq ans, cette circonstance joue mais par-dessus le marché, comme *nuance* de mon respect. Je serais fort mal venu de lui dire, par exemple : « Vous avez droit à mon respect en tant que vieillard mais non en tant que colonel. » Il y a donc ici une singularité — qui se marque par exemple dans le fait que Guillaume, empereur tout frais, fait sentir sa dignité à son oncle Edouard, alors simple héritier du trône. « Lors de sa première visite à Vienne en 1888, Edouard s'étant annoncé en même temps que lui, le jeune empereur pose comme condition d'être reçu seul. Il refuse l'offre d'Edouard qui voulait aller le recevoir à la gare de Vienne en uniforme prussien et l'oblige à quitter Vienne pendant une semaine et à aller voyager en Hongrie. » Pourtant Edouard a vingt ans de plus que lui. Les relations de famille viennent colorer les relations entre monarques, elles viennent marquer de façon concrète que les monarques sont des *pairs ;* toutefois cette égalité n'exclut pas l'isolement, parce que c'est une égalité sacrée. En outre toute réunion de famille prend une dimension internationale et diplomatique. Elle signifie « rapprochement ». Par exemple en 99, la reine Victoria, pour des raisons de politique, s'oppose à ce que son petit-fils vienne lui rendre visite pour son quatre-vingtième anniversaire. En somme dans l'être-pour-régner de chacun est donné l'être-pour-régner d'autrui. Et cet autrui qui règne a ce lien concret avec le monarque d'être *de sa famille.* Et comme chacun, dans son être-pour-régner de droit divin, *est* l'Etat sur lequel il règne, les rapports du monarque avec les pays des autres souverains sont des rapports de famille. Guillaume II est Anglais par sa mère, dirions-nous, si nous avions affaire à un simple citoyen. En fait, touchant un souverain, cette formule choque. Il n'est pas Anglais parce qu'il est d'abord empereur. Mais en tant qu'empereur il fait partie d'une grande famille de solitaires dont chaque membre *est* un certain pays. Et les rapports de chaque souverain avec les pays des autres souverains sont définis par là : ils sont *concrets, individuels, affectifs* et donc facilement *passionnels* et *sacrés.* Entre le souverain et les autres nations il y a un *lien du sang.* L'être-pour-régner sur l'Allemagne de Guillaume II implique dès l'origine un curieux lien du sang, sacré et passionnel, avec l'Angleterre par exemple. Il y a une géographie familiale et sacrée dès l'origine chez Guillaume II, analogue aux fameux *Du côté de chez Swann* et *Le côté de Guermantes* de Proust. C'est vraiment un espace « hodologique » sacré et primitif, très semblable à celui des clans australiens. L'Autriche, la Russie, l'Angleterre sont des directions sacrées et des vecteurs d'homogénéité. Ludwig a bien souligné ce caractère particulier du monde : « Au même moment l'Empereur disait à ses généraux : " La Russie veut occuper la Bulgarie, et elle demande notre neutralité, mais j'ai prêté serment de fidélité à l'Empereur d'Autriche et j'ai répondu au Tsar que je n'abandonnerai pas l'Autriche. " ... L'amitié de l'Empereur pour l'Autriche, qui devait finir par ruiner l'Allemagne, était basée sur ses sentiments pour la maison féodale des Habsbourg. Il ne l'aurait jamais accordée à une confédération comme la Suisse, pas davantage si les huit Etats de la Monarchie avaient formé la République... Son amitié pour les Habsbourg et pour le Sultan était moins d'ordre politique que la résultante de ses sentiments dynastiques grâce auxquels il entretint avec ces deux empereurs des relations durables. Aucun sentiment de Guillaume II n'a été plus sincère que cette pensée fatale de " fidélité fraternelle " : l'Empereur l'accordait non pas à un peuple partiellement allemand mais à un prince qui était son égal.

« Voilà la raison pour laquelle l'Empereur était en perpétuel conflit de conscience entre Vienne et Petersbourg »."

C'est que cette « pensée fatale de fidélité fraternelle » n'est pas un « sentiment » : c'est une situation saisie originellement dans le libre-projet de soi-même vers le règne. L'orientation spatiale est donnée dans l'être-pour-régner comme l'être-pour-autrui originel. Naturellement les Républiques feront dans cette carte géographique et dynastique des zones barrées et interdites. Nous verrons plus tard l'origine familiale de la crainte et de la haine que leur porta l'Empereur. Mais avant toute haine, dans le projet de soi-même vers le règne, les Républiques sont données comme des zones mortes, des no man's land. Je continuerai après déjeuner.

J'interromps pour noter ici la conversation de trois chasseurs derrière moi. L'un : « Le pitaine, il a dit d'un air menaçant : " Je vous donnerai l'ocassion de vous racheter, comptez sur moi. " Mon vieux, je te le jure, si je trouve un trou, comment que je me planque dedans. J'ai pas besoin de me racheter. » Un autre : « Pardi, pour se racheter faut avoir été vendu : j'ai pas été vendu. »

Pour une fois j'approuve Montherlant (*N.R.F.*), note sur les Olympiques :

« (Le jeu est) la seule forme d'action qui soit défendable ; la seule qui soit digne de l'homme, parce qu'intelligente et constructive à la fois, et cela d'ailleurs a été dit : " L'homme n'est pleinement homme que lorsqu'il joue " (Schiller). »

Pourquoi faut-il qu'il ajoute sottement que cette forme d'action est « la seule qui puisse être prise au sérieux » ? Comment ne voit-il pas que le jeu, par sa nature, exclut l'idée même de sérieux ? S'il est quelque unité dans ma vie, c'est que je n'ai jamais voulu vivre sérieusement. J'ai pu jouer la comédie, connaître le pathétique et l'angoisse et la joie. Mais jamais, jamais je n'ai connu le sérieux. Toute ma vie n'a été qu'un jeu, parfois long, fastidieux, parfois de mauvais goût — mais un jeu et cette guerre n'est pour moi qu'un jeu. Il y a une certaine consistance du réel, qui en fait quelque chose comme un flan aux poires et que Dieu merci je ne connais pas ; j'en ai vu qui se jetaient sur cet entremets à la semoule et ils m'ont fait horreur. Il faudra que j'explique ici même, quand j'en aurai fini avec Guillaume, qui commence à m'embêter, ce qu'est un jeu, la métamorphose heureuse du contingent en gratuit, et pourquoi l'assomption de soi est elle-même un jeu. La contrepartie est certainement mon inqualifiable légèreté. Etat lyrique et pénible en ce moment ; il y a un piano au Foyer, caché derrière des rideaux noirs, un type joue — fort bien — des airs de Jazz. Ça me rappelle la lumière laiteuse de ces soirs d'été, les pianistes du College-Inn ; nous étions assis au bar, T. et moi ; de temps en temps le rideau de la porte d'entrée s'écartait sur la nuit ronde et bleue comme une mappemonde, et c'était la paix.

Reçu une lettre d'Adrienne Monnier. Elle m'écrit : « Votre signature a un peu changé. Le J. P. est devenu quelque chose d'étonnant, de très... aérien — c'est l'influence de la météo ! » J'ai eu la faiblesse d'en être ému, j'y voyais un signe de ces changements que je m'efforce d'obtenir en moi, un signe et une promesse.

J'enrage de n'être pas poète, d'être si lourdement rivé à la prose. Je voudrais pouvoir créer de ces objets étincelants et absurdes, les poèmes, pareils à un navire dans une bouteille et qui sont comme l'éternité d'un instant. Mais il y a en moi quelque chose de noué, une secrète pudeur, un cynisme trop longuement appris, et puis de la disgrâce aussi ; mes sentiments n'ont pas trouvé leur langage, je les sens, j'avance un doigt timide et, dès que je les touche, je les change en prose. Le choix des mots me trahit. Si je commence, si je trouve une phrase poétique, il s'y est glissé un mot qui la déchire, un mot trop pointu, trop net ; le mouvement de la phrase est oratoire, elle roule — et si je veux l'arrêter, la voilà pesante et sonore dans une immobilité superbe de matamore. Je ne sais ce qu'il faudrait. Peut-être prendre appui sur les rythmes réguliers. Ou plutôt je ne le sais que trop : il faudrait me taire. Je pense tout cela en lisant ces vers — de je ne sais qui, d'Aragon peut-être — que je copie ici parce qu'ils sont beaux et que je voudrais en faire de pareils : — réflexion faite, je ne les copie pas, ils m'agacent à présent, ils ne sont pas purs. J'aime mieux ces deux-ci, qui viennent, paraît-il, d'une chanson :

Y a des cailloux sur toutes les routes,
Sur toutes les routes y a du chagrin...

Dimanche 10 Mars

Lettre de J. Duboin[1] à Bayet[2] sur l'abondance :

« La guerre ne ralentit pas le rythme du progrès technique, elle l'accélère au contraire. Ceci résulte de la constatation suivante. Il existe dans le monde 25 millions d'hommes mobilisés : au point de vue production, c'est zéro. Il y a aussi 75 millions d'hommes qui fabriquent des armements et des munitions ; du point de vue particulier qui nous intéresse, cette production nécessaire est de la production inutile. Au total 100 millions d'hommes hors de la production utile mais qui vivent du travail des autres. Alors ces autres font appel à des techniques de plus en plus puissantes pour compenser leur infériorité numérique. »

Ce qui m'intéresse en ce texte : la guerre comme *phénomène mondial :* 100 millions d'hommes hors du circuit de travail utile, dont 25 millions de destructeurs. A rapprocher de cette remarque de Ramuz (*N.R.F.*) : « *Asymétrie :* Il y a une grande disproportion entre faire et défaire, construire et détruire. Il faut entendre entre le temps que l'homme prend pour édifier n'importe quoi et le temps qu'il met à le supprimer. La construction d'une maison exige le travail de toute une équipe de maçons pendant des semaines et des mois : il suffit d'un instant pour la jeter par terre.

1. Economiste, théoricien de l'abondance. Il a écrit entre autres *La grande relève de l'homme par la machine* (1932) et *En route vers l'abondance* (1935). *(N.d.E.)*

2. Professeur et publiciste (1880-1961). Il fut président de la Fédération de la presse clandestine pendant la Seconde Guerre mondiale. *(N.d.E.)*

Il y a asymétrie, car si la nature connaît bien, elle aussi, ces façons de faire, elle n'en use qu'exceptionnellement. Elle élève avec lenteur une chaîne de montagnes et ne met pas moins de lenteur à l'user ; elle construit lentement un homme mais ne le ruine, le plus souvent, que peu à peu. »

Nous allons être prochainement rappelés à l'arrière. Le capitaine Munier avait écrit au colonel Weissenburger, chef du Bataillon de l'Air, pour lui signaler que nous étions auxiliaires et que, en conséquence, il ait à nous reprendre nos fusils. A quoi le colonel Weissenburger a répondu : « Impossible de reprendre ces fusils mais je reprends les hommes. » On donnera donc à ces fusils, vieux mousquetons hors d'usage, des hommes qui leur conviennent, des jeunes de l'active. Pour nous, où irons-nous ? Si c'est à Tours — ou en quelque poste du même genre — je m'en réjouis : j'irai plus souvent à Paris et je pourrai faire venir mes amis de Paris. Mais je me demande si je tiendrai encore ce carnet. Sa signification principale était d'accentuer cet isolement où j'étais et la rupture entre ma vie passée et ma vie présente. Tant que j'étais « en ligne », à 10 km des postes avancés, susceptible d'être bombardé, il avait son sens. Peut-être, à l'arrière, faudra-t-il mettre un point final à cette « mise en question » et recommencer à construire : finir mon roman — écrire une philosophie du Néant. De même, ici, voyant chaque jour des chasseurs revenant des avant-postes, des officiers, etc., j'étais très directement mêlé à la guerre. Le serai-je à l'arrière ? Et vaudra-t-il la peine de noter au jour le jour des ragots sans importance ? Ou alors, si je continue ce journal, ce sera par intermittence seulement. De toute façon, il faudra bien encore deux mois pour que le rappel à l'intérieur s'effectue. Je suis joyeux mais tout de même quelque chose finit : ma première période de guerre.

Je reviens à Guillaume. J'ai noté ces curieux rapports de famille qui caractérisent le souverain. Mais ce qui est important, dans le cas de Guillaume, c'est que l'Angleterre était *chez lui*. Sa mère est Anglaise et anglomane. Et l'Angleterre, c'est d'abord sa mère. Mais cette mère le méprise et le hait tout d'abord parce qu'il est infirme. « L'ambitieuse Victoria, fille de la puissante reine d'Angleterre et de son sage époux, ne pardonnera jamais à son fils d'être infirme... d'autant moins qu'elle estimait le sang de son mari très inférieur à celui de son père... Son cœur était plein... de mépris pour ce fils difforme, son premier-né, et elle lui préférait ouvertement ses autres enfants. » Humiliations d'enfance. Humiliations *anglaises,* l'enfant est élevé à l'anglaise et il hait son éducation anglaise. Et pourtant il reste dominé par la superbe anglaise, c'est vis-à-vis de l'Angleterre qu'il a son complexe d'infériorité. Mais il trouve dans la singularité même de son être-pour-régner une sorte de revanche. Frédéric-Guillaume son père sèche à l'ombre du trône. Il n'est pas monarque, il ne le sera peut-être jamais, en tout cas pas longtemps ; le vrai prince héritier, c'est Guillaume. Il se comprend lui-même comme tel et, n'étant point l'héritier d'un *père* régnant, la couronne passant du grand-père au petit-fils, il ne se saisit pas comme recevant du père son droit de régner ; il y a chez lui une sorte de génération spontanée du droit divin, qui est *sans racines.* Il se jette vers le règne *contre* ses parents. Il est bien entendu que le « contre » est ambigu : il veut les dominer et leur arracher leur admiration enfin. Mais c'est ce qui donne dès l'origine à son être-pour-régner un caractère tendu, inquiet, mal assuré. Ce droit divin est une revanche. Il régnera contre ce père et cette mère qui n'auront pas su conquérir le trône ou qui ne l'auront possédé qu'en courant. Son « règne » manque de tradition, il est un parvenu du trône, bien que régnant de droit divin. Il est dans l'être de Guillaume d'être-pour-régner comme un parvenu de droit divin. Mais, de ce fait, il-est-pour-régner-jeune. Ludwig écrit que ce fut un grand malheur pour lui de commencer son règne à trente ans, avant la maturité. Mais il y avait beau temps qu'il se préparait à régner jeune. Ce n'est pas un fait brusquement survenu que ce couronnement prématuré. C'est une situation longuement vécue à l'avance et constitutive de l'être même de Guillaume, qui l'a découverte peu à peu à partir de l'adolescence. C'était sa possibilité propre et il y a quinze ans qu'il la vivait quand enfin il l'a réalisée. Ce qu'il serait advenu si Frédéric-Guillaume, au lieu d'être assassiné par un médecin anglais, eût été guéri par un médecin allemand ? Je n'en sais rien. Mais de toute façon, dans la nouvelle attitude de Guillaume condamné à demeurer longtemps prince héritier, fût sûrement entrée comme composante principale cette possibilité concrète de régner jeune qui, avant de s'effondrer, eût été du moins des années durant sa *propre* possibilité. Le voilà donc qui s'est fait roi de droit divin, qui s'est fait jeune roi bien avant de l'être. Roi contre son père, contre sa mère, contre l'Angleterre et du même coup d'un seul jet de lui-même, avant même de les comprendre, contre les idées libérales que sa mère tentait d'inculquer à son père. « Il devint d'autant plus inabordable que ses parents s'efforçaient de le rendre plus libéral. A Cassel (il avait douze ans) il était déjà tout à fait " le futur Empereur ". » Cette haine du libéralisme, qui se traduira par un « régner-contre-le-libéralisme », c'est tout d'un bloc la haine de l'Angleterre et le refus de trouver un recours dans la vie de l'esprit contre son infirmité, la détermination originelle de régner *à la prussienne*.

On voit comment le trône et l'infirmité sont indissolublement liés dans l'unité d'un même projet de soi qui revient du trône à l'infirmité et qui nuance l'être-pour-régner à partir de l'infirmité. On voit que ni *trône*, ni *couronnement prématuré*, ni *famille*, ni *difformité* ne sont des faits contingents, en ce sens qu'ils pourraient être autres et qu'ils agiraient du dehors sur Guillaume ou qu'on pourrait concevoir Guillaume, différent certes mais malgré tout identique en son fond si d'autres faits avaient agi sur lui. En fait il est impossible de concevoir un *autre* Guillaume que celui qui s'est lancé à travers cette situation, qui *est* le libre projet de lui-même dans cette situation. Son caractère n'est pas *une* chose et son être-pour-régner une autre — son tempérament une chose et son infirmité une autre chose. Il y a une totalité humaine libre qui n'est rien *en* elle-même, dans une immanence qui serait prétracée, qui est tout entière dans son projet. En ce sens on pourrait dire du « régner » de l'être-pour-régner qu'il n'est —

comme dit Heidegger du monde — ni subjectif ni objectif. Ni subjectif : ce n'est pas une propriété intime de Guillaume, quelque chose qui serait dans sa vie intérieure comme une qualité — ni objectif : ce n'est pas un fait extérieur car l'être-pour-régner est une unité et le « régner » ne peut s'extraire de l'être-pour-régner. Autrement dit, Guillaume n'est rien autre que la façon dont il s'*historialise.* Et on voit que dans l'unité de cette historialisation sont liées les couches de signification les plus diverses : le règne dévoile l'infirmité qui dénonce à son tour la famille, l'Angleterre, l'antilibéralisme et le militarisme prussien. Il ne s'agit pas d'une seule et même chose, mais de situations qui se hiérarchisent et se subordonnent selon l'unité d'un même projet originel. Il faudrait montrer à présent comment la chute de Bismarck est au bout de ce projet (le renouvellement d'un personnel trop vieux — puisqu'il est contemporain du grand-père — doit être une révolution. Si c'était le père qui régnait, ce serait une évolution lente. Et précisément parce que le prince se comprend comme parvenu de droit divin, cette révolution est au bout de son projet, quelles que soient les variations de son attitude envers Bismarck) ; comment aussi l'attitude du prince envers le prolétariat (haine et peur de la social-démocratie, essais pour gagner les ouvriers) est comprise dans le projet primitif. En sorte que ce projet est véritablement un pro-jet de soi dans le monde et que la politique changeante et faible du prince vis-à-vis de l'Angleterre, de la Russie, du prolétariat n'est pas un effet du caractère de Guillaume II mais *est* Guillaume II lui-même s'historialisant dans le monde. Mais tout cela va de soi, si l'on admet les descriptions précédentes. Il faudrait évidemment — et c'est une grave lacune de cet essai — traiter des tendances pédérastiques de Guillaume et voir si elles peuvent être conçues dans l'unité du projet premier et leur rapport hiérarchique avec l'être-pour-régner. Qu'est-ce qu'un roi pédéraste — qu'est-ce qu'un roi de Prusse pédéraste ? Mais si je n'en traite pas, ce n'est pas ma faute : c'est que Ludwig est extrêmement vague et discret sur ce sujet capital. Ce que j'ai seulement voulu montrer, c'est que c'est la méthode historique et les préjugés psychologiques qui la gouvernent — et non la structure même des choses — qui produisent cette division des facteurs de l'Histoire en couches signifiantes parallèles. Ce parallélisme disparaît si on traite le personnage historique à partir de l'unité de son historialisation. Mais je reconnais que ce que je crois avoir montré n'est valable que dans le cas où l'étude historique est une *monographie* et montre l'individu comme artisan de son propre destin. Reste qu'il agit aussi *sur les autres.* J'essayerai dans quelques jours — si le livre de Ludwig y prête — de réfléchir sur la part « de responsabilité » de Guillaume II dans la guerre de 14.

Vu C., sous-directeur de l'Agence Havas. Grand beau type à cheveux blancs, ressemblerait à Gary Cooper, s'il n'était un peu épais. Très distant à l'ordinaire et peu aimé. Affiche avec insolence qu'il est d'une autre essence. Il daigne me parler et me toucher la main, me rechercher même — car mon inertie et mon manque de sympathie pour les mâles fait que je ne le salue même pas quand je le rencontre et feins de ne pas le voir ; alors il vient à moi avec une nonchalance de bateau à voiles. Pour moi, j'ai de l'indulgence pour lui parce qu'il est beau. Laid, je ne le tolérerais pas. J'ai déjà expliqué par quel mécanisme. C'est lui, d'ailleurs, dont j'ai parlé dans un des premiers carnets en disant que je me sentais vaguement attiré par lui à cause de sa beauté. Toujours le goût d'asservir la beauté où qu'elle soit et, faute de pouvoir la posséder sur moi, ce désir de la posséder « par personne interposée ». Mais quand il s'agit de mâle ça ne va pas loin. Il ne semble pas être bête, au moins a-t-il un vernis. Il est fier d'être licencié ès lettres. L'autre jour il m'a hélé au Foyer pour me montrer avec une feinte négligence un numéro de Match qui traînait sur une table, à moitié déchiré : « Je suis là-dedans », m'a-t-il dit. J'ai regardé : sur une photo qui représentait le directeur de l'Agence Havas et ses collaborateurs, on le voyait, superbe, en veston noir avec un col dur, à demi incliné vers le directeur. Cette naïveté m'a plu. Il s'était redécouvert en civil et dans un monde civil mort où il avait eu sa place ; il n'avait pas pu garder sa découverte pour lui seul, il avait fallu qu'elle soit enregistrée par quelqu'un. Un peu comme le Castor dit qu'elle aurait horreur de mourir sans que personne fût là pour le constater. La résurrection de son passé n'eût pas été totale si elle n'avait eu un témoin.

Aujourd'hui, au Foyer, j'étais assis sur une chaise près du poêle pendant que les soldats de service s'affairaient à voiler les carreaux et les fenêtres en prévision de la séance de cinéma. Il était une heure de l'après-midi. Soleil dehors, pénombre dorée dans la grande salle déserte. Atmosphère d'avant le spectacle ; j'en jouissais, quoique bien décidé à foutre le camp avant le commencement de la projection. Je ne voulais pas voir *Un oiseau rare* ni un documentaire sur la Ligne Maginot. Mais dans cette fumée sombre et dorée qui remplissait la salle, quelque chose demeurait, comme une vague ressouvenance de ces après-midi de printemps (des après-midi de Dimanche comme celle-ci) que nous passions, il y a six ou sept ans, le Castor et moi, dans la salle de cinéma des Ursulines, fraîche et sombre, très conscients de l'averse de soleil qui tombait au-dehors ; comme dit St-John Perse, le soleil n'était pas nommé mais sa présence était parmi nous. Je lisais, je pensais à cette notion de « situation », j'avais trouvé une idée et puis C. me l'a fait perdre. Je la retrouverai, je compte sur les redites. On pense toujours par redites ; jamais une idée oubliée n'est perdue : on ne la retrouve pas quand on la cherche mais il vous en vient une autre, toute nouvelle — et c'est la même.

Donc C. s'amène, je le vois, je feins de ne pas le voir, je baisse la tête et finalement je vois ses bottes au garde-à-vous devant moi. On se salue avec une indifférence étudiée. Il me livre le secret de son âme amère : « Alors, il paraît que vous partez ? — Oui. — Moi, j'aime mieux rester ici. S'il faut faire le con, autant le faire ici. — Oui. On est plus libre. Mais voyez les difficultés que vous avez eues pour faire venir votre femme. Si vous étiez à l'arrière, vous pourriez vous arranger avec votre famille. » Lui, sec : « La famille n'est pas tout. » Il y a toujours une espèce de laisser-aller secret au cœur de ses phrases dures, comme s'il était au-dessus de ce qu'il disait. Les soldats commencent à entrer dans la salle et à s'asseoir. Bruits de chaises. Il poursuit sans me regarder, il est de profil et je vois son menton volontaire : « Je ne veux rien faire, je m'en lave les mains ; si l'autorité militaire trouve qu'elle a besoin d'un licencié ès lettres pour allumer les poêles, qu'elle en supporte la responsabilité. Je ne bougerai pas. — D'accord, dis-je, mais Havas aurait pu vous rappeler en affectation spéciale. » C'est le seul type d'ici que je voussoie et qui me dise vous. Au début je le tutoyais, mais comme il s'obstine à me dire vous j'en fais autant. « Oui », dit-il. Puis rapidement : « Havas n'a plus de sous-directeur... » Il reprend avec sécheresse : « C'est à eux de savoir s'ils ont besoin de moi. Je ne bougerai pas... Et suivre des cours pour être officier... passer de l'autre côté de la barricade... Non. Alors voilà : je reste dans le prolétariat militaire où on m'a mis. » Bref, il boude ; voilà le fond de l'affaire : il aurait voulu qu'on lui servît une affectation spéciale ou un grade de lieutenant sur un plat d'argent. Un peu plus tard Hantziger s'approche ; son visage en poire est tout rougeoyant et ses yeux sans cils clignotent. « C., dit Hantziger, de ce ton chuchotant et suppliant dont il use pour demander un service, si tu vas chez Havas quand tu iras en perme, rapporte-moi un journal anglais ou canadien. — Je ne sais pas si j'irai chez Havas, dit C. du même ton sombre. Quand on a travaillé dans une boîte, il ne faut pas y retourner. On gêne. Il y a là un tas de nouveaux, on est tout le temps dans leurs jambes, ils ne savent que vous dire. — C'est malheureux, dit Hantziger, tous ces nouveaux qui ont pris nos places, la paix venue comment pourra-t-on s'en débarrasser ? » L'air sombre et méchant de C. s'accentue : « Ne t'inquiète pas. On fera le vide, on balayera tout ça. Les types qui reviendront de la guerre ne seront pas dans l'état stupide d'euphorie nationale où étaient ceux de 18. Ils reviendront décidés à se défendre : on nous a trop fait tourner en bourrique, nous montrerons les dents. Ça sera facile s'il y a entre nous une solidarité bien forte. Pas celle des anciens combattants qui défilent sous l'Arc de Triomphe. Une autre : une solidarité de revendication. Et si un groupe paraît pour organiser ça, alors on verra du nouveau. »

Je note ici une curieuse petite saloperie, fréquente chez moi et dont je sais l'origine. Elle ressortit au schème : grandeur méconnue et réhabilitée. J'ai dit l'importance de ce schème qui me portait, dans mon enfance, à des rêveries d'aspect masochiste — mais fort peu masochistes au fond. Je versais quelques larmes sur Grisélidis ; encore aujourd'hui je suis ému par Cordélia, fille du roi Lear. Il y a donc d'abord erreur — judiciaire ou autre — et catastrophe que le type supporte dignement, en silence. Sur quoi vient l'apothéose, qui naît de son délaissement même et de son silence. Ainsi la chute la plus effroyable porte en elle sa récompense. L'épreuve n'a rien de chrétien car nul Dieu ne vient proportionner le bonheur final aux souffrances endurées : cela vient de soi-même. La récompense est l'achèvement naturel de l'épreuve. Quant à mon esseulement pendant l'épreuve, il est bien caractéristique et, au fond, très voisin de la bouderie de C., par exemple. On ne se défend pas, on se retire — tout à fait cette façon, déjà notée ici, de mettre une distance absolue entre les autres hommes et moi : le premier prétexte est bon pour que je m'en aille à l'écart ; toujours mon orgueil. Et pour finir j'attends qu'on vienne à moi. Toute ma vie, j'ai attendu qu'on vienne à moi, je n'ai jamais fait le premier pas, je veux être sollicité. A quatorze ans, je passais devant un groupe de mes meilleurs camarades, en feignant de ne pas les voir, pour leur donner l'occasion de m'appeler. Malheureusement je choisissais mal mon temps : j'étais pour eux un souffre-douleur et une quantité négligeable ; ils ne m'appelaient pas. Alors je faisais en courant un long détour pour repasser près d'eux, l'air toujours absent, et leur donner une nouvelle occasion de me héler. Ainsi de suite jusqu'à ce que l'un d'eux me dise : « Espèce de con, qu'est-ce que tu as à tourner autour de nous depuis trois quarts d'heure ? ». Par ailleurs je ne doute pas, dans ces rêveries, qu'on ne vienne à moi pour finir. Cette solitude n'est pas pure : le héros de mes songes part non pour fuir définitivement les hommes mais avec la certitude que les hommes se traîneront un jour à ses genoux. Orgueil, fausse solitude, optimisme, il est curieux que tout cela se trouve déjà dans mes premiers songes enfantins. Et dans l'idée même que je me faisais de la grandeur, il y avait l'exigence d'une récompense. Cela m'est resté. Je veux dire que je connais, certes, un certain genre de souffrance sèche à l'œil fixe, qui est oubli de soi et qui est proprement intolérable. C'est celle que j'estime le plus. Mais sur certaines de mes tristesses il y a toujours un ange qui se penche, il me semble qu'une faveur du destin fait que la plus belle récompense va naître de cette tristesse elle-même : toute tristesse doit avoir son beau dénouement. Au fond la guerre m'est apparue très vite à travers ce schème. Années d'épreuves et de grandeur, dont je serais récompensé par un renouvellement et une autre jeunesse. Ce n'est pas moi qui croirais aux peines de guerre, aux peines d'amour perdues. Or hier, c'est là que je voulais en venir, tout mélancolique de ne pas être poète, je me suis mis à écrire sur ce carnet que j'étais mélancolique. Et l'aile d'un ange caressait cette mélancolie ; cette mélancolie portait en elle l'espoir très enveloppé que le passage même où j'écrivais ma tristesse de n'être pas poète, par une récompense spontanée, deviendrait sous mes doigts la plus belle des proses, sans que je m'en rendisse compte et que, quelque temps plus tard, relisant cette plainte toute modeste et honnête, je découvrirais avec une stupeur émerveillée que j'avais justement créé avec ma prose le bel objet, le navire en bouteille que je demandais vainement à la poésie. Je ne puis dire que cet infâme espoir était le *mobile* qui me faisait écrire. Non, Dieu soit loué. Mais il colorait mon écriture. Savoir si l'on s'en sera aperçu. En tout cas on voit le schème : tombé au fond du désespoir parce qu'il n'est pas musicien, il exhale tout uniment sa souffrance et *justement* sa souffrance devient musique, cette plainte fruste et innocente se trouve être la plus belle harmonie.

Lundi 11 Mars

J'ai voulu copier un passage du journal de Gide sur le « peu de réalité » et j'ai eu tort de ne pas le faire. Il explique à Roger Martin du Gard qu'il y a un certain sens du réel qui lui manque et que les événements les plus importants lui semblent des mascarades. Je suis tel, et de là vient sans doute ma frivolité. J'ai longtemps douté si c'était un caractère particulier à certaines gens dont je suis ou si tout un chacun au fond n'était ainsi, si la réalité n'était un idéal impossible à sentir et placé à l'infini. Aujourd'hui encore je n'en sais trop rien mais je constate que Gide, comme grand bourgeois et moi comme fonctionnaire, d'une famille de fonctionnaires, nous n'étions que trop disposés à prendre le réel pour un décor. Finalement, à Gide pas plus qu'à moi, il n'est jamais rien arrivé d'irréparable. Je n'ai pressenti l'irréparable qu'à une ou deux reprises, par exemple lorsque j'ai cru devenir fou. A ce moment-là j'ai découvert que tout pouvait m'arriver *à moi.* C'est un sentiment précieux et tout à fait nécessaire à l'authenticité, et que je m'efforce de conserver autant que je peux. Mais il est fort instable et, sauf dans les grandes catastrophes, il faut une certaine contention pour le maintenir en soi. Et d'ailleurs, sauf en ce cas de folie supposée, où ma conscience suprême était prise à la gorge, je me tirais souvent de ces angoisses pour *mon* destin, en me réfugiant au sein d'une conscience suprême, absolue et contemplative pour laquelle mon destin et l'effondrement même de ma personne n'étaient que des avatars d'un objet privilégié. L'objet pouvait disparaître, la conscience n'en était pas moins touchée ; ma personne n'était qu'une incarnation transitoire de cette conscience, mieux encore un certain lien qui l'attachait au monde, comme un ballon captif. Si cette attitude contemplative avait pour origine ma fonction contemplative de gardien de la culture au sein de la société, comme le déclarerait sans ambages un marxiste, ou si elle représente un projet premier de mon existence (on y trouve en effet l'orgueil, la liberté, la désolidarisation de soi-même, le stoïcisme contemplatif et l'optimisme qui font certainement partie de mon premier projet) c'est ce dont je ne veux pas décider ici. Il est certain, dans tous les cas, que cette façon de me réfugier en haut de la tour, quand le bas en est attaqué, et de regarder de haut en bas, sans sourciller, avec des yeux tout de même un peu agrandis par la peur, est l'attitude que j'avais choisie en 38-39 devant les menaces de la guerre. C'est elle aussi qui m'inspira un peu plus tôt mon article sur la transcendance de l'Ego, où je mets tout bonnement le Moi à la porte de la conscience, comme un visiteur indiscret. Je n'avais pas avec moi-même cette intimité caressante qui fait qu'il y a des adhérences, comme on dit en médecine, du Moi à la conscience, et qu'on craindrait, en essayant de l'en ôter, de la déchirer. Il était fort bien dehors, au contraire, il restait là, certes, mais je le regardais à travers la vitre en toute tranquillité, en toute sévérité. Longtemps j'ai cru d'ailleurs qu'on ne pouvait pas concilier l'existence d'un caractère avec la liberté de la conscience ; je pensais que le caractère n'était rien autre que le bouquet de maximes plus morales que psychologiques où le voisin résume son expérience de nous. La conscience-refuge restait, comme elle devait, incolore, inodore et sans saveur. C'est cette année seulement, à l'occasion de la guerre, que j'ai compris la vérité : certes le caractère ne doit pas se confondre avec toutes ces maximes-recettes des moralistes, « il est coléreux, il est paresseux, etc. », mais c'est le projet premier et libre de notre être dans le monde. J'ai essayé de le démontrer pour Guillaume II. Bref, l'existence d'une conscience-refuge me permettait de décider à mon gré du degré de sérieux qu'il convenait de prêter à la situation ; j'étais comme quelqu'un qui, dans les pires aventures, ne sent pas trop la réalité menaçante des tortures qu'on lui réserve, parce qu'il porte toujours sur lui un grain de poison foudroyant qui le délivrera avant même qu'on ne le touche. Il y a un personnage de *La Condition humaine,* Katow, qui est ainsi. Aussi n'est-il grand que lorsqu'il donne son poison à ses camarades. Il me semble qu'à ce moment-là il est véritablement réalité humaine parce que rien ne le retient hors du monde, il est en plein dedans, libre et sans aucune défense. Le passage de la liberté absolue à la liberté désarmée et humaine, le rejet du poison s'est opéré cette année et, du même coup, j'envisage à présent mon destin comme *fini.* Et mon réapprentissage doit consister précisément à me sentir « dans le coup », sans défense. C'est la guerre et c'est Heidegger qui m'ont mis sur le chemin ; Heidegger en me montrant qu'il n'y avait rien au-delà du projet par quoi la réalité humaine se réalisait soi-même. Est-ce à dire que je vais laisser rentrer le Moi ? Non, certes. Mais l'ipséité ou totalité du pour-soi n'est pas le Moi et pourtant elle est la *personne*. Je suis en train d'apprendre, au fond, à être une personne. Mais ce n'est pas le but de mon propos actuel. Je voulais indiquer que, n'ayant pas été dans le bain tout de suite, ne m'étant pas senti *responsable,* n'ayant pas eu de soucis d'argent, je n'ai jamais pris le monde au sérieux. Cela aurait pu, en d'autres temps, me conduire au mysticisme, car ceux que ne satisfait point le « peu de réalité » sont tout prêts à chercher la surréalité. Et j'imagine que, il y a quinze ans, ce fut l'origine de la foi surréaliste pour beaucoup (mais non pour tous : l'influence de la guerre, qu'on mentionne souvent, me paraît beaucoup plus décisive pour les chefs). Mais j'étais athée par orgueil. Non par sentiment d'orgueil, mais mon existence même était orgueil, *j'étais* l'orgueil. Il n'y avait point de place pour Dieu à côté de moi, j'étais si perpétuellement la source de moi-même que je ne voyais pas ce que serait venu faire un Tout-Puissant dans cette histoire. Par la suite, la lamentable pauvreté de la pensée religieuse acheva de me fortifier dans l'athéisme. La foi est sotte ou c'est de la mauvaise foi. Ma mère a dû saisir quelque chose de cette froideur frivole à l'égard du monde car elle se plaît à répéter que, quelques siècles plus tôt, je me serais fait moine. Faute de foi, je me suis borné à perdre le sérieux. Il y a sérieux, en somme, quand on part du *monde* et quand on attribue plus de réalité au monde qu'à soi — ou, à tout le moins, quand on se confère une réalité dans la mesure où on appartient au monde. Ce n'est point par hasard que le matérialisme est *sérieux* ; ce n'est pas par hasard non plus qu'il se retrouve toujours et partout comme la doctrine philosophique d'élection du révolutionnaire. Car les révolutionnaires sont sérieux. Ils se connaissent d'abord parce qu'ils sont écrasés par le monde, ils se connaissent à partir de ce monde qui les écrase et ils veulent changer le monde. En cela ils se retrouvent d'accord avec leurs vieux adversaires, les possédants, qui se connaissent aussi et s'estiment à partir de leur situation dans le monde. Je hais le sérieux. A travers un souci sérieux d'ingénieur, le monde entier passe, avec son inertie, ses lois, son opacité têtue ; toute pensée sérieuse est épaissie par le monde et coagule ; elle est une démission de l'homme en faveur du monde. Voyez cet homme qui hoche la tête, disant : « C'est grave ! C'est très grave ! » et essayez de comprendre ce qu'il met dans ce hochement de tête : ceci, que le monde domine l'homme, qu'il y avait des lois et des règles à observer — toutes en dehors de nous, stratifiées, pétrifiées — qui devaient donner un résultat favorable. Et ces règles ont été violées, la catastrophe est venue, voilà l'homme sans recours. Car il n'a plus de recours *en soi* : il est « du monde », le monde s'est installé en lui et ce tabou violé est aussi violé *en lui*. On est sérieux quand on n'envisage même pas la possibilité de *sortir* du monde, quand le monde, avec ses alpes et ses rochers, ses croûtes et ses boues, ses tourbières, ses déserts, toutes ces immensités d'entêtement, vous enserre de tous côtés, quand on se donne à soi-même le type d'existence du rocher, la consistance, l'inertie, l'opacité ; un homme sérieux c'est une conscience coagulée ; on est sérieux quand on nie l'esprit. Ces incrédules dont parle Platon dans le Sophiste et qui ne croient que ce qu'ils touchent, voilà les ancêtres de l'esprit de sérieux. Il va de soi que l'homme sérieux, étant *du* monde, n'a pas la moindre conscience de sa liberté, ou plutôt s'il en a conscience, il l'enfouit avec effroi au sein de lui-même, comme une ordure. Comme le rocher, comme l'atome, comme l'étoile, il est déterminé. Et si l'esprit de sérieux se caractérise par l'application avec laquelle il considère les *conséquences* de ses actes, c'est que tout pour lui est conséquence. L'homme sérieux lui-même n'est qu'une conséquence, une insupportable conséquence, jamais un principe. Il est pris à l'infini dans une série de conséquences et ne voit que des conséquences à perte de vue. Voilà pourquoi l'argent, signe de toutes les choses du monde, conséquence et *de* conséquence, est l'objet par excellence du sérieux. Bref, Marx a posé le dogme premier du sérieux lorsqu'il a affirmé la priorité de l'objet sur le sujet. Et l'homme est sérieux quand il s'oublie, quand il fait du sujet un objet, quand il se prend pour un rayonnement qui vient du monde ; ingénieurs, médecins, physiciens, biologistes sont sérieux.

Or j'étais protégé contre le sérieux par ce que j'ai dit. Plutôt trop que pas assez : je n'étais pas du monde parce que j'étais libre et commencement premier. Il n'est pas possible de se saisir soi-même comme conscience sans penser que la vie est un jeu.

Qu'est-ce qu'un jeu en effet sinon une activité dont l'homme est l'origine première, dont l'homme pose lui-même les principes et qui ne peut avoir de conséquences que selon les principes posés. Mais dès que l'homme se saisit comme libre et veut user de sa liberté, toute son activité est jeu : il en est le premier principe, il échappe au monde par nature, il pose lui-même la valeur et les règles de ses actes et ne consent à payer que selon les règles qu'il a lui-même posées et définies. D'où le peu de réalité du monde et la disparition du sérieux. Je n'ai jamais voulu être sérieux, je me sentais trop libre. Du temps de mes amours avec Toulouse je fis un long poème, fort mauvais j'imagine, intitulé *Peter Pan,* chanson du petit garçon qui ne voulait pas grandir. Toujours ces « petits garçons » et ces « petites filles », ces poncifs de nos rapports amoureux. Je trouve ça, de la part d'un gaillard de vingt ans et d'une forte fille de vingt-trois ans, aussi incestueux que les « Maman » que Rousseau soupirait à Mme de Warens. Mais ce n'est pas mon sujet. En tout cas, ce petit garçon ne voulait pas grandir par crainte de devenir sérieux. J'eusse pu me rassurer : j'ai quatorze ans de plus aujourd'hui et je n'ai jamais été sérieux, sauf une fois entre les murs du cimetière de Tétouan, parce que le Castor voulait me faire mettre mon chapeau de paille et que je ne le voulais pas. J'ai toujours revendiqué la responsabilité de mes actes avec le sentiment de leur échapper complètement par ailleurs. A cause de la tour de la conscience, où je pouvais monter à mon gré.

Mais la question qui m'intéresse aujourd'hui est celle-ci : l'authenticité, en condamnant à tout jamais la porte de la tour, va-t-elle ramener en moi l'esprit de sérieux ? Je crois qu'il n'y a qu'une réponse : non, pas du tout. Car se saisir comme une *personne* c'est bien l'opposé de se saisir à partir du monde. Et pour authentique qu'on est, on n'en est pas moins libre — plus libre même que dans l'hypothèse de la tour — puisqu'on est condamné à une liberté sans ombre et sans excuse. Et enfin être-dans-le-monde, ce n'est pas être *du* monde. C'en est même le contraire. Je voudrais qu'en renonçant à la tour d'ivoire le monde m'apparût dans sa pleine et menaçante réalité, mais je ne veux pas pour cela que ma vie cesse d'être un jeu. C'est pourquoi je souscris entièrement à la phrase de Schiller : « L'homme n'est pleinement homme que lorsqu'il joue. »

Mardi 12 Mars

Vendredi ou Samedi nous repartons sur Brumath. Sans doute pour laisser la place ici à une division qui vient de l'intérieur et monte en ligne. Je suis content de revoir Brumath, j'en ai gardé un souvenir extrêmement poétique. De Morsbronn j'ai une image éblouissante et glacée, très dure, la neige, d'une forte poésie mais pleine de vent. Brumath m'apparaît comme une lumière tamisée et douce. Je revois les petits matins à la taverne de la Rose, les longues après-midi dans la salle d'école. Brumath c'est pour moi le voyage du Castor et mon retour dans la nuit après l'avoir quittée près de la gare — c'est aussi ma crise passionnelle pour T. et ce monde neuf et tragique où j'ai vécu, guidé par St-Exupéry et Koestler. C'est là que j'ai pressenti ce qu'était l'authenticité (dans les tout derniers jours, à la taverne du Lion d'Or), c'est là que j'ai dépouillé ma vieille peau. Je suis curieux de revoir l'Ecrevisse, l'établissement de bains, je me demande l'effet que tout cela me fera. Je n'y resterai guère, pour ma part. Si nous y arrivons le 17, c'est à peine si j'y demeurerai une huitaine. Après quoi je pars en permission et, à mon retour, c'est sans doute le rappel à l'intérieur. Déjà je me dégage lentement des destinées de la division comme d'une vieille écorce. Lorsqu'on me parle de son destin — qu'elle ira peut-être à Bitche, qu'après ce tour de permission nous attendrons peut-être six mois le prochain — tout cela me fait déjà poussiéreux et séché ; cela n'est plus moi. J'ai quelques images de jardin potager à flanc de coteau, très « Ile de France », qui symbolisent au contraire mon avenir prochain. Ça veut dire : poste de météo à l'arrière — parce que, lorsque je faisais mon service militaire au poste météo de St-Symphorien, au-dessus de Tours, M. Ledoux, un météo civil, cultivait son jardin non loin du poste. En somme j'ai une attente obscure et stupide *du poste* de Tours. Naturellement ma raison me dit que je peux être envoyé partout sauf là.

L'Allemagne — essai d'explication par Edmond Vermeil : Sa thèse générale est la suivante : « Ce qu'il y a de malsain et d'exalté, donc de dangereux dans le nationalisme allemand, dans son rêve éperdu de communauté religieuse et raciale destinée à exercer une hégémonie absolue sur ce vieux continent, s'explique par le morcellement territorial de jadis et par le pluralisme des institutions, des tendances et des partis qui lui a succédé dans le cadre de l'Empire bismarckien et de la Constitution de Weimar. Le pangermanisme, en d'autres termes, est la contrepartie des Allemagnes. » Fort bien, cela est évident, au point que je l'avais pensé moi-même, qui ne suis pas fort pour les explications historiques. Mais voilà une liaison de compréhension entre deux natures dont l'une est un *fait :* existence *de fait* d'un morcellement politique et administratif — et l'autre un *idéal :* la « communauté » apparaît comme la possibilité propre de la nation allemande en tant que communauté dirigeante de l'Europe. Tout aussitôt je vois la liaison des significations : l'aspiration à l'unité dépasse la simple unification des Allemagnes — elle vise l'unification des Allemagnes *comme* unification unifiante de l'Europe. Le phénomène d'unification apparaît comme ne pouvant pas ne pas avoir un sens pour la totalité du continent ; l'unification se donne à elle-même un but qui la dépasse et qui ne fait qu'accroître son urgence : elle est unification pour régner. Fort bien, mais cela ne me satisfait pas : je ne vois pas que le morcellement des Allemagnes puisse produire de lui-même cette représentation mythique. L'agencement : morcellement-pangermanisme n'est signifiant que parce qu'il est *humain.* Il faut le concevoir comme existant à travers des hommes qui s'historialisent. Mais il n'est pas admissible non plus que le morcellement agisse du dehors sur des esprits pour les déterminer à forger une représentation mythique de l'unité qui le supprimera. En lui-même le morcellement n'est rien et n'agit pas, tout ce qu'il peut faire c'est se morceler à l'infini. Il ne servirait à rien non plus de montrer le rêve de l'unité surgissant des difficultés que rencontrent les forces unitaires (économiques, culturelles, religieuses) en s'affrontant à ce morcellement et du conflit qui en résulte. Un facteur manque à cette dialectique : toujours le même ; il faut que la résistance soit sentie, il faut que les forces économiques qui se jettent à travers le morcellement soient humaines ; il faut en revenir à l'homme. Autrement dit, cet agencement de natures qui s'offre avec évidence à la compréhension est par lui-même *unselbständig,* il renvoie à la réalité humaine *pour qui* il existe. Il n'est qu'une explication possible : le morcellement est une *situation* et le pangermanisme est la possibilité vers quoi se jette la réalité humaine à travers cette situation. De ce fait, c'est en transcendant le morcellement *vers* le pangermanisme que la réalité humaine le constitue en situation et le saisit comme tel. Sans ce dépassement libre, il ne serait ni situation ni même morcellement de fait. Et s'il était saisi comme morcellement pur ? C'est impossible — ou du moins c'est impossible *d'abord.* S'il était saisi comme morcellement, ce ne pourrait être que par une réalité humaine qui le dépasserait vers autre chose : par exemple vers le fédéralisme. Mais pour le considérer comme morcellement *pur,* comme *fait* de morcellement, il faut que l'esprit opère un recul contemplatif, qu'il essaie de *démembrer* la situation, d'en extraire le donné et de le transformer en *position.* Ainsi n'y a-t-il pas lieu de recourir à ces forces obscures qui sont évoquées si souvent par la sagesse des diplomates, par exemple cette attraction irrésistible qui existerait entre les tronçons d'un pays morcelé et qui le conduirait fatalement à l'unité. Nous sommes à l'inverse de la théorie marxiste du mythe. Le mythe, d'après les historiens marxistes, serait le produit de l'action d'un état de fait *sur* les consciences. Je renverse les termes et je dis que l'état de fait n'est lui-même *constitué* que par le projet d'une réalité humaine à travers lui vers le mythe qui constitue sa possibilité propre. Mais *quelle* réalité humaine ? Il n'en est que d'individuelles et nous voilà renvoyé à un individualisme historique qui s'accommode mal de ces grandes natures collectives. Car il est bien certain que lorsque Vermeil dérive le pangermanisme du morcellement des Allemagnes, il est fort loin des individus. Il ne s'agit pas en effet de savoir ce que Pierre ou Paul peut bien saisir de la situation : nous sommes au niveau de la collectivité nationale. Pourtant, je le répète, il n'y a que des individus. Comment sortir de l'impasse ? Par la notion même de situation, à laquelle nous avons fait appel d'abord. Si l'individu renvoie à la situation et la situation à l'individu, cela ne veut pas dire qu'on peut faire rentrer la situation dans l'individu, en poussant un peu. Pas plus que l'être-dans-le-monde ne signifie que le monde peut tenir dans l'individu. En réalité il y a *un* pangermanisme parce qu'il y a *des* pangermanistes mais il n'y a qu'*un* pangermanisme. Les *situations* corrélatives du projet d'un individu qui se jette dans le monde, de par le *Mit-sein* se proposent comme situations *pour* les autres et l'on *n'est* soi-même qu'en se projetant librement à travers les situations constituées par le projet d'autrui. Je m'en suis expliqué à propos de la patrie. Chaque individu se trouve en face de poteaux indicateurs qui n'indiqueront que *par lui,* mais dont l'indication a déjà été constituée par d'autres. Ainsi le morcellement et le pangermanisme ne peuvent éclore à eux-mêmes que par des individus, mais leur nature déborde infiniment chaque individu — et ne doit se confondre *ni* avec la simple somme des pangermanistes — *ni* avec je ne sais quelle conscience collective qui se saisirait des individus par-derrière et se formerait à leurs dépens. Chaque Allemand surgissant dans le monde, avant la guerre, se trouvait en face du pangermanisme comme situation. Il pouvait se déterminer librement à saisir cette situation de n'importe quelle façon (refuser, mépriser, combattre, adopter, approuver, suivre de loin le mouvement avec bienveillance etc.) mais il lui était impossible de faire que le pangermanisme ne fût pas pour lui une situation, il lui était impossible de ne pas *animer* le rapport « compréhensible » morcellement-pangermanisme. Et, par cette prise de position même — qui était lui-même — il enrichissait la situation *pour autrui,* elle se présentait plus riche, plus souple, plus urgente à autrui. L'historien, en décrivant les rapports de signification entre des idées, des mouvements, une situation politique et des tendances ou des revendications, traite d'objets réels mais qui ont tous le caractère d' *unselbständigkeit.* Et les liens de logique concrète qu'il trouve entre eux renvoient à une réalité humaine qu'ils passent sous silence. C'est leur droit ; ils ne peuvent, même, procéder autrement. Mais l'erreur qu'ils commettent ensuite consiste à montrer ces liaisons comme indépendantes et agissant *ensuite sur* les hommes, alors qu'elles n'existent pas sans les hommes et qu'elles ne sont que ce vers quoi ils se projettent et qu'ils font exister par leur projet même. En ce sens, la description du développement concret d'une idéologie à partir de données politiques devrait s'accompagner d'une monographie d'un des personnages importants de l'époque, pour montrer l'idéologie comme situation vécue et constituée en situation par un projet humain. Nous y gagnerions de voir, au lieu du simple schème compréhensible abstrait (par exemple : morcellement-pangermanisme), une synthèse de significations appartenant aux couches les plus diverses et dont le schème abstrait serait seulement l'axe et la structure centrale. En somme un correctif synthétique de la décomposition abstraite, un peu ce que sont pour Comte les sciences concrètes, recomposition synthétique du réel par l'utilisation simultanée des différentes sciences abstraites — au lieu que les sciences abstraites ne sont que l'étude des conditions de possibilité d'un phénomène général. En ce sens aussi, on pourrait dire qu'il n'y a pas grand mystère ni grande difficulté dans cette séparation des significations en couches parallèles. Elles ne sont telles que parce que l'historien étudie les conditions de possibilité abstraites d'un phénomène concret et humain, en écartant l'humain par principe. La famine, la défaite de la France et le fédéralisme proudhonien sont parallèles et ne se rejoindront jamais si on les abstrait d'abord comme conditions de possibilité de la Commune. Mais dans le projet total de soi que pouvait faire un ouvrier de Belleville le 18 Mars, tous ces facteurs étaient réunis dans l'unité d'un même mouvement.

Au Foyer, deux gardes mobiles jouent au ping-pong. Le lieutenant de la Justice, un méridional dont j'ai déjà parlé, s'approche, l'air aimable : « Voyons si vous êtes aussi habiles à attraper les balles qu'à attraper les délinquants. »

Lu *Angélica,* de Léo Ferrero. Faible. Intrigue absurde : la faute en est à Orlando, s'il échoue dans son œuvre de libération. Le premier devoir d'un révolutionnaire qui a fait la révolution, c'est de prendre le pouvoir. Même si cette révolution a été faite pour rendre la liberté à un peuple. Libérer une nation d'un tyran et puis, l'ayant privée de chef sans lui avoir appris à user de sa liberté, décliner les responsabilités du pouvoir, c'est la livrer pieds et poings liés à un autre tyran. Il n'y a pas de révolution sans dictature. Faute d'avoir été *d'abord* des dictateurs, les chefs de la Commune se sont perdus.

Mercredi 13 Mars

Drôle de changement dans mon humeur. Hier, vers six heures, mes yeux vacillent tout à coup, s'éteignent à moitié et j'ai un quart d'heure d'angoisse nerveuse à vide, cette angoisse que je prenais pour de la folie en 1935. Cela passe et me laisse à plat pour la soirée. Sur quoi, ce matin, je me réveille heureux, d'un drôle de bonheur aux yeux bandés, un bonheur par défaut. Moi qui étais jusqu'à hier sensible et étendu tout partout sur mon univers comme une toile d'araignée — si peu dans mon étroit présent, juste pour sentir couler le temps, me voilà ramassé, cancre, économe, avare même, par incapacité de gonfler mes soucis à l'échelle de ma vie réelle ; je ne me préoccupe plus ni de Paris, ni de mon avenir, ni de l'avenir de la collectivité à laquelle j'appartiens. En veilleuse ; cancre dans un univers raccourci ; j'ai une espèce de volonté frivole et maussade de ne pas me laisser emmerder. Atonie heureuse, plaisirs d'idiot : je fais les mots croisés de *Marianne* avec conscience, je trouve *Le Canard enchaîné* drôle. Tous les objets qui m'entourent me fascinent et me fixent, je plonge dedans. Les yeux toujours très fatigués.

Je descends par un petit raccourci boueux, entre deux longs murs, pour porter mes lettres à la poste. Je regarde la terre noire et jonchée de minces débris de plante et les souvenirs sont là. D'abord, je ne sais pourquoi, une promenade que je fis avec O. sur les quatre heures du matin, en Juin, dans la rue Eau-de-Robec ; cette nuit-là nous ne nous sommes pas couchés. Ensuite un chemin d'Arcachon, tapissé d'aiguilles de pin, où nous marchons, le Castor et moi, entourés d'un silence poitrinaire ; ça sentait la mer, le sable chaud et la résine. J'ai essayé de penser : j'ai eu tout cela, *moi.* Comme mon Roquentin qui essaie de penser qu'il a vu le Gange et le temple d'Angkor. Et ça n'a rien donné. Ce que j'aurais voulu surtout, c'était sentir ce personnage maussade et croûteux — qui portait comme chaque jour des lettres à la poste — revêtu de la passion et, pourquoi pas, de la grâce que je pouvais avoir en cette nuit de Rouen. C'était un moment de ma vie qui avait eu une *valeur.* Je me rappelais tout : nous avions été tourner, dans l'obscurité, autour de la nouvelle piscine et le gardien de nuit était sorti, furieux : « C'est défendu ; si je vous avais foutu une balle dans les fesses, vous ne l'auriez pas volé. » Nous étions repassés vingt fois devant les mêmes lieux, nous les avions vus faire leur toilette de nuit et s'endormir ; le Café Victor qui luisait d'abord de tous ses feux, face à une grande réclame verte de l'autre côté de la Seine, avait vacillé, d'abord il avait fermé et les chaises de l'immense terrasse, empilées les unes sur les autres, s'étaient profilées en ombres chinoises contre la vitre, sur les lumières blafardes de l'intérieur, où la caissière faisait ses comptes, où les garçons dénouaient et pliaient leurs tabliers. Puis ces lumières même s'étaient éteintes et les vitres étaient devenues noires et mates, les chaises avaient été reprises par le dehors, elles appartenaient aux quais, à la nuit, comme les grues immobiles du port. Elles étaient déjà un peu plus ferrailles, un peu moins chaises. L'Océanic avait changé quatre ou cinq fois de clientèle, les belles putains qui servaient d'entraîneuses dans le grand dancing de la ville (j'ai oublié son nom) et que nous avions vues à huit heures descendre des chambres de l'Océanic, pour prendre dans le bar un solide repas, frisées, plâtrées, léchées, poudrederizées, avec leurs robes en lamé, nous les revîmes à minuit, à une heure, en sueur, rouges et dépeignées, soupant avec des types. Puis l'Océanic avait fermé lui aussi ; par les interstices des volets de bois nous avions vu des rais de lumière qui nous avaient appris qu'il restait ouvert, mystérieusement, pour les initiés, pour les amis du patron, une brute silencieuse qu'on appelait le Canadien. Nous avions parcouru des rues étroites et noires, où les pas résonnaient et nous avions instinctivement baissé la voix, dans ces rues, et chuchoté. Puis nous avions été au Nicod Bar, la seule brasserie de Rouen qui restât ouverte toute la nuit ; c'était une atmosphère blême et crue, une lumière aveuglante de sunlights dans une salle bondée où les musiciens qui venaient de quitter le dancing se coudoyaient avec des paysans normands qui attendaient le premier train du matin. Et là, elle avait été malade, elle s'était absentée. Je lui avais dit : « Vous êtes malade ? » et elle m'avait dit : « Je viens de vomir, j'ai tant de sympathie pour vous ce soir que je ne peux pas vous le cacher », d'un air comique et charmant qui m'avait remué le cœur. Et puis nous étions partis, nous avions été dans la rue Eau-de-Robec. Comme le jour se levait, nous étions revenus dans la rue Jeanne-d'Arc et nous avions, dans le petit matin, regardé les souliers aux devantures des chausseurs, parce qu'elle disait toujours que les miens étaient si laids. C'était singulier l'aspect que ces souliers, enflammés encore la veille par les ampoules de la rampe, offraient sous la lumière grise du petit matin, ternes, démaquillés, morts et pourtant insolemment neufs avec le magasin vide et noir derrière eux. Nous sommes remontés jusqu'à la gare, nous nous sommes assis sur un banc du boulevard de la Marne et nous avons joué au poker d'as.

Cette nuit-là est embaumée ; j'avais une valeur — elle aussi, j'en suis sûr ; je n'étais pas très heureux, je n'avais aucun espoir mais nous étions ensemble et je l'avais à moi pour toute la nuit, et la nuit nous enserrait de tous côtés, c'était inutile de chercher à savoir ce qui arriverait le matin (par le fait le matin ce fut une catastrophe, haine, brouille et je ne sais quoi). Je crois vraiment que cette nuit fut pour moi un moment privilégié ; je me demande quel souvenir elle en a gardé. Peut-être aucun, peut-être avait-elle des arrière-pensées que je ne soupçonnais pas, peut-être la haine du lendemain lui a masqué pour toujours l'abandon de cette nuit. Et puis ce n'est plus la même O., ni pour moi ni pour elle. Et moi je ne suis plus le même. C'est ce que je voulais noter ici — et puis je me suis laissé entraîner à décrire cette nuit. Quand le souvenir est venu, je lui ai adressé comme un appel, j'aurais voulu qu'il me colorât discrètement, qu'il me sortît de ma sale peau crasseuse de militaire. Et, en un sens, il a bien répondu, il s'est donné à moi tout autant qu'il pouvait, il s'est ouvert devant moi comme une mère gigogne et a laissé échapper tout un tas d'autres petits souvenirs. Mais il n'a pas fait ce que je lui demandais : il n'a pas *mordu* sur moi. Ce que je voulais être en somme, c'était *l'homme qui a vécu cette nuit.* Je ne voulais pas seulement qu'elle fût *devant moi,* comme un fragment du temps perdu, mais que ma passion d'alors fût en moi comme une vertu. Je voulais justement que ce temps perdu mais vécu avec tant de force ne fût pas, justement, du temps perdu. Je voulais, pour être franc, qu'il « me profite », comme on dit « Mangez donc, ça ne peut pas vous faire de mal et ça vous profitera ». Je me sentais si grêle, si malingre sur ce sentier boueux, tellement « militaire qui va mettre ses lettres à la poste » et seulement cela, que j'aurais voulu m'engraisser de toutes mes amours et mes peines passées. Mais en vain : je me suis senti totalement libre en face de ces souvenirs. C'est la rançon de la liberté, on est toujours dehors. On est séparé des souvenirs comme des mobiles par *rien,* il n'est pas de période de la vie à laquelle on puisse *s'attacher,* comme la crème brûlée « attache » au fond de la casserole ; rien ne marque, on est une perpétuelle évasion ; en face de ce qu'on a été on est toujours la même chose : *rien.* Je me sentais profondément *rien* en face de cette nuit passée, elle était pour moi comme la nuit d'un autre. J'avais pressenti cette faiblesse désarmée du passé, dans *La Nausée,* mais j'avais mal conclu, j'avais dit que le passé s'anéantit. Cela n'est pas vrai, il existe toujours ; au contraire, il existe *en soi.* Seulement il n'agit pas plus sur nous que s'il n'existait pas. Ça n'a aucune importance d'avoir ce passé-ci ou ce passé-là. Il faut pour qu'il existe que nous nous jetions à travers lui vers un certain avenir ; il faut que nous le reprenions à notre compte *pour* telle ou telle fin future. C'est un acte de liberté qui décide à chaque fois de son efficacité et même de son sens. Mais il ne sert à rien d'avoir couru le monde, éprouvé les passions les plus fortes, nous serons toujours, quand il le faudra, ce soldat vide et pauvre qui s'en va porter ses lettres à la boîte ; toute solidarité avec notre passé est décrétée dans le présent par notre complaisance.

J'ai reçu, il y a cinq jours, une lettre des *Cahiers de Paris :* « Monsieur — votre nom a été mis en avant, ainsi du reste que quelques autres, pour le prix du Roman Populiste. Nous vous serions reconnaissants, si vous êtes candidat, d'envoyer un exemplaire de votre livre aux membres du jury, ainsi qu'une lettre de candidature. »

D'abord satisfait : je suis loin, aux Armées, je n'aurai pas y tremper les mains. Toujours cet orgueil qui fait que je ne veux rien demander. Bien content, pourtant, si je devais l'avoir, ce prix de 2 000 francs. Sur quoi je relis la lettre et m'aperçois — catastrophe — qu'il faut faire acte de candidature. Tout cet orgueil insulaire s'écroule, je ne peux plus m'en laver les mains. Alors je m'avise de ce que le prix est *populiste.* Faire acte de candidature c'est me ranger moi-même sous la bannière populiste, puisque c'est un prix populiste que je vais recevoir et que je le réclame. Je décide donc de refuser. Mais la raison profonde est que je veux recevoir le prix comme une alouette toute rôtie et ne pas me compromettre. Fausseté et inauthenticité de ce point de vue. Car enfin, si je dédaigne les prix, il me faut les refuser. Et si je les désire, je dois prendre sur moi de les briguer. La ruse était ici de masquer cette ruade d'orgueil sous le prétexte de refuser le titre de populiste. Sur quoi j'écris la chose au Castor en lui demandant son avis. Certes il était normal de consulter le Castor ;

en toute occasion de cette espèce je l'eusse fait. Mais du seul fait de lui demander conseil, je fais tourner le vent, car je sais ce qu'elle me répondra. Le Castor est authentique sans effort, je dirais : par nature, si l'authenticité pouvait jamais tirer de la nature son origine. Je savais qu'elle me répondrait bonnement : « Qu'importe les étiquettes ; nous avons besoin d'argent. Essayez de l'attraper quand il s'offre. » J'étais donc, en lui écrivant, plus qu'à moitié convaincu par la réponse qu'elle ne m'avait pas encore faite. Ici nouvelle salauderie : sachant que le Castor placerait la question sur le terrain de l'argent, je l'y plaçai moi-même en lui écrivant et, par après, je l'y maintins. D'où la possibilité de colorer de cynisme une acceptation éventuelle : ce que j'en fais c'est pour l'argent, on peut bien faire une démarche un peu humiliante pour de l'argent. C'était encore une façon de m'évader et de calmer mon orgueil : il ne s'agit pas de se soumettre au jugement d'écrivains plus âgés que moi mais de soutirer deux mille francs à des naïfs. Et je me faisais des clins d'yeux en pensant : les bonnes dupes. Ce qui m'était facilité par cette impression — que j'ai toujours eue — que ceux qui prennent mes ouvrages au sérieux sont des gogos. Ceci vient évidemment du « peu de réalité » et de l'impossibilité où je suis de me prendre au sérieux. Mais en fait, suis-je si net ? Qu'est-ce que je pense au juste sur les *prix ?* Eh bien, d'une part cela me met les nerfs en pelote d'imaginer tout le fracas d'applaudissements qui se déchaîne autour d'un lauréat Goncourt, par exemple. Et d'ailleurs l'idée que l'on doit son prix au *jugement* de certains m'est insupportable. Une photo de *Match* représentait le vieux Rosny félicitant Troyat, qui venait d'être couronné. Troyat était penché, respectueux, avec un sourire attentif, le genre de sourire qu'on a quand on essaye de comprendre les paroles d'un vénérable vieillard qui a de la bouillie dans la bouche. Et le vieux disait : « C'est très bien, jeune homme, continuez. » J'en ai eu la nausée. Ainsi le prix en tant qu'il est *donné* me dégoûte. Et certes, je ne trouve pas non plus qu'on ait l'air bien fin lorsqu'on le possède, lorsqu'on devient « Un tel, prix Renaudot, prix Goncourt ». Ça fait couronnement de rosière et on a l'air longtemps d'une rosière, tant que le souvenir du prix ne s'est pas effacé. Mais, je ne sais, il y a un intermédiaire, une façon dont le *prix* apparaît comme phénomène social, tout à fait indépendamment de ceux qui le donnent, plutôt comme le retour d'une fête annuelle et solaire qui vient se poser capricieusement sur une tête élue — et considéré de cette façon-là, c'est-à-dire, au fond, comme bénéficiaire pour un an d'une institution honorifique, je ne me déplairais pas tant. Ainsi le cynisme masque un goût louche pour la consécration. Restait que mon bon petit orgueil saignait encore un peu, parce que, ce prix, je n'étais pas sûr du tout de l'avoir. J'ai joué, malgré moi, le rôle comique de candidat perpétuel en 38-39. Les journaux parlaient de moi pour le Goncourt. Puis Nizan vint quasiment m'offrir le Renaudot, Charensol et Descaves lui avaient dit que l'affaire était dans le sac. Après ces deux vestes, la *N.R.F.* s'agita beaucoup pour me faire avoir le prix de la Renaissance. Ce fut une troisième veste. Enfin la guerre survint, j'oubliai qu'il y eût, même, des prix et puis j'eus la surprise comique de voir que deux obstinés m'avaient donné leur voix, sans que personne les en priât, au Renaudot 39. Tout cela ne m'avait fait ni chaud ni froid, puisque cela s'était débattu en dehors de moi. Mais allais-je pour la cinquième fois prendre le départ pour voir un concurrent arriver cinq longueurs devant moi ? Ça devenait du courage malheureux. Pourtant j'avais je ne sais quelle vague confiance : ça serait pour de bon cette fois-ci. Là-dessus la lecture de cet article de *Match,* en me rappelant que Troyat avait eu le prix Populiste, vint m'ôter un prétexte : Troyat n'a rien d'un romancier populiste. Et puis les membres du jury (Duhamel, Jaloux, Romains) ne sont pas tous populistes non plus. Bref, j'étais ébranlé et c'est ici que ce petit portrait de moi-même que je tente dans ces carnets m'a servi : je me suis rappelé ce que j'avais écrit des ruses de mon orgueil et je me suis décidé, si le Castor m'y encourageait, à faire bravement, à mes risques et périls, figure de postulant. La réponse du Castor est arrivée aujourd'hui, conforme à mes prévisions — et j'ai écrit dix-sept lettres de candidature, j'en avais la main fatiguée. Tout au plus n'ai-je pas pu m'empêcher de choisir les formules les plus dignes, de façon à pouvoir encore me représenter à mes yeux comme celui qui fait le strict minimum pour obtenir ce qu'il désire.

Parallèlement, il se jouait une petite comédie qui, après avoir satisfait mon orgueil, tournait en queue de poisson. *L'Imaginaire* allait paraître. Et Paulhan m'écrivait le 7 : « Wahl songe à vous faire docteur malgré vous, d'accord avec Brunschvicg. Il s'agirait de transformer *L'Imaginaire* en thèse, vous n'auriez rien à faire pour cela qu'à retarder un peu sa publication. » Parbleu, voilà comme j'aime qu'on me traite. Me conférer une dignité *malgré moi,* en s'en excusant presque. J'en étais tout excité et, toujours pour éviter la reconnaissance, j'imaginais Wahl disant à Brunschvicg, comme Favre de Rochefort, le 4 Septembre 70 : « Mieux vaut l'avoir dedans que dehors. » J'écrivis une lettre digne d'acceptation. Mais ce qui est comique, c'est qu'en fait *L'Imaginaire* avait paru entre-temps. Je soupçonne Paulhan, pour les besoins machiavéliques de sa politique, d'avoir attendu pour m'écrire d'être sûr que *L'Imaginaire* paraîtrait avant qu'il ait reçu ma réponse. Deux coups de pied en vache à mon orgueil ou plutôt, car ce n'est même pas de l'orgueil, à ma vanité.

19 h 45. J'apprends à la T.S.F. la capitulation de la Finlande. Impression pénible.

Jeudi 14 Mars

Nous partons pour Brumath demain après-midi. Il paraît qu'on s'y réjouit de nous revoir.

Poupette, qui tape *L'Age de raison,* écrit au Castor : « Cela me rend toujours sinistre de taper les œuvres de Sartre. Parler avec lui c'est réconfortant ; lire ses œuvres et penser à autre chose ensuite, ça pourrait aller encore. Mais vivre là-dedans jusqu'au cou, c'est épouvantable. J'espère qu'il n'est pas à l'intérieur de lui-même comme il dépeint les gens dans ses livres car sa vie ne serait guère supportable. »

Ça me donne à réfléchir : pourquoi Antoine Roquentin et

Mathieu, qui ***sont moi,*** sont-ils, en effet, sinistres, alors que, mon Dieu, la vie ne se présente pas si mal pour moi ? Je pense que c'est parce que ce sont des homoncules. Par le fait, c'est *moi, à qui l'on aurait arraché le principe vivant.* La différence essentielle entre Antoine Roquentin et moi, c'est que moi j'écris l'histoire d'Antoine Roquentin. Il se produit ici quelque chose d'analogue à cette désintégration des fonctions inférieures par quoi Mourgue veut expliquer les hallucinations. Dans toutes nos pensées, dans tous nos sentiments il y a, à sa place, une composante de tristesse affreuse. Mais lorsque l'intégration hiérarchique est rigoureuse, lorsque l'organisation interne est assurée par des principes synthétiques, cette tristesse est inoffensive ; elle se fond dans l'ensemble, comme l'ombre qui fait mieux ressortir la lumière. Mais si l'on extrait du mélange un principe directeur, les structures secondaires, jusque-là asservies au tout, se mettent à exister pour elles seules. La « tristesse cosmique » se pose pour soi. C'est ce que j'ai fait : j'ai ôté à mes personnages ma passion maniaque d'écrire, mon orgueil, ma foi en mon destin, mon optimisme métaphysique et j'ai provoqué en eux de ce fait un pullulement sinistre. Eux, c'est moi décapité. Et, comme on ne peut pas toucher à un tout synthétique sans le faire crever, ces héros sont inviables. J'espère qu'ils ne le sont pas tout à fait comme créatures romanesques et imaginaires, mais ils ne peuvent exister que dans le milieu artificiel que j'ai créé autour d'eux pour les nourrir : outre la tristesse de désintégration que je mentionnais tout à l'heure, ils en ont une autre, plus profonde encore, la tristesse pleine de reproche et d'amertume d'Homunculus dans son ampoule ; ils se savent : inviables, soutenus par une alimentation artificielle et, dans la mesure où le lecteur les constitue avec son temps, il se sent pénétré de la tristesse métaphysique des animaux préhistoriques voués à une disparition prochaine par l'insuffisance de leurs constitutions. Fabrice, au contraire, dans *La Chartreuse de Parme,* même dans ses pires désespoirs est pour son lecteur une source perpétuelle de bonheur parce qu'il est *selbständig.* Il tient sur ses pieds, il est viable, il n'y a chez lui aucune désintégration. Je dis cela sans envie ni humilité : si Stendhal m'est supérieur, c'est pour d'autres motifs. En effet nous ne visons pas le même but. Mes romans sont des expériences et elles ne sont possibles que par désintégration. Il me semble que l'ensemble de mes livres sera optimiste parce que par cet ensemble le *tout* sera reconstitué. Mais chacun de mes personnages est un mutilé. A vrai dire, Mathieu doit devenir une totalité dans mon dernier volume, mais il mourra sitôt après. C'est la raison, je crois, pour laquelle je peux écrire des livres sinistres sans être moi-même triste ni charlatan et en croyant à ce que j'écris.

Ce mot de « pulluler » qui se retrouve souvent sous ma plume et que j'ai encore écrit à la page précédente, il a conservé pour moi le charme qu'il avait dans mon enfance. Ce n'est pas un mot appris, c'est un mot rencontré. Un beau jour, ouvrant un livre illustré de Boutet de Monvel sur l'histoire de France (j'avais six ans) je vis une grande image en couleurs représentant des enfants blonds tout nus environnés de petits cochons roses et propres. C'était un pêle-mêle appétissant ; les cochons foulaient aux pieds les enfants, les enfants tiraient la queue des cochons, ceci dans un paysage gai et préhistorique, la gaieté était figurée par de beaux arbres et de la verdure, la préhistoire par de grands rochers gris creusés de profondes cavernes. En dessous, la légende disait : « Ils pullulent, les petits cochons. » Je ne connaissais pas le mot et cela suffit à me le faire voir avec des yeux émerveillés, dans son individualité pure. Le « pullu » m'amusait fort et la présence des deux l après l'u me faisait penser à bulle — bulle de savon par exemple (le mot « bulle » était déjà pour moi fort voluptueux, tant à lire qu'à prononcer). Et les petits cochons, les enfants, sur le dessin, avaient la légèreté, la propreté aérienne de bulles. Finalement, le mot avant d'être compris eut une signification affective qu'il a toujours gardée : un foisonnement multicolore et pur de ces ballons que les marchands du Luxembourg vendaient alors, accrochés à un long bâton. On voudrait n'écrire qu'avec ces mots-là, mais il n'est pas sûr qu'ils produisent chez le lecteur la même impression et puis il faut des soutènements, un tissu conjonctif de mots à valeur purement sémantique. Du même coup, cette expérience et quelques rencontres analogues m'ont profondément persuadé de la propreté profonde des cochons, à l'inverse de leur réputation ordinaire. Cette croyance n'est pas étrangère à mon goût pour la viande de porc. Au lieu que le veau, blême et triste, a l'air, tout vivant, d'avoir été déjà mâché.

L'indignation que la « lâcheté » suédoise provoque dans la presse française est exactement celle que provoqua il y a trois ans notre attitude à l'égard de l'Espagne.

Une lettre bien significative de Guillaume II lors de son dernier voyage (1912) en Angleterre :

« Je suis logé au château de Windsor dans les chambres de mes parents où j'ai si souvent joué, étant enfant... De multiples souvenirs traversaient mon cœur... Ils réveillaient de nouveau mon vieux sentiment qui m'attache si étroitement à cet endroit et qui m'a rendu personnellement si pénibles, au point de vue politique, ces dernières années. Je suis fier de pouvoir appeler cet endroit ma deuxième patrie et d'être un membre de cette famille royale... J'ai retrouvé aussi dans mes souvenirs l'endroit où j'ai eu une indigestion colossale après avoir mangé trop de pudding. »

Reçu la *N.R.F.* de Mars. Relu mon article sur Giraudoux. J'aurais dû insister sur le « rationalisme de politesse ». Le monde de Giraudoux est un monde d'objets manufacturés. C'est seulement d'une table qu'on peut dire qu'elle a quatre pieds parce qu'elle est table. A rapprocher de la victoire du capitalisme et de l'apparition de l'article en série, qui sort « informé » sans que le travail de l'homme ait été exécuté *sur lui.*

Reçu aussi les 180 premières pages de mon roman, dactylographiées par Poupette. Déception : trop lyrique, l'enchaînement des chapitres n'est pas assez net. Des hésitations sur le caractère de Mathieu et ses aspirations. On ne sent pas assez de passé derrière le présent de chaque personnage. A reprendre.

Vent terrible ce soir ; il emmêle les fils électriques et toute la ville est plongée dans le noir. J'écris ceci à la lumière d'une bougie, éclairage incommode mais charmant.

Vendredi 15 Mars

Départ pour Brumath à 14 h 30 — arrivée à 17 h. Nous retrouvons l'école mais nos bureaux sont au premier étage. Pieter[1] et Paul[2] ont des chambres en ville, moi je couche au bureau.

Samedi 16 Mars

Retourné à la Rose ce matin. Il y avait au mois de Novembre une charmante petite serveuse rousse et stupide, toujours endormie, nommée Jeannette. J'aimais bien la regarder. A présent elle a ébouriffé tous ses cheveux, elle se farde, a une robe haut troussée et dit « Punaise ! » (une division méridionale nous a précédés ici). Alice, la grasse fille brune qui couchait avec n'importe qui, fait à huit heures vingt une entrée tapageuse. Elle porte un manteau de fourrure noire et sent violemment le parfum. Elle a épousé un soldat. Naudin, qui l'a eue, ricane et dit : « Il y a du bon pour les cocus. »

Drôle d'impression pas trop agréable, à la fois de retour au bercail et de dépaysement. Les soldats sont reçus ici à bras ouverts, chacun retrouve sa chacune ou ses logeurs qui en verseraient des larmes d'émotion, mais le jeu se joue sans moi,

1. Malgré les appréciations, parfois agacées, que Sartre a émises sur le caractère de Pieter, ils restèrent proches tout au long de leur aventure militaire ; ils se retrouvèrent au camp de prisonniers en Juin 40, et ils gardèrent des relations amicales après la guerre. Pieter a inspiré à Sartre le personnage de Charlot Wroclaw dans *La Mort dans l'âme. (N.d.E.)*

2. Quelques personnages de *La Mort dans l'âme* doivent beaucoup aux « acolytes ». Paul, quant à lui, inspira à Sartre le personnage du sergent Pierné. *(N.d.E.)*

personne ne me reconnaît et je ne retrouve personne. Sauf la grosse vieille de la Rose qui m'a serré cordialement la main.

Ce que j'ai le mieux retrouvé ce sont les grincements de porte, la nuit, dans l'école sombre et sonore. Ils avaient tous un sens mystérieux et connu, comme une promesse de souvenir. Et il y a une atmosphère passée dans cette école que je ne peux développer mais qui est partout présente. On dit que nous ne resterons pas plus de huit jours et cela m'inquiète un peu pour ma permission. Ce matin, pour la première fois depuis longtemps, je trouve le temps long.

Albert Ollivier, *La Commune*, p. 221 :

« Le libéralisme n'est pas le bon moyen d'assurer la liberté, la Commune devait l'apprendre à ses dépens... La tolérance n'est souvent qu'un opportunisme qui ne veut pas dire son nom. »

Excellente remarque dans *L'Œuvre :*

« Parmi les mauvais slogans qu'a vu naître la guerre, un des plus exaspérants est la fameuse formule : " Le temps travaille pour nous. "

« On dit cela d'un air fin ou d'un air béat, avec un clignement d'œil. Pour un peu on ajouterait : " Le temps travaille, laissons-le faire, gardons-nous de le déranger ! "

« Comment ne se rend-on pas compte que c'est là le meilleur moyen de provoquer l'indolence, le manque d'imagination et le manque d'initiative ?

« Est-ce que le temps travaille pour nous quand la Suède et la Norvège passent du camp des démocraties au camp de Hitler ?

« Est-ce que le temps travaille pour nous quand l'héroïque peuple de Finlande doit subir le diktat russo-allemand ? »

Et cette remarque de Déat : « Le nickel et le fer sont acquis désormais à l'Allemagne, les pays scandinaves deviennent les clients de Staline et surtout de Hitler. Demain sans doute les fjords abriteront les sous-marins allemands, en attendant que des bases d'aviation s'installent en ces terres domestiques... Nous venons de perdre les pays scandinaves. Si on persiste, nous achèverons parallèlement de perdre les Balkans. De deux choses l'une : ou bien on manœuvre par les ailes, en style militaire, puisque le coup de boutoir au centre est sagement exclu. Et alors on utilise les ailes pendant qu'il en est encore temps. Ou bien on admet qu'il n'y a plus d'ailes et que toute opération est interdite. Dans ce cas c'est une autre guerre que l'on fait. Non moins difficile, non moins dangereuse, non moins totale. Mais elle exige une autre diplomatie, une autre organisation économique, un autre moral, une autre propagande, d'autres méthodes de gouvernement. »

Chaumeix (*Paris-Soir*) : « C'est pour l'Angleterre et la France un échec incontestable. »

Notre première défaite. Elle est accueillie ici avec une espèce d'indifférence. On dit : « A présent la guerre durera dix ans. »

Dimanche 17 Mars

Je lis *La Vie littéraire* d'A. France, tome IV, et m'aperçois avec étonnement qu'il écrit comme parle Brichot dans *Sodome et Gomorrhe* et qu'il a certainement servi de modèle à Proust ; même souci de mêler à l'érudition littéraire ou philologique le détail concret qui fait « connaisseur de la vie moderne », pour gagner sur les deux tableaux, même affectation de familiarité avec les hommes célèbres, même façon d'appeler Shakespeare « le grand Will », même *laideur* terrible et profonde sous les artifices du style. C'est *affreux.* Les rapports de Brichot avec Mme Verdurin doivent être en partie inspirés par ceux de France avec Mme de Caillavet.

Lundi 19 Mars

Courcy : obligé de faire du bruit pour s'assurer qu'il existe. Il marche en faisant claquer ses talons, il souffle bruyamment en expirant chaque bouffée de sa pipe, il s'écrie, dans le silence : « Que voulez-vous que la bonne y fasse ? » ou bien : « Alors, mon pote ? » ou encore : « Oh ! dit-il en Japonais. » Chacun de ses gestes, outre son utilité singulière, a pour but second de lui manifester qu'il existe. Un perpétuel « Je bois donc j'existe, je fume donc j'existe, etc. » En ce moment il marche de long en large, il grignote des cacahuètes, il pense qu'il grignote des cacahuètes et ça se voit. J'écris, Hantziger tape, Grener lit. Personne ne s'occupe de lui. Il dit d'un ton éclatant, la tête absolument vide : « C'est pas de la blague, on a envie de se faire hitlérien. » Puis, réfléchissant vaguement sur ce qu'il vient de dire (car il manifeste en parlant et puis réagit à ses propres manifestations) : « C'est vrai, quand on voit comme ça se pâ â âsse. » Ce « pâ â âsse » est ironique — à vide également. Son but est de remplir sa bouche du son « â », qui permettra au palais et à la langue de vérifier leur existence — et, en même temps, d'ôter tout sérieux à ses propos, car il tremblerait de peur si on le prenait pour un esprit subversif ou simplement pour quelqu'un qui peut penser par lui-même. Il s'astreint par politesse et avec stupidité à dire un mot allant et optimiste à chacun. Par exemple à moi brusquement, ce matin — et sans écouter la réponse : « Alors, sacré veinard, c'est pour bientôt la perme. » De temps en temps il joue la violence et la virulence de langage : « Merde ! Ce qu'on se fait chier, mon pote ! » Mais avec une veulerie soigneusement dosée et une sorte de distraction, comme s'il ignorait cet éclat auquel sa bouche seule était intéressée.

Conclusion de cette histoire que j'avais appelée « Mélancolie des permissions » : ma mère, qui connaît le greffier du tribunal militaire, écrit : « Le soldat qui a étranglé cette petite fille, condamné à mort et qui avait vu les préparatifs par un trou dans le mur, hurlait comme une bête. »

Lettre de Bonnafé[1] : « Où prenez-vous que vos écrits (et votre personne) manquent de ce feu de sympathie — qui est comme l'embrassade dans la sueur et dans le sang, les gants encore aux poings, quand on s'est bien cogné ? Mais c'est ce que

1. Ami de Sartre, avec lequel il faisait de la boxe. *(N.d.E.)*

vous avez le plus. M. André Rousseaux[1] n'y comprend rien. »

Il est certain qu'il me voit comme ça — et avec lui, je suis comme ça, parce que j'ai vraiment de l'amitié pour lui. Est-ce que je me suis trompé ? Est-ce que, entouré par des gaillards comme Courcy, pour qui je ne *peux* pas avoir de sympathie, j'ai exagéré ? Il est certain que ce portrait de moi, commencé au hasard, est devenu systématique en dépit de moi-même.

Je n'écris plus guère sur ce carnet en ce moment parce que je suis tout absorbé à écrire le prologue de *L'Age de raison.* Absorbé, animé, heureux. Savoir si toutes ces notes ne correspondent pas à mes moments de basse tension et si je ne me suis pas peint moi-même en basse tension. C'est le défaut des journaux intimes en général. Je suis enchanté d'être revenu à Brumath. Bouxwiller me déprimait.

Un officier anglais dit à sa logeuse alsacienne : « La guerre est finie, chère Madame. Mais il ne faut pas que le public le sache. »

Mercredi 20 Mars

Je relis le journal de Renard[2]. Drôle de type et drôle d'écrivain. Il souffre d'une double contradiction. La première lui est propre, c'est qu'il était fait pour se taire ; il a derrière lui des générations de mutisme. Sa mère parle par phrases paysannes, plus pleines et plus courtes que les autres, son père est un de ces originaux de campagne, dont était aussi mon grand-père paternel qui n'adressa pas trois mots à ma grand-mère en quarante ans de ménage et qu'elle appelait : mon pensionnaire. Il a vécu toute son enfance au milieu de paysans dont il décrit si bien le silence et l'immobilité et qui, d'une façon ou d'une autre, proclament tous l'inutilité des paroles.

1. Critique littéraire, qui n'appréciait guère *Le Mur. (N.d.E.)*

2. Voir dans *Situations I* « L'homme ligoté », étude sur Renard (1945). *(N.d.E.)*

« Rentré chez lui, le paysan n'a guère plus de mouvement que l'aï et le tardigrade. Il aime les ténèbres, non seulement par économie, mais encore par goût. Ses yeux brûlés se reposent. »

Ou encore, description du père Bulot. Une nouvelle servante se présente :

« Le premier jour elle demanda :

« " Qu'est-ce que je vas donc vous faire cuire pour votre goûter ?

« — Une soupe aux pommes de terre. "

« Le lendemain elle demanda :

« " Qu'est-ce que je vas donc vous faire cuire ?

« — Je te l'ai dit : une soupe aux pommes de terre. "

« Le troisième jour elle demanda et il répondit la même chose.

« Alors elle comprit et elle fit désormais, chaque jour, de son propre mouvement, sa soupe aux pommes de terre. »

Ces silences pleins et avares étaient son paysage d'enfance. Poil de Carotte était silencieux, et si Renard était craint et peu aimé dans les milieux littéraires, c'est qu'il allait représenter à domicile, chez ces gens si bavards, les droits de mutisme. Il était fait pour faire un original de village ; il y avait en lui une misanthropie originelle et quelque chose de noueux et de solitaire qui l'apparentait au père Bulot. Seulement cet original avait le goût d'écrire, il est venu *faire* l'original à Paris, affirmer sa solitude dans les compagnies qu'il recherchait, il est venu se taire par écrit. D'où, pour résoudre cette contradiction, la recherche d'une formule littéraire qui soit équivalente au silence : le laconisme. La phrase la plus courte et la plus pleine. Celle qui contient le moins de mots et le sens le plus riche. Et, en même temps, celle qui évitera le plus possible, comme « la soupe aux pommes de terre » du père Bulot, de prononcer ultérieurement d'autres phrases. Elle doit réaliser en elle-même une *économie* par rapport aux autres traductions possibles de l'idée qui vous vient présentement, et aussi une économie pour l'avenir. De là une grande illusion de Renard sur le style : le style, pour lui, c'est l'art de faire court. L'objet de ses études sera donc l'ensemble des moyens pour faire tenir le plus d'idées dans une phrase : c'est-à-dire, comment *ranger* les idées dans une phrase. Le problème du panier : comment faire tenir le plus de briques dans le même panier. De là cet aveu : ce qui l'intéresse dans les romans ce sont les « curiosités de style ». Et on voit bien qu'il est stupide d'aller chercher les curiosités de style dans les romans : d'abord c'est là qu'on en trouve le moins, puisque dans le bon roman, le style s'efface derrière l'histoire. Ensuite, c'est gâcher le roman et n'y rien comprendre. Mais on voit aussi qu'il ne pouvait faire autrement. Il prétend s'être dégoûté de la poésie parce qu'un vers, c'était encore trop long. Ceci pour la syntaxe, pour l'organisation interne de la phrase. Pour les éléments, les *mots,* ils doivent être gonflés de sens, être absolument pleins, sans un vide, c'est-à-dire ne pas valoir seulement pour la signification particulière de l'idée, mais l'enrichir d'au-delà, d'harmoniques. Il appelle Malherbe au secours : « Le beau rôle que pourrait jouer Malherbe en ce moment ! " D'un mot mis à sa place enseigna le pouvoir. " Et jeter au rebut tous les autres mots, qui sont flasques comme des méduses. » Le plus de sens possible dans les mots, le plus de sens possible dans la phrase, dans les articulations. Il se produit ici une sursaturation signifiante. Tout cristallise. Chaque phrase est un silence fermé sur soi et sursaturé. Et le plus curieux c'est que Renard, si acharné à dire le plus de choses avec le moins de mots, n'avait absolument rien à dire. Il n'était pas très intelligent et pas du tout profond. Ce n'est pas à partir de l'abondance des idées qu'il recherche l'économie des mots, mais bien au contraire, il recherche l'économie pour l'économie, poussé par le goût du silence ; c'est *pour se taire* qu'il cherche la phrase et c'est *pour la phrase* qu'il cherche l'idée.

« Comme c'est vain, une idée. Sans la phrase, j'irais me coucher. »

Car il a l'idée naïve qu'une pensée est circonscrite par *une* phrase qui l'exprime. La phrase, entre les deux points qui la bornent, lui paraît le corps naturel de l'idée. Il ne lui vient pas à l'esprit qu'une idée peut demander un chapitre, un volume pour s'exprimer, qu'elle peut aussi être inexprimable, au sens où

Brunschvicg parle de « l'idée critique », et représenter une *méthode* pour envisager des problèmes. L'idée, pour lui, c'est une formule affirmative condensant une certaine somme d'expériences. Idée : condensation d'expériences — phrase : condensation d'idées.

Exemple : « Ça me ferait tant de plaisir d'être bon. »

Et telle est la première raison du pointillisme de Renard : son laconisme l'emprisonne dans la phrase. L'unité de mesure de son style, c'est la phrase. D'une phrase à l'autre il n'y a ni mouvement, ni passage. Il n'y a rien : le vide. Il est voué par nature au discontinu. C'est aussi une des raisons — mais non la principale — de sa recherche constante de l'image. Par l'image, on exprime l'idée et son au-delà harmonique ; on gagne du temps, et des mots encore. Exemple : « Cet homme de génie est un aigle bête comme une oie. » On voit tout ce que le rapport d'aigle à oie signifie, tout ce qu'il nous évite d'approximations. L'image, pour Renard, est un raccourci de pensée. Et par là, ce style savant, cette « calligraphie », dont parle Arène, rejoint le parler mythique et proverbial des paysans. Chacune de ses phrases est une petite fable.

Un silencieux de salon, les sourcils froncés, l'air abrupt, dont toute la personne crie « Je me tais ! Voyez comme je me tais ! » et dont le silence voulu, étudié, artiste, masque un silence involontaire et désarmé d'homme qui n'a absolument rien à dire.

La seconde contradiction qui explique Renard vient de son milieu littéraire. Nous arrivons à la désagrégation totale du réalisme. Le naturalisme de Flaubert et de Zola est devenu le réalisme de Maupassant et Maupassant a engendré Renard. On a voulu se débarrasser du romantisme caché sous l'étiquette naturaliste. Et surtout, les grandes fresques des prédécesseurs leur masquaient tous les sujets. Tous les sujets avaient été traités systématiquement par Zola, et les nouveaux venus ne possédaient pas de méthode qui permît de les renouveler. Renard critique Zola, se moque de la manie du document. Mais il reconnaît pourtant qu'il recherche la *vérité,* comme les naturalistes. Pareillement, après les descriptions de Flaubert et du Parnasse, qui étaient un vaste recensement du réel, un tableau à traits larges (description par exemple du bateau à vapeur au début de *L'Education sentimentale*), ils éprouvaient le besoin de pénétrer plus avant dans la *chose*, de saisir plus étroitement l'objet, l'arbre, le verre sur la table, de pénétrer dans la *pâte* du réel. Mais ils sont retenus par le réalisme même, car pour réaliser cette communion-là avec le réel, il faut de toute nécessité cesser d'être réaliste. Proust le pourra précisément parce qu'il n'est pas réaliste, d'autres encore, qui chercheront la *substance*. On sent constamment cette recherche chez Renard et comme il est freiné parce qu'il ne peut même pas concevoir autre chose que la réalité des apparences. De là le sens profond de ses comparaisons : elles sont faites pour saisir le réel au niveau de son jaillissement, de sa substance. Mais elles sont déviées aussitôt vers le simple rapprochement parce qu'elles sont tirées en arrière ou de côté par une métaphysique tainienne. A l'origine il y a un effort pour tailler l'outil qui s'enfoncera plus profondément dans la matière. Comme on le voit à ces simples notations : « L'odeur forte des fagots secs », « La palpitation de l'eau sous la glace ». Je sympathise pleinement avec ces efforts maladroits pour faire saigner les choses. Renard est un Proust freiné, un Proust manqué, parce qu'il reste sur le plan de l'*observation*. On lui a fait le coup de l'observation en même temps que celui du document. C'était la sagesse de l'époque, une version littéraire de l'empirisme. Il s'est débarrassé du document mais il observe, le malheureux, il observe tant qu'il peut. C'est le 17 *Janvier* qu'il parle de la palpitation de l'eau sous la glace, c'est le 13 *Mai* qu'il parlera du muguet. Il ne s'aviserait pas de parler de la glace un jour de plein été, comme Proust, il n'osera jamais *reconstruire*. Aussi ne fait-il que frôler les objets. Mais tout de même, pour les frôler de plus près, pour épouser leurs courbes et leurs mouvements, il utilisera l'image. Le « comme » de Renard est d'abord une approximation reconstructive : « Une araignée glisse sur un fil invisible comme si elle nageait dans l'air. » Nager a pour fonction ici de rendre la résistance insolite que l'air semble opposer à l'araignée, qui n'est pas du tout celle qu'il oppose à la mouche par exemple, et qu'on ne peut — que Renard ne peut — saisir que par une transmutation d'éléments. Seulement, pour conduire la chose plus loin, il faudrait être persuadé, comme Proust, qu'il n'y a même pas de transmutation, que les notions d'air et d'eau sont apprises et simplement des rubriques commodes, et que la « chose » est par-delà toutes les notions, dont on peut user indifféremment pourvu qu'elles *rendent* l'impression première. Le réalisme de Renard, c'est celui de la science et du bon sens, aussi ses comparaisons sont-elles des rapports à deux termes, dont l'un, le comparé, est cerné, défini, expliqué scientifiquement, solidement posé et terre à terre (une araignée glisse sur un fil invisible : on nous *explique* la raison de l'impression qui suivra, on va jusqu'à supposer ce fil qu'on ne voit pas) — et l'autre terme est aérien ou plutôt « en l'air », sans base, tout de fantaisie et guetté par le féerique. C'est là le gauchissement qui menace toutes les images de Renard. Il écrit : « 11 Juillet 92 : remplacer les lois existantes par des lois qui n'existeraient pas. » Et ses images sont ainsi faites : d'un côté la loi existante : l'objet, de l'autre côté la loi qui n'existe pas : la comparaison. Et finalement l'image est chargée de créer un monde imaginaire où les araignées nagent dans l'air, où « s'évanouir c'est se noyer à l'air libre », où « la lumière est trempée dans l'eau », etc. C'est le goût de la « cocasserie », de la « gentillesse » de Renard. Il prend ça pour de la poésie et il ne s'aperçoit pas qu'il se perd. Il en vient à trouver « délicieux » un mot de St. Pol Roux : « Les arbres échangent des oiseaux comme des paroles » et ne se rend pas compte qu'il n'a ni la puissance nécessaire pour reconstruire la réalité par des comparaisons sévèrement filtrées (comme Proust) et tout entière asservies à la reconstitution tentée — ni l'audace d'abandonner la base matérielle et la terre ferme du sens commun et de créer un surréel comme Rimbaud. Le cul entre deux chaises, c'est la comparaison de Renard. Et il finit par écrire ceci, qui est affreux et stupide et surtout qui *ne signifie rien,* parce que l'image se développe par son propre poids : « Les buissons semblaient soûls de soleil, s'agitaient d'un air indisposé et vomissaient de l'aubépine écume blanche. » Chez Renard, comme dit Gide, la comparaison « se préfère ». Elle est hésitation : elle voudrait saisir des infimes fractions de réel, « scalps de mouche » — mais le réel n'est plus à dire, ou vient trop tard si l'on n'a pas une métaphysique totalement autre, et l'irréel est dangereux, il fait peur ; Renard ne veut pas se perdre et il faudrait se perdre pour l'attraper.

Renard victime de l'impuissance de son époque. Il représente fort bien la désagrégation du naturalisme. Car il va, comme ses contemporains, passer du typique à l'individuel, du continu au discontinu. Les grands types : *le* financier, *la* femme galante, c'est fini. Zola et les grands naturalistes les ont épuisés. Reste le détail, l'*individuel.* « 17 Janvier : Mettre en tête du livre : Je n'ai pas vu des types mais des individus. Le savant généralise, l'artiste individualise. » Mais, bien que ces phrases écrites en 1889 aient l'air d'un avant-goût des professions de foi gidiennes qui réclament des monographies, j'y vois plutôt un aveu d'impuissance. Gide est attiré par ce qu'il voit de positif dans l'individuel. Pour Renard et ses contemporains, l'individuel c'est *ce qui leur reste,* ce qui n'est pas le général et le typique, matière ouvrée par leurs « anciens ». La preuve c'est l'incertitude totale où est Renard touchant la nature de cet « individuel ». En 1889, il s'agace contre Dubus[1] parce qu'il « a des théories sur la femme. Encore ? Ce n'est donc pas fini d'avoir des théories sur la femme ? » Et ça ne l'empêche pas, en 1894, de conseiller à son fils : « Fantec, auteur, n'étudie qu'une femme, mais fouille-la bien et tu connaîtras la femme. » Ainsi l'individuel, bien fouillé, s'éclipse discrètement et nous retrouvons le typique. Cette tendance vers l'individuel était d'ailleurs servie par une conception pluraliste, antifinaliste et pessimiste de la vérité, qui était née des difficultés que les sciences commençaient à rencontrer chacune en leur domaine. Renard écrit : « Nos “ anciens ” voyaient le caractère, le type continu... Nous, nous voyons le type discontinu, avec ses accalmies et ses crises, ses instants de honte et ses instants de méchanceté. » Il n'y a plus *une* vérité de

1. Poète et journaliste, un des fondateurs du *Mercure de France. (N.d.E.)*

l'homme, il y a *des* vérités. Il est curieux de remarquer que France, son contemporain, écrit à peu près vers la même époque dans *La Vie littéraire* (en 1891 — la phrase citée de Renard est de 1892) :

« ... On a dit qu'il y avait des cerveaux à cloisons étanches. Le fluide le plus subtil qui remplit un des compartiments ne pénètre point les autres. Et comme un rationaliste ardent s'étonnait devant M. Théodule Ribot qu'il y eût des têtes ainsi faites, le maître de la philosophie expérimentale lui répondit avec un doux sourire : " Rien n'est moins fait pour surprendre. N'est-ce pas, au contraire, une conception bien spiritualiste que celle qui veut établir l'unité dans une intelligence humaine ? Pourquoi ne voulez-vous pas qu'un homme soit double, triple, quadruple ? " »

Page précieuse dans sa bêtise, parce qu'elle nous livre une des influences philosophiques qui agit directement ou indirectement sur ces littérateurs : Ribot. Et aussi parce qu'elle nous montre que ce pluralisme expérimental était expressément dirigé contre le rationalisme. Tout ce courant pessimiste devait aboutir aux « Désharmonies de la nature humaine » de Metchnikoff et c'est bien une « désharmonie de la nature » que Renard veut entreprendre. Ce qui le justifiera de ne prendre que des instantanés : « En morceaux, s'écrie-t-il, en petits morceaux, en tout petits morceaux. » Nous voilà ramenés, par un autre chemin, celui qu'il appelle pompeusement du Nihilisme, à la phrase, conçue à elle seule comme œuvre d'art. Et, de fait, si la nature est avant tout désordre et disharmonie, le roman est désormais impossible. Renard écrit plusieurs fois que le roman a fait son temps, parce que c'est un développement continu. Si l'homme est une série hachée, mieux vaut faire des nouvelles. « Faire un volume avec des contes de plus en plus courts et intituler ça le *Laminoir.* »

Mais c'est toujours pareil : faute de grives on mange des merles.

Jeudi 21 Mars

Ce qui acheva de ligoter Renard, c'est l'idée qu'il était un

« artiste ». Cette idée d'*artiste* venait des Goncourt. Elle a leur cachet de bêtise vulgaire. Dialectiquement, elle est ce qui reste du poète « vates » de Hugo et du poète maudit de la grande époque romantique. Une malédiction blanche, embourgeoisée, confortable : non plus la malédiction du solitaire jeteux de sort, mais tout juste celle qui pèse sur une élite, heureux malheur qui se réduit à avoir les nerfs comme de la dentelle, et une « cervelle », comme dit Goncourt, particulièrement délicate. Gautier et l'Art pour l'Art, Flaubert et son faux beau style ont passé par là. Et de fait cette notion d'artiste n'est point seulement la survivance d'un grand mythe quasi religieux, le mythe romantique du poète ; elle est aussi le prisme à travers lequel une petite société de bourgeois aisés et cultivés, qui écrivent, se voient et se saisissent comme élite. Elle contient en elle les défauts et les tares de cette société. Curieuse époque où les écrivains vivent entre eux parce qu'ils ne veulent pas encore se résigner à être des hommes parmi d'autres. Il ne me semble pas que les gens qui écrivent se fréquentent aujourd'hui, ni surtout que ce métier commun leur paraisse une raison suffisante de rapprochement. Mais à l'époque, ils se sentent des initiés. C'est un devoir pour eux que de parler entre eux. Le mot de Renard à je ne sais qui : « Vous ne restez pas encore un moment ? Nous aurions parlé littérature. » Car on parle « littérature », on se tient les coudes et on se hait, on se sent un peu méprisé par les autres gens, ceux qui vivent, mais on les méprise encore davantage. On n'est pas extrêmement propres sur soi, mais tellement sensibles. Et c'est là ce qui surprend aujourd'hui : l'écrivain revendiquant d'être artiste au même titre que le sculpteur ou le musicien. Il ne m'est jamais venu à l'idée que j'étais un artiste. Le mot d'ailleurs n'a pas de sens pour moi. Mais je vois Renard s'irriter parce qu'un vieux violoniste prétend éprouver des jouissances artistiques plus grandes que celles d'un écrivain : « Comparaison entre la musique et la littérature. Ces gens voudraient nous faire croire que leurs émotions sont plus complètes que les nôtres... J'ai peine à croire que ce petit bonhomme à peine vivant aille plus loin dans la jouissance d'art que Victor Hugo ou Lamartine, qui n'aimaient pas la musique. »

Ainsi l'artiste ne se caractérise pas seulement par le fait qu'il fait des œuvres d'art, comme on le croirait naïvement, mais parce qu'il a des jouissances d'art. Toujours l'élite. Et ces sensibilités artistiques se mettent en commun. De là chez Renard comme chez tant d'autres de ses contemporains une idée toute formelle de la beauté. La matière est morveuse et sinistre. Mais ces sensibilités d'élite vibrent à la phrase qui exprime avec magnificence ces pauvretés. Le réalisme le plus plat est sauvé par la splendeur de la forme. L'idée que la *matière* de l'œuvre d'art doit être belle aussi leur échappe, ou alors vient les hanter comme un regret. « Le réalisme ! Le réalisme ! Donnez-moi une belle réalité, je travaillerai d'après elle » (30 Mai 1890). Rien n'a jamais été plus faux que cette conception sociale de l'écrivain comme membre d'un collège d'artistes — ni plus toc que cette conception de la beauté comme l'assaisonnement de la réalité.

Renard, un type complètement ligoté. Ligoté par sa famille, par son époque, par les modes littéraires, par son mariage, par son laconisme, stérilisé par son journal. N'a de ressources que dans le rêve. (Assez souvent le rêve tout plat d'un bon petit adultère qu'il n'ose commettre.)

Le désir d'originalité à tout prix de Renard, réaction contre ces devanciers importuns qui ne lui ont plus rien laissé à faire — et contre sa trop grande plasticité, sa tendance trop impérieuse à imiter.

Vendredi 22 Mars

Lettre de Maurice Saillet : « Je m'applique à devenir un vrai mobilisé — espèce plus rare, s'il se peut, que le disponible issu des *Nourritures*. »

Samedi 23 Mars

Grener, fondeur alsacien, communisant : « Ça ne va pas durer cent sept ans. »

Moi : « Non. Mais il y en a encore pour longtemps. »

Lui : « Oh ! les mecs, ils ne s'en ressentent pas beaucoup pour ça. »

Moi : « Et après ? Ceux qui râleront, on les collera contre un mur comme en 17. »

Lui : « Je dis pas. Pas tout de suite. Mais tu verras ! Chez eux tout autant comme chez nous. »

Moi : « Chez eux... »

Lui : « Ce qu'il y a, c'est qu'ils sont plus tenus que nous. Mais t'en fais pas. Si ça chiera chez nous, ça chiera chez eux. Ça peut pas durer c't' affaire-là. »

Il m'arrive tout autant de petites choses qu'en Décembre et j'ai tout autant d'idées. Mais j'ai moins de cœur à les noter. Ce carnet mourra de langueur à moins d'un changement dans ma vie.

Renard : l'événement de sa vie, sans qu'il ait l'air de s'en rendre compte, c'est un changement de milieu : il passe du milieu « harttiste » des Goncourt au milieu du théâtre : Rostand — Capus — T. Bernard — Guitry. Il a besoin pour vivre de la chaleur de Guitry. Toute sa vie se résume dans ce passage de Schwob à Guitry. A préféré l'amitié à l'amour par prudence et par une survivance du sentimentalisme pédérastique de sa jeunesse.

La vie effrayante de J. Renard. Son journal n'est pas tant un exercice de sévérité lucide qu'un coin de complicité honteuse et tendre avec lui-même. C'est la contrepartie des silences en famille de M. Lepic. Il y est déboutonné — ça n'en a pas l'air parce que le style est en habit.

Le passage du journal des Goncourt qui confirme ce que je disais sur la génération de Renard :

« 27 Août 70. Zola vient déjeuner chez moi. Il m'entretient d'une série de romans qu'il veut faire, d'une épopée en dix volumes, de l'histoire naturelle et sociale d'une famille... Il me dit : après les analyses des infiniment petits du sentiment, comme cette analyse a été tentée par Flaubert, dans ***Madame Bovary***, après l'analyse des choses artistiques, plastiques et nerveuses, ainsi que vous l'avez faite, après ces ***œuvres-bijoux***, ces volumes ciselés, il n'y a plus de place pour les jeunes ; plus rien à faire ; plus à constituer, à construire un personnage, une figure : ce n'est que par la quantité des volumes, la puissance de la création qu'on peut parler au public. »

Très bien. Mais *après* les épopées en dix volumes ? Qu'est-ce qu'il reste ? C'est à ce moment que Renard apparaît, Renard l'arrière-queue de cette littérature qui va de Flaubert à Maupassant en passant par les Goncourt et Zola. Un agonisant. Il a agonisé toute sa vie. Et c'est pourtant lui qui a eu le plus d'influence sur toute la littérature d'après-guerre.

Je jure que c'est bien ahurissant — quand on est comme moi et qu'on voit toutes les voies libres pour écrire et pour penser, tout à recommencer, et que, chaque fois qu'on choisit, on a l'impression de s'amputer de mille possibilités vierges — c'est bien étonnant de lire ce journal d'un type qui affirme à chaque page que toutes les voies sont barrées et qu'il faut conquérir l'originalité à la sueur de son front.

Mercredi 27 Mars

Tous ces jours-ci je n'avais pas le goût d'écrire sur le carnet : je terminais au plus vite le premier chapitre du prologue à *L'Age de raison* parce que je devais partir en permission. Je suis un peu dégoûté de mon roman à présent : il me semble maladroit et vide. Après tout c'est une œuvre de début : mon début dans le roman. Il faut le reprendre en entier ; tel quel il est décousu et heurté.

Je suis bien aise de partir en permission, mais plus simplement que la dernière fois. J'ai tout simplement envie de revoir les gens et de revoir Paris. Tout s'est amplifié, tout s'est détendu depuis le mois de Février. Je n'ai pas retrouvé cette tension des premiers mois. Aujourd'hui je travaille, je vis au jour le jour, je suis si adapté à cette vie que je ne la remarque plus. Les temps héroïques de cette drôle de guerre sont finis pour moi. Voilà longtemps que je ne me suis pas soucié de l'authenticité — ni du

Néant. Je crois que je vaux moins que je ne valais à Morsbronn par exemple. Je suis devenu quotidien.

Après le journal de Renard, j'ai lu un fragment de celui des Goncourt qui concerne les années 70-71. D'abord j'ai été agréablement surpris de trouver des pages *pleines* après ces défilés étourdissants de pages vides chez Renard. C'était le siège de Paris, c'était la Commune. Du coup Goncourt a remonté un peu dans mon estime. Mais je n'ai pas tardé à déchanter. Ignominie de ce vieux garçon égoïste, peureux, geignard et maniaque, « hârttiste » par-dessus le marché. Ce qu'il raconte, par contre, éclairé par les livres de Duveau et d'Ollivier, est passionnant.

Commencé à relire *La Condition humaine.* Agacé par une ressemblance fraternelle entre les procédés littéraires de Malraux et les miens. « Il y avait un monde du meurtre et il y restait comme dans la chaleur. » J'aurais pu écrire ça. Je n'ai jamais été influencé par lui mais nous avons subi des influences communes — des influences qui n'étaient pas littéraires. Même façon de buter sur le détail concret (que donne si bien Nizan) et de se rattraper par la peinture d'atmosphère. Même façon patiente de choisir un petit détail (Kyo ne reconnaît pas sa voix en disque parce qu'on « s'écoute avec la gorge ») et de le gonfler de page an page jusqu'au symbole. Même façon un peu heurtée d'entrer brusquement dans le style direct et d'en sortir. Est-ce parce que je vois trop les ficelles ? Aucun des effets ne porte. Je ne *sens* rien. Un très beau passage pourtant (et ça aussi, ça ressemble aux monologues de Mathieu, par exemple) :

« On entend la voix des autres avec ses oreilles, la sienne avec sa gorge. Oui. Sa vie aussi on l'entend avec la gorge, et celle des autres ?... Il y avait d'abord la solitude, la solitude immuable derrière la multitude mortelle comme la grande nuit primitive derrière cette nuit dense et basse sous quoi guettait la ville déserte, pleine d'espoir et de haine. " Mais moi, pour moi, pour la gorge, que suis-je ? Une espèce d'affirmation absolue, d'affirmation de fou : une intensité plus grande que celle de tout le reste. Pour les autres, je suis ce que j'ai fait. " Pour May seule, il n'était pas ce qu'il avait fait ; pour lui seul elle était tout autre chose que sa biographie. L'étreinte par laquelle l'amour maintient les êtres collés l'un à l'autre contre la solitude, ce n'était pas à l'homme qu'elle apportait son aide ; c'était au fou, au monstre incomparable, préférable à tout, que tout être est pour soi-même et qu'il choie dans son cœur. Depuis que sa mère était morte, May était le seul être pour qui il ne fût pas Kyo Gisors, mais la plus étroite complicité. " Une complicité consentie, conquise, choisie ", pensa-t-il... Les hommes ne sont pas mes semblables, ils sont ceux qui me regardent et me jugent ; mes semblables, ce sont ceux qui m'aiment et ne me regardent pas, qui m'aiment contre tout, qui m'aiment contre la déchéance, contre la bassesse, contre la trahison, moi et non ce que j'ai fait ou ferai, qui m'aimeraient tant que je m'aimerais moi-même — jusqu'au suicide, compris... Avec elle seule j'ai en commun cet amour déchiré ou non, comme d'autres ont, ensemble, des enfants malades et qui peuvent mourir. »

Je sentais l'autre jour combien Schlumberger « fait époque » avec Gide. Mais je sens tout aussi fort combien je fais époque avec Malraux (même intellectualisme). Je dois dire que rien n'est porté à la perfection, chez lui. La syntaxe est lâche, les mots sont laids et ambigus, souvent. J'ai l'impression de relire mon premier brouillon.

Jeudi 28

Ministère Reynaud : par la force des choses cet isolé de droite reconstitue une majorité de front populaire, alors que Daladier, président d'un grand parti qui fit le Front Populaire, gouvernait avec une majorité bloc national. Habileté des socialistes, qui ont laissé poursuivre et désagréger le parti communiste par un gouvernement qui n'avait pas leurs voix et qui, l'épuration faite, acceptent la participation. Ce gouvernement durera-t-il ? Je ne sais trop encore comment il est accepté ici. Les officiers réactionnaires reprochent à Reynaud sa « russophilie ». Il semble évident qu'une des raisons de la chute du cabinet

Daladier, c'est son attitude temporisatrice vis-à-vis de la Russie. Le rappel de Souritz exigé par le ministère Daladier semble destiné à donner satisfaction à la droite.

Je pars cet après-midi en permission.

Les soldats, ici, reprochent à Reynaud de n'avoir pas dit un mot dans son allocution radiodiffusée sur « l'héroïsme de nos vaillants soldats ». « Daladier n'y manquerait jamais, lui ! » disent-ils avec regret.

Grande conversation hier soir avec Grener. Avec ce gros homme brutal et grossier, qui rote et pète comme il respire, je fais la putain parce qu'il est ouvrier. Avant-hier soir, écrasé de sommeil et d'alcool, il ronflait sur un banc, pendant que j'écrivais. Tout d'un coup il se lève, les yeux roses, ni endormi ni réveillé, fou, se tourne contre le mur, déboutonne sa braguette et pisse. Je me précipite : « As-tu fini, espèce de salaud. » Il grommelle « Ferme ça », continue à pisser pendant que je le secoue, et s'écroule sur son banc où il recommence à ronfler, à gémir et à s'agiter. Malgré une certaine répugnance physique pour son odeur et sa graisse, je veux lui plaire et j'y réussis d'ailleurs sans peine, car il est flatté que je lui parle. Hier il était disert. Les paroles coulaient de sa face immobile et lourde, comme entraînées par leur propre poids. Toujours la même intonation de véhémence contenue. De brefs silences, comme pour reconstituer sa réserve de mots et puis ça se remet à couler. De temps en temps il boit du vin rouge et sa véhémence s'accroît. Je n'ai pas de peine à l'écouter, d'ailleurs : il m'intéresse. Il hait et méprise les secrétaires, et m'explique son orgueil de tenir de lui-même tout ce qu'il a. « Eux autres, s'ils perdent leur métier, qu'est-ce que tu veux qu'ils fassent ? Ils ne savent pas travailler de leurs mains, ils mendieront. Moi je vaux autant qu'eux, je sais tout faire. On me dit : prenez la hache, je prends la hache ; prenez la scie, je prends la scie. Pendant des années je faisais des coupes de bois en dehors du travail, hein ! C'est comme ça que j'ai pu m'acheter la maison et les deux vaches. Tu comprends pas ça, toi, mais quand on a deux vaches, on est tiré d'affaire. » Je sens très fort sa fierté d'être entouré d'objets qui lui doivent leur existence, qu'il a directement ou indirectement produits par la force de ses bras ; et aussi son sentiment de sécurité vis-à-vis des coups durs : il s'en tirera toujours, parce qu'il peut faire n'importe quoi ; son sentiment de vivre dans une nature hostile et catastrophique qu'il faut et qu'il sait dompter, et son mépris des freluquets secrétaires qui ne peuvent vivre qu'au sommet d'une société matelassée et en ordre. Il râle par ailleurs et se plaint — plus à la manière des paysans que des ouvriers. Il dit : « On charrie Adolphe mais y a du bon dans ce qu'il a fait. On charrie les Soviets mais ils ont fait du bon aussi. »

Réflexion de son fils, douze ans, qui ne veut rien foutre à l'école communale : « J'ai pas besoin de tout ça pour être ouvrier. » Le père a été trouver l'instituteur et lui a dit : « Battez-le. Je me suis emmerdé quand j'étais gosse, il peut bien s'emmerder aussi. »

Œuvre de Jean-Paul Sartre (suite)

UN THÉÂTRE DE SITUATIONS, *essai.*

CRITIQUES LITTÉRAIRES

SARTRE, *texte intégral du film réalisé par Alexandre Astruc et Michel Contat.*

ŒUVRES ROMANESQUES

ENTRETIENS SUR LA POLITIQUE, *en collaboration avec Gérard Rosenthal et David Rousset.*

ON A RAISON DE SE RÉVOLTER, *essai, en collaboration avec Philippe Gavi et Pierre Victor.*

L'AFFAIRE HENRI MARTIN, *textes commentés par J.-P. Sartre.*

CAHIERS POUR UNE MORALE *philosophie.*

Composition Bussière
et impression S.E.P.C.
à Saint-Amand (Cher), 17 mars 1983.
Dépôt légal : mars 1983.
Numéro d'imprimeur : 183/130.

ISBN 2-07-025778-9. Imprimé en France.

31599